D1000318

Les amants
de la pleine lune

ANN VICTORIA ROBERTS

Les amants de la pleine lune

FRANCE LOISIRS

Titre original : *Moon Rising*
Publié par Chatto & Windus, Londres.

Traduit de l'anglais par Françoise du Sorbier.

Édition du Club France Loisirs,
avec l'autorisation des Éditions Belfond.

France Loisirs,
123, boulevard de Grenelle, Paris
www.franceloisirs.com

ISBN : 2-7441-4889-X

En souvenir de mon père, George,
1908-1982.
Il ne jugeait pas et gardait toujours l'esprit ouvert.

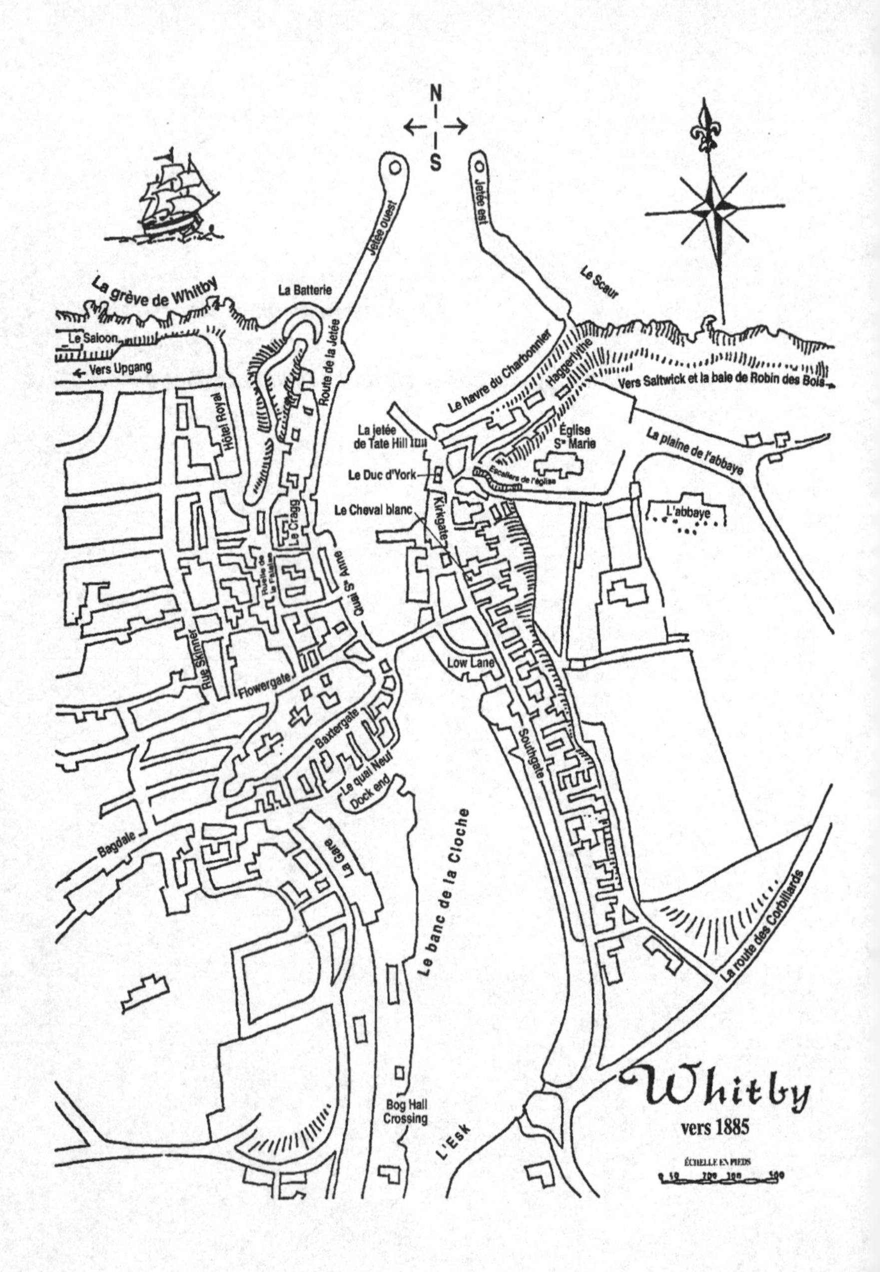
N
S
Jetée ouest
Jetée est
La grève de Whitby
La Batterie
Le Scaur
Le Saloon
Vers Upgang
Route de la Jetée
Le havre du Charbonnier
Haggerlythe
Vers Saltwick et la baie de Robin des Bois
Hôtel Royal
La jetée de Tate Hill
Église Sᵗᵉ Marie
La plaine de l'abbaye
Le Duc d'York
Escaliers de l'église
L'abbaye
Le Cheval blanc
Kirkgate
Le Cragg
Ruelle de la Falaise
Quai Sᵗᵉ Anne
Rue Skinner
Low Lane
Flowergate
Baxtergate
Southgate
Le quai Neuf
Dock end
Bagdale
La Gare
Le banc de la Cloche
La route des Corbillards
Bog Hall Crossing
L'Esk
Whitby
vers 1885
ÉCHELLE EN PIEDS

Soudain, le vent tourna au nord-est ; alors, chose presque incroyable, la goélette étrangère passa entre les deux môles en sautant de vague en vague dans sa course rapide et vint se mettre à l'abri du port.

BRAM STOKER, *Dracula*[1]

1. Nouvelles éditions Marabout, 1978, traduit de l'anglais par L. Molitor.

1

Pendant des années, je m'étais promis de retourner à Whitby. J'y fus rappelée par deux décès : curieusement, ma cousine Bella Firth et mon grand-oncle Thaddeus Sterne avaient quitté ce monde à quelques jours d'intervalle alors que plus de cinquante ans les séparaient. La mort de la première était passée presque inaperçue, tandis que celle du second, comme c'est toujours le cas pour un notable local, avait été entourée d'importantes manifestations publiques de deuil.

Tout en sachant au fond que je ne pouvais me dispenser du voyage, j'ai été tentée, un moment, d'envoyer mes condoléances de Londres, en me disant que les Firth comprendraient. Et il était peu probable que dans la foule qui se presserait à l'enterrement de l'oncle Thaddeus mon absence se remarque, ou même que l'on me reconnaisse après tant d'années. De plus, le voyage n'était pas de ceux que j'aurais spontanément entrepris en plein mois de janvier.

Le court après-midi s'achevait, et je commençais à somnoler quand je fus réveillée en sursaut par l'arrêt du train. Il me fallut quelque temps pour identifier les bruits, mais dans l'obscurité, vers l'avant, la locomotive lâchait des jets de vapeur assez réguliers pour suggérer à mon esprit ensommeillé les vagues recouvrant une plage de sable et les rafales de vent sur les jetées. Cela suffit à me faire frissonner. J'effaçai la buée de la fenêtre avec mon gant et constatai que les rares flocons de neige qui voltigeaient une demi-heure plus tôt étaient devenus un voile flou et blanc.

Alice, ma bonne, eut une mimique plus proche de la grimace que du sourire.

« Nous aurons de la chance si nous arrivons à York dans ces conditions, Madame, alors à Whitby, pensez donc ! »

Convaincue du bien-fondé de sa remarque, j'ouvris mon pendentif en or pour regarder le cadran de la petite montre qu'il renfermait. C'était un des premiers cadeaux que m'avait faits Henry, mon défunt mari, et lorsque je prenais le temps d'y penser ce souvenir m'amusait encore : un homme qui collectionnait les montres devait fatalement avoir le souci de la ponctualité ; or, entre lui et moi, qui avais été élevée parmi des gens qui se repéraient au soleil pour gouverner leur vie comme leur navire, on pouvait s'attendre à des malentendus. Il y en avait eu beaucoup, mais je crois que la plupart d'entre eux avaient fini par se dissiper. Je m'étais évertuée à vaincre mes défauts, et si Henry Lindsey n'appréciait pas forcément mes excentricités, il m'avait toujours traitée avec bonté. Mon attachement envers lui avait été profond, mais ce ne fut qu'une fois veuve que je compris combien je l'avais aimé aussi.

Après sa mort, l'entreprise familiale était passée sous ma seule responsabilité, et j'étais heureuse que Henry et moi ayons travaillé ensemble, car, si nous n'avions pas partagé cette expérience, tout aurait dû s'arrêter. J'aurais été perdue comme une innocente sur la place du marché, à la merci du chagrin, de la solitude, et de meutes de mâles rusés et prédateurs. Presque deux ans s'étaient écoulés depuis sa mort et deux associés compétents étaient en place. Je pouvais donc songer à profiter de la vie avant que le temps ne joue contre moi. Je n'avais pas encore franchi le cap de la quarantaine, mais j'avais l'impression d'avoir dix ans de plus.

Ces temps derniers, comme mon chagrin s'adoucissait, j'avais commencé à songer qu'il serait souhaitable de faire le bilan de ma vie avant de poursuivre mon chemin, et de remettre en question les principes que j'avais toujours considérés comme évidents ou immuables. Je me disais aussi que ces deux morts à Whitby me montreraient peut-être la voie à suivre.

Seulement, les conditions météorologiques semblaient vouloir tout paralyser. Il était déjà plus de six heures, et l'obscurité ne permettait guère de se rendre compte de l'endroit où l'on était. Comme j'essayais de regarder par la vitre encrassée, j'entendis une sorte de gémissement, et le train s'ébranla dans un bruit étouffé de chaînes et de tampons. Saisie, je sentis mon cœur sursauter aussi. Après ce nouveau départ les roues de la locomotive mordaient les rails couverts de neige en dérapant dessus, tandis que la machine haletait à l'unisson. Si l'ennui avait déjà cédé le pas à l'irritation, à ce stade celle-ci se transforma en inquiétude. En temps normal, je ne me serais guère souciée d'arriver en retard, car il y avait plusieurs correspondances pour Whitby dans la soirée ; mais s'il neigeait déjà abondamment au nord et à l'est de York, la ligne qui traversait les landes risquait d'être impraticable.

Il fallait que je sois à Whitby le lendemain à midi au plus tard. Cela me tracassait, et la neige menaçait de compromettre sérieusement ce voyage. Une demi-heure après, lorsque le train entra enfin en gare d'York à une allure de tortue, je me dépêchai afin d'être la première sur le quai. Laissant Alice s'occuper des bagages, j'appelai un porteur puis me dirigeai à grands pas vers le bureau des informations. Tous les trains étaient immobilisés par la tempête de neige. Certes, les lignes principales allant vers le nord et le sud seraient déblayées au plus vite ; avec un peu de chance, dit le préposé, cela ne prendrait que quelques heures. Mais en m'entendant mentionner Whitby et les landes du Nord, il fit la grimace et secoua la tête. Les merveilles du XXe siècle elles-mêmes ne pouvaient triompher du mauvais temps et de l'isolement géographique de Whitby.

Je tournai les talons, remarquant distraitement au passage un homme grand et fortement charpenté qui se tenait à côté de moi dans la foule. Je le contournai et me hâtai de rejoindre Alice. Quelques minutes plus tard, suivies par le porteur, nous nous dirigeâmes vers l'hôtel de la gare, où il y avait déjà, hélas, un monde fou. Les gens, au coude-à-coude, se bousculaient dans le hall pour atteindre le comptoir de la réception, où, semblait-il, ceux qui poussaient le plus fort pourraient avoir une chambre. L'ambiance était celle d'un champ de courses ou d'une salle des ventes, mais le personnel de la réception restait impassible, refusait de se laisser intimider et observait une parfaite neutralité à l'égard de chaque voyageur. Au bout d'un moment, je me redressai de toute ma taille pour qu'on s'occupe enfin de moi, et obtins sur l'arrière de l'hôtel une chambre à peine plus grande qu'un placard à balais, qui fit piètre impression sur Alice. Néanmoins, elle était meublée d'une bergère, d'un lavabo et d'un lit de camp, ce qui était mieux que rien.

Comme il n'y avait pas assez de place pour que deux personnes y évoluent en même temps, je m'examinai dans le miroir, remis en place quelques boucles récalcitrantes, ajustai mon chapeau orné d'une aile de corbeau et laissai Alice ranger nos affaires de nuit. Je retraversai le foyer de l'hôtel pour regagner le hall de la gare. Malgré le froid, j'éprouvais le besoin de prendre l'air et de bouger après avoir été cloîtrée dans le train pendant toutes ces heures. J'affrontai tête baissée les tourbillons de flocons venant de la gauche et faillis heurter de plein fouet un homme robuste et bien emmitouflé qui arrivait sur ma droite. Je fis un pas de côté, murmurai une excuse, ignorai les bras qu'il tendait pour m'empêcher de perdre l'équilibre et continuai ma route. Alors seulement me vint une soudaine impression de familiarité. La taille et la corpulence de l'inconnu me donnaient à penser qu'il pouvait être l'un de mes nombreux cousins, un membre lointain du clan Sterne revenant au pays, comme moi, pour les funérailles du vieil oncle Thaddeus. Mieux valait donc l'éviter. Lorsque je me retournai pour regarder à nouveau, il avait disparu.

L'air âcre, chargé de suie et d'exhalaisons soufrées, vibrait au rythme des grondements sourds des machines et des jets brusques de vapeur lâchés comme en écho. Ce n'était peut-être pas l'endroit idéal pour marcher, mais il était infiniment préférable aux salles d'attente bondées empestant le tabac. De toute évidence, je n'étais pas la seule à le penser car les quais n'étaient pas déserts, malgré les rafales de vent glacial qui s'engouffraient sous la grande arcade de la gare. Il faisait sombre sous les piliers métalliques, avec, çà et là, des îlots de lumière crue, des ombres tremblotant au gré du vent et, au bout du quai, un spectacle extraordinaire qui avait provoqué un attroupement. Illuminé par des lampes électriques juste à l'intérieur de l'arche, la neige tourbillonnait et tombait en cascades sans fin, comme du duvet d'oie à Noël, et se déposait pour former sur les rails une couche aussi tentante qu'un lit fraîchement préparé.

Du moins ce fut l'image qui me vint aussitôt à l'esprit. Je pensai avec nostalgie à des lits de plume, à des draps blancs et doux. Les flocons tourbillonnants exerçaient un attrait magnétique. La foule s'agglutinait, tous les yeux étaient levés vers cette avant-scène formée par l'arche qui s'ouvrait à l'extrémité de la gare, comme ceux du public un soir de première. Les gens se parlaient sans se connaître, ce que je constatai sans y prêter attention, lorsque j'entendis une voix masculine derrière moi déclarer d'un ton bourru mais amusé :

« Si seulement on pouvait produire le même effet sur une scène, on jouerait à bureaux fermés pendant toute la saison ! »

Je connaissais cette voix, son timbre et son intonation, bien qu'elle fût plus grave que dans mon souvenir. Je pensai d'abord que l'homme s'adressait à quelqu'un d'autre et hésitai à me retourner ; quand je le fis, je vis seulement l'homme que j'avais failli bousculer en sortant de l'hôtel et dont j'avais remarqué auparavant le regard fixé sur moi dans la file d'attente devant le bureau des informations. Mes lèvres esquissèrent un sourire, mon regard l'effleura et se détourna, puis, sidéré, revint se poser sur lui.

Il ôta le chapeau à larges bords qui lui cachait jusqu'alors le visage, m'adressa un bref salut et grimaça un sourire qui contrastait avec l'intensité de son regard.

« C'est bien Damaris Sterne ! Je ne m'étais pas trompé ! » dit-il.

Sous l'éclairage cru, ses yeux n'avaient pas changé, et mon sourire se figea en le reconnaissant. Il y avait longtemps que je ne m'étais entendue appeler par mon nom de jeune fille, mais je ne dis rien. Pendant un bref instant, je restai paralysée par l'incrédulité ; puis, aussitôt après le choc, vint une bouffée de culpabilité si vive que je sentis mon visage et ma gorge me brûler. La douleur abolissait les années passées depuis notre dernière rencontre : elle aurait pu dater de la veille, bien que la moitié d'une vie se fût écoulée depuis.

J'étais totalement prise au dépourvu. Reculant d'un pas, je faillis tomber ; ce qui serait arrivé s'il ne m'avait pris le coude pour me retenir. En l'occurrence, j'aurais préféré l'aide d'un inconnu. Je le repoussai d'un geste irrité, ne voulant pas me souvenir de la première fois, tant d'années auparavant, de ce jour où il m'avait retenue au bord d'une falaise.

Je fis un effort pour recouvrer mon calme et cherchai Alice du regard, puis me souvins qu'elle se trouvait à l'hôtel. J'aurais donné cher pour être à l'abri, cachée, et à mille lieues de cet endroit où régnait un froid glacial.

« Ah, tu te souviens de moi, quand même », dit-il à mi-voix. Une constatation où l'on sentait plus de regrets que de satisfaction.

Bien sûr que je m'en souvenais. Comment aurais-je pu oublier ? Mais il avait tellement changé que pendant quelques secondes mon esprit refusa d'accepter la vérité. Je le regardai plus attentivement, m'efforçant de concilier l'image du personnage qui se trouvait devant moi avec celle de l'homme plus jeune que j'avais gardée en mémoire. J'aperçus des poches sous les yeux, un cou épaissi, et un manteau dont le col en astrakan évoquait toujours un peu son théâtreux, style qu'il prisait tant jadis. Le manteau était encore bon, mais plus tout neuf. Sous le chapeau à larges bords, ses cheveux gris étaient bien coupés, et sa barbe, où il y avait moins de poivre que de sel, était taillée comme celle du roi. Il était aussi grand que dans mon souvenir, mais beaucoup plus corpulent : il me sembla que son tour de taille trahissait des années de bonne chère et de confort au cours desquelles il avait laissé un physique puissant s'empâter. Je trouvais le changement déconcertant, mais ce qui me troublait le plus était de le voir si gris. Dans sa jeunesse, il avait été très beau, avec des traits accusés et réguliers et une chevelure brune épaisse. Par contraste, sa barbe était à l'époque d'un roux flamboyant et cuivré, presque de la même couleur que mes cheveux aux boucles rebelles. Lors de notre rencontre, c'était elle que j'avais d'abord remarquée.

Si les changements survenus en lui me surprenaient, sa présence m'avait donné un choc. Fort désagréable au demeurant. Aussi me détournai-je pour cacher mes émotions.

« Excusez-moi, dis-je sur un ton que j'espérai sans réplique, je ne vous connais pas. Et si vous continuez à m'importuner, monsieur, je me verrai obligée d'appeler la police. »

Loin de se démonter, il se mit à rire.

« Allons, tu n'es pas sérieuse.

— Bien sûr que si ! (Ma voix était rauque, car j'avais du mal à contrôler mes tremblements. J'aurais voulu m'éloigner mais craignais que mes jambes ne se dérobent.) Laissez-moi tranquille, je vous prie.

— Mais je n'ai pas de mauvaises intentions ! protesta-t-il doucement. (Et, d'un geste expressif bien à lui, il désigna sa canne et son infirmité manifeste.) Je ne pourrai même pas te suivre si tu ne marches pas à mon rythme ! »

Voilà qui rendait ridicule mon désir de partir en courant. Malgré mes muscles réticents, je m'obligeai à bouger, car une ou deux personnes autour de nous commençaient à trouver notre conversation plus intéressante que les cascades de flocons.

« Qu'est-ce que tu veux ?

— Parce que je devrais vouloir quelque chose ? demanda-t-il d'un ton de reproche comme nous tournions tous deux les talons pour nous éloigner lentement en redescendant le quai. Cela ne suffit donc pas que je t'aie vue, reconnue et que je te retrouve si peu changée après toutes ces années ?

— Tu trouves que je n'ai pas changé ? demandai-je, assez vexée, mais incapable de retenir un éclat de rire moqueur.

— Oh, Damaris ! (Je fus encore agacée de m'entendre appeler par ce nom d'autrefois.) Nous avons changé tous les deux, fatalement. Et même plus qu'il n'y paraît extérieurement. J'étais jeune et fort à l'époque. Et toi, tu n'étais qu'une gamine toujours prête à grimper sur les falaises ou à en descendre et à poser pour le premier photographe venu. Il n'empêche que j'ai bien cru te reconnaître dans le train, malgré tes jolies plumes, dit-il avec un regard malicieux vers mon chapeau. Au début, je n'étais pas sûr, mais quand je t'ai vue arpenter le quai, courbée en deux pour lutter contre le vent... »

Je me demandai s'il s'agissait d'un compliment, car il était entendu que les dames se promenaient, mais n'*arpentaient* jamais rien. Je crus aussi déceler une intention perfide dans son allusion aux photographes et serrai les dents. À défaut d'une repartie sarcastique appropriée, je répondis « Tu me flattes ! » en attendant de savoir quel parti prendre. Je voyais bien que ses remarques badines visaient à m'empêcher de lui opposer d'autres refus et qu'il était bien décidé à ne pas me quitter de sitôt. Sans doute aurais-je pu déjouer ses visées en l'abandonnant à son propre sort ou en faisant un scandale, ou, en dernier ressort, en allant me plaindre au chef de gare d'être importunée, mais je n'y songeai pas sérieusement. La partie logique de mon esprit, qui se remettait rapidement du choc, savait que ce voyage était dans une certaine mesure une démarche pour régler les vieux comptes sur la liste desquels mon compagnon actuel méritait sans le moindre doute de figurer. Sans que je l'aie provoquée ni recherchée, l'occasion si souvent souhaitée de prendre ma revanche m'était à présent offerte.

Cette idée me rasséréna. Je me sentis plus forte et mieux armée face à la situation. Quant au choc que j'avais éprouvé, je décidai de l'ignorer et m'abritai derrière le masque de femme du monde un peu coquette qui m'avait été si utile dans mes affaires. Arrivée au portillon, je lui jetai un regard de biais et, voyant qu'il avait l'œil fixé sur moi, je lui adressai un sourire de connivence pour faire bonne mesure.

« Eh bien, puisque tu as percé mon déguisement à jour, veux-tu te joindre à moi pour dîner ? Permets-moi aujourd'hui de te rendre ton hospitalité et de t'inviter, en mémoire du passé. »

Comme il semblait hésiter, j'ajoutai :

« Qu'une chose soit bien claire entre nous : je ne m'appelle plus Damaris, mais Marie, Marie Lindsey. *Mrs* Lindsey, pour être plus précise. »

Il m'adressa un sourire et un petit salut moqueur.

« Merci, madame Lindsey. Bien que ce ne soit pas nécessaire, je...

— Oh, mais si, mon cher, c'est tout ce qu'il y a de plus nécessaire, dis-je avec mon sourire le plus enjôleur. D'ailleurs, j'insiste. »

Il était difficile de trouver un coin tranquille dans un hôtel aussi bondé, mais la direction avait ouvert les pièces de réception afin que tout le monde puisse s'asseoir et jouir d'un confort relatif. Les garçons apportaient les boissons du bar avec diligence, et un pourboire judicieux nous assura une table pour dîner une heure plus tard. Entre-temps, je laissai mon compagnon devant son whisky et rejoignis Alice.

Je lui dis de descendre prendre un bon repas et, comme je ne rentrerais sûrement pas très tôt, de s'installer dans le lit en m'attendant. Elle me dit qu'elle s'étendrait avec son couvre-pied et je lui promis de la réveiller quand je remonterais. J'ignore ce qu'elle pensait de ma rencontre fortuite – sans doute pas grand-chose, car le monde du commerce maritime et de la finance m'avait fait côtoyer beaucoup d'hommes –, mais elle aurait été surprise si elle avait connu les détails de mes anciennes relations avec celui que je descendais rejoindre.

Je n'avais pas non plus l'intention de révéler ces détails. À la vérité, il m'avait beaucoup coûté d'en garder le secret pendant toutes ces années ; néanmoins, je m'étais souvent demandé comment mon compagnon, qui avait toujours cultivé l'amitié des gens riches et célèbres, aurait réagi si l'affaire avait été rendue publique.

Sans doute avait-il à présent plus de recul qu'à l'époque, mais il fallait encore songer à sa femme, cette chère, cette inimitable Florence. Elle avait eu ses propres amants – bien que le mot fût à entendre au sens romantique et courtois, naturellement, puisqu'on l'adorait pour sa beauté délicate et qu'elle s'efforçait de préserver l'illusion de sa pureté. Loin d'elle les étreintes moites du commun des mortels et, autant que je sache, les rapprochements sans passion du lit conjugal. Nous ne nous étions jamais rencontrées, mais je pensais toujours à elle comme à une femme intouchable, un peu l'incarnation d'un portrait de Burne-Jones : une beauté régulière, parfaite et ennuyeuse.

Elle avait vingt ans lorsqu'ils s'étaient mariés, mais il la connaissait depuis deux ans. J'avais dix-huit ans lorsque nous nous étions rencontrés, lui et moi. Hormis la couleur de cheveux, ce qui est un trait capital, certains auraient pu dire que Florence et moi n'étions pas si dissemblables : grandes et minces comme des roseaux ; et si elle avait un profil d'une délicatesse exquise

– ce à quoi je ne pouvais certainement pas prétendre –, j'avais en revanche le type de chevelure rousse et bouclée pour laquelle Burne-Jones se serait damné, le genre de chevelure qui se remarque au premier coup d'œil, le genre de chevelure qui faisait l'admiration de son mari.

Quand je pensais à l'intensité des sentiments qui nous avaient unis, je me demandais comment il avait bien pu l'épouser. Mais, si cette chère Florence n'avait pas d'argent, elle possédait la beauté et, paraît-il, ce charme irréel qui semblait ensorceler les jeunes gens romantiques. Elle comptait même au nombre de ses soupirants à Dublin le jeune Oscar Wilde qui l'avait suppliée de lui accorder sa main.

Toujours est-il qu'elle repoussa Oscar. L'esprit du jeune aristocrate risquait-il d'éclipser la beauté de la demoiselle, je l'ignore, toujours est-il qu'elle lui préféra un homme au physique plus puissant, dont les espérances sociales et professionnelles étaient plus excitantes. Il fut séduit par sa beauté et, comme il avait plus de trente ans, qu'il était temps qu'il se marie et qu'il pouvait enfin se le permettre, il lui demanda sa main. Du moins est-ce la version qu'il me donna. Quelques années plus tard, conscient que ses erreurs le détruisaient et voyant se déliter tout ce qui donnait un sens à son existence, il fit sa valise et prit le train pour Whitby.

Plus de deux décennies s'étaient écoulées depuis. Ce matin encore, je pensais avoir une perception normale des choses, mais au cours de la dernière heure le temps s'était comme déformé, rendant le passé lointain soudain plus réel que le présent. Cela dura jusqu'à ce qu'en rejoignant mon compagnon je sois à nouveau déconcertée par son apparence.

Lorsque je m'assis à côté de lui, il leva son verre et fit un commentaire maladroit sur les intempéries, qui une fois de plus nous avaient réunis de façon tout à fait extraordinaire.

À mon sens, on pouvait difficilement parler de coïncidence

pour quelque chose qui ne s'était produit que deux fois en vingt et un ans, et je le lui dis. Il essaya un autre angle d'attaque.

« Je t'ai entendue parler de Whitby. Y habites-tu toujours ?

— Grands dieux non ! répondis-je avec un sourire figé. Mon mari et moi avons vécu surtout à Londres. (En le voyant me jeter un bref regard, je secouai la tête.) Non, nous ne sommes pas voisins, enfin, pas si tu es encore à Chelsea. J'habite à Hampstead et ma maison domine la lande. »

Il eut un petit rire surpris. Au début, je crus que c'était à cause du chemin que j'avais parcouru – après tout, je m'étais conquis une place au soleil depuis notre dernière rencontre –, cependant il se ravisa et dit avec tristesse :

« Apparemment, tu en sais beaucoup plus long sur moi...

— Le contraire serait surprenant – ou plutôt, il l'aurait été à une certaine époque. On ne parlait que de toi dans les journaux de Londres. »

C'était peut-être une exagération, mais il y avait eu assez de chroniques théâtrales et d'échos de carnet mondain pour me tenir au courant de ses activités. Dans l'espoir d'en apprendre davantage, je fis un gros effort pour sacrifier à la politesse, et mes paroles eurent beaucoup de mal à sortir.

« J'ai été désolée d'apprendre dans le journal la mort d'Irving, l'an dernier, dis-je.

— Oui, cela faisait quelque temps que sa santé était mauvaise, répondit-il après une pause, le visage impassible. Mais cela n'en a pas moins été un grand choc. L'ironie du sort a voulu que cela arrive pendant sa tournée d'adieux. Nous étions au Royal Theatre de Bradford, et il jouait dans *Becket*. (Il regarda le fond de son verre et ajouta à mi-voix :) Il me manque toujours. Nous étions amis depuis plus de trente ans, tu sais. »

Exaspérée par sa fidélité, je préférai détourner les yeux et, poussant un soupir qui pouvait passer pour une expression de regret, je repris :

« Oui, vous étiez très amis, je m'en souviens. Mais il avait une façon de t'exploiter... Mon Dieu ! »

Il prit un peu la mouche :

« Irving était un homme hors du commun, le plus grand acteur de sa génération. J'ai eu le privilège de vivre dans son intimité.

— Assurément, c'était un grand acteur, l'un des meilleurs, toutes générations confondues. Et tu l'as bien servi, car tu as fait beaucoup plus que ne l'exigeaient tes obligations. Mais lui, que t'a-t-il donné, hein, en dehors de l'occasion de le regarder jouer tous les soirs en coulisse ? demandai-je d'une voix sarcastique.

— Nous étions amis », déclara-t-il, se détournant à demi.

Visiblement, il lui était encore pénible d'aborder ce sujet. Je me demandai un instant si le style flamboyant d'Irving leur avait attiré des ennuis à tous deux, mais lorsqu'il se tourna pour me regarder il arborait un sourire déterminé.

« Parlons d'autre chose. De toi, par exemple. Tu sembles tout savoir de ma vie, alors que j'ignore tout de la tienne. Qu'est-ce qui t'amène à retourner à Whitby après toutes ces années ? »

Saisie par l'ironie de la situation – notre rencontre, les circonstances où elle s'était produite, et même la curiosité soudaine de mon compagnon –, je faillis m'esclaffer, car un rire hystérique et dément bouillonnait en moi. Qu'allait-il arriver ensuite ? J'en venais presque à le redouter. La tentation me vint de m'excuser et de regagner ma chambre. Là, au moins, je pourrais prétendre que rien de tout cela n'avait la moindre importance. Tout était fini, révolu, tout appartenait au passé. J'étais une femme mûre, une riche veuve ; et plus la jeune fille impulsive et impressionnable de jadis. Quant à mon adversaire, il approchait de la soixantaine. Alors, pourquoi tremblais-je en le regardant ? Pourquoi ses yeux gris me rappelaient-ils encore des choses qu'il valait mieux laisser dans l'oubli ?

Une table fut mise à notre disposition, ce qui était peut-être préférable, car pendant le dîner nous fûmes obligés de discuter de sujets moins litigieux (encore que pour moi, en sa compagnie, la plupart des choses fussent litigieuses). Je ne me rappelle pas ce qu'il y avait au menu, seulement que les plats se succédèrent et qu'à la fin du repas mon estomac trop lourd interdit à mes nerfs toute rébellion. Je bus aussi plus que de coutume, ce qui, pour une fois, eut un effet plutôt apaisant. Je pus ainsi parler de ma vie avec sérénité, raconter la façon dont j'avais fait la connaissance de mon mari et le formidable défi qu'avait représenté mon travail à ses côtés dans la City durant dix ans. Lorsque je l'avais rencontré, Henry Lindsey était veuf et sans enfants, et à son grand regret nous n'avions pas eu le bonheur d'en avoir. Mais cela, comme je l'expliquai à mon compagnon, ne me chagrinait pas outre mesure. J'aimais mieux me colleter aux difficultés des chartes-parties plutôt que d'organiser des goûters d'enfants et préférais les cargaisons lucratives aux berceaux enrubannés.

C'était un petit discours bien rodé mais, comme il le crut franc et original, il fut à la fois impressionné et amusé. Il y avait une part de vérité dans ce que j'avais débité avec aisance et, si les faits bruts étaient moins agréables, il n'y avait pas lieu d'en parler. Pour l'instant, il suffisait qu'il sache que je n'avais pas d'enfants. Une raison supplémentaire pour moi d'envier l'inestimable Florence : même si elle éprouvait de l'aversion pour l'amour physique et pour son mari – comme il l'avait prétendu jadis – au moins, elle avait un fils avec lui.

Il y avait peu de tables dans la salle à manger, et nous fûmes invités à prendre notre café ailleurs. Nous finîmes par trouver deux bergères dans un coin de la bibliothèque. Un jeune serveur très désireux de gagner des pourboires remit du charbon dans la cheminée et s'assura que nous avions du café et des liqueurs à discrétion, surtout après minuit, lorsque la plupart des clients furent remontés dans leur chambre. J'en aurais sûrement fait autant si je n'avais été comme mon compagnon sous le coup de cette rencontre fortuite. Ayant entrouvert la boîte de Pandore, nous étions incapables d'en refermer le couvercle. À ma grande surprise, et à ma grande consternation également, je m'aperçus que lui non plus, en fin de compte, n'avait oublié aucun détail de notre liaison, et qu'il était tout aussi capable que moi d'en évoquer les moindres incidents et péripéties.

L'intimité de ces heures après minuit fit affluer les souvenirs. Obscurité, clandestinité, aveux et chuchotements, peurs et passions si fortes qu'elles semblaient toujours bien vivantes. Ces souvenirs étaient troublants, et la peine qu'ils me causèrent m'irrita ; je crois néanmoins que ma colère était un avantage dans la mesure où elle bannit la prudence et la politesse élémentaires et me poussa à parler avec une honnêteté qui aurait pu choquer tout autre que lui. Peut-être fut-il choqué lui aussi, mais je m'étais tue si longtemps que cela me fit grand bien de pouvoir dire librement ce que j'avais sur le cœur sans me soucier des conséquences.

Si j'ai maudit le sort ce soir-là, assise dans mon fauteuil, mon compagnon, lui, eut l'élégance de ne pas me rappeler que d'autres auraient donné cher pour être à ma place. J'en étais consciente et, dans les moments difficiles, il me suffisait de penser à ma cousine Bella pour apprécier ma chance ; encore que l'idée ne me fût d'aucune consolation. Bella était morte, ce qui me fournissait un autre motif de colère. Si les Parques voulaient leur victime expiatoire, pourquoi était-ce Bella, et non sa jumelle, Isa, qui se trouvait là dans son linceul, demandai-je à mon compagnon.

La mort d'Isa n'aurait pas été pour me déplaire, et j'aurais surmonté toutes les difficultés éventuelles, même pires que celles de la situation présente, pour revenir à Whitby, et sur sa tombe avoir le plaisir de la narguer.

Ces sentiments exprimés avec véhémence étonnèrent mon compagnon. Il n'avait pas oublié les conséquences de mon amitié pour Bella ; par contre, il ignorait la façon dont Isa s'en était mêlée. Un autre n'aurait trouvé aucun intérêt à ces détails, mais il avait été partie prenante dans cette histoire et, soudain, je brûlais de tout lui raconter, comme lui de m'écouter. Je ne voulais même plus me rappeler combien d'années j'avais porté ce fardeau seule et j'aspirais à m'en affranchir. À son tour d'en sentir le poids, pensai-je ; à son tour de ployer sous la charge en essayant de trouver une issue. À lui de définir le moyen de rétablir l'équilibre.

2

Il ne fut pas nécessaire de lui rappeler le jour de notre rencontre. Il avait toujours eu une passion pour la mer, et les tempêtes le fascinaient. Il se souvenait de celle de Whitby, qu'il a décrite avec brio dans son curieux livre. Hormis l'intrigue romanesque, les événements, eux, étaient tout à fait similaires : la tempête, le bateau russe, les épaves, et le grand chien noir qui, bien entendu, était le lycanthrope légendaire de Whitby, celui dont nous avions souvent parlé, entre autres légendes et contes populaires qui abondent sur cette côte.

Si ma mémoire est bonne, la marée devait être basse vers deux heures cet après-midi-là, et c'est alors que les émotions commencèrent. Pendant la semaine, tous les bateaux que nous avions vus étaient passés à l'horizon, tirant des bords au large afin d'éviter d'être poussés vers le rivage par les grains de nord-est ; néanmoins, le garde-côte avait aperçu un brigantin en difficulté juste devant le nez de Saltwick. Il était beaucoup trop près de la terre et se rapprochait encore. Je sentis l'inquiétude me gagner. Je savais que ce ne pouvait être la *Lillian*, un navire auquel je portais un intérêt tout particulier, car il était trop tôt dans la saison pour qu'il soit revenu de Méditerranée. Néanmoins, je scrutai le large pour mieux distinguer son profil et fus soulagée d'apprendre du garde-côte exténué qu'il s'agissait en fait de la *Mary and Agnes* de Scarborough.

Soulagée, mais en partie seulement, car il y avait à bord des hommes et des garçons dont la vie était précieuse à d'autres, et qui étaient en danger de mort. Heureusement, on sortait le canot de sauvetage et on le mettait sur son chariot près de la cale de halage. À ce stade, des attroupements de badauds se formaient. On eût dit des mouches sur une charogne. Je sentis monter en moi une bouffée de mépris et me détournai pour me concentrer sur ma tâche du moment. Je travaillais ce jour-là avec Jack Louvain et, à cause de l'amplitude exceptionnelle de la marée, nous avions transporté un équipement photographique précieux de son magasin sur le quai jusqu'à son domicile privé. Lorsqu'il entreprit d'arrêter l'opération et de prendre des photographies, les jetées et les falaises, dangereuses par un temps pareil, étaient cependant noires de monde.

Nous luttions contre les rafales qui nous cinglaient et, chargés de l'appareil, du trépied et des précieuses plaques de verre, nous avions réussi à gagner un poste d'observation satisfaisant sur la falaise ouest. Le vent, qui paraissait bien décidé à nous repousser vers l'intérieur des terres, était également décidé à drosser le navire sur la côte, et il devint bientôt évident que le capitaine du brigantin avait abandonné la bataille et se dirigeait vers le port. Il restait à voir si cette initiative était sage, car de hautes vagues montaient à l'assaut des jetées et se brisaient sur les phares de chaque côté. En haut de la falaise, nous avions peine à nous tenir debout, mais Mr Louvain me pria de me cramponner au trépied tandis qu'il essayait de monter l'appareil pour saisir le navire à son entrée dans le port – indemne s'il parvenait à passer entre les jetées, ou voué à couler s'il heurtait les rochers. Quoi qu'il en soit, il voulait à tout prix prendre un cliché, pourvu que je réussisse à immobiliser l'appareil.

Sur la plage au-dessous de la cale de halage, le canot attendait et les gens commençaient à murmurer qu'il aurait déjà dû partir afin d'atteindre le navire car la catastrophe était imminente. J'aurais pu dire à ces badauds qu'il faut respecter certaines règles, et qu'un bateau doit avoir touché avant qu'on puisse mettre le canot à la mer ; mais je n'avais ni l'envie de discuter ni le souffle nécessaire. Pendant quelques instants, il sembla que tout se passerait bien. Mais une vague énorme submergea le brigantin et le déporta par le travers à l'entrée du port, où il se trouva impuissant devant la force du vent. Jack Louvain me hurlait de tenir bon alors que j'étais déjà à genoux sous le trépied, tâchant si fort de le maintenir au sol que tout chez moi était crispé, y compris mes mâchoires.

« Prends le chenal, prends le chenal ! » marmonnai-je désespérément, sachant que seules deux issues s'offraient au bateau : ou bien il irait de nouveau au roulis sans pouvoir se redresser, ou bien il serait drossé sur le rivage. Priant pour que cette seconde hypothèse fût la bonne, j'ouvris les yeux assez longtemps pour voir le navire soulevé par la vague suivante, puis la suivante encore, et porté vers nous. Mais ce qui me surprit plus que tout, ce fut le bruit insoutenable qu'il fit en arrivant par le travers sur la plage. Un grincement horrible, qu'on aurait cru venu du fond des entrailles, retentit, presque couvert par les gémissements quasi humains des planches qui protestaient, du bois qui volait en éclats, de la toile qui se déchirait, alors que les vagues déferlaient sur le pont.

Jack Louvain prit-il sa photographie ? Je l'ignorai et ne m'en souciai guère sur le moment. J'avais toujours les mains crispées autour du trépied, mais j'étais trop choquée pour en assurer l'immobilité. Comme tous les autres spectateurs, je regardai, horrifiée, les mâts et les espars s'effondrer et le bateau sombrer dans la mer déchaînée. Sur le rivage, on poussa le canot qui glissa de son chariot dans l'écume. Ce qui n'alla d'ailleurs pas sans mal non plus. En fait, l'opération, dangereuse et engagée à la hâte, faillit se solder par un échec et provoquer un autre désastre. Les premières minutes furent des plus angoissantes. Je connaissais presque tous les membres de l'équipage : deux étaient de proches voisins. Je rampai au bord de la falaise pour les regarder se battre contre les rouleaux. J'avais beau me fier à la force du vent, j'avais dû trop me pencher ; sous moi, l'herbe était glissante et l'écume de la plage montait jusque-là en tourbillonnant.

Je repoussai de mes yeux des mèches mouillées et je me souviens de mon irritation en entendant Jack Louvain crier comme un sourd après moi. Je me retournai et vis dans la foule derrière moi un homme à barbe rousse qui me regardait d'un air si furibond et si féroce que je me dis que je devais le connaître. Dans ma confusion, je faillis glisser mais il m'agrippa aussitôt le bras, me tira et m'écarta du bord.

Il était grand et bien charpenté ; bien habillé aussi, mais cela ne me calma pas pour autant : son intervention m'avait fortement contrariée, comme le fait d'être rudoyée devant tout le monde par un parfait inconnu. Jack, lui, s'en souciait comme d'une guigne. Ce qui le préoccupait, c'était de fixer sur un cliché l'image d'un ciel de tempête, d'une mer déchaînée, et de ce navire démantelé dont l'équipage luttait pour survivre.

Il m'apparut alors que, tous tant que nous étions, nous luttions, en particulier les hommes du bateau de sauvetage, dont le canot était poussé vers le rivage à la fois par le vent et la mer. Ils n'avaient pas encore dépassé le second promontoire et étaient à une centaine de mètres du brigantin lorsque leur coque racla des hauts-fonds et leurs avirons se brisèrent avec un bruit sec. On eût dit des coups de fusil. Mettant à profit cet instant d'étonnement, je me dégageai. J'étais si furieuse que je décochai dans l'estomac de l'homme qui m'avait tenue prisonnière un coup de poing tel qu'il lui arracha un grognement, sans doute de surprise plus que de douleur. Malgré tout, je m'étais fait mal au poignet et je grimaçai. Nous échangeâmes un regard noir. Là-dessus, avec des bras d'acier, il me souleva tout simplement pour m'écarter et s'attacha à résoudre le problème qui nous occupait, Jack et moi.

Muette de rage, je regardai cet homme vêtu de tweed fin s'accroupir dans l'herbe boueuse. Pendant que Jack Louvain changeait ses plaques, il maintint l'appareil en place avec une facilité apparente. Je leur aurais volontiers cogné sur le crâne, de préférence avec le trépied en question, mais mon attention fut détournée par des cris en provenance de la plage. Des gens étaient descendus par le sentier de la falaise et pataugeaient dans l'écume, conjuguant leurs efforts afin de relancer le canot vers le large. La tâche se révéla impossible et il fallut abandonner le bateau ; du moins la vie des sauveteurs n'était-elle plus en danger. Ce qui n'était pas le cas des marins du brigantin.

Tandis qu'on préparait une bouée-culotte, nous nous rapprochâmes de l'épave pour en prendre de meilleures photographies. L'opération parut interminable, la lumière n'étant pas bonne. Mais, en fin de compte, l'appareil fut immobilisé, et Jack se mit au travail dès que le premier homme d'équipage fut tiré sur le sable. En fait, ce n'était qu'un adolescent, et, après avoir été plusieurs fois roulé dans les vagues furieuses, il ressemblait à un lapin noyé. Parmi ceux qui vinrent ensuite, certains étaient si épuisés qu'ils durent être portés sur le sentier de la falaise ; l'un d'eux était inerte au point que je le crus mort. Je le vis passer sur un brancard de fortune, les mains et le visage cireux, les cheveux emmêlés, un écheveau d'algues autour du cou, évoquant une corde. Cette vision m'emplit d'horreur. Quand je regardai à nouveau le brigantin, je revis le vaisseau fantôme qui me hantait depuis l'enfance, le *Merlin* de Whitby, qui avait fait naufrage au large de Tallinn et sombré corps et biens lorsque j'avais sept ans. Tous avaient été noyés, y compris mon père et mon grand-père, dans les eaux glaciales de la Baltique au début du printemps.

On eût dit qu'un vieux cauchemar se réveillait. Je frissonnai convulsivement et eus quelque peu la nausée. Je ne pense pas que Jack Louvain l'ait remarqué, mais cela n'échappa pas à son nouvel assistant qui, interprétant le fait de façon erronée, se mit soudain en tête de m'escorter jusqu'au Saloon pour m'y mettre à l'abri et au chaud. J'aurais effectivement aimé boire un thé brûlant, mais n'avais nullement envie de devoir débarrasser le plancher dès le retour des volontaires qui s'affairaient au secours des marins naufragés : compte tenu de la situation, le bien-être d'une fille du coin, trempée et crottée, était le dernier de leurs soucis. Le fait que cet homme me considère avec d'autres yeux me donna à réfléchir ; mais sa galanterie était tellement inattendue qu'elle m'alla droit au cœur et fit fondre mon antipathie comme neige au soleil. Je secouai la tête et dis que je ne me sentais pas mal, ce qui était la vérité. Toutefois, j'étais flattée par l'attention qu'il m'avait témoignée. Sur le moment, il ne me vint pas à l'idée qu'il ait pu être troublé par mes attitudes ou mes manifestations d'émotion.

Je lui en voulais presque d'appartenir à un autre milieu social ; mais il avait l'air plein de bon sens, d'énergie et de confiance en lui, cet homme, ce qui finalement retint mon attention, au même titre que ses beaux yeux gris et sa florissante barbe rousse. Nous commençâmes à ranger nos affaires, et je l'observai à la dérobée, me demandant ce qu'il faisait à Whitby si tard dans la saison. Sans doute était-il venu ici à cause du nouveau chemin de fer côtier ; ces derniers temps, nous avions vu arriver des ingénieurs aux compétences variées, pour la plupart des hommes charmants et d'un commerce agréable. Curieusement, je ne lui trouvais pas l'allure assez austère pour être homme de loi ou banquier. Pourtant, j'appris plus tard qu'il était avocat et gérait les affaires financières complexes d'une entreprise peu banale. C'est avec surprise que je découvris ses multiples activités, et je fus stupéfaite de me rendre compte qu'il frayait avec la crème de la société londonienne, qu'il y était célèbre et qu'il était même l'un des amis proches de la comédienne Ellen Terry[1]. Au départ, bien entendu, je ne m'en étais absolument pas doutée, ce qui était peut-être préférable, sinon je n'aurais jamais osé lui adresser la parole et encore moins jouer les coquettes comme je le fis.

Malgré tout, lorsqu'il se tourna vers moi pour dire : « Ce sont de fameux gaillards. Une telle bravoure vous réchauffe le cœur », je ne pus résister au plaisir de lui apprendre que l'équipage du canot de sauvetage se composait de pêcheurs professionnels, tous volontaires et farouchement fiers de l'être. Cela l'impressionna, et je sentis aussi combien je lui avais personnellement fait impression. Je voyais que Jack éprouvait de la sympathie pour lui et qu'il essayait de lui exprimer ses remerciements en dépit des rafales de vent et de pluie. Il avait utilisé toutes ses plaques et voulait transporter l'équipement chez lui plutôt qu'au studio, et je savais qu'il comptait sur mon aide. Si le désordre régnait toujours sur la plage, il semblait que l'équipage fût maintenant au complet. Malgré l'intérêt que manifestait la foule, j'avais du mal à supporter le spectacle du brigantin ballotté sur les brisants qui le disloquaient. Et c'est au moment où je déplorais d'avoir à me séparer si tôt de l'homme à la barbe rousse qu'il me prit des mains le lourd trépied et se mit en route avec nous.

Nous communiquions surtout par gestes, car le vent emportait nos paroles. Il se présenta, mais je ne saisis pas son nom et, lorsque nous nous trouvâmes à l'abri dans la ville et qu'il fut plus facile de parler, Jack monopolisa la conversation en lui proposant la primeur des photographies prises cet après-midi-là. Je voyais bien qu'il regrettait de ne pas avoir de cliché de notre compagnon et qu'il aurait bien aimé le voir poser devant l'objectif. Toutefois il se faisait tard et la lumière baissait. Quant au studio, notre séance de travail du matin l'avait laissé dans un beau désordre.

---

1. Ellen Terry (1847-1948). Grande comédienne qui incarna, entre autres, toutes les héroïnes de Shakespeare. *(N.d.T.)*

Déçu, Jack m'adressa un regard de connivence. Tout en parlant de marées et d'inondations, Jack et moi fîmes notre possible pour convaincre le nouveau venu de venir poser le lendemain matin. Malheureusement, il devait commencer sa journée de très bonne heure. Dans le courant de la conversation, il devint clair qu'il m'avait prise pour l'assistante salariée de Jack Louvain. Au sourire que m'adressa ce dernier je compris que je ne devais rien dire pour dissiper ce malentendu. Je m'abstins donc, satisfaite au demeurant des conséquences inattendues de la tempête. Après tout, une vieille robe de serge ordinaire n'est pas si différente à l'œil d'une robe en même tissu de bonne qualité, lorsqu'elles sont toutes deux mouillées et éclaboussées de boue ; et pour qui devait sortir par un temps pareil, un châle écossais épais était mille fois préférable à un chapeau fantaisie.

Lorsque nous eûmes gagné son logement et que son équipement photographique eut été soigneusement rangé, Jack invoqua l'heure tardive et le temps pour me renvoyer chez moi. Une suggestion qui n'était pas pour me déplaire, mais je fus agacée de l'entendre proposer dans le même élan à notre compagnon un petit verre de whisky pour se remettre. Si quelqu'un avait besoin d'être réchauffé et reconstitué, me dis-je, c'était moi. Il est vrai que l'on n'encourageait pas les jeunes filles à boire du whisky avec des messieurs célibataires dans l'intimité de leur chambre.

Faisant contre mauvaise fortune bon cœur, je leur souhaitai à tous deux le bonsoir et tournai les talons pour sortir. Là-dessus, notre nouvelle connaissance déclina l'invitation de Jack Louvain et me proposa de m'escorter un bout de chemin en rentrant à son hôtel. Je réprimai un large sourire et eus le plus grand mal à garder mon sérieux en voyant Jack, debout dans l'embrasure de sa porte, me regarder descendre la rue avec l'étranger.

Je m'attendais plus ou moins qu'il loge à l'hôtel Royal, qui avait une vue panoramique, et fus un peu déçue de constater qu'il s'était installé dans un établissement plus modeste non loin de là. En criant pour couvrir le bruit du vent, il m'expliqua qu'il était venu pour affaires, qu'il visitait un certain nombre de théâtres dans le nord du pays dans la perspective d'une tournée. Comme j'ignorais de quel genre de tournée il s'agissait, je fis quelques commentaires sur le mauvais temps. Cela l'amusa et il dit que le mauvais temps était un privilège car il adorait la tempête, qu'il trouvait grisante et tonique.

Il s'en fallut de peu que nous ne nous envolions, et je ris en hochant la tête et en serrant mes jupes pour qu'elles ne remontent pas trop haut. Il me regarda et eut un sourire d'écolier :

« Je me dis toujours que rien ne vaut un bon coup de vent pour chasser les idées noires et fouetter le sang. Qu'en pensez-vous, miss Sterne ? Dangereux mais tonique, non ? »

J'étais bien de cet avis et répondis par un autre éclat de rire. J'avais souvent vibré à la vue des grosses vagues, sauté par-dessus les rochers poudrés de sel et couru sur les falaises lorsque l'équinoxe de printemps déchaînait de grands vents, ivre de liberté, grisée par le danger. Était-ce cette idée ou son regard qui fit battre mon cœur plus vite ? Je ne sais. La nuit tombait, des nuages noirs galopaient dans le ciel au-dessus de l'abbaye, annonçant le retour de la pluie, et j'eus vaguement conscience d'avoir faim et froid. J'aurais dû rentrer à la maison, mais la compagnie de cet homme était infiniment plus plaisante que les repas froids de cousine Martha. Au moment même où je prenais congé de lui à contrecœur retentit une explosion venant du poste du garde-côte, suivie par un envol de mouettes poussant des cris stridents. Peu après, nous vîmes les lueurs rougeâtres des étoiles scintiller à des centaines de pieds dans le ciel, tandis que lentement s'allumaient les lumières rappelant en service l'équipage du canot de sauvetage.

« Qu'est-ce que c'est ? demanda-t-il. Que se passe-t-il ?

— Un autre navire », dis-je, me mettant à courir.

Il me rejoignit aussitôt et m'accompagna à pas redoublés lui aussi jusqu'au-dessus de la Batterie d'où l'on avait une bonne vue. Nous regardâmes vers le port et le large, mais il était difficile de distinguer quoi que ce soit au-delà de la masse sombre de la falaise est et d'une ligne blanche mouvante indiquant les turbulences du ressac. Puis les nuages cédèrent un moment la place à un ciel dégagé, juste assez longtemps pour laisser voir une forme sombre au milieu du brouillard montant formé par l'écume et les embruns. Juste derrière le pied de la falaise est, un petit navire était aux prises avec les vagues gigantesques. Ses mâts ballottaient en tous sens, montant et descendant au gré de ce qui semblait une lutte sans espoir. On eût dit un petit enfant arc-bouté contre les genoux d'un immense Goliath. L'embarcation légère était poussée inexorablement vers le Scaur, cet ensemble de hauts-fonds rocheux et cachés qui affleurent juste au-delà de la falaise est. Les courants allaient d'est en ouest à l'entrée du port, et d'innombrables navires avaient sombré à cet endroit. La seule chance de salut de la goélette était d'avoir un faible tirant d'eau et assez de fond sous la quille. Et aussi un capitaine doté de nerfs d'acier. Mais il fallait d'abord qu'elle atteigne un point au large de l'extrémité des jetées qui lui permette d'amorcer son virage.

À travers la brume et les embruns chassés par le vent, nous vîmes le second canot de sauvetage se préparer à intervenir. Pendant tout ce temps, le petit bateau s'efforçait de s'éloigner des rochers. Son capitaine avait de l'adresse et de l'audace et, toutes voiles dehors, il réussit une manœuvre hardie qui fit pivoter son bateau. Quelques instants plus tard, la goélette filait vent arrière, franchissait les eaux mousseuses et bouillonnantes du Scaur et plongeait son étrave dans les vagues et l'écume pour gagner l'abri des jetées.

Lorsqu'elle franchit l'entrée, ce fut un moment de délire : après cette interminable inquiétude, les murmures d'encouragement de la foule se transformèrent en une explosion de cris et de vivats frénétiques, couvrant presque le mugissement de la tempête. Je me mis à sauter de joie et mon compagnon agita son chapeau à bout de bras ; nous hurlions comme des fous tous les deux. Dans un élan d'allégresse, il me souleva et me fit tourner. Étourdie, je me cramponnai à lui en riant lorsqu'il me reposa et, l'espace d'un instant, tout sembla possible : un éclat de rire, un baiser essoufflé ou même des excuses courtoises. Un gémissement de la foule vint mettre fin à cette tension momentanée : ayant cru être hors de danger sitôt les jetées franchies, le capitaine avait fait amener les voiles trop tôt, si bien que son navire s'était mis à dériver et était poussé à toute vitesse vers le havre du Charbonnier.

Impuissants, figés comme des statues, nous regardions tous, imaginant déjà l'inévitable issue. On jeta les ancres en vain. Lorsque le bateau toucha, les gémissements de la foule firent un écho au bruit en contrebas. Tout autour de nous, ce n'étaient que cris de désespoir et visages angoissés, sages remarques proférées après coup, hochements de tête et piétinements tandis que la foule commençait à s'éloigner.

« J'imagine que ces pauvres diables pourront s'en tirer..., dit mon compagnon.

— Sans doute. Ils en seront quittes pour un bain forcé », répondis-je avec regret en regardant au loin des silhouettes courir fébrilement et des lumières converger dans l'obscurité de l'autre côté du port.

Sa main, dont je sentais la chaleur contre ma taille, se retira, et je fus soudain consciente du froid qui s'insinuait à sa place, rendant l'approche de la nuit plus mordante. Je me détournai avec un sourire déçu. Le spectacle était fini et mon compagnon n'avait plus de raison de rester. Cependant, au lieu du bonsoir auquel je m'attendais, il dit d'une voix pressante :

« Dans ce cas, traversons et allons nous assurer que ces courageux gaillards sont sains et saufs. »

Sitôt dit, sitôt fait. Nous descendîmes en hâte vers le port et traversâmes le pont qui donnait accès au quartier est. À Tate

Hill on était seulement en train de ramener sur le rivage les membres de l'équipage, qui titubaient sur la terre ferme après des jours et des nuits sur une mer démontée. L'un d'eux se détourna et vomit avec violence contre le mur de la jetée. Quelqu'un dit que c'était le capitaine, mais il faisait si sombre qu'on avait du mal à distinguer les marins les uns des autres.

C'étaient des étrangers, des Russes, je crois, et il était difficile de savoir s'ils comprenaient suffisamment l'anglais. Toutefois, un grand nombre de badauds des hôtels avoisinants se trouvaient là, prêts à offrir congratulations et compassion.

Nous traversâmes la foule : mon compagnon avait les yeux brillants, il voulait voir le bateau et savoir ce qu'il transportait, la route qu'il avait suivie et les ports où il s'était arrêté. J'avais le sentiment que s'il avait pu monter à bord du *Dmitry* il l'aurait fait et que, malgré les épreuves subies et le naufrage, il enviait l'équipage russe. Assurément, il éprouvait de l'admiration à l'égard de ces marins. Après le drame, la plupart des habitants de Whitby étaient d'humeur à fêter leur sauvetage, et moi aussi. Mais, d'une certaine façon, je n'en attendais pas autant d'un étranger, un homme du monde qui avait beaucoup roulé sa bosse. Il était si fasciné par ces événements locaux que cela m'impressionna et forgea entre nous comme un lien.

Tandis qu'on ouvrait toute grande la porte de la taverne du Duc d'York et qu'on faisait entrer les marins trempés dans la salle chaude et enfumée du bar, nous demeurâmes dans un coin abrité de l'autre côté de la rue, observant et écoutant ce qui se passait. Puis, lorsque le bruit des conversations cessa, on entendit dans l'obscurité de plus en plus dense, venant de la partie opposée du chenal, les chocs et les chuintements de la marée qui montait à l'assaut du bateau échoué. Ce bruit me fit frissonner.

« Ne restons pas ici », dit mon compagnon en resserrant son bras autour de moi.

Ce fut alors qu'il avisa l'escalier de l'église qui montait en s'incurvant sur notre droite, et il me demanda où il menait.

« Au cimetière et à l'abbaye », répondis-je.

Dans des circonstances pareilles, c'était une folie de monter, mais il soufflait un vent de folie sur cette soirée. Je savais ce que nous trouverions là-haut et essayai de le dissuader. Éludant mes protestations, il se dirigea vers les marches, et je me sentis obligée de le suivre : je ne pouvais pas laisser un étranger inexpérimenté s'aventurer seul sur la falaise est.

Entre Tate Hill et l'église paroissiale, il y avait cent quatre-vingt-dix-neuf marches à monter, des degrés de pierre larges qui escaladaient la falaise, avec une rampe de fer de chaque côté ; ou la pente encore plus raide de Donkey Road, parallèle à l'escalier, en contrebas. Nous y aurions été plus à l'abri, mais il avait déjà commencé à monter l'escalier. Si les premiers mètres étaient faciles, ce fut une autre affaire lorsque le vent nous saisit et qu'il nous fallut nous cramponner à la rampe de fer en nous hissant, une main après l'autre, jusqu'au sommet.

Comme nous débouchions sur la falaise, la lune apparut, pleine et ronde, éblouissante entre des pans de nuages filant à toute vitesse. Le vent fouettait ma robe de serge alourdie et la faisait claquer ; j'avais l'impression d'être rouée de coups et, là-haut, il était presque impossible de respirer, mais mon compagnon refusait de s'avouer vaincu tant qu'il n'avait pas vu les ruines gothiques de l'abbaye se profiler sur le ciel, derrière la silhouette trapue de l'église cramponnée au sol telle une mouette aux ailes déployées. Dans ce clair de lune mouvant, les tombes environnantes semblaient avancer sur la falaise, comme des rangs de soldats en route pour livrer bataille à la mer.

L'effet produit était surprenant car on aurait dit que toute la falaise bougeait. Je m'agrippai à l'un des tombeaux pour garder l'équilibre, pendant que mon compagnon poursuivait sans moi, courbé afin de résister au vent.

« Il faut rentrer ! » criai-je, rassemblant mes maigres forces pour me faire entendre.

Quelques instants plus tard, une rafale particulièrement féroce l'obligea à se cramponner à une pierre tombale ; après quoi, il fit demi-tour pour me rejoindre. Mais il riait en dépit du danger, et prenait plaisir à affronter le vent déchaîné comme s'il se fût agi d'un jeu d'enfant, tandis que j'étais terrifiée, étourdie par la lumière tourbillonnante et pressée de me retrouver en terrain plus sûr.

« Une autre fois », concéda-t-il, me prenant enfin en pitié ; et il m'entoura d'un bras ferme pour regagner l'escalier.

Bien qu'il me tînt solidement, la descente fut pire que la montée. Je ne sais lequel de nous deux était le plus essoufflé, mais en bas, à côté du Duc d'York, il nous fallut nous arrêter pour reprendre notre respiration. Je défis le nœud serré de mon châle écossais et en drapai les plis humides de façon plus seyante sur ma tête et mes épaules pendant que mon compagnon se lissait les cheveux et ressortait son chapeau à bords souples de la poche intérieure de son manteau. En souriant, il le remit en forme à coups de poing, l'enfonça solidement sur sa tête et reprit mon bras.

« Nous devrions manger quelque chose, dit-il, comme si sa décision était prise, mais pas ici, le patron sera beaucoup trop occupé avec ses clients imprévus. Connaissez-vous un bon restaurant pas loin ? »

L'espace d'un bref instant, les avertissements répétés par ma grand-mère me revinrent en mémoire ; pourtant, l'attrait d'un repas chaud en vint à bout presque instantanément. Avec son stoïcisme austère, elle eût sans aucun doute été scandalisée par ma faiblesse coupable, mais j'étais beaucoup trop affamée pour refuser. De plus, je me rappelai que j'étais censée être libre d'esprit et que je pouvais à présent agir comme bon me semblait. M'étant ainsi justifié ma conduite, je le guidai et lui fis descendre Kirkgate.

Le Cheval blanc se vantait de ses bonnes écuries et de sa bonne table. C'était un de ces hôtels à l'ancienne qui avaient encore l'allure du siècle dernier, avec ses tables en bois sans nappes et ses salles impeccablement tenues. Je retirai mon châle et m'efforçai de rajuster avec des épingles la masse de mes boucles humides et rebelles. Mon compagnon sourit en aplatissant ses cheveux, puis tendit la main vers les miens.

« Si vous permettez, me dit-il en ôtant doucement les épingles que j'avais essayé de faire tenir. Ils sécheront plus facilement. »

Aussitôt, il lâcha mes cheveux sur mes épaules et les déploya prestement ; puis il prit mon châle et mon bras comme si j'étais une femme du monde, et me conduisit dans la salle à manger. Il fit preuve d'une telle autorité et d'une courtoisie si cérémonieuse en commandant les boissons et en se renseignant sur le menu que j'en vins à douter de la spontanéité qu'il avait manifestée un peu plus tôt et me demandai si cet instant de folie sur la falaise n'était pas le fruit de mon imagination. J'eus un moment de panique en me sentant ainsi dépassée par les événements ; Dieu merci, la salle à manger, sans aucune fioriture, me rappelait la maison de ma grand-mère, si bien qu'en dépit de mes vêtements mouillés je parvins à me détendre. Peut-être paraissait-elle nue et dépourvue de confort à mon compagnon, mais ses yeux s'illuminèrent lorsque je lui dis que le romancier Charles Dickens avait séjourné au Cheval blanc, et avait sans doute pris ses repas dans cette même salle à manger. Dès lors, notre conversation se poursuivit sans la moindre gêne, comme si nous n'étions pas des étrangers, mais de vieilles connaissances ravies de se retrouver après une trop longue séparation.

La cheminée tirait bien, la pièce était chaude et le repas, quand il arriva, copieux et appétissant. Étant étranger à la région, mon compagnon avait commandé du poisson frit, qui devait être excellent ; mais comme le poisson sous toutes ses formes – soupe de poisson, tourte au poisson, poisson au four, fumé ou poché – ne m'était que trop familier, je ne voulais même pas en sentir l'odeur dans mon assiette. Aussi avais-je choisi des viandes froides, servies avec des pommes de terre sautées et beaucoup de moutarde, et ce fut à peine si j'articulai un « oui » ou un « non » tant que je n'eus pas terminé.

3

En repensant à cette scène après plus de deux décennies, je me revois telle que j'étais alors : une jeune fille plutôt têtue mais inexpérimentée, qui se délectait de l'admiration d'un homme plus âgé et plus raffiné. Il n'essayait pas de me séduire, du moins pas encore ; il prenait simplement plaisir à ma compagnie, à l'attention naïve avec laquelle je l'écoutais et à l'impression visible qu'il me faisait. Et j'étais bel et bien impressionnée, non pas tant par le récit de ses voyages en Amérique et en Europe – vivant à Whitby et côtoyant des navigateurs, j'avais l'habitude d'en entendre – que par sa vie à Londres et son travail avec la compagnie du Lyceum Theatre[1].

Au début, quand il mentionna le Lyceum, je crus qu'il parlait d'un quelconque collège ou institut et je le pris pour un professeur. Lorsqu'il s'aperçut de mon erreur, il me donna des explications. Me voyant rougir, il voulut savoir pourquoi et, une

1. Célèbre théâtre qui connut une grande vogue sous la direction de Henry Irving, acteur et metteur en scène novateur, surtout en matière d'éclairage. Après un début de carrière en province, Irving fut appelé au Lyceum par son directeur d'alors. À la mort de celui-ci, il en devint lui-même directeur en 1878 et le resta plus de vingt ans, jusqu'à sa mort. La comédienne Ellen Terry, arrivée en même temps qu'Irving et alors au sommet de sa gloire, y joua pendant vingt-cinq ans. *(N.d.T.)*

fois avouée mon ignorance, je ris avec lui de ma méprise ; après quoi, chaque fois que nos regards se croisaient, nous nous remettions à rire de plus belle. Il me dit qu'il raconterait l'anecdote à Irving, et, tout en ignorant qui était celui-ci, je le suppliai de n'en rien faire. Il ajouta alors qu'il se faisait souvent l'effet d'être un maître face à une classe d'élèves insupportables. Il regrettait seulement de ne pas pouvoir les fouetter ; surtout Irving.

J'avais beau ne pas encore connaître son nom et être trop embarrassée pour demander des explications, je ne tardai pas à apprendre qu'il était le directeur commercial du Lyceum Theatre, qu'il s'occupait de la gestion financière, organisait les tournées théâtrales, la publicité, et établissait des contrats cependant même qu'il passait au crible ceux des autres.

Même alors, sans aucune expérience du monde, je trouvai étonnant qu'un seul homme pût assumer autant de responsabilités, surtout quand elles semblaient également inclure la réécriture et l'adaptation de pièces pour la production. Cela lui plaisait, disait-il ; il avait toujours aimé écrire pour son plaisir, et le fait de participer à l'aspect créateur du travail théâtral compensait les aspects plus rigides et plus austères du monde de la finance.

Si j'avais assisté à des concerts d'amateurs et regardé des pierrots sur la plage, le théâtre ne voulait pas dire grand-chose pour moi à cette époque. Je connaissais quelques acteurs dont les visages apparaissaient régulièrement dans les journaux, mais je les voyais comme des personnages venus d'un autre univers, et il me semblait étrangement irréel de me trouver en compagnie d'un homme qui évoluait dans ce monde. Au moins, je savais pourquoi Jack Louvain avait eu l'air si excité tout à l'heure ; surtout lorsque je découvris que le Lyceum de Londres était renommé non seulement pour ce qui s'y jouait, mais surtout pour ses mises en scène exceptionnelles et novatrices. Je fus très attentive afin de tout raconter à Jack. Toutefois, je me surpris à souhaiter vivement pouvoir un jour voir ce qui m'était décrit de façon si vivante. J'aurais probablement oublié le nom de la nouvelle pièce du Lyceum, *Faust*, si je n'avais eu une raison de m'en souvenir par la suite, tout comme j'eus une raison de me souvenir de Mr Irving. J'avais été impressionnée à l'époque par les anecdotes ayant trait à son extravagance, et je me rappelle en particulier qu'il avait tenu à aller jusqu'en Bavière – qui, d'après ce que je compris, devait se trouver en Allemagne, mais pas au bord de la Baltique – pour étudier le style architectural afin de s'assurer que ses toiles de fond seraient fidèles à la réalité. Il s'était même fait accompagner par le principal peintre de décors du théâtre pour prendre des croquis des portes et des fenêtres du pays.

Les décors étaient dessinés et réalisés en même temps que se déroulaient les répétitions de la pièce, qui s'annonçait bien. Ayant donné toutes ces informations, mon nouvel ami s'interrompit un instant, comme s'il craignait d'en avoir trop dit ; puis, après un soupir exaspéré, il reprit la parole et se plaignit du coût que représentait la mise en scène d'une pièce pendant qu'on en répétait une autre. Ce dont Irving refusait de se soucier – ce à quoi il ne voulait même pas songer, marmonna-t-il d'un ton lugubre, c'était l'argent. La responsabilité du financement lui incombait à lui, et, comme le répétait Irving, s'il s'inquiétait à propos des salaires à verser, il n'avait qu'à tricher avec les comptes ou trouver des fonds supplémentaires.

On eût dit qu'il me racontait tout cela parce que je ne connaissais pas les gens dont il était question, et de nombreux aspects de son discours ne m'étaient pas très clairs. Je n'en percevais pas moins chez lui de la colère, un sentiment de frustration mal déguisé et une tension qui l'électrisait lorsqu'il était question de ce fameux Irving ; tout cela modifiait complètement son comportement. Il était grand, cet homme – un mètre quatre-vingt-cinq, un mètre quatre-vingt-dix –, et puissamment charpenté. Son ton brusquement âpre, la lueur métallique de son regard, et sa barbe elle-même qui semblait se hérisser à la lumière des lampes m'alarmèrent.

« Bien entendu, ajouta-t-il sèchement, aux yeux d'Irving, ce sont de vulgaires détails qui ne doivent pas le distraire, surtout lorsque son génie créateur est à l'œuvre. Or, c'est un génie, ne vous méprenez pas sur mes paroles. Mais trouver de l'argent n'est déjà pas facile dans le meilleur des cas, alors pour l'instant... (Il haussa les épaules et s'adossa à sa chaise.) On ne peut pas puiser indéfiniment dans la poche du public. Et si la pièce venait à échouer ? Nous serions endettés jusqu'aux yeux, ou bien en faillite ! » poursuivit-il avec un ricanement furieux.

Mon visage dut trahir mon inquiétude, car il me regarda d'un air stupéfait avant d'en deviner la cause. Il se mit à rire et se détendit, me tapota la main en manière d'excuse et prétendit qu'il disait des bêtises. Comme d'habitude, Irving trouverait une solution miracle et la pièce deviendrait encore une fois un classique qui attirerait les foules.

À présent, ma perplexité était tellement apparente qu'il insista pour changer de sujet. Il me questionna sur Jack Louvain et la façon dont j'étais devenue son assistance, car ce n'était pas une activité habituelle pour une jeune femme.

Ses questions me mirent dans l'embarras. Je détestais mentir et aurais préféré ne pas aborder ce sujet ; je lui dis toutefois la vérité : je n'étais pas au service de Jack Louvain, qui ne m'employait que comme modèle à l'occasion, et ce jour-là je l'avais aidé à titre purement amical. Avec cette marée exceptionnellement haute, son équipement courait le risque d'être submergé et nous avions déplacé le trépied et les appareils pour les mettre à l'abri. Il voulut alors en savoir davantage sur mes séances de pose et ce en quoi elles consistaient, puis me demanda si les photographies de moi étaient en vente. Je sentis que lui répondre me mettait dans une position un peu embarrassante, mais fus si encouragée par l'intérêt et l'enthousiasme qu'il témoignait que, presque à mon insu, je m'embarquai dans l'histoire de ma vie.

Il savait écouter et me relançait avec des sourires bienveillants et des questions. Une telle sollicitude est séduisante en elle-même, et en outre ses yeux gris expressifs scrutaient mon visage avec attention et semblaient prendre plaisir à ce qu'ils voyaient. À raconter l'histoire de sa vie, on débouche fatalement sur ses ennuis, et j'étais encore assez jeune pour m'indigner de ce qui m'était arrivé. Je lui racontai avec passion l'enchaînement de circonstances qui m'avait conduite à ma situation actuelle, les aléas de ma place précédente et ma dispute avec l'oncle Thaddeus. Je fis même quelques allusions à ce que j'éprouvais pour Jonathan Markway, l'un des fils de la maison où j'avais travaillé, et il parut aussi comprendre l'ambiguïté de mes sentiments. Les événements de la journée m'avaient fait beaucoup penser à Jonathan et je m'inquiétais surtout de le savoir en mer, confronté au type de dangers dont nous avions été témoins au cours de l'après-midi. De plus, il ignorait tout des circonstances dans lesquelles j'avais perdu ma place. Il m'était odieux d'imaginer ce qu'on lui dirait quand il rentrerait chez lui.

Le dernier de ces soucis aurait pu paraître futile ou infantile à beaucoup d'autres, mais je porterai au crédit de mon compagnon qu'il ne chercha pas à le minimiser. Mettant toute son expérience à mon service, il s'efforça de me rassurer du mieux qu'il put. Après quoi, redoutant d'être trop sérieuse, je l'amusai en lui décrivant la crise de fureur du grand-oncle Thaddeus lorsqu'il avait découvert que je posais pour des photographies sur le quai, vêtue en pêcheuse du coin. Je déclarai hardiment que, même si j'étais vouée à mal finir comme le promettait l'oncle, je logeais maintenant chez des pêcheurs sur le port, et j'étais libre d'agir comme bon me semblait.

En haussant un sourcil, mon compagnon me demanda ce qu'aurait dit l'oncle Thaddeus si j'avais annoncé que je voulais embrasser une carrière d'actrice. Cela nous fit rire tous les deux et, lorsque l'on vint desservir la table, il me demanda si je désirais boire autre chose que le thé que j'avais commandé pour accompagner mon repas. Il prenait du whisky et, après un instant d'hésitation, je commandai du porto, car à l'époque c'était à peu près la seule boisson alcoolisée que j'arrivais à avaler sans avoir des haut-le-cœur. Cela me monta presque aussitôt à la tête et rendit la suite de notre conversation – sur les patois locaux – encore plus amusante. Il insista pour que je lui traduise différentes expressions ou phrases qu'il avait entendues au cours de la journée et j'en ajoutai quelques autres pour le faire rire.

En partant, nous étions fort gais, et j'avais l'impression de ne jamais m'être autant amusée de ma vie. Dehors, le vent paraissait avoir un peu faibli ; pourtant la marée était haute et léchait le pont lorsque nous traversâmes le port. Il y avait de quoi être impressionné : de l'autre côté, près du studio de Jack Louvain, les vagues couvraient déjà la route. Main dans la main, nous montâmes en courant nous mettre en sécurité sur la corniche du Lion-d'or avant de tourner dans l'étroite ruelle de la Falaise qui menait vers son hôtel et mon domicile.

Le chemin m'était familier, mais au bout de quelques minutes je me dis qu'il eût été plus raisonnable et plus sûr d'emprunter la rue principale en contrebas. Les magasins étaient rares et les passants plus encore, et venir avec un inconnu dans cette rue d'où partaient à droite et à gauche des venelles sombres équivalait plus ou moins à une invite. Sentant sa main chaude se glisser autour de ma taille, je fus soudain alarmée. Voilà le moment où tu vas payer ton écot, me dis-je ; le dos au mur et la main de ton compagnon sur la bouche pour étouffer tes cris et tes protestations.

J'en avais vu assez, de ces luttes furtives dans l'ombre, pour n'avoir aucune illusion sur les hommes et leurs désirs, ni sur leur façon de les satisfaire. Si les jeunes filles délicates étaient protégées des réalités de la vie, il n'en était pas de même pour nous autres, et je savais bien que les messieurs trouvaient cette idée émoustillante. Je me raidis donc sous son étreinte et hâtai le pas pour arriver à destination. Tout près sur la droite se trouvait l'entrée de la ruelle de la Jetée qui descendait vers le port. C'était un sentier étroit qu'on pouvait manquer si l'on n'en connaissait pas l'existence. Entre la ruelle de la Falaise et le port s'étendait le dédale d'escaliers et de degrés, de cours et d'allées qu'on appelait le Cragg, où j'habitais. Si j'étais obligée de courir, une fois que je serais à la ruelle de la Jetée, il ne me trouverait jamais, même s'il me cherchait durant une semaine. Sachant que quelques mètres plus loin je serais en sécurité, je pus me détendre et goûter l'excitation du moment. Et j'avoue que, malgré mes craintes, j'en avais grande envie.

Un peu haletante, je lui dis que j'habitais à quelques mètres et que son hôtel se trouvait juste au coin. Nous nous arrêtâmes près de l'école et mon sang courut plus vite lorsque ses doigts effleurèrent ma joue. Son geste était doux, hésitant même, ce qui me surprit quand je pensai à notre complicité de la soirée. Il évoqua le coup que je lui avais donné dans l'après-midi, ce qui me fit rire, et me remercia pour cette agréable soirée. Je le trouvai si cérémonieux que je me sentis très déçue. Ce baiser que j'avais désiré tout en le redoutant, je ne l'aurais pas. J'essayai donc de mettre quelques centimètres d'écart supplémentaire entre nous pour faire comme si de toute façon je n'en voulais pas. Je le remerciai pour ce repas partagé, et, juste au moment où je me disais que nous étions vraiment devenus très polis, il baissa la tête et m'embrassa sur les lèvres. Un baiser doux et tendre, un baiser presque irréprochable à une fille beaucoup plus jeune que lui.

À ceci près que j'avais dix-huit ans, que j'étais grisée par le porto et la vanité, et que mon compagnon était un séduisant inconnu venu d'un autre monde. Je voulais avoir la preuve qu'il me trouvait séduisante moi aussi. Sans avoir envie de payer un prix excessif pour ce privilège, je ne tenais pas à être traitée comme un bibelot en porcelaine de Saxe. Je lui rendis donc son baiser avec chaleur et l'enlaçai pendant qu'il se remettait de sa surprise. Assurément, je devais être en train de débiter des sottises lorsqu'il enfonça ses doigts dans mes cheveux et reposa ses lèvres sur les miennes avec une ardeur qui me fit taire. Il me serrait si fort que je pouvais à peine respirer et il ne relâcha son étreinte que pour me serrer davantage encore. Jamais je n'avais été aussi consciente de la force masculine. Pourtant, jusqu'à ce moment-là, je me croyais forte et agile. Or, s'il en avait eu envie, il aurait pu me posséder sur place sans que je sois en mesure de l'en empêcher. Je dus à sa maîtrise de soi, et non à la mienne, qu'il me relâche, me tienne contre lui plus doucement et qu'après avoir poussé un profond soupir il m'embrasse le front, les joues et les lèvres en une sorte de bénédiction d'adieux.

Alanguie et légèrement étourdie, je regagnai le Cragg. Depuis quelques mois j'habitais chez les Firth, la famille de ma cousine Bella, et, bien que je fusse consciente de leurs points faibles, je m'étais habituée à eux. Des planchers poussiéreux et des murs crasseux, des meubles miteux ainsi qu'une pile permanente de vaisselle sale dans la souillarde faisaient partie de la vie quotidienne chez eux ; cependant, jamais la différence entre leur mode de vie et celui que j'aurais choisi pour ma part ne m'apparut aussi clairement que ce soir-là quand je rentrai.

Le feu était mort et la cuisine froide. Le vent sifflait dans la cheminée et un brusque courant d'air me fit frissonner. La maison semblant déserte, je me demandai où pouvaient bien être Bella et sa mère. Les plus jeunes enfants devaient être au lit, mais il était encore tôt pour que les hommes de la famille soient rentrés. C'était un samedi, soir où la plupart des pêcheurs se retrouvaient dans les tavernes les plus proches, surtout par mauvais temps. L'habitude était déjà fâcheuse lorsque les fonds étaient bas et les familles dans le besoin ; en l'occurrence, ce qui aggravait les choses, c'était que le père de Bella avait tendance à devenir violent quand il avait bu, ce qui signifiait que nous devions veiller à l'éviter.

Ce genre d'aléa n'était pas l'apanage de Whitby, je le savais.

Ni d'une communauté particulière. Magnus Firth n'était même pas natif du coin mais des Orcades, et il avait une tendance à grogner et à marmonner qui le rendait difficile à comprendre. Le grand-oncle Thaddeus estimait que c'était une brute et sa femme, Martha, une souillon ; que, de plus, ces gens-là étaient socialement mes inférieurs, qu'ils se trouvaient à plusieurs échelons au-dessous, et que ma place n'était pas chez eux. Dans l'absolu, il avait raison, mais je jugeais son opinion à la fois dure et blessante.

Quoi qu'il en fût, Martha Sterne était la cousine de mon père et, au début de mon séjour, je trouvai qu'on l'avait mal jugée. Jadis, elle avait été belle et assez instruite ; je m'étais souvent demandé comment elle avait pu épouser un homme aussi ignorant que Magnus Firth. Elle n'abordait jamais ce sujet ; en revanche, elle parlait volontiers de mes parents, surtout de ma mère. Or, quand il s'agissait d'en apprendre davantage sur elle, j'étais insatiable. Je brûlais d'envie de savoir qui elle était et à quoi elle ressemblait à son arrivée à Whitby, cette petite sauvageonne écossaise, cette pêcheuse de dix-neuf ans qui avait un charme fou et parlait une langue incompréhensible. On racontait qu'elle avait séduit mon père en quelques jours et que deux semaines après leur rencontre il l'épousait : une impulsivité qui ne séduisit ni n'amusa la famille de mon père, établie à la baie de Robin-des-Bois.

Aussi, au lieu d'habiter la Baie, ce qui aurait été normal, le jeune couple était venu s'installer à Whitby, où mon père avait présenté sa femme à sa cousine Martha, qui elle aussi avait fait une mésalliance. Quand elle évoquait cette époque, la cousine Martha laissait entendre que les deux couples étaient très proches ; et il est certain qu'elle avait aidé ma mère lorsqu'elle restait seule pendant que mon père partait en mer. Six mois auparavant, lorsque j'avais été dans l'embarras, sa fille Bella m'avait aidée. À présent, un fort sentiment de reconnaissance me poussait à les défendre toutes les deux.

J'avais toujours perçu les membres de la famille de mon père comme des gens intransigeants et prompts à la critique, sévères par nature et correspondant bien à leur patronyme[1]. Pourtant, ce soir-là, pour la première fois je commençai à comprendre qu'ils tenaient à certains principes, que ma cousine Martha avait abandonnés depuis longtemps, mais qui commandaient le respect. Des normes de conduite sans doute exigeantes, mais paradoxalement rassurantes. Après ma soirée au Cheval blanc, j'éprouvais une envie soudaine de me trouver en compagnie de gens bien élevés et disciplinés, dans une maison propre aux murs blancs et aux tables bien frottées, avec une batterie d'ustensiles astiqués et un bon feu de bois crépitant joyeusement dans la cheminée. L'espace d'un instant, je fus envahie par une bouffée de nostalgie puissante pour la maison de ma grand-mère, et je faillis m'attendrir sur mon sort.

Je m'efforçai d'ignorer le décor crasseux qui s'offrait à moi, allumai un bout de chandelle et me dirigeai vers l'escalier. La maison, ancienne, devait avoir deux ou trois siècles et était construite dans le style traditionnel du vieux Whitby. Elle datait de l'époque où les maisons des marins épousaient la falaise, empilées comme des boîtes contre sa paroi. En général, elles comprenaient quatre ou cinq étages d'une seule pièce chacun. À l'intérieur, on eût dit un bateau, avec un escalier en colimaçon pour relier les étages, des panneaux de chêne dans presque toutes les pièces, et de grandes fenêtres carrées donnant sur le port. Ma chambre, tout en haut, avait les fenêtres les plus petites, mais la vue la plus belle, et c'était le plus grand avantage que je trouvais à vivre là.

Je montai l'escalier et passai sur la pointe des pieds devant les chambres des deux premiers paliers pour gagner mon pigeonnier sous les combles. Chaque bourrasque soulevait les tuiles qui claquaient en se reposant, secouait les portes et les fenêtres et,

1. Sterne se prononce comme *stern* : austère, sévère, rigide. *(N.d.T.)*

bien que la maison fût plaquée contre la colline, elle tremblait à chaque coup de boutoir du vent. Le mauvais temps durait depuis une semaine ; rien d'étonnant donc à ce que, avec les marées exceptionnellement hautes et les fortes pluies sur l'intérieur des terres, le port fût inondé. De ma fenêtre, je le voyais presque en entier : des eaux turbulentes reflétaient la lune, et le pont lui-même n'était plus qu'un trait balayé par l'écume. Plus près, entre Tate Hill et la jetée est, les rouleaux cognaient contre la quille noire du bateau russe, le *Dmitry*, que j'entendais glisser et grincer comme pour protester.

C'était un son troublant, mais il me rappelait une main chaude autour de ma taille, la force avec laquelle mon ami inconnu m'avait tenue et la sollicitude qu'il avait manifestée plus tôt en me tirant du bord de la colline d'où j'aurais pu si facilement glisser. J'espérais le revoir, bien que la chose semblât peu probable ; et je regardai même la lune en faisant un vœu en ce sens. Or, j'ignorais son nom, et les scrupules que j'avais eus à le lui demander, alors qu'il avait appris le mien de Jack Louvain, me paraissaient stupides à présent. J'étais toujours en train de regarder la lune lorsque j'entendis quelqu'un monter l'escalier. Je me retournai juste au moment où Bella entrait en trombe, échevelée et hors d'haleine, les joues rouges d'excitation.

« Damsy ! Où étais-tu passée aujourd'hui ? Je commençais à croire que tu avais été enlevée par une vague sur la jetée. Je t'ai cherchée partout. Où étais-tu ? »

Malgré ses questions, elle ne me laissa pas le temps de répondre. Elle se jeta sur mon lit et se mit aussitôt à me raconter qu'un trois-mâts allemand avait rompu ses amarres sur le banc de la Cloche et menaçait d'entraîner avec lui une demi-douzaine d'autres bateaux ; que deux autres avaient fait naufrage sur les plages et que maintenant la crue de la rivière était si violente que tout le monde disait que ses eaux allaient fatalement emporter le pont.

« Et d'après moi, il y a toutes les chances : des arbres entiers et un mouton mort sont coincés dessous, et il paraît que deux petits enfants et une vieille femme de Ruswarp ont déjà été noyés...

— ... j'ai rencontré Jack Louvain, lui dis-je, ne voulant pas en entendre davantage à propos des noyades. Je l'ai aidé à sortir ses appareils du studio quand on a entendu parler de la *Mary and Agnes*. Jack voulait prendre des photographies, alors... »

Je lui parlai du brigantin et de nos difficultés sur la falaise ; lorsque j'en vins au bateau de sauvetage, elle m'interrompit à nouveau, tout excitée, les yeux écarquillés, pour me dire que la polémique faisait rage dans la ville : on se demandait si la mise du canot à la mer était justifiée et si le patron avait eu raison de tenter cette sortie avortée afin de porter secours au brigantin. Certains disaient que le règlement était le règlement et qu'un bon patron ne devait pas laisser son désir d'action influencer son jugement ; mais d'autres, dont le père de Bella, trouvaient que le comité directeur des opérations de sauvetage avait un sérieux culot de mettre en question la bravoure et l'habileté du patron du canot, un homme au courage légendaire.

Or ce n'était pas le courage qui était en question, je le savais.

« Tu étais là ? demandai-je à Bella.

— Non, je donnais un coup de main du côté du pont de l'hôpital.

— Eh bien moi, j'y étais, et tout ce que je peux dire, c'est que j'ai été terrorisée en voyant le canot culer comme ça. Ils auraient dû aller plus au large. Je me suis fait un sang d'encre en essayant de voir si les gars étaient sains et saufs. J'ai failli tomber de la falaise, d'ailleurs je serais tombée sans le... enfin, sans le monsieur qui est venu nous aider.

— Quel monsieur ? » demanda-t-elle d'un ton soupçonneux.

Il me fallut donc lui raconter par le menu – et j'avoue que j'y pris quelque plaisir – les aventures de la journée, y compris mon pique-nique avec Jack Louvain au studio, suivi par le dîner au

Cheval blanc avec le monsieur de Londres. Et puis, il y avait eu ces baisers passionnés dans la ruelle de la Falaise...

« Ah, parce qu'il t'a embrassée ? dit Bella d'une voix soudain lourde de reproches. Ça t'a plu ? »

Je réfléchis en souriant au souvenir du tweed rugueux, de la caresse de sa barbe sur ma joue et de l'odeur très raffinée de cigares, de whisky et de linge frais. Je posai sur mes lèvres mes doigts glacés, consciente du trouble qu'il avait provoqué chez moi et certaine que, même si les événements de la journée ne devaient plus se reproduire, je ne les oublierai jamais.

Sachant que Bella ne comprendrait pas, je m'étendis sur le lit à côté d'elle et dis non sans satisfaction :

« Oui, cela ne manquait pas de charme. Lui non plus, d'ailleurs. Et qui plus est, ajoutai-je en coulant un regard de biais à Bella, je n'ai pas du tout eu l'impression d'embrasser un merlan crevé ! »

C'était une plaisanterie entre nous, l'une des expressions les plus dépréciatives de Bella, accompagnée en général d'un frisson de dégoût. Malgré cela, elle avait toujours une nuée d'admirateurs.

J'avais cru que ma remarque l'amuserait, mais ce ne fut pas le cas. Elle se borna à demander avec une grimace :

« Il ne t'a pas fait de propositions ?

— Non, bien sûr que non, répliquai-je, choquée par l'insinuation. Pourquoi ?

— Pourquoi ? répéta-t-elle comme si elle s'adressait à une demeurée. Parce que la plupart des hommes nous prennent pour du gibier, au cas où tu ne l'aurais pas remarqué. Il t'a offert à dîner et il a peut-être cru que tu étais comprise dans le marché. »

Cette idée avait beau m'avoir traversé l'esprit peu de temps auparavant, elle ne m'en exaspéra pas moins.

« Eh bien cela n'a pas été le cas. Ce n'est pas du tout dans ses manières. D'ailleurs, pourquoi es-tu si désagréable, Bella ? J'ai passé un bon moment avec lui, voilà tout. Je croyais que toi aussi, cela t'amuserait.

— Par personne interposée ? dit-elle d'un ton sarcastique en se laissant glisser du lit pour chercher du pied ses chaussures par terre. C'est déjà bien assez désagréable directement. »

Là-dessus, elle partit en claquant la porte, me laissant mortifiée par ces piques inattendues. Sa réaction me surprenait, et je restai là, l'œil fixé sur la porte qu'elle venait de franchir, repassant dans mon esprit la conversation, cherchant où elle avait dérapé. J'en arrivai à la conclusion que ce devait être ma faute. Sans doute avais-je étalé avec trop de complaisance ma satisfaction, mais je ne voyais vraiment pas pourquoi elle en avait été aussi fâchée. Nous avions déjà partagé nos expériences, ri de la vanité masculine et déploré la cruauté insouciante des hommes. J'étais, en règle générale, la confidente de Bella, je compatissais à ses peines et jamais je ne l'aurais blessée volontairement. Perplexe et meurtrie, je mouchai la chandelle et m'allongeai bien à plat dans mon lit. Au bout d'un moment, je commençai à me poser d'autres questions, notamment celle-ci : pourquoi Bella se montrait-elle si méprisante ? C'était une beauté, avec ses cheveux bruns et brillants, ses joues roses, et sa séduction faisait l'unanimité. Mais pour une raison obscure, elle n'en tirait aucune gloire, tandis que j'avais des réactions diamétralement opposées. À cette époque, je n'avais qu'une envie, être admirée, et cherchais l'homme idéal dans chacun de ceux que je rencontrais. Seulement, j'étais une grande bringue anguleuse, avec une masse de cheveux roux qui me valaient plus de plaisanteries que de compliments. Naturellement, je tenais les Sterne pour responsables de ma taille et de ma silhouette, comme d'ailleurs de tout ce dont j'avais à me plaindre dans la vie. Ils avaient tous les membres longs, les épaules carrées et, pour la plupart, des cheveux décolorés par le soleil et des yeux qui semblaient toujours sonder l'horizon comme s'ils guettaient en permanence l'apparition d'une voile.

Dans mes moments d'intolérance, je me disais que c'était peut-être une large voile carrée, unique, surmontant un drakkar orné d'une tête de dragon, qui amenait de l'autre côté de la mer du Nord leurs parents disparus depuis longtemps. Dix siècles avaient dû s'écouler depuis les derniers raids vikings, mais quiconque rencontrait le grand-oncle Thaddeus sur les falaises aurait eu quelque excuse à penser qu'ils étaient plus récents. Malgré le poids des années, il en imposait, même à moi, avec son épaisse chevelure blanche et sa longue barbe, et ressemblait fort à un chef viking ; il ne lui manquait qu'une cotte de mailles et un casque à cornes pour compléter le tableau.

On disait que le berceau de la famille se trouvait au Danemark ou en Norvège et, d'après les comptes rendus locaux les plus anciens, il y avait eu des Sterne à la baie de Robin-des-Bois à l'époque de la suppression des monastères, quand l'abbaye de Whitby s'était vu confisquer ses terres et ses biens. Alors, comme aujourd'hui, ils étaient pêcheurs et patrons de bateaux, et heureusement des générations de mariages consanguins n'avaient pas nui de façon notable à leur santé mentale ou physique. Les hommes avaient dans l'ensemble les mains aussi agiles que le cerveau, et je n'en connaissais aucun qui ne fût bon marin, bien que tous n'eussent pas choisi une carrière maritime. Quant aux femmes, elles avaient une réputation d'indépendance farouche et de courage stoïque ; elles étaient aussi connues pour leur bonne dentition et leurs traits réguliers. Traditionnellement, c'étaient de belles femmes, mais austères ; elles avaient l'habitude de vivre dans des communautés largement féminines, s'entraidaient lorsqu'elles le pouvaient et élevaient leurs enfants sans homme à la maison.

Leur vie se déroulait au rythme des saisons et des exigences d'hommes absents de chez eux huit ou neuf mois par an. J'avais le sentiment qu'il en avait toujours été ainsi, et cela me faisait l'effet d'une paire de menottes. Si j'avais vécu avec ma mère, j'aurais peut-être vu les choses autrement, mais mon milieu immédiat ne correspondait pas à l'ordre établi, auquel je n'avais pas l'impression d'appartenir, bien que j'eusse été élevée par une femme qui était une Sterne jusqu'à la moelle des os. Quand j'étais petite, je ne pouvais supporter l'idée de rester sur cette grève, enlisée au même endroit que mes tantes, grand-mères et arrière-grand-mères. J'éprouvais le besoin de me distinguer, de voler de mes propres ailes ; pourtant, l'ironie du sort a voulu que je finisse par avoir un destin très conforme à celui des Sterne. Simplement, j'y suis parvenue par des voies très différentes.

Grand-mère, qui était née Sterne et avait épousé un Sterne, ne manqua ni de parents ni de soutien moral après la disparition en mer de mon père et de mon grand-père. À tout le moins, les femmes de la famille étaient à même de comprendre ce genre de tragédie. Si elles étaient capables d'être gentilles et de fournir de l'assistance à leur manière pragmatique, ce n'étaient pas des philanthropes. La plupart d'entre elles auraient préféré mourir de faim plutôt que d'emprunter de l'argent à des amis, ce qui était considéré comme une vertu, bien entendu. Le revers de la médaille, c'était qu'il fallait affronter l'hiver et que cela était pénible lorsqu'il y avait pénurie de nourriture et de chauffage.

Avec le naufrage du *Merlin*, notre petite branche de la famille Sterne se trouva soudain orpheline et démunie. Une situation qui n'avait rien de bien nouveau, et qui provoqua donc moins de sollicitude que les victimes ne s'estimaient en droit d'en attendre. Investir dans les transports maritimes peut s'avérer une entreprise assez risquée, surtout lorsque les arrières ne sont pas solidement assurés. Je suis persuadée que nombre de projets risqués ont rapporté gros, mais certains ont été fort imprudents et se sont soldés le plus souvent par un échec. L'histoire du *Merlin* fait sans aucun doute partie de ceux-là. Mon père et mon grand-père, respectivement second et capitaine du navire, étaient copropriétaires de la jolie petite goélette et d'une partie importante de sa cargaison, ce qui revenait à mettre ses œufs dans le même panier, chose que je ne ferais jamais aujourd'hui.

Évidemment l'époque n'était pas la même, et qui sait à quelles extrémités ils en étaient réduits pour oser prendre pareille initiative ? Certes, s'ils avaient réussi ils auraient gagné une fortune compte tenu de la période de l'année ; mais une tempête particulièrement violente et cruelle mit un terme à leurs espoirs en même temps qu'à leur vie, et entraîna des conséquences aussi durables que considérables pour toute la famille.

Ma mère, qui habitait Whitby et attendait son troisième enfant, fut prise de douleurs quelques heures après avoir appris la nouvelle. Son pauvre bébé ne vécut que vingt-quatre heures, et elle-même fut emportée par une fièvre puerpérale en une semaine.

Mon frère Jamie et moi étions trop choqués pour comprendre ce qui arrivait. Nous savions que notre mère était malade, et je savais que « morte » signifiait « partie » ; Jamie, lui, croyait qu'elle allait revenir. Il avait quatre ans et moi sept, et nous n'avions qu'un seul foyer, celui de Whitby. Cependant, après le drame, il fallut tout vendre afin de satisfaire les créanciers, et on nous remmena à la Baie. C'était un endroit où nous étions déjà allés, mais que nous ne connaissions pas très bien, et tous ces gens qui prétendaient être des parents nous étaient beaucoup moins familiers que nos vieux voisins et amis du quartier du Cragg. Bien sûr, il s'agissait de la famille de notre père et, comme il était en mer la plus grande partie de l'année, son absence n'avait rien d'exceptionnel pour nous ; mais la mort de notre mère laissa dans notre vie un trou béant que personne n'essaya de combler.

En ce temps-là, grand-mère nous semblait distante et sévère : en réalité, elle dut rester un certain temps anéantie par la douleur. Elle réussit, j'ignore comment – à l'époque j'étais trop jeune pour le comprendre –, à faire face à la perte de son mari et de son fils, ainsi que d'une belle-fille qui n'était peut-être pas celle qu'elle aurait souhaitée, mais qui appartenait néanmoins à la famille ; à payer d'énormes dettes et à assumer la charge de deux jeunes enfants. Il ne nous fut pas facile d'accepter que notre mère, jolie, jeune et rieuse, fût remplacée par cette étrangère austère, et malheureusement, lorsque grand-mère parvint enfin à trouver un certain réconfort dans notre présence au lieu de nous considérer comme un fardeau, nous étions murés dans notre réserve et notre opinion sur elle ne varia plus. C'était ma grand-mère et je portais le même nom qu'elle, mais je dois reconnaître que je n'ai jamais vraiment su à quel genre de femme j'avais affaire. C'est dommage et je le déplore encore aujourd'hui.

Elle disait toujours que nous ne pouvions attendre aucune charité de la part de la famille. Le vieil oncle Thaddeus, qui avait enterré deux femmes et n'avait pas d'enfants à élever, lui aurait volontiers donné jusqu'à son dernier sou, mais elle avait invariablement refusé son aide. À l'époque je ne compris pas, et jamais rien ne fut explicite. En fait, ils étaient cousins germains et elle avait épousé son frère. Je ne sais pas s'il lui avait toujours tourné autour, mais j'imagine qu'elle cherchait à maintenir entre eux une distance respectable. Elle ne tenait pas à ce que quiconque – parent, ami ou ennemi – pût insinuer que Damaris Sterne profitait d'un homme aussi riche et influent. Ou, pis encore, qu'il la payait pour des services sur lesquels mieux valait fermer les yeux.

Moyennant quoi, elle quitta sa maison et en loua une, toute petite, juste à côté de la place. Pour gagner sa vie, elle exécuta toutes sortes de travaux domestiques au gré des besoins du jour. Cela lui valut le respect de tous. Nous étions assurément bien tenus, mieux habillés et mieux nourris que beaucoup d'enfants du voisinage, mais ce que je me rappelle surtout, c'est la pauvreté de ces années-là, l'absolu dénuement dans lequel nous vivions, et ma nostalgie de chaleur humaine. Même lorsque j'étais assise sur l'épais mur de pierre à regarder la mer, je me languissais des odeurs familières de la cuisine, de ma maison d'enfance, du grand fauteuil qui ressemblait à un nid, devant la cheminée, et où nous nous installions, Jamie et moi, sur les genoux de maman qui nous racontait des histoires. Il n'y avait pas de fauteuils chez grand-mère ; les fauteuils, disait-elle, c'était pour les infirmes et les vieillards. Le seul siège un peu rembourré était un siège à dossier droit, celui de grand-mère. Gare à Jamie ou à moi si nous nous y asseyions.

Au bout d'un certain temps, sans doute lorsque grand-mère commença à aller mieux, elle se mit à nous raconter des histoires. Oh, certes, pas des histoires de sirènes ni d'esprits des eaux, mais l'histoire de sa famille, les Sterne, de leurs voyages et de leurs aventures, de leurs liens avec Cook et Nelson, et même du membre de la famille qui avait fait partie de l'escorte de Napoléon lors de son transfert à l'île d'Elbe. Si son intention était de nous donner le sentiment de notre identité, elle y réussit assurément ; elle éveilla aussi chez Jamie un tel désir d'explorer le monde qu'il n'eut de cesse d'entrer dans la marine de Sa Majesté. Enfant, il allait à la pêche et s'était embarqué clandestinement plus d'une fois pour éviter d'aller à l'école ; finalement, grâce à l'oncle Thaddeus, on le laissa entrer dans la marine sans trop rechigner. Sinon, il se serait tout bonnement sauvé.

Compte tenu de ses idées sur ce qui convenait à une demoiselle et de notre absence d'argent, tout ce qu'elle put faire pour moi fut de m'apprendre des choses qui, l'espérait-elle, me seraient utiles un jour. Les soins du ménage, bien sûr ; les comptes quotidiens, l'élocution et les bonnes manières. Dans sa jeunesse, au cours de ses nombreux voyages avec grand-père, elle avait appris assez de français et d'allemand pour se débrouiller dans ces langues. Les phrases qu'elle nous enseigna, à Jamie et à moi, allaient avec un genre d'histoire et de géographie qu'on n'enseigne pas toujours à l'école, mais qui étaient bien adaptées à une communauté de gens de mer dont les ressources venaient du commerce avec les pays d'Europe du Nord et les États baltes.

Elle s'attendait que je me marie et espérait manifestement que je trouverais un bon parti, encore qu'elle ait dû parfois s'interroger sur mes chances d'y parvenir. Je sais qu'elle fit tout son possible pour me présenter à tous nos parents du voisinage, dans l'espoir qu'un jour ces relations auraient le résultat escompté. Finalement, elles y aboutirent, mais par une voie bien différente de celle qu'elle imaginait. À l'époque, je trouvais cela humiliant, car ni elle ni moi n'avions de vêtements susceptibles de faire bonne impression, et j'étais une de ces filles qui n'en finissent pas de grandir. Malgré ma maladresse, ou peut-être à cause d'elle, elle me fit apprendre le métier de femme de chambre chez les demoiselles Sterne qui habitaient à environ trois kilomètres à l'intérieur des terres. En contrepartie de leur apprentissage, les filles étaient logées et nourries pendant six mois et recevaient deux pence d'argent de poche par semaine. Si leurs services étaient satisfaisants – et, lorsqu'elles avaient terminé leur temps, ils l'étaient en général –, elles recevaient de bonnes références et on les recommandait à une agence de placement respectable de Whitby.

J'obtins deux places par cette agence, la première comme seconde femme de chambre dans une grande demeure au nord de Malton, ensuite comme caméristе d'une femme de médecin à Middlesbrough. Toutefois, ce n'était pas une bonne maison, et lorsque l'oncle Thaddeus écrivit pour dire que la santé de grand-mère l'inquiétait je ne fus pas fâchée de quitter ma place aussitôt. À mon grand chagrin, je découvris que ma grand-mère se portait mal depuis quelque temps et que, comme on pouvait s'y attendre, elle n'en avait rien dit. Elle ne sortait pratiquement plus de sa maison et ne pouvait plus monter ni descendre l'escalier. Lorsque je voulus la gronder, elle me dit avec un reste de son ancienne brusquerie : « À quoi bon ? Je suis une vieille femme et ce corps est usé jusqu'à la corde. »

En dépit des circonstances, je ne pus m'empêcher de sourire. À l'entendre, on eût dit qu'elle allait jeter cette vieille enveloppe usée pour une autre flambant neuve ; à la réflexion, j'aurais bien voulu qu'il en fût ainsi.

J'étais revenue au milieu du mois de décembre 1884, et à

l'époque de Noël les nuits étaient si froides que je nourris le feu au mépris de l'économie, pour réchauffer la maison. Un soir, je me souviens d'être montée et de m'être endormie sur-le-champ, pour me réveiller au milieu de la nuit en frissonnant, avec le sentiment qu'il y avait quelque chose d'anormal : il faisait un froid glacial et, lorsque je descendis, je trouvai le feu éteint et la porte de la cuisine ouverte. La neige tombait sur les dalles de pierre, et dans la cour il y en avait environ trois centimètres d'épaisseur. Je n'aperçus pas tout de suite grand-mère. Appuyée contre le mur blanc, avec sa chemise de nuit de batiste blanche couverte de neige, elle était peu visible. Je crus qu'elle était toujours dans la maison et rentrai pour la chercher. Ce fut lorsque je ressortis avec l'intention de regarder par-dessus le large mur qui entourait la cour que je la vis, recroquevillée au pied du mur en question.

Gelée, elle respirait à peine et je ne sais si elle se rendit compte de ma présence ; en tout cas, elle n'en montra rien. Je réussis à la ramener dans la maison et à la mettre au lit. Le feu couvait à peine, mais les briques du foyer étaient encore chaudes et j'en pris une, que j'enveloppai dans une couverture pour la glisser à ses pieds. Après quoi, je mis la bouilloire à chauffer et fis du thé. Entre-temps, elle avait repris conscience. Je m'efforçai de ne pas paraître inquiète ni étonnée de ce qui s'était passé et lui demandai si elle se souvenait d'être sortie. Avait-elle voulu aller faire ses besoins ? Mais elle secoua la tête.

À mon grand étonnement, car cela ne lui ressemblait guère d'ajouter foi aux manifestations surnaturelles, elle me dit qu'elle avait répondu à la voix de grand-père, qui l'appelait sur les falaises. Lorsqu'elle était sortie, elle avait compris qu'il était sur son bateau, dans la Baie. Incapable de communiquer avec lui, elle avait éprouvé une telle déception qu'elle s'était laissée glisser contre le mur.

« Je devais rêver à l'époque où nous étions jeunes », murmura-t-elle, pensive.

Alarmée, je frissonnai, ce qui était peut-être une expression de crainte superstitieuse, ou la réaction à la perspective d'une mort prochaine. Je repoussai ces idées, mais pris soudain conscience de mon impuissance. J'envoyai chercher l'oncle Thaddeus, qui arriva tout de suite et passa quelque temps avec grand-mère. L'espace d'un instant, avant qu'il ne parte, je compris en voyant ses traits crispés à quel point il tenait à elle. À ma grande honte, je me souviens de l'embarras que cela provoqua chez moi et, comme mes sentiments pour lui étaient contradictoires, je m'autorisai à lui en vouloir. Il l'avait toujours admirée, respectée, et en comparaison je me sentais jugée et condamnée. Je ne sais s'il se rendit compte que je n'étais encore qu'une enfant, mais il envoya chercher les plus proches parentes de grand-mère et, à mesure que son état s'aggravait, je sus gré à ces femmes de l'aide qu'elles m'apportèrent. Il était atrocement pénible d'entendre sa respiration sifflante, et difficile de lui faire avaler une gorgée d'eau de temps en temps. Dans la soirée du lendemain, elle abandonna la lutte, et j'en fus soulagée pour elle.

C'était une soirée glaciale, avec un ciel étoilé qui se reflétait dans l'eau calme, lorsque je sortis. Quelques barques de pêche rentraient, et je me surpris à scruter la baie – c'était folie, assurément –, comme si j'espérais voir se détacher sur la mer sombre les voiles blanches d'une goélette, le bateau de mon grand-père, peut-être, attendant de transporter l'âme de Damaris Sterne vers un lieu de retrouvailles attendues depuis longtemps...

Folie ou non, le souvenir de cette soirée provoqua en moi une vague de chagrin si violente qu'elle me prit au dépourvu. J'étais jeune alors, et dix mois me semblaient un laps de temps très long, en tout cas assez pour se remettre d'un deuil pareil. Mais l'escarmouche stupide avec Bella avait dû toucher une source de larmes, et je me mis à pleurer sans raison apparente.

4

Je pensais me réveiller tôt pour voir les horaires des trains à la gare et avoir une chance de rencontrer comme par hasard mon nouvel ami avant son départ. Mais il n'en alla pas ainsi. Pendant la nuit, la tempête finit par s'épuiser. Nous étions tous si fatigués après une semaine pratiquement sans sommeil que toute la maisonnée dormit à poings fermés tard dans la matinée du dimanche. Lorsque je sortis la tête de sous l'amoncellement de châles et de couvertures, le soleil était déjà haut dans un ciel bleu limpide, les mouettes criaient et quelqu'un faisait frire du bacon sur un feu de bois.

Mon estomac, qui n'avait aucune raison de se plaindre, protestait pourtant comme si je n'avais rien mangé depuis une semaine. Le bacon ne m'était certainement pas destiné, mais je me dépêchai quand même de faire mes ablutions à l'eau froide, avec un petit morceau de savon au phénol, et me brossai sommairement les cheveux avant de passer mes vêtements du dimanche, une jupe d'hiver avec un corsage. Heureusement, comme je ne les avais pas portés depuis quelque temps, ils étaient secs, tandis que les autres, encore humides, sentaient la laine mouillée et les algues.

Magnus Firth m'adressait assez rarement la parole, et j'espérais traverser la cuisine avec juste une petite phrase en passant quand il tendit le pied pour me barrer le passage et me demanda où j'étais allée la veille. Je regardai Bella, qui était penchée sur le feu, mais elle se borna à esquisser un geste d'impuissance. La tête rentrée dans les épaules, son père était attablé devant un petit déjeuner qui me fit saliver.

« Alors, où t'étais ?

— Avec Mr Louvain, le photographe, répondis-je aussitôt. Je l'ai aidé à prendre des photographies des épaves.

— C'est pas ce qu'on m'a dit », laissa-t-il tomber en plongeant des morceaux de pain dans la graisse qui restait sur son assiette pour les distribuer aux enfants qui attendaient près de lui. « Il paraît que t'étais avec un coquin, un gars qu'est pas d'ici. »

Je ne voyais pas en quoi cela le regardait, mais n'osai rien dire. Avec sa trogne mal lavée, mal rasée, ses cheveux noirs ébouriffés et ses bras puissants et musculeux, il avait une mine patibulaire propre à effrayer une femme, et je ne faisais pas exception.

« C'est quelqu'un qui est venu visiter Whitby, et Mr Louvain m'a demandé de lui montrer la ville. »

Magnus Firth me dévisagea un long moment.

« Tiens donc ! En tout cas, mets-toi bien ça dans le crâne : je ne veux pas de bâtards dans cette maison. »

Je me sentis rougir des pieds à la tête, plus de colère que d'embarras.

« Tu n'as pas le droit...

— J'ai tous les droits, gronda-t-il. Peut-être que je ne suis pas un de tes parents du côté rupin, mais je suis ton cousin par alliance, et tu habites sous mon toit, fillette, tâche de t'en souvenir. »

La rage faillit me faire oublier la prudence, mais je me ressaisis. J'aurais bien aimé lui dire que son toit était en réalité celui de la cousine Martha, et qu'elle le tenait de ses parents Sterne qu'il méprisait si cordialement. Je dus toutefois me contenter d'acquiescer, avec quelque aigreur, pour pouvoir sortir sans être molestée. En dévalant les marches, je me demandai pourquoi j'étais venue habiter là. Bella me rejoignit en courant, me glissa dans la main un morceau de pain et du bacon grossièrement coupé, et me supplia de ne pas être fâchée.

Je pouvais difficilement l'être longtemps contre Bella, et je lui fus reconnaissante de m'avoir apporté ce casse-croûte dans lequel je mordis aussitôt avec délices. J'avais presque oublié à quel point c'était bon, le bacon, et assurément j'avais aussi oublié quel jour on était lorsque les cloches de l'église paroissiale se mirent à sonner. Alors, Bella me demanda d'un ton pince-sans-rire si c'était pour aller à l'office du matin que je me pressais comme cela.

« Pas cette semaine », répondis-je, ce qui pouvait passer pour une plaisanterie, car j'avais répondu la même chose tout l'été.

Seulement, comme je ne voulais pas avouer que je comptais me rendre à la gare, je dis à Bella que j'avais l'intention d'aller au studio pour vérifier si tout était au sec après l'inondation de la veille.

« Dommage, maintenant que c'est marée basse, on aurait pu aller voir l'épave.

— Laquelle ? » lançai-je tandis que nous descendions quelques marches.

Mais, en tournant au coin d'une allée pour déboucher sur le port, nous vîmes le navire russe tout près, échoué sur le sable du havre du Charbonnier. Pendant la nuit, la queue de la tempête s'était acharnée sur le *Dmitry* de Narva, qu'elle avait presque désintégré ; elle avait cassé ses mâts et ses espars, dégarni ses ponts, ouvert une brèche au-dessous de sa ligne de flottaison, si bien que sa cargaison de sable argentifère s'était répandue et brillait sous le soleil matinal.

Des enfants jouaient autour de l'épave et un groupe de pêcheurs l'examinait en connaisseurs ; parmi les badauds de la jetée la plus proche, un homme installait un appareil photographique et un trépied. Je ne distinguais pas son visage, et il me fallut un certain temps pour reconnaître la haute silhouette maigre de Frank Sutcliffe, l'un des amis et concurrents de Jack Louvain. C'était un excellent photographe, Jack disait qu'il valait mieux que tous les autres réunis, et même que lui. Je n'étais pas qualifiée pour en juger, mais il semblait certainement travailler plus dur et faire des journées plus longues. La vérité, c'est qu'il était marié, père de famille et, à la différence de certains autres, ne pouvait se permettre de jouer les bohèmes.

Tout le long du port, on voyait des traces de l'inondation de la veille. Les caniveaux étaient emplis de boue et de vase, et tous les coins jusqu'au plus petit étaient jonchés de débris apportés par la tempête. À notre arrivée au studio, nous trouvâmes Jack en train de regarder d'un œil morne un plancher mouillé et boueux. Il fut soulagé de nous voir et nous tendit le balai et la serpillière comme si l'usage de ces objets lui était trop pénible. La perspective de faire du ménage vêtue de mes plus beaux habits ne m'enchantait guère, mais celle de devoir renoncer à mon projet d'aller à la gare me contrariait plus encore. Ce fut de très mauvaise grâce que je retroussai mes jupes et me mis à l'ouvrage.

Lorsque nous eûmes terminé, que le sol fut à nouveau propre et la majeure partie des meubles et des accessoires remis à leur place attitrée, alors seulement Jack nous parla de la visite matinale qu'il avait eue. Notre ami de la veille était passé en partant à la gare pour laisser un message dans la boîte. Il demandait à Jack de lui fournir des photographies des deux épaves, si cela était possible, et de les lui adresser au Lyceum contre un chèque en retour ; et sur le dos de l'enveloppe il avait griffonné au crayon : « Vous avez des portraits magnifiques au mur en face de la porte. Les cartes postales de pêcheurs sont très jolies. Voulez-vous m'en envoyer une série ? »

En lisant le message, j'eus toutes les peines du monde à ne pas m'esclaffer, car je savais pertinemment où étaient affichés les portraits de moi. À mon expression, Jack devina la vérité et déclara avec un petit rire déçu : « Je vois, ce n'est pas mon travail qu'il admire, c'est toi ! »

Je protestai en rougissant et essayai de déchiffrer la signature au bas du message. Je venais de lire le nom de famille, Stoker, lorsque Jack dit d'un ton entendu : « Tu sais de qui il s'agit, je suppose. L'imprésario de notre plus éminent acteur shakespearien. » Et alors que j'étais encore là, bouche ouverte en attendant de trouver une réplique, il me tendit un petit portrait sur carte postale, celui d'un couple à l'allure distinguée. L'homme, plus âgé, avait un visage d'aigle ; quant à la femme, je la reconnus : c'était l'une des actrices les plus belles et talentueuses d'Angleterre. La carte n'avait pas été prise par Jack, mais faisait partie d'une série dont les collectionneurs étaient friands et qui représentait les acteurs et les actrices du moment dans des rôles populaires. Au verso, une légende annonçait que cette photographie était la seule autorisée par le célèbre acteur et directeur du Lyceum, Henry Irving, avec son actrice vedette, Ellen Terry.

« Bien sûr ! murmurai-je, atterrée de ma propre stupidité. Irving et Ellen ! Je n'avais pas compris qu'il s'agissait d'eux. Il a dû me trouver complètement idiote !

— Il a joint une photographie à son message, dit Jack d'un ton important, et il me prit la carte des mains pour la montrer à Bella. Il n'y a pas de doute, Mr Bram Stoker ne nous a pas menti sur son identité. Quand je pense qu'il était là hier sur la falaise à m'aider, et que je n'ai pas réussi à le prendre en photo ! »

Bella fronça le nez en me regardant.

« En tout cas, Damsy s'est fait offrir un bon repas !

— Je t'avais bien dit que c'était un homme du monde ! rétorquai-je aussitôt, espérant qu'elle n'en dirait pas plus. Il s'est montré gentil, voilà tout. »

Je surpris un regard perplexe de Jack, qui n'ajouta rien. Il avait du tact, ce que j'appréciais. D'ailleurs, je l'aimais beaucoup et souhaitais souvent qu'il fût plus grand ou plus distingué, ou peut-être un peu moins assidu au travail, car à tous autres égards c'était un bon parti. Toutefois, il avait beau se moquer de moi, et même laisser tomber un compliment de temps à autre, je ne pense pas que je lui plaisais particulièrement, sauf comme modèle à l'occasion.

Quelques jours plus tard, comme je passais devant son studio, il m'appela pour me montrer une lettre qu'il avait reçue en retour des photographies. Une lettre brève, mais très élogieuse, qui vantait la qualité des clichés autant que leur valeur artistique. Jack s'en rengorgeait presque et je me sentis tout aussi flattée, car une partie du mérite me revenait. Pas seulement à cause de mon visage qui figurait sur deux ou trois cartes, mais aussi parce que j'avais passé plusieurs heures en compagnie de cet homme.

Peu après, alors que je contemplais la série d'agrandissements encadrés affichés au mur, l'un d'eux attira mon attention : le cliché me représentait assise sur les rochers, vêtue du costume typique des pêcheuses de Whitby, un panier d'osier au bras. Même mes cheveux que le vent faisait voler étaient mis en valeur par les tons sépia, tandis que le court jupon de flanelle rayée et la jupe de dessus retroussée se détachaient de façon charmante sur l'arrière-plan de rochers. Je trouvai ce portrait de moi en train de regarder la mer délicieux et romantique ; mais j'imaginai que l'un des principaux charmes de la photographie, aux yeux du collectionneur masculin, c'était la fraction de mollet et de cheville si négligemment dévoilée. Les pêcheurs du coin avaient beau ne prêter aucune attention à nos jupes levées lorsque nous ramassions des coquillages sur la plage, les visiteurs qui venaient à Whitby l'été étaient souvent choqués et les pêcheuses parfois en butte à des sarcasmes délibérés.

Je ne m'en étais guère souciée jusqu'à présent, à la grande horreur de l'oncle Thaddeus. Je me rendis soudain compte que ce qui le chagrinait, ce n'était pas que je m'habille en pêcheuse, ni même que je fasse le travail de ces filles – qui, pourtant, était à ses yeux inférieur à celui de domestique –, mais qu'en posant pour des photographes je sois offerte aux regards d'inconnus. L'idée le contrariait manifestement beaucoup. Et c'était Mr Stoker qui venait de m'en faire prendre conscience. Si je n'y avais encore jamais songé, je l'imaginai brusquement en train de contempler mes chevilles et mes pieds nus et me sentis rougir comme une écrevisse.

Jack me surprit, car il utilisa des mots si justes que j'eus l'impression qu'il lisait en moi à livre ouvert :

« Tout compte fait, c'est très flatteur, car, si on y pense, il passe le plus clair de son temps à Londres en compagnie de jolies femmes – toutes ces actrices et autres. Sans parler des femmes du monde, ajouta-t-il avec un sourire en coulisse. Tu sais, tout bien réfléchi, ce ne sont pas les bons photographes qui doivent manquer à Londres.

— Oh, détrompez-vous ! m'écriai-je, comme si mon jugement était fiable. Même à Londres, je suis sûre que les très bons photographes ne sont pas nombreux. »

Jack me tapota l'épaule en souriant.

« Eh bien, nous avons peut-être l'avantage de la nouveauté, hein, Damsy ?

— Oh, sans doute », acquiesçai-je, me sentant tout d'un coup curieusement déprimée.

J'aurais voulu profiter du compliment, jouir de l'idee que ma photographie se trouvait en possession de Mr Stoker et était admirée, mais tout ce qui me vint à l'esprit, c'est qu'il était à Londres et qu'il ne tarderait pas à oublier Whitby, ses photographes et ses pêcheuses. Après quelques jours de curiosité, les séries de portraits seraient reléguées au fond d'un tiroir et oubliées, au même titre que les photographies de tempête et d'épaves.

Après la férocité des tempêtes d'octobre, le mois de novembre fut froid, mais calme ; puis, à mesure que les vents et les tempêtes d'hiver prenaient leur cours habituel, et que de la glace se formait sur les cordages et les drisses, les bateaux à voiles se mirent à rentrer. Les navires réguliers de Whitby mouillaient d'ordinaire en amont dans le port, tandis que les bateaux itinérants prenaient rendez-vous pour faire décaper leur carène ou pour être calfatés dans divers chantiers navals le long de l'Esk.

Presque malgré moi, je commençai à guetter l'arrivée de la *Lillian*, le navire sur lequel Jonathan Markway était parti vers le sud au printemps et qui ne devait sûrement pas tarder à rentrer.

Toutefois, avant de m'attendrir, je me dis que sa mère devait l'attendre aussi et que, lorsqu'il demanderait après Damaris Sterne, elle se ferait un plaisir de lui donner sa version de l'affaire. Je l'imaginais, gonflée d'indignation vertueuse, lui racontant qu'elle m'avait prise la main dans le sac. Tout ce qu'il pourrait dire ne servirait à rien, car l'injustice avait été préméditée et perpétrée il y avait plus de six mois, alors qu'il en ignorait tout. Elle avait gagné, et il était beaucoup trop tard pour rien changer.

J'étais encore très mortifiée. Mon orgueil blessé me rendait intolérable ce genre d'injustice. J'aurais aimé parler à Jonathan, mais je n'étais pas sûre d'en avoir l'occasion. Aussi attendais-je son retour en faisant comme si mon impatience ne procédait que du souci très impersonnel de voir rentrer le navire sain et sauf.

À Whitby, ces mois-là étaient très actifs, à la différence de l'été, où il régnait au port une sorte de gaieté légère et de bon aloi, comme si nous étions des enfants essayant d'attirer l'attention de riches parents. Mais l'hiver voyait arriver des visiteurs très différents. La ville s'emplissait soudain d'hommes – pères, frères et maris –, qui apportaient avec eux une atmosphère de virilité cordiale et directe, l'exigence de gens qui aimaient le franc-parler et les affaires honnêtement menées. C'étaient des hommes habitués aux rides et aux verrues, pour qui falbalas et fanfreluches n'avaient pas leur raison d'être. Néanmoins, d'après mon expérience, tout cela était un peu factice, car ces hommes ne passaient que les hivers chez eux, et leurs femmes faisaient de leur mieux alors pour aplanir les conflits et veiller à ce que tout se passe bien. Les intérieurs et les enfants étaient si bien astiqués qu'ils brillaient d'un éclat presque contre nature pendant ces mois où la table et le foyer devaient toujours être aussi impeccables qu'accueillants.

Alors que la forêt de mâts dans le haut du port se faisait plus dense, je me rappelais ma petite enfance, où chaque jour j'allais regarder si je voyais le bateau de mon père et où je confondais son arrivée imminente et celle de Noël. Le cantique « J'ai vu trois bateaux rentrer au port » semblait avoir été écrit spécialement pour moi. À cette époque, mon père était pour moi comme le Bon Dieu, le Père Noël et les Rois Mages réunis et, avec sa disparition, cette saison ne devait plus jamais être la même. Il y eut quand même de bons moments au Cragg cette année-là, et Bella et moi prîmes plaisir à fabriquer de petits cadeaux tout simples pour les enfants.

Toutefois, lorsque j'étais un peu moins occupée, je me demandais pourquoi j'avais renoncé aux conforts d'une vie de domestique pour mener l'existence rude d'une marchande de poisson en hiver. À attendre debout sur le quai devant un étal en plein vent, on souffrait affreusement du froid ; quant à arpenter les plages en quête d'appâts tels que moules ou arapèdes, il s'agissait d'une activité guère plus enviable. Bella, les autres filles et moi parcourions des kilomètres, et c'était au péril de notre vie que nous montions sur les falaises pour redescendre à marée basse : elles étaient hautes, à pic, et dangereuses, car des portions entières de schiste et d'argile menaçaient de s'effondrer à l'improviste. Nous risquions presque chaque jour de nous rompre le cou, et malheur à nous si nous ne ramenions rien. Sans appâts pour ses lignes de fond, Magnus ne pouvait pas pêcher et, bien qu'il eût parfois d'autres activités – dont certaines clandestines –, il n'en restait pas moins que s'il ne pouvait exercer son métier de pêcheur, la famille n'avait rien à manger.

Mais après des sorties fructueuses, il fallait que la pêche soit vendue, et pas seulement sur le quai. Parfois, c'était Martha qui se couvrait de châles et de jupons superposés pour tenir l'éventaire, tandis que Bella et moi faisions des kilomètres à l'intérieur des terres, chargées de lourds paniers de poissons, et s'il y avait vraiment une pêche très abondante, nous prenions le train pour descendre deux ou trois arrêts plus loin sur la ligne de Middlesbrough et allions proposer notre poisson aux fermes de la lande.

En soufflant sur nos engelures et en glissant à grand-peine nos pieds pleins d'ampoules et de crevasses dans nos grosses chaussures, Bella et moi déclarions souvent que la mort était un sort préférable à une vie passée à ramasser des appâts, à décortiquer des moules, ou à crier le poisson. Parfois, l'une des deux, moi en général, donnait des équivalences à l'expression « un sort pire que la mort » ; alors, nous étions prises de fous rires et c'était à qui ferait les remarques les plus grotesques sur la perte de la vertu. Bella soutenait que c'était surtout une affaire de réputation. On n'était perdue que si l'on était surprise ou si on tombait enceinte, ou si l'on avait une réputation à perdre. Elle qui avait l'exemple de sa mère sous les yeux, elle jurait qu'elle aurait préféré mener une vie oisive en étant la maîtresse d'un homme riche plutôt que d'épouser un pauvre, quoi qu'en disent les bonnes gens. Que si un homme riche lui faisait des propositions elle partirait par le premier train. Ou, du moins, si elle pouvait, parce que avec son père...

Ces remarques se voulaient drôles, et nous riions ensemble. Certains auraient pu prendre Bella au sérieux, mais moi pas. Je ne croyais pas une seconde qu'elle mettrait ses projets à exécution. Elle m'avait lancé beaucoup trop de réflexions insidieuses à propos de « mon » Mr Stoker pour que je puisse la croire capable de suivre le chemin contre lequel elle me mettait en garde. Malgré tout, ses remarques étaient assez désobligeantes pour écorner mes rêves. Au bout de quelque temps, je cessai de parler de lui ou même d'évoquer le retour prochain du bateau de Jonathan Markway et d'essayer d'en deviner la date. De toute façon, comme mon travail chez les Markway, Jonathan appartenait désormais au passé, il le fallait bien. Mais je m'inquiétais pour lui.

Pour nous remonter le moral tandis que nous arpentions toutes deux les chemins gelés, j'imaginais différents projets tous plus invraisemblables les uns que les autres pour nous sortir du Cragg. Dans l'un d'eux intervenaient Jack Louvain et ses séries de cartes postales. Il disait toujours que les photographies des pêcheurs de Whitby se vendaient comme la morue le vendredi, surtout aux citadins, car, faute d'un voyage au bord de la mer pour nous voir en chair et en os, elles offraient un substitut intéressant. Aux yeux du monde, nous n'étions pas aussi populaires que les habitants des Highlands en grande tenue, ni que les étrangers en costume de leur pays, mais les vêtements que nous portions pour travailler étaient tout de même assez surprenants. Comme le disait Jack, en dehors de ses portraits posés, nous étions sa principale source de revenus. De temps à autre, cependant, il aimait montrer des séries de photographies un peu différentes, pour un marché plus limité, mais plus lucratif, disait-il. Des filles aux allures de garçons manqués, sans châles ni bonnets empesés, et vêtues d'un costume local beaucoup plus succinct que celui qu'on voyait sur la place de Whitby ou sur les quais. Jupons rayés, corselets lacés serrés montrant un peu de poitrine et une généreuse portion de gorge nue, ainsi que des jambes dévoilées jusqu'aux cuisses. Les poses étaient pensives ou joyeuses selon le cadre choisi. Assises sur un baril de chêne ou une pile de filets, les filles étaient quelquefois habillées en garçons ou masquées comme des contrebandiers, et parfois plusieurs posaient ensemble pour former un tableau. Toutes les photographies étaient prises devant la toile de fond principale du studio de Jack Louvain, celle qu'il avait peinte lui-même et qui représentait la vue de la jetée ouest lorsqu'on regardait en direction de Sandsend.

Lorsqu'il m'avait parlé de ces photographies, bien qu'il eût utilisé le mot « artistiques », j'avais compris qu'il entendait « coquines » et, malgré mon esprit rebelle, je n'étais pas disposée à aller jusque-là. J'évoquai le grand-oncle Thaddeus et Jack n'aborda plus ce sujet. Il en avait parlé une ou deux fois à Bella, je le savais. Elle aurait volontiers accepté, car ce n'était pas si différent des photographies qu'il avait prises avant et, moyennant une rétribution correcte, elle s'y serait risquée ; mais Jack, disait-elle, voulait trop pour ce qu'il était disposé à payer.

Elle l'accusait d'être mesquin. Je ne partageais pas son avis : Jack avait des frais auxquels il devait faire face. Je trouvais que si elle était prête à courir le risque de voir son père découvrir le pot aux roses, elle devait poser pour Jack, car avec l'argent gagné nous aurions presque pu doubler la somme que représentaient mes économies et faire ce que j'appelais « un bon investissement ». Or, ces mots provoquaient toujours un gémissement chez Bella, qui trouvait que mon idée d'investir dans des cargaisons maritimes n'avait rien de plus miraculeux que la glace par une chaude journée d'été : agréable mais éphémère, elle ne durait que jusqu'à ce que le bateau coule ou que l'agent vous roule ou que survienne un engorgement soudain du marché. Sa mère lui en avait assez parlé, des investissements dans les cargaisons ; et où cela les avait-il menés, Martha Sterne et son fameux héritage ? Tout ce qui lui restait, c'était sa maison, qui n'était qu'un château branlant. Non, disait Bella, mieux valait attendre le retour des bateaux pour vendre la cargaison arrivée à bon port.

Un point de vue qui se tenait, mais qui avait ses limites. Même moi, je m'en rendais compte à l'époque. Comme ma cousine Martha, j'avais le commerce maritime dans le sang et, malgré tous mes efforts pour l'ignorer, j'y revenais invariablement. L'idée n'était pas neuve. À Whitby, des générations de vieilles filles, de veuves, de jeunes gens aventureux et de messieurs d'âge mûr y avaient cru. S'il n'était pas extravagant d'investir dans des parts de cargaison qui partaient de Whitby ou y arrivaient, c'était néanmoins risqué. Pour cela, il fallait une tête froide et des conseils avisés. Et de l'argent. De l'argent que l'investisseur était prêt à perdre. Cela avait le don de calmer mon excitation, surtout quand je pensais à la cousine Martha, qui avait pour tout réconfort sa bouteille de gin. Et puis je me remettais à rêver sur le quai de Whitby, d'où l'on pouvait voir presque tous les bateaux du port. Lorsque je les avais tous identifiés et que je m'étais demandé une fois de plus et non sans inquiétude où était la *Lillian*, je passais le temps à compter les cargaisons et à essayer d'en estimer la valeur.

Quand nous avions un moment de tranquillité, Bella adorait m'entendre parler de ma vie de domestique. J'avais pour ma part l'impression de raconter des histoires pour endormir les petits, car Bella connaissait chaque plaisanterie, chaque incident fâcheux, chaque motif d'indignation, mais malgré cela, elle voulait m'entendre les lui répéter. Elle adorait l'idée de cette vie à l'abri, celle de régner sur une imposante cuisine où ni la chaleur ni les provisions ne seraient comptées, où il y aurait des menus gargantuesques à préparer et des gâte-sauce pour l'aider. C'était un rêve pour elle, tout comme pour moi c'en était un de posséder des parts et de faire mieux que l'oncle Thaddeus. Lorsque je réfléchissais, cependant, je me rendais compte que le rêve de Bella n'était pas irréalisable – ou qu'il n'aurait pas dû l'être.

Je me souviens de lui avoir demandé si elle avait toujours voulu devenir domestique. Elle se borna à hausser les épaules et à regarder au loin, et je compris que cela avait eu beaucoup d'importance pour elle.

« Tu sais, il en a été question lorsque j'ai arrêté l'école, mais il a fallu qu'Isa quitte la maison, alors j'ai dû rester. »

Cela avait beau être une vieille histoire, elle me mettait néanmoins en rage. La sœur de Bella, Isa, réussissait en général à obtenir ce qu'elle voulait, tandis que Bella avait l'air vouée à se contenter des restes. Cela me semblait extrêmement dommage. Isabella et Arabella étaient jumelles, deux jolies filles avec de jolis noms, qui étaient rarement prononcés en entier. Enfants, elles m'avaient fascinée, car lorsqu'elles étaient très jeunes il était impossible de les distinguer. Il ne m'avait toutefois pas fallu longtemps pour saisir la différence, et j'avais une bonne raison de savoir laquelle des deux était Isa.

Rétrospectivement, je pense qu'elle m'en voulait. Lorsque je rendais visite aux Firth avec ma mère, j'attirais l'attention de Bella ; de plus, à l'époque, j'avais de jolis vêtements, et des rubans dans ma belle chevelure rousse et naturellement bouclée. Isa était toujours en train de me la tirer et de m'arracher des poignées de cheveux. J'avais aussi des poupées, que je partageais très volontiers avec Bella. Isa ne voulait jamais rien partager, et exprima une fois sa rancœur en fracassant délibérément la tête de porcelaine de ma poupée favorite contre un mur de pierre. Cela me rendit si furieuse que je lui cognai la tête contre le mur de la même façon. Heureusement, sa tête ne se cassa pas comme la porcelaine, mais elle eut une bosse de la taille d'un œuf. Elle ne me le pardonna sans doute jamais.

Isa était l'aînée de quelques minutes, et en grandissant elle avait révélé une personnalité beaucoup plus coriace et affirmée que sa sœur. On eût dit qu'elle avait pris à la naissance la plus grosse part d'énergie et d'égoïsme, et qu'elle avait passé toute les années de sa jeune vie à la développer. La plupart du temps, je trouvais qu'elle traitait sa sœur avec mépris, comme si Bella n'était bonne qu'à s'acquitter des basses besognes. J'avais l'impression qu'elle était jalouse de la beauté de Bella, car de petites différences étaient apparues au fil des années. Avec une ossature plus frêle, Isa était plus mince et plus dure que Bella dans tous les sens du terme ; elle avait une expression perpétuellement pincée qui lui gâtait les traits et l'empêchait d'être jolie.

En quittant la maison, elle avait travaillé d'abord à Scarborough, puis à Middlesbrough, dont l'éloignement lui convenait. Elle s'acquittait de ses devoirs, envoyait de l'argent assez régulièrement pour que les siens lui soient reconnaissants, mais elle ne venait pas très souvent leur rendre visite ; pendant ce temps, la responsabilité de la maison et des enfants était passée d'emblée à Bella, qui jouait le rôle de mère de famille à mesure que cousine Martha abandonnait la partie.

« Si tu avais voulu devenir domestique, avais-je dit une fois avec toute l'ignorance qui était la mienne alors, tu aurais dû lutter davantage. Honnêtement, Bella, je trouve que tu cèdes parfois un peu trop facilement.

— Ah oui, tu trouves, siffla-t-elle. Je me suis pourtant assez battue pour que tu viennes ici, souviens-toi. De toute façon, ajouta-t-elle après une pause, tu sais comment est mon père, il ne m'aurait jamais laissée partir. Isa lui répondait systématiquement, et elle en a eu, des corrections. Finalement, il n'a pas été fâché de la voir prendre la porte. Moi, je suis toujours arrivée à le calmer, alors mieux valait que ce soit moi qui reste. »

On pouvait difficilement dire le contraire. Il n'empêche que je considérais comme une injustice le fait que Bella servît de bouc émissaire à toute la famille. Je l'aimais beaucoup et je cherchais constamment une façon de nous sortir de là toutes les deux. Mais comment trouver une issue ? – ce que nous faisions nous permettait à peine de gagner de quoi survivre, de verser notre quote-part dans la bourse de la famille Firth pour pouvoir tous manger, et, quant à moi, de continuer à loger chez eux. Je me disais que j'attendais qu'un travail plus avantageux se présente. Au bout de six mois cependant, je me rendais parfaitement compte que ce que j'avais estimé agréable en été ne l'était plus du tout. Je commençais à me sentir prise au piège.

5

Je mis un certain temps à comprendre. Un mélange de peur et d'ignorance, je suppose, m'empêcha de voir la vérité. De toute évidence, Bella ne voulait pas que je sache ; elle avait horriblement honte, non seulement de son père mais aussi de son propre rôle dans cet enchevêtrement complexe de relations familiales.

Tout le monde s'efforçait de cacher ce qui se passait et de trouver des excuses à tel ou tel commentaire ou action bizarre. Et comme j'avais conscience de ces efforts sans saisir les raisons qui les motivaient, je me disais qu'il aurait été déplacé de ma part de poser trop de questions. Je n'étais pas habituée aux familles nombreuses. Je n'avais pas l'expérience des mensonges et des subterfuges auxquels il fallait avoir recours pour garder un semblant d'équilibre entre enfants imprévoyants et adultes imprévisibles. Parfois, je l'avoue, j'avais l'impression que nous étions tous embarqués sur une vieille charrette branlante qui menaçait à tout moment de s'effondrer. L'ornière qui finit par me faire verser sur le dur chemin de la réalité fut creusée par la petite Lizzie.

Je m'étais souvent demandé pourquoi Bella se montrait si dure avec elle. Que Dieu me pardonne, mais à une époque je la crus jalouse de sa petite sœur de douze ans. Je lui en fis même le reproche et eus la surprise de voir Bella – si coriace et si blasée – fondre en larmes. Le lendemain, elle ne m'adressa pas la parole ; et quand elle me parla, elle refusa tout net de s'expliquer, se bornant à dire qu'elle aimait Lizzie et ne ferait jamais rien qui fût susceptible de la blesser.

« Pourquoi es-tu toujours en train de lui crier dessus ? Pourquoi lui dis-tu de filer toutes les fois que ton père essaie d'être gentil avec elle ? »

Elle refusa de me répondre, mais la question fut résolue pour moi juste après le nouvel an. Lors de la première semaine de janvier, le temps fut si mauvais que la pêche dut s'arrêter. Pendant des jours, Magnus Firth resta à la maison, tour à tour morose et irascible, à scruter le ciel et à attendre que le temps s'améliore assez pour que les audacieux sortent du port. Le poisson était si rare que ceux qui s'aventuraient en mer et réussissaient à rentrer avec la marée suivante, bien sûr, avaient l'assurance de faire un joli profit sur leur pêche. Seulement pour pêcher, encore fallait-il que les lignes de fond fussent appâtées, aussi, tant qu'il y avait une chance de sortir les bateaux, les appâts devaient-ils être récoltés. Un jour, Bella et moi prîmes trois des plus jeunes enfants avec nous, laissant Lizzie à la maison avec sa mère parce qu'elle toussait.

Nous n'étions pas partis depuis longtemps lorsque Davey tomba dans un trou de rocher et se trempa des pieds à la tête. Il faisait un froid de loup et, bien que n'ayant pas ramassé grand-chose, nous ne fûmes pas fâchés d'avoir une excuse pour regagner la maison. Quand nous entrâmes dans la cuisine, Davey frissonnait encore et réclamait sa mère, mais celle-ci n'était pas là. L'espace d'un instant qui sembla se figer, nous nous trouvâmes face à Magnus Firth qui avait Lizzie sur les genoux et une main sous sa jupe. J'aurais sans doute pu croire qu'il y avait une explication toute simple à cela sans le brusque remue-ménage qui s'ensuivit. La petite sauta sur ses pieds et se sauva au premier tandis que Magnus, l'air embarrassé, croisait et recroisait les jambes sur son fauteuil.

Alors que j'étais plantée là, me demandant ce que j'avais vu au juste, Bella réussit à faire comme si de rien n'était. Elle poussa les enfants vers l'escalier et dit à Davey d'ôter ses vêtements mouillés en attendant qu'elle monte à son tour. Lorsqu'ils furent partis, elle se retourna et fit face à son père, le visage convulsé de rage. Elle le saisit par l'épaule comme il s'apprêtait à sortir, le força à se retourner et à ma grande stupéfaction lui envoya un coup de poing dans la figure.

« Vieille ordure ! siffla-t-elle, tu avais promis de la laisser tranquille. Tu as déjà maman et moi ! Deux, ça ne te suffit pas ? »

Je crois que pendant une fraction de seconde il fut aussi stupéfait que moi. Puis, avec un hurlement de rage, il riposta par une gifle du plat de la main. Le coup envoya Bella valser à l'autre bout de la cuisine, jusqu'à la cheminée. Je voulus m'interposer, mais il fut plus rapide que moi ; d'une secousse, il la remit debout et lui donna une seconde gifle pour faire bonne mesure.

« Ne t'avise pas de me frapper, gronda-t-il en approchant son visage du sien. Et souviens-toi bien, sale petite garce, que je ne reçois d'ordres de personne, et surtout pas de toi. »

Il écarta Bella d'une bourrade qui la fit tomber comme une poupée de chiffon dans le fauteuil qu'il venait de quitter, puis il essuya son nez qui saignait. Le bébé, qui dormait dans le coin de la pièce, se mit soudain à crier, mais je me sentais faible, impuissante et comme paralysée. C'est alors que Magnus s'avisa que j'avais été témoin de toute la scène. Avant de gagner la porte, il me plaqua au mur, la main ouverte devant mon visage. C'était une grande main, calleuse, couturée de cicatrices, et dont les sillons étaient encrassés par le goudron, l'huile et le noir de fumée. Je la regardai avec dégoût. Il la ferma et me brandit son poing dans la figure.

« Tu le vois, celui-là ? Tu l'auras si tu dis un seul mot de ce qui se passe dans cette maison... »

Lorsqu'il fut parti, mes genoux se dérobèrent sous moi et je me laissai glisser mollement au sol. Je regardai Bella qui était plus désolée que moi, mais beaucoup moins choquée. Pendant que le bébé hurlait, elle pleura dans son tablier puis, se rendant compte qu'elle avait la lèvre ouverte et qu'elle saignait, elle se mit à maudire son père copieusement. Elle alla se rincer la bouche à l'évier, et je me ressaisis assez pour prendre le bébé et le bercer afin de le calmer.

Je toussotai et risquai :

« Qu'est-ce qui se passe, Bella ? Qu'est-ce qu'il faisait ?

— Rien, répondit-elle avec brusquerie. Oublie-le. Tu n'as rien vu. »

Je savais que j'avais vu quelque chose, sauf que je ne comprenais pas quoi au juste. Et devant le ton défensif de Bella, je n'osai poser d'autres questions.

Quelques minutes plus tard, la cousine Martha revint avec un panier contenant quelques achats. Je crus apercevoir une bouteille de gin au-dessous, ce qui pouvait expliquer pourquoi elle était sortie. Avant que Bella ait pu lui poser des questions ou lui jeter des reproches à la figure, sa mère lança d'un ton enjoué : « Il a fallu que je sorte acheter un morceau de bacon pour le repas de ton père. » Voyant que nous ne répondions ni l'une ni l'autre, elle continua dans la même veine, sur le temps qu'il faisait, un client qu'elle avait vu chez l'épicier, la conversation qu'elle avait eue avec une vieille voisine. Ni la bouche enflée de Bella ni le linge taché de sang qu'elle portait à ses lèvres ne provoquèrent chez elle la moindre réaction. J'avais envie de lui hurler mon indignation.

Bella ne hurla pas et rien d'important ne fut dit. Rien au sujet de ce que Magnus Firth aurait pu faire ou ne pas faire à Lizzie, ni de l'échange de coups, des menaces, et rien du tout au sujet de leurs implications. Je ne savais vraiment pas que penser. J'étais sûre de ne pas m'être trompée dans les conclusions que j'avais tirées, si effrayantes qu'elles fussent. Mais, tandis que les choses reprenaient leur cours normal, on eût dit que j'avais tout imaginé. Hormis les marques colorées sur le visage de Bella. Hormis l'attitude de Lizzie, qui refusa de descendre pendant le reste de la journée et de parler à qui que ce fût.

Après cet épisode, je regardai d'un œil différent tous les membres de cette famille. Je n'avais jamais éprouvé beaucoup d'affection pour Douglas qui, à dix-sept ans, était une version plus jeune et plus falote de son père. Il était sombre et secret, et, s'il ne porta jamais la main sur moi, je le voyais souvent me lancer des regards qui me mettaient fort mal à l'aise. En dépit de son silence et de sa démarche de chien battu, j'avais toujours eu l'impression qu'il attendait le moment propice pour bondir. Par la suite, cependant, après l'incident de la cuisine, il me sembla que Douglas aurait été plus susceptible de s'en prendre à son père que d'user de violence contre moi. Quant à Ronnie, c'était un gentil garçon, toujours heureux de faire plaisir, et facile à terroriser. Il ne se doutait probablement pas davantage de ce qui se passait que les plus jeunes, et n'éprouvait qu'un malaise perpétuel, le sentiment que, quoi qu'ils fassent, leur père aurait toujours raison et eux tort. Et que, s'ils ouvraient la bouche, il la leur refermerait sans ménagement.

Si Bella recevait sa part de coups, son père la frappait rarement au visage. Cette fois-là, les bleus suscitèrent beaucoup de commentaires, surtout des quolibets, et ce de la part des hommes ; tout le monde savait qui les avait faits et, lorsque nous sortîmes ce soir-là, on nous offrit de nombreux verres et il y eut des regards de sympathie derrière son dos. Les pêcheurs n'étaient pas des tendres, sinon ils auraient eu du mal à survivre ; certaines de leurs bagarres et inimitiés pouvaient dégénérer en luttes à couteaux tirés. J'avais fini par me rendre compte que, dans cette rude communauté d'hommes, Magnus Firth n'était ni aimé ni respecté. Il disait que les gens du coin avaient l'esprit de clan et le tenaient à l'écart ainsi que ses fils ; mais il ne pouvait se plaindre de rien, si ce n'est d'être traité avec une honnêteté scrupuleuse qui était une forme de politesse réservée à tous les étrangers. Il pêchait dans les eaux de la région comme les autres, mais jamais il n'avait été accepté, et ce n'était pas parce qu'il n'était pas du coin. Bella, qui était une fille et indéniablement très jolie, ne recevait pas du tout le même traitement.

Remontée par quelques verres et d'amicales plaisanteries, elle réussit à passer une bonne soirée dehors, et je me félicitai d'avoir insisté pour sortir. Ce ne fut qu'au retour, alors que nous nous approchions de la maison, qu'elle fondit soudain en larmes.

« Oh, comme je déteste cet endroit. Je le déteste ! »

Elle s'effondra sur mon épaule, pleurant des larmes si amères, si désespérées, que je me sentis complètement désemparée. Dans son intérêt comme dans le mien, je ne voyais qu'une issue : partir et l'emmener avec moi. Lorsque je le lui suggérai, sa détresse redoubla. Elle ne pouvait laisser la pauvre Lizzie seule face à

Magnus. Il fallait qu'elle reste jusqu'à ce que les petits aient grandi, à moins que la mer ne prenne leur père avant.

« Et s'il y a une justice en ce monde, marmonna-t-elle avec violence, elle le prendra bientôt. »

Une justice... Façon de parler, pensai-je. Car, sans homme pour gagner le pain de la famille, les Firth seraient pratiquement sans ressources. Je ne dis rien, mais profitai d'un moment où les larmes de Bella se calmèrent pour la faire rentrer. Tout était calme, et dans la cuisine quelques braises rougeoyaient encore dans la cheminée. La cousine Martha dormait dans le fauteuil, avec son verre et sa bouteille de gin à côté d'elle, et le bébé ronflait, les joues et le nez tout rouges, dans le couffin de toile à côté d'elle. Je la soupçonnai de lui avoir donné du gin pour le calmer, ce qui semblait être pour elle la panacée.

Bella et moi avions trop bu, mais cela ne nous empêcha tout de même pas de monter l'escalier en colimaçon menant à ma chambre. Bella se laissa tomber sur le lit pendant que je me déshabillais en titubant, grimaçant à cause du froid. Je finis par trouver ma chemise de nuit de flanelle et l'enfilai. Je m'enveloppai dans un épais châle de laine et m'apprêtai à monter dans mon lit. À force de persuasion, je réussis à faire quitter sa jupe et son corsage à Bella, lui remis son châle autour des épaules et l'invitai à partager mon lit étroit. Alors, chacune frotta le dos et les bras de l'autre pour la réchauffer. Les larmes de Bella ne résistèrent pas à ce traitement et elle ne tarda pas à sourire. Je l'embrassai et la tins contre moi, m'efforçant de transmettre ainsi la sollicitude et la tendresse d'une sœur, et cette sympathie que les mots ne sauraient exprimer. Je craignais de parler, persuadée que si j'essayais, elle se refermerait purement et simplement et me tournerait le dos. Aussi continuai-je à la tenir, installant sa tête au creux de mon cou, la laissant poser sa joue sur ma poitrine plutôt plate.

J'en éprouvai moi aussi du réconfort. La chaleur physique me rappelait ma mère, à qui je pensais très souvent depuis que je logeais dans cette maison. De ma fenêtre, j'apercevais un certain ensemble de toits qui délimitaient la cour où nous habitions quelques années auparavant. Je me rendis compte alors de ma tristesse et de ma nostalgie, du désir que j'avais de tourner à l'envers les aiguilles des horloges pour qu'il soit possible de repartir du bon pied, hier comme aujourd'hui.

Au bout d'un moment, la chandelle se mit à couler et je tendis le bras avec précaution pour la moucher, voulant éviter de déranger Bella qui semblait endormie. Or ce n'était pas le cas : elle me saisit la main et la posa sur sa joue chaude.

« Damsy, tu me détestes ?

— Non, bien sûr que non, dis-je en lui caressant les cheveux. Pourquoi veux-tu que je te déteste ?

— À cause de lui, murmura-t-elle. Tu sais, à cause de ce qu'il a fait. »

Je ne répondis pas tout de suite, désireuse de trouver le mot juste et d'être honnête.

« Je ne sais pas ce qu'il a fait, mais à en juger par cet après-midi ce n'est évidemment pas ta faute. Comment veux-tu ? C'est lui qui a pris les initiatives, pas toi. Je le déteste, ton père. Mais toi, je ne te déteste pas. »

Je ne disais là que ce que je croyais et qui me paraissait évident, mais Bella, pénétrée de reconnaissance, m'étreignit. Elle tremblait, d'ailleurs, de froid ou d'angoisse, je ne savais trop. Je remontai les couvertures autour de ses épaules et la tins serrée.

« Mais je l'ai laissé faire, chuchota-t-elle d'une voix hésitante, tu comprends. Je n'aurais pas dû. Et ça a commencé comme cet après-midi pour Lizzie. Il s'est montré tout sucre et tout miel, m'a prise sur ses genoux pour me câliner, en me disant que j'étais sa préférée. Et je l'ai cru, pensant qu'il devait m'aimer beaucoup pour vouloir me faire des choses comme ça. Seulement voilà (la douleur rendit la voix de Bella plus sourde), je ne pouvais être sa préférée que si je faisais ce qu'il voulait. Et quand j'ai voulu qu'il arrête, lui, il a menacé de me punir. Alors j'ai continué, toutes ces années et maintenant – elle s'interrompit, avala sa salive avec difficulté –, maintenant il s'en prend à Lizzie. La petite Lizzie. C'est pour ça que j'ai vu rouge. Je suis désolée. »

Les images qui me traversaient l'esprit étaient en elles-mêmes un attentat à la pudeur. Je frissonnai et serrai Bella encore plus fort.

« Tu n'as pas à l'être, comment pouvais-tu te défendre ?

— Je ne voulais pas que tu le saches, souffla-t-elle d'une voix brisée. C'est pour ça que je suis désolée. C'est répugnant. Il est répugnant.

— Oui, répondis-je avec force, mais ce n'est pas ta faute. Tu n'étais qu'une enfant, comme Lizzie. Qu'est-ce que tu pouvais faire ? »

Bien que la question fût rhétorique, Bella secoua vigoureusement la tête.

« Je ne sais pas. Je ne sais pas, et c'est la pure vérité. Mais j'aurais dû résister. Je savais que c'était mal, je l'ai toujours su, mais je l'ai toléré. Je me suis laissé faire. Et maintenant – oh mon Dieu ! (Elle se tourna et se cramponna à moi, secouée de sanglots entrecoupés.) J'ai eu envie de le tuer, Damsy. Cet après-midi, quand je l'ai vu avec Lizzie, j'ai vraiment eu envie de le tuer...

— Tu étais enragée, l'interrompis-je d'une voix apaisante, espérant que je disais ce qu'il fallait. À ta place, j'aurais réagi de la même façon. »

En m'imaginant la brutalité de Magnus, je frissonnai. Avec lui, j'avais toujours été sur mes gardes, mais ce que je venais d'apprendre était effrayant. Des abîmes de vice et de dépravation que je ne soupçonnais pas jusqu'alors s'ouvraient devant moi et m'incitaient soudain à considérer tous les hommes avec une solide méfiance.

Bella et moi passions en général beaucoup de temps ensemble pendant la journée, mais après l'incident de la cuisine elle se mit à venir la nuit dans ma chambre. Ce n'était guère confortable, car mon lit était très étroit ; comme il n'y avait pas de place pour deux, nous préférions le sien, qui était plus large. J'éprouvais une certaine réticence, sans toutefois le montrer. Bella disait qu'elle se sentait plus en sécurité avec moi, que nous étions très bien toutes les deux dans sa petite chambre sous les toits, et c'était vrai. À part le fait que je m'étais habituée à être seule et que Bella empiétait sur mon espace privé. J'aimais avoir du temps pour lire, à la maigre lumière d'une chandelle qui grésillait sur une chaise à côté du lit : c'était mon moment de plaisir à la fin d'une longue journée dans le froid.

Comme pour beaucoup d'autres choses, je ne découvris l'importance de ce plaisir que lorsqu'il se fit rare. J'aimais beaucoup Bella et admirais depuis longtemps son courage et sa force de caractère ; mais, au bout d'un certain temps – après l'incident de la cuisine pour être plus précise –, je commençai à me demander si cela n'était pas qu'une parade de surface. À l'extérieur, dans la vie de tous les jours, elle se montrait toujours forte tête ; en revanche, quand elle était seule avec moi, elle devenait une autre Bella, plus dépendante, qui avait besoin que je la rassure et que je la conseille sur tout. Elle me tenait la main ou me prenait le bras chaque fois que nous sortions, et les nuits passées dans le même lit devenaient plus fréquentes que les autres. Au début, je trouvai cela flatteur. J'avais le sentiment de l'aider, d'être son soutien, son tuteur. Nous luttions ensemble contre les vents glacés du sort. Si les récents événements m'avaient mise très mal à l'aise, j'estimais que je ne devais pas être égoïste, et que Bella avait besoin de moi.

Les gestes tendres de l'amitié finirent par dévier vers d'autres ardeurs. Un soir où elle m'avait dit à quel point elle détestait les hommes et leurs baisers – ce que je pouvais comprendre, mon expérience avec Mr Stoker mise à part –, nous imaginâmes un jeu stupide où il fallait que chacune montre à l'autre comment elle aimerait être embrassée. Au début, c'était amusant, et nous avions le plus grand mal à mettre les lèvres en bouton tant le fou rire nous gagnait. Puis le jeu devint un peu plus sérieux, un peu plus ardent – oh, à peine – et nos lèvres, nos dents et nos langues se frôlèrent, provoquant des émois auxquels nous ne nous attendions sans doute pas plus l'une que l'autre. Enlacées, les yeux clos, les lèvres brûlantes, nous parcourûmes tout le trajet sensuel de la tendresse à la passion. J'eus alors l'impression d'être dans un état second délicieux, où toute pensée rationnelle était abolie. Dans le secret d'une sorte de rêve éveillé, j'étais embrassée, caressée jusqu'à l'oubli par une créature adorable, un double sans visage, et transportée de telle manière qu'aucune des barrières habituelles ne s'interposa. Je me laissai aller à flotter sur les ailes déployées du plaisir jusqu'à ce qu'une sensation d'une violence exquise me fît frissonner d'extase ; et je redescendis sur terre comme une pierre.

Si ce moment m'avait apporté un plaisir intense, il avait aussi été étrangement choquant. La sensation de solitude qui m'assaillit ensuite me fit me cramponner à Bella comme à une bouée, tandis qu'elle se cramponnait à moi de la même façon. Mais ce ne fut que plus tard que je commençai à me tracasser, lorsque l'incident se reproduisit. Cette fois, ce n'était plus l'expression spontanée d'un réconfort joyeux. Le lendemain et les jours qui suivirent, je fus saisie d'un vif sentiment de malaise, pour ne pas dire de culpabilité en comprenant ce que nous avions fait. J'aimais beaucoup Bella, c'était ma meilleure amie, mais je n'éprouvais au fond aucun désir pour elle. Bien qu'elle fût très belle, je l'admettais avec une pointe d'envie, elle ne m'excitait pas vraiment.

Ni, hélas, la vue de quelque mâle que ce fût à Whitby. Pendant un temps, je m'inquiétai de cet état de choses. Puis le hasard voulut qu'un événement se produisît, qui détourna mon esprit de Bella. Vers la fin du mois de janvier, je rencontrai Jonathan Markway sur le pont.

6

J'évitais Southgate depuis des mois. Depuis mon renvoi de chez les Markway, ce secteur en face des chantiers navals où se trouvait leur magasin d'accastillage était pour moi territoire interdit.

Et dire, ô ironie, qu'un an auparavant je me félicitais d'être engagée comme première femme de chambre dans une maison qui comptait aussi une cuisinière et une femme de charge. C'était peu de temps après l'enterrement de ma grand-mère à la Baie : tout avait été vendu, la maison fermée, et il me fallait me procurer du travail au plus vite. Je cherchais une place où je serais logée et nourrie ; or, la plupart des offres d'emploi étaient pour des domestiques à la journée, et celles qu'offraient les agences beaucoup trop éloignées à mon goût. Le vieil oncle Thaddeus me traitait encore avec bienveillance et, sachant que je répugnais à quitter la région, il me recommanda aux Markway.

Il les connaissait depuis des décennies car ils travaillaient dans la même branche, mais il ne me dit pas grand-chose sur Mrs Markway, à part que le magasin d'accastillage lui appartenait, que c'était elle qui dirigeait l'affaire en réalité, et que c'était avec elle qu'il fallait compter. Elle passait beaucoup de temps dans son magasin, tandis que son mari et son fils aîné s'occupaient davantage de l'entrepôt. Le fils cadet, Jonathan, faisait son apprentissage de marin.

Il devait avoir dix-neuf ans à l'époque, j'imagine, et il était chez lui le jour où j'allai me présenter à sa mère. Nous nous trouvâmes soudain nez à nez sur le dernier palier de l'escalier, alors que Mrs Markway me faisait visiter la maison. Il était timide, je le vis à la façon dont il me regarda pour détourner aussitôt les yeux. Mais pour cette première fois, son regard sombre m'enveloppa comme s'il voulait noter chaque détail de mon apparence, de mes cheveux roux à la robe noire de bonne qualité que je portais ce jour-là. Sa présence me troubla et je sentis le sang me monter aux joues. Heureusement, Mrs Markway me tournait le dos, son attention étant accaparée par la disposition des pièces de l'étage et le travail que j'aurais à faire.

À la lumière de ce qui se passa plus tard, sans doute aurais-je dû prêter une plus grande attention à l'impression de danger fugitive que j'éprouvai, mais j'étais encore jeune et me croyais invulnérable. J'aurais aussi dû écouter la cuisinière, qui fit de son mieux pour m'avertir de me méfier de Mrs Markway, une femme qui aimait ses fils d'un amour exclusif. Elle avait de grandes ambitions pour eux, et à ses yeux il ne pouvait en exister de plus hautes que de vivre à ses côtés, de gérer l'affaire familiale et d'amasser de l'argent. Certes, Jonathan s'était rebellé et avait choisi de partir en mer ; cependant, aux yeux de Mrs Markway, il était hors de question qu'il n'ait pas un commandement ; or, pour devenir capitaine au long cours sur son propre navire, il ne devait pas se contenter d'apprendre les manœuvres et le matelotage, il lui faudrait aussi faire des études. Les jeunes filles n'entraient pas dans le projet de Mrs Markway – et surtout pas les domestiques, même celles qui étaient de bonne famille.

J'avais trop conscience de ma position pour contester son propos. L'aîné des deux fils, Dick, était assez gentil : c'était un jeune homme à l'allure lente, au tempérament résolu, fort compétent en matière d'accastillage, mais totalement dépourvu d'attrait à mes yeux. Quant à Jonathan, il avait déjà commencé son apprentissage de la mer et, comme je l'annonçai non sans effronterie à la cuisinière lorsqu'elle m'en avertit, j'avais déjà juré sur la tombe de ma mère que je n'épouserais jamais un marin. Elle me dit que je changerais bientôt d'avis en voyant qu'à Whitby je ne trouverais rien d'autre ; mais je ne lui prêtai aucune attention.

En règle générale, je m'efforçais d'éviter d'aller au dernier étage lorsque les fils étaient là. Pourtant, malgré mes beaux discours et mes idées préconçues, je ne pouvais m'empêcher d'être véritablement séduite par Jonathan. Il était brun et gracieux, et tenait de son père un physique marqué par des ascendances bretonnes et cornouaillaises, et une nature plutôt taciturne. Nos échanges en furent longtemps réduits à des banalités polies, mais un jour je m'aventurai à lui poser des questions à propos des livres qui garnissaient ses étagères : des romans classiques, un traité sur la navigation, une série de tables mathématiques et plusieurs volumes sur le gréement et la stabilité des navires. Il savait que je venais d'une famille de gens de mer et, comme je le lui avais expliqué, chez moi à la Baie, les livres comptaient beaucoup. Mon père avait laissé une série complète des romans de Waverley[1], que j'avais tous lus tant bien que mal dès que j'avais été en âge de les comprendre, et grand-mère possédait des histoires anciennes qui étaient dans la famille depuis des générations. L'oncle Thaddeus lui-même n'était pas parvenu à la persuader de s'en séparer. De son vivant, s'il voulait les lui emprunter, il fallait qu'il lui paie un dédommagement pour avoir ce privilège, et qu'il les lui rende dans le mois. Il grognait, mais payait la somme demandée et n'en respectait que davantage ma grand-mère. Je ne suis pas sûre qu'il m'admirait autant de les lui avoir vendues après la mort de celle-ci.

Cette conversation brisa la glace entre Jonathan et moi, et après cela nous nous parlâmes souvent. Il me prêtait ses livres et je lui prêtais ceux des miens que je chérissais particulièrement et que j'avais réussi à garder. Lorsque je manifestai de l'intérêt pour ses études, il fut tout content de cette occasion de se montrer à son avantage et m'expliqua les finesses de la navigation à voile contre les mérites, plus bruts, des nouveaux bateaux à vapeur, et son désir de comprendre les deux systèmes et de bien les

1. Cycle romanesque écrit par Walter Scott. Ces récits se situent à l'époque de la rébellion jacobite en Écosse au XVIIIe siècle. (*N.d.T.)*

maîtriser. Pour l'instant, dit-il en désignant son bateau à son mouillage d'hiver sur le banc de la Cloche, il était heureux de naviguer à bord d'un vaisseau « bien battant » comme ce brigantin, une merveille de rapidité et de fiabilité. Sa description me fit sourire, et, lorsqu'il allait à bord pendant la journée, je montais à la dérobée afin de regarder une ou deux minutes par la fenêtre du haut pour essayer de distinguer la *Lillian* parmi une cinquantaine d'autres navires, et de repérer Jonathan au milieu des charpentiers et réparateurs divers qui travaillaient à son bord, dans la mâture ou sur les ponts. L'apercevoir illuminait la routine monotone de la journée, ce qui aurait dû m'édifier sur les sentiments que je lui portais. J'avais plus de mal à ignorer la tension qui régnait entre nous dès que nous nous trouvions seuls.

Ce dernier soir, il était resté dans la cour en attendant que je sorte de la cuisine prendre un peu l'air. C'était mon habitude avant de regagner le réduit que je partageais avec la cuisinière à l'extrémité du premier palier. Mon moment de tranquillité avant de me coucher. En le voyant approcher, je reculai instinctivement dans l'obscurité. Les lampes étaient encore allumées et, avec toutes les fenêtres de part et d'autre de la cour, notre entretien avait peu de chances de passer totalement inaperçu.

Il dit qu'il partait de bon matin le lendemain et qu'il avait profité de l'occasion pour me dire au revoir en tête-à-tête. Une bouffée de joie innocente me colora les joues et je fus soulagée de me tenir dans l'ombre. Puis je pris conscience de toute la portée de ses paroles et restai muette ; mon sourire se figea en grimace inquiète tandis que je cherchais que lui répondre.

« Vous allez me manquer, me dit-il avec conviction.

— Vous aussi, vous me manquerez », chuchotai-je enfin en retour, consciente de dire la vérité.

Soudain, il fallut que je me rappelle toutes mes fermes résolutions, afin de ne pas me laisser aller sottement.

Sans percevoir le malaise qui m'agitait, il poursuivit :

« Je voulais simplement vous dire que si vous souhaitez

emprunter mes livres pendant mon absence, enfin, des romans, faites-le, je vous en prie. Je sais que vous aimez lire. J'en parlerai à ma mère...

— Merci, articulai-je avec effort tant ma gorge était serrée.

— Prenez ceux qui vous plaisent... »

Je lui promis que je le ferais, tout en pensant à l'envie que j'avais de le serrer dans mes bras, lui et non ses livres. Puis il se pencha un peu plus près et souffla : « J'espère que vous serez encore là quand je reviendrai... »

Il était un peu plus grand que moi et la lumière de la lampe faisait briller ses yeux. L'espace d'un instant, affolée, je crus qu'il allait m'embrasser. Mais non, il chercha ma main, la prit, et la légèreté de ce contact fit courir en moi une véritable onde de choc.

« Je devrais être de retour à l'époque de Noël », ajouta-t-il doucement.

Comme nous étions à peine au mois de mars, sa remarque suffit à me rappeler à la raison.

« Eh bien alors, répondis-je d'une voix saccadée, lui retirant ma main, je prierai pour que vous ayez un temps propice et que vous reveniez sain et sauf. Maintenant, rentrons avant que votre mère se demande ce que nous faisons dehors. »

Sur ce, je montai les marches à la course et me plantai à côté de la fenêtre, toute raide. Lorsque j'entendis monter la cuisinière, je me glissai dans mon lit et me tournai face contre le mur. Le lendemain matin de bonne heure, en regardant partir Jonathan, je me rendis compte que j'aurais donné n'importe quoi pour partir avec lui, grimper dans la chaloupe, traverser ce bras d'eau et monter à bord du brigantin qui attendait la marée...

Si Mrs Markway se montra extrêmement froide avec moi après cela, je m'efforçai de me dire que son acrimonie n'était pas dirigée exclusivement contre moi. Cet état de choses dura quelques semaines, jusqu'au jour où elle me surprit en train de sortir de la chambre de Jonathan avec l'un de ses livres à la main.

Je venais de remettre en place *Les Voyages de Gulliver* et j'avais emprunté *Tristram Shandy*, mais à côté de mon lit se trouvait un autre volume, une anthologie de poésie que je lisais depuis quelque temps. Un seul regard suffit à Mrs Markway pour m'accuser de vol, et mes protestations ne firent qu'envenimer les choses. À l'entendre, j'étais une mauvaise fille, une menteuse et une voleuse. Rien de ce que je pus dire ne la fléchit. Au contraire, chaque fois que je prononçais le nom de Jonathan, elle se mettait encore plus en colère et, lorsque la cuisinière intercéda en ma faveur, Mrs Markway entra dans une rage folle et menaça de la renvoyer elle aussi. Les joues tremblantes de rage, elle m'ordonna de faire mon baluchon immédiatement et de quitter les lieux, car elle ne voulait pas que je reste chez elle une minute de plus. Elle examina même chacun de mes livres afin de s'assurer, dit-elle, que je n'avais volé aucun de ceux de son fils pour les emporter.

Je demeurai bouche bée devant tant d'injustice. Lorsqu'elle fut partie, je cherchai mes autres effets à tâtons, comme une aveugle, et les mis dans ma malle, pendant que Dick, très embarrassé, attendait sur le palier, prêt à m'aider à la porter jusqu'en bas.

Heureusement que nous étions au mois d'avril et que le temps était beau. Si je n'avais pas abondance de biens, j'avais en revanche abondance de parents. Mais j'arrivai à la baie de Robin-des-Bois en début de soirée seulement et rencontrai mon grand-oncle Thaddeus qui se rendait à une réunion publique, cheveux et barbe blanche éclatants dans le crépuscule. Il ne fut pas ravi de me voir et n'avait pas le temps de me parler, aussi poursuivis-je mon chemin jusqu'à sa maison pour attendre son retour. Sa gouvernante m'emmena à la cuisine et me donna à manger, mais j'eus l'impression d'être un condamné abandonné à la contemplation de ses péchés. Ma colère, qui avait fluctué au cours du trajet, flamba de nouveau, sous l'effet conjugué de l'inquiétude, de la frustration et de la certitude que l'oncle Thaddeus ne me croirait pas.

Ce n'étaient pas là les conditions idéales pour entamer une discussion importante.

En voyant son expression lorsqu'il me regarda de toute sa hauteur, je compris qu'il me croyait dans mon tort. Cela attisa ma fureur et je laissai fuser comme autant de chandelles romaines des récriminations qui, si elles n'avaient pas grand rapport avec l'affaire qui m'amenait, prouvaient à quel point j'étais ulcérée par ce que je considérais comme une injustice à mon encontre. Je dis à l'oncle Thaddeus que puisque son influence m'avait permis d'obtenir cette place, il pouvait sûrement en user de nouveau pour convaincre Mrs Markway, la faire revenir sur ses accusations et me disculper.

À quoi il réagit en me demandant sèchement pourquoi il ferait une chose pareille alors que tout était ma faute. L'affaire des livres était regrettable, mais si j'avais eu la sottise de jeter mon dévolu sur le jeune Markway, je devais être prête à en assumer les conséquences. La façon dont la mère du jeune homme renvoyait ses domestiques ne le concernait pas. De plus, il n'avait pas l'habitude de s'entendre parler sur ce ton, surtout par une petite morveuse. Eliza Markway avait un caractère difficile, il l'admettait, mais j'aurais dû réfléchir avant de faire les yeux doux à son fils préféré. Si j'avais eu un peu de jugeote, je l'aurais compris ! Il s'efforcerait de m'aider en mémoire de ma grand-mère ; et il me demanda froidement ce que j'avais l'intention de faire ensuite. Après m'avoir ainsi chapitrée, il me dit qu'il pouvait m'héberger quelques jours jusqu'à ce que je sache où aller. Il s'efforcerait de me procurer un autre travail, mais, sans références, ce ne serait pas facile.

Après tout ce qu'il venait de me dire, je ne voulais plus de son aide. Tremblante de rage, au bord des larmes, je lui jetai à la face que je me débrouillerais seule et que je ne le dérangerais plus jamais.

J'aimerais pouvoir me rappeler aujourd'hui avoir quitté la pièce avec dignité, mais je tremblais tellement que j'eus du mal à ouvrir la porte, manquant perdre l'équilibre sur le seuil. L'oncle Thaddeus essaya de me retenir, et il m'appela même de la grille. Mais je n'avais plus qu'une envie : quitter les lieux. Je dévalai la rue principale en pente, glissant et trébuchant sur les pavés ronds qui conduisaient jusqu'au bas des remparts, là où les murs des maisons se transformaient brusquement en murs d'enceinte, du côté où la robuste petite ville donnait sur la mer.

Je ne pouvais pas aller plus loin, sauf si j'avais voulu me noyer, et, l'espace d'un instant, j'eus la sottise d'envisager cela en guise de vengeance spectaculaire. Mais je m'arrêtai et, comme la gamine que j'étais, je m'affalai sur un creux de rocher poli qui servait de siège aux pêcheurs lorsqu'ils réparaient leurs filets. La soirée était calme et fraîche, et peu après je me sentis apaisée. Je m'efforçai de prendre une décision, pendant que la marée léchait une rangée de barques de pêche tirées sur la plage, et que les mouettes, posées sur leurs nids en haut des toits, jacassaient.

Pour moi, être libre n'est pas la même chose qu'être poussée à la dérive. À ce moment-là, j'étais poussée à la dérive tel un bateau quand la marée est étale : j'aurais aussi bien pu me diriger d'un côté que de l'autre. Mon choix de prendre la direction de Whitby pour me réfugier chez ma cousine Bella et sa famille peut sembler arbitraire ; mais Bella était aussi mon amie et puis j'avais trop d'orgueil pour m'excuser auprès de l'oncle Thaddeus, je le compris rétrospectivement. Je me doutais également que, quoi que j'aie pu faire, il y avait peu de chances que les Firth me jugent avec sévérité. De toute façon, une longue marche solitaire me paraissait moins pénible que la perspective de devoir donner des explications à mes autres parentes de la Baie. À mes yeux, elles représentaient l'incompréhension absolue, ces braves femmes de tous les âges. Malgré leur bon sens et leurs compétences, elles étaient tout aussi incapables d'apprécier la situation critique où je me trouvais qu'elles l'eussent été de s'y mettre un jour.

Si l'affaire des livres était difficile à comprendre pour elles, sans doute auraient-elles eu encore plus de mal à saisir la précarité de ma position présente. Or, ces femmes étaient dans l'ensemble bienveillantes. Tandis que Mrs Markway, qui ne me voulait aucun bien, continuerait, je n'en doutais pas, à jouir en toute bonne conscience du mauvais tour qu'elle m'avait joué.

Mille pensées et émotions diverses me traversèrent l'esprit à toute vitesse en ce jour de janvier au moment où je vis son fils Jonathan s'avancer vers moi. Si seulement il était rentré quelques semaines plus tôt, les choses auraient pu prendre un tour différent alors ! En le voyant maintenant, si soigné, si mince, si beau, j'eus l'impression d'être marquée d'infamie. Pas seulement par les accusations de sa mère, pas même par l'odeur de poisson et le panier pendu à mon bras, mais à cause de mon association avec les Firth. Je me demandais si tout le monde à Whitby était au courant de ce qui se passait entre Magnus et ses filles. Dans ce cas, que racontait-on sur moi, qui vivais sous son toit ? En voyant approcher Jonathan, j'aurais voulu remonter le fil du temps. Ou, du moins, avoir l'air de tirer profit de quelque chose, fût-ce de la rançon du péché.

Jamais nous n'avions été l'un à l'autre ; pourtant, en voyant l'expression de ses yeux, je redoutai de m'être trahie. Les rayons bas du soleil d'hiver, éblouissants et révélateurs, m'aveuglèrent presque complètement lorsqu'il s'arrêta pour me parler. Je louchais si fort que je dus me déplacer de côté pour voir son visage. Ce que je remarquai alors me fit regretter de ne pas être restée à ma place. Peut-être avait-il été content de m'apercevoir, mais maintenant que j'étais en face de lui, fort peu à mon avantage avec ce lourd panier de poissons, ses yeux noirs révélaient son embarras. Peut-être était-ce simplement de la timidité et une consternation sincère de me voir tombée si bas. Quoi qu'il en soit, je me sentais souillée par les récents événements et prête à être condamnée. Lorsqu'il me salua, chose qui m'aurait sans doute emplie de joie avant Noël, je fus prise d'une rage subite.

« À propos, comment va votre mère ? demandai-je d'un ton aigre avant qu'il ait pu dire un mot. Je ne l'ai pas vue depuis qu'elle m'a congédiée pour avoir volé vos livres. »

Ses joues tannées se colorèrent, et il détourna les yeux vers l'amont de la rivière, là où les bateaux amarrés devant le banc de la Cloche formaient une forêt de mâts sombres qui se détachaient sur le ciel lumineux. À sa réaction, je me dis qu'il essayait de reconnaître le profil de son bateau grâce auquel il pourrait échapper à tout cela. Une éternité sembla s'écouler avant qu'il prenne son inspiration et se retourne vers moi, les sourcils froncés et une lueur soudain hostile dans le regard.

« Oui, j'ai appris cela, et je suis vraiment désolé, dit-il enfin avec raideur. J'avais cru être clair, or, de toute évidence, il y a eu un malentendu. Je voudrais bien pouvoir arranger les choses. Malheureusement, comme il est trop tard pour cela, je ne peux que vous présenter mes excuses, surtout... surtout parce que vous avez perdu votre travail. »

Je regardai d'un air glacial vers l'embouchure de la rivière, me demandant si je pouvais accepter ses excuses. Il marqua une pause et secoua la tête.

« Ma mère n'est pas bien, vous savez. Ce n'est pas facile. »

J'étais tellement surprise, et lui si visiblement embarrassé par cette conversation, que je ne fis rien pour le retenir. Elles s'étaient évaporées, toutes les questions polies que j'avais songé à lui poser avant : où était-il allé, pourquoi rentrait-il si tard, avait-il fait bon voyage ? Un court instant, pénible, nos yeux se rencontrèrent et je m'entendis exprimer des regrets. Là-dessus, nous partîmes chacun de notre côté, lui pour travailler à bord d'un bateau en cours de calfatage, et moi pour crier mon poisson.

Je m'en voulus de m'être conduite aussi sottement, et peu à peu ma blessure d'amour-propre se calma. Peut-être avais-je mal compris sa remarque sur sa mère. Peut-être avait-il voulu dire qu'elle était malade et donc qu'il aurait été malvenu de remettre ses décisions en cause ; mais, par ailleurs, il avait pu laisser entendre que sa mère devenait un peu folle, et même qu'elle perdait l'esprit. À la réflexion, je penchai pour cette seconde hypothèse, plus vraisemblable à mon sens, et m'efforçai de plaindre Mrs Markway. En pure perte. Je me trouvais beaucoup plus à plaindre qu'elle.

Plus à plaindre, mais presque guérie de mon engouement pour Jonathan Markway. Du moins m'en persuadai-je. Avec ses cheveux bruns et bouclés, son corps mince comme un fil, il était devenu encore plus beau pendant ces mois d'absence. Je gardais à l'esprit l'adage de ma grand-mère, « Il n'est beauté que de vertu », et j'estimais qu'il m'avait trahie en n'étant pas là quand j'avais eu besoin de lui. Raison de plus pour ne pas épouser un marin, pensai-je, m'efforçant de ne pas comparer ce genre d'existence à celle que je menais alors.

J'apercevais rarement les autres Markway, et encore, de loin seulement. Bella, qui ouvrait l'oreille, à l'affût des ragots, entendit dire que le vieux Mr Markway avait une maîtresse à la Baie et que Mrs Markway se vengeait sur tout le monde, y compris les clients. Peut-être était-elle un peu folle après tout. Je me mis à plaindre Jonathan, enfermé sous le même toit qu'elle, mais n'eus pas l'occasion de lui exprimer ma compassion. Lorsque je l'apercevais, c'était rarement pour parler, et alors nous n'échangions que quelques brèves paroles de salutation. Pendant plusieurs des semaines les plus froides de l'année, il resta devant moi comme un rappel de ce qui aurait pu être. Bella me conseillait de l'oublier, affirmant qu'il ne valait pas un seul de mes soupirs, mais c'était plus vite dit que fait.

Lorsque j'avais le temps de rêver, je pensais plutôt à Mr Stoker, souhaitant qu'il revienne, comme un preux chevalier, et qu'il m'enlève sur son beau destrier. C'était un homme fait, pas un jeune homme, et il avait plus de pouvoir que tous les hommes de ma connaissance, hormis le vieil oncle Thaddeus. Toutefois, ses affaires étaient à Londres et non à Whitby ; à Londres où la nouvelle pièce dont il m'avait parlé remportait un grand succès. Le *Faust* de Henry Irving, avec ses tempêtes et ses apparitions, ses enfers sulfureux et ses visions angéliques, faisait apparemment les gros titres des journaux. Jack Louvain m'assura qu'il y avait même des combats à l'épée à l'électricité, ce qui nous semblait inimaginable ; néanmoins, cela alimenta notre conversation des heures durant. Pour des raisons différentes sans doute, lui et moi nous intéressions très vivement à la production et aurions adoré la voir ; mais Jack lui-même ne pouvait se permettre une dépense pareille.

Toutefois, à l'approche du printemps, il commença à me payer pour les tâches dont je m'acquittais au studio : nettoyer et ranger, monter et trier les innombrables séries de cartes postales en prévision de l'été et du flot de touristes qu'il amenait. Voir mon travail reconnu et évalué sur une base professionnelle fut pour moi le plus grand réconfort de cet hiver-là. Pour la première fois, j'avais le sentiment d'avoir une activité satisfaisante et respectable, que l'oncle Thaddeus ne réprouverait pas totalement.

7

Les journées sombres de février ne laissaient pas entrevoir le début du printemps. Février était toujours un mauvais mois, le plus pénible de l'année sur la côte est, car la neige et le froid glacial cédaient alors la place aux vents d'est et aux déluges qui se poursuivaient pendant des journées entières. Poussée par le vent, la pluie s'insinuait dans les fissures et les interstices des toits mal colmatés, et l'humidité régnait en permanence. Le contact des vêtements froids sur n'importe quel bout de peau évoquait l'étreinte moite et figée d'un linceul. Nous avions froid également à cause de notre ventre vide. De ma vie je n'ai eu aussi faim ni n'ai été aussi tributaire du temps, du départ et de l'arrivée des bateaux qui rentraient avec leur cargaison précieuse et périssable.

Certains jours, en fonction des marées, nous nous levions à deux ou trois heures du matin pour décortiquer des moules à moitié gelées, les doigts gourds et enflés à cause des engelures, souvent encore tout écorchés de la veille. Malgré cela, si le temps était propice à la pêche, le travail devait être fait, et ceux qui voulaient manger, comme se plaisait à le rappeler Magnus Firth, devaient être prêts à garnir les lignes. Les moules étaient le meilleur appât pour la morue, mais elles étaient chères, car elles arrivaient d'Irlande sur la côte ouest par bateau, puis chez nous par le train. Nous allions chercher les sacs à la gare avant de les décortiquer et de les faire tremper pour qu'elles gonflent un peu ; après quoi, il fallait garnir les lignes, dont chacune comptait plus de cinq cents hameçons meurtriers. Pour chaque sortie en mer, quatre lignes au moins étaient nécessaires et, je le jure, je me rappelle encore le mal que me donnait chacune. Le pire, c'était lorsque les bateaux ne sortaient pas : alors, il fallait dégarnir les lignes et les nettoyer, car les appâts ne se conservaient pas.

Je portais à Magnus Firth une haine mêlée de mépris, mais en réalité je dépendais de lui tout autant que sa femme et ses enfants. La plupart du temps, j'aurais voulu le voir mort ; pourtant, chaque fois qu'il partait à la pêche, je priais pour qu'il revienne sain et sauf car je préférais ne pas imaginer ce qui se passerait s'il ne rentrait pas. Et puis, il fallait songer aux frères de Bella, qui méritaient un sort meilleur que celui que je souhaitais à leur père.

Nous nous arrangions toujours pour qu'ils mangent avant de partir, même s'ils n'avaient dans leur assiette que des galettes d'avoine et des pommes de terre sautées, car il arrivait que les hommes meurent de froid au large. Bella et moi nous occupions de nourrir les petits et, en cela, nous étions aidées par Isa, qui apportait en général de la viande froide et des tourtes lorsqu'elle venait à la maison. Parfois Magnus ne s'absentait que fort peu et rentrait exalté par quelque succès secret. Il filait alors au pub le plus proche pour passer la nuit à boire. Curieusement, à son retour, il avait encore de l'argent en poche. J'appris à ne pas poser de questions à ce sujet.

Si, cet hiver-là, le froid et la faim nous firent beaucoup souffrir, la situation présentait malgré tout quelques avantages. Lorsque Magnus partait pêcher, il s'absentait douze à quatorze heures par jour et rentrait trop fourbu pour faire autre chose que dormir. L'argent était si rare que le crédit de cousine Martha était limité et son gin strictement rationné par Bella. Pour s'occuper, elle tricotait sans relâche, défaisant les morceaux encore bons de vieux chandails pour en confectionner des chaussettes à mettre dans les bottes de marin et des cache-nez pour les garçons. Elle avait l'air triste et éreintée, mais je la préférais ainsi.

Plusieurs semaines d'affilée, la famille en butte à une rude adversité n'en était que plus unie, et, pendant un temps, je me berçai de l'illusion que la situation n'était pas si grave, que ma présence chez les Firth permettait d'améliorer leur sort et que ma contribution était la bienvenue.

Durant la période de mauvais temps, Isa ne vint pas souvent mais, lorsqu'elle nous rendait visite, ses premiers mots en m'apercevant étaient invariablement malveillants. Pourquoi étais-je toujours là, demandait-elle, alors que je pouvais prétendre à des fonctions plus reluisantes que décortiquer des moules et appâter des lignes de fond ? Quand elle me regardait travailler, elle prenait un malin plaisir à signaler mes moindres erreurs, au point que je me sentais très maladroite et sotte de vouloir m'attaquer à une tâche pareille. Jamais elle ne proposait son aide et, drapée dans sa réprobation pincée, réussissait même à désamorcer l'humour noir que Bella et moi avions en commun.

Ce qui faillit nous en faire venir aux coups, toutefois, ce fut mon nouvel emploi rémunéré au studio. Ce n'étaient que quelques heures par semaine, mais j'en étais fière. Cela provoqua sa jalousie, et je sais maintenant qu'elle avait un faible pour Jack Louvain, depuis le jour où il l'avait convaincue de poser pour un portrait alors qu'elle était encore écolière. Le portrait en question était indûment flatteur, et ceux qui connaissaient les jumelles s'étonnaient en apprenant qu'il s'agissait d'Isa. Jack Louvain avait l'air de la préférer à Bella ; et en sa compagnie, je le jure, elle minaudait presque, elle qui était en général plutôt revêche. De toute évidence, elle prenait en mauvaise part que je fusse souvent seule avec Jack dans son studio – une situation qui devait la faire rêver lorsqu'elle était à Middlesbrough – et elle insinua que je lui prodiguais mes faveurs contre de l'argent. Furieuse je brandis mes mains sous son nez.

« Regarde ! Tu as vu dans quel état elles sont ! Tu t'imagines que je supporterais ça si je vendais mon corps ? Ou tu ne l'estimes qu'à quelques shillings par semaine ? »

L'hiver passa, vaille que vaille. Lorsque l'activité normale reprit et que les navires recommencèrent à partir, ce fut le signe que les trois mois les plus durs de l'année étaient derrière. Chaque jour quelques nouveaux bateaux sortaient, à la traîne d'un remorqueur, et je me mis à surveiller la *Lillian*, le bateau de Jonathan Markway, en m'interrogeant sur sa destination. Normalement, j'aurais dû me réjouir qu'il reparte. Après tout, sa présence était comme le rappel, au demeurant pénible, d'un passé différent et indiscutablement plus agréable. Néanmoins, chaque matin, je scrutais le port avec un sentiment d'inquiétude croissant, me demandant si je le reverrais avant son départ. Et le jour où il vint se poster devant l'éventaire pour me parler, mon cœur se mit à battre si fort que j'eus peine à trouver ma voix et à répondre.

C'était l'une de ces matinées cristallines, froides et toniques qui réconcilient avec l'existence. Sous les rayons du soleil qui venait juste d'apparaître au-dessus de la falaise, les navires en amont du port semblaient sortir d'une photographie et l'eau étincelait. Un train entra en gare, et peu après le bord du bassin et le quai Neuf grouillèrent de carrioles et de voitures. L'animation poussa les gens à s'arrêter pour acheter, et Bella et moi, très affairées, servions un client après l'autre sans leur prêter attention avant de devoir leur adresser la parole. Il y eut une accalmie soudaine lorsque je vis Jonathan devant moi, en vareuse et casquette, l'air timide et hésitant ; il avait changé de façon indéfinissable. Il était plus grand, peut-être, avec le visage un peu amaigri et plus pâle que la dernière fois que nous nous étions parlé juste après son retour.

Après un échange de civilités, nous restâmes muets l'un et l'autre. Bella lui demanda si son congé avait été agréable ; à quoi il répondit que non, beaucoup moins qu'il ne l'escomptait, et qu'il était content de repartir. Là-dessus, je retrouvai ma voix pour lui demander quand il partait et où.

« Nous appareillons dans quelques jours, à destination de la Baltique certainement, puis de la Méditerranée. »

Je ne sus que répondre niaisement :

« C'est bien, ça. Et c'est là que vous êtes allé, la dernière fois ?

— Oui, ainsi qu'en mer Noire. Nous avons eu gros temps en revenant, dans le golfe de Gascogne. C'est pour cela que nous sommes rentrés si tard. Il nous a fallu relâcher à Saint-Nazaire pour des réparations. Mais nous avons eu de la chance : il y a eu des moments où j'ai cru que nous ne nous en sortirions pas ! » ajouta-t-il avec un sourire qui cherchait à démentir ses paroles.

S'il pensait m'impressionner, il n'aurait pu faire un plus mauvais calcul. Je serrai les dents, baissai les yeux, m'efforçant de cacher à quel point je redoutais le naufrage et la noyade.

« Ah, tiens donc... Je me demandais, aussi... Enfin, quand on choisit la mer comme métier, on doit s'attendre à ça ! » lançai-je sèchement.

Ma réflexion stoppa net la conversation, car nous ne savions plus que dire. Je me penchai vers mon panier pour remettre du poisson sur l'étal et l'y ranger prestement tandis que Bella servait un nouveau client.

« C'est ma vie », reprit-il enfin d'un ton sibyllin.

Je ne sais pas au juste ce qu'il voulait me faire comprendre, mais je m'abstins de le contredire. S'il avait cherché à me provoquer, j'aurais peut-être répondu la même chose. Je m'excusai tant bien que mal et il se radoucit. Il m'annonça même qu'il espérait passer son brevet de lieutenant de vaisseau la prochaine fois qu'il rentrerait.

« Aussi, ajouta-t-il, je serai libéré avant longtemps.

— De quoi donc ? De la mer ?

— De mon apprentissage », dit-il d'une voix lente, secouant la tête comme si cette agressivité, de la part d'une personne qui, jadis, semblait le comprendre, le laissait pantois.

Et, à vrai dire, j'en étais la première stupéfaite.

« J'aurai ma solde, expliqua-t-il, et je serai mon propre maître, libre de choisir ce que je veux faire et où je veux aller. »

Il n'ajouta pas *Et qui je vois*, mais le sous-entendu était évident.

Pendant quelques instants, je soutins son regard et répondis d'un air de défi :

« Eh bien, bonne chance. Qui sait où moi je serai alors. »

Il laissa courir son regard sur toute la longueur du quai, où les femmes étaient emmitouflées dans plusieurs épaisseurs de châles et des jupes superposées pour se protéger du froid. Je crus deviner ce qu'il pensait, mais lorsqu'il se retourna vers moi il se borna à dire :

« Sous un climat plus chaud, j'espère !

— Oh, c'est sûr, fis-je avec un rire forcé en agitant une main couverte d'une mitaine. Ici, je ne fais que passer, vous savez. Peut-être que l'hiver prochain je serai dans la baie de Naples ! »

Là-dessus, nous nous mîmes à rire, même Bella. Toutefois, une flamme sérieuse brûlait dans les yeux sombres de Jonathan.

« Alors, il faudra que je vous cherche, on dirait ? »

En moi aussi quelque chose brûlait, mais je n'eus pas le loisir de répondre, car Bella m'expédia un coup de coude pour me signaler une cliente qui demandait à être servie. Pendant que je m'exécutais, Jonathan s'écarta.

« Eh bien, il faut que je parte... J'ai du travail qui m'attend. Je vous verrai plus tard, peut-être ? »

Je répondis que oui, bien sûr ; j'eus beau m'attarder, il ne revint pas ce jour-là et je décidai d'être à l'éventaire de très bonne heure le lendemain matin. Toute la journée, une activité intense régna sur les bateaux encore au port : concerts de coups de marteau et battements variés, branle-bas de voiles qu'on hissait et qu'on affalait, provisions chargées à bord en vue des prochaines traversées. À marée haute, les remorqueurs à vapeur couraient en tous sens comme des rats d'eau, et il était difficile de voir à travers la fumée quels navires au juste se déplaçaient et où ils allaient. J'avais peur de perdre la *Lillian* et, chaque fois que le pont s'ouvrait, j'étais sur des charbons ardents, redoutant que Jonathan ne parte sans me dire au revoir.

Entre-temps, je rôdai autour du pont du port, dans l'attente de l'apercevoir sur son brigantin et dans l'espoir qu'il me verrait et se souviendrait de moi. Tant pis pour les sarcasmes de Bella, car j'avais de nouveau parlé avec Jonathan et j'éprouvais le besoin de m'expliquer et de m'excuser. Je voulais qu'il conserve une bonne opinion de moi, qu'il emporte avec lui un souvenir d'amitié au lieu de partir sur une déception et un malentendu.

Juste avant le coucher du soleil, au moment où les dernières marchandes repliaient leurs étals et où je m'apprêtais à rentrer, il me héla du pont.

« Enfin ! s'exclama-t-il en s'approchant vers moi, hors

d'haleine. Je suis heureux de vous trouver encore là. Je n'ai pas pu me dégager plus tôt, et maintenant il ne me reste guère de temps. Les propriétaires se sont finalement décidés et nous appareillons ce soir avec la marée. »

Il s'arrêta pour reprendre son souffle, m'adressa un sourire où se mêlaient soulagement et inquiétude, tandis que j'étais consciente du plaisir que j'avais à le voir, mitigé par la déception que me causait la nouvelle.

« Ah bon... En tout cas, c'est très gentil à vous d'être venu, mais tant pis... Si vous devez partir...

— Pas tout de suite. J'ai un petit moment, une demi-heure environ... »

C'était une demi-heure inespérée et, comme peu importait où nous allions, nous suivîmes la voie ferrée jusqu'à l'ancien gué de Bog Hall, tout en surveillant le brigantin et la marée. Nous avions mille choses à nous dire mais, en présence l'un de l'autre, nous nous sentions comme paralysés. Et quand nous nous mîmes enfin à parler, ce fut en même temps, et pour nous excuser maladroitement. Il ne fut cependant question ni de sa mère ni de mon grand-oncle Thaddeus, et, finalement, les derniers restes de rancœur entre nous s'évanouirent.

Après avoir dépassé la vieille auberge de l'Esk, nous nous attardâmes sur le quai de pierre pour regarder la rivière que la lumière du soir rendait vitreuse. Rien d'important ne fut dit, si ce n'est que nous regrettions l'un et l'autre ce départ. J'aurais voulu arrêter le temps, empêcher le bateau de partir, garder Jonathan près de moi, mais la rivière montait avec la marée, les mâts qui se détachaient sur l'étendue vaseuse du banc de la Cloche se redressaient à nouveau, et le moment du départ arriva pour Jonathan.

Il se tourna vers moi avec un air de supplication muette et je sentis ma gorge se nouer lorsqu'il retira sa casquette et se pencha vers moi. Des lèvres froides touchèrent les miennes et se réchauffèrent à mesure qu'un baiser se fondait en un autre et que nous nous cramponnions l'un à l'autre, éperdus, tremblant de joie. Lorsque mon châle glissa de ma tête, Jonathan posa sa joue fraîche et lisse contre la mienne et me serra si étroitement contre lui qu'on eût dit qu'il ne me laisserait jamais partir.

« Cela fait presque un an, chuchota-t-il, et j'ai tellement pensé à vous. J'espérais vraiment... »

Tiraillée par des émotions contradictoires, je posai mes doigts sur ses lèvres.

« Non, Jonathan, il ne faut pas. Je ne veux pas que vous pensiez à moi. Cela n'en vaut pas la peine. »

Il protesta aussitôt, écrasant dans la sienne ma main qu'il avait posée contre sa poitrine.

« Ma mère a eu tort. Elle n'aurait pas dû parler ni agir ainsi. Ce n'était pas votre faute ; vous n'y étiez pour rien.

— Non, mais je suis responsable de ce qui a suivi, dis-je en reculant d'un pas. Jamais je n'aurais dû venir habiter ici ni faire ce que je fais. Vous ne voyez donc pas que c'est une grosse erreur ?

— Eh bien, partez, voyons ! Rien ne vous oblige à rester ici.

— C'est vite dit. Je voudrais bien m'en aller, mais je ne le peux pas. Pas encore. »

J'aurais donné cher pour prolonger l'instant ; en même temps, je redoutais tout ce que représentait Jonathan : le risque, la solitude et la souffrance. Je ne voulais pas que quelqu'un ait ainsi prise sur moi, ni qu'il s'attende en retour que je me consacre à lui à la vie à la mort.

Je sentais cela confusément, sans être capable de l'exprimer, et je me bornais à fixer Jonathan qui, lui, cherchait à comprendre le sens de mes paroles. Des voix nous hélèrent, cordiales et moqueuses, celles de deux cheminots qui traversaient la cour de l'auberge. La magie du moment était brisée. Le temps pressait maintenant ; le soir tombait et il nous fallut prendre le chemin du retour, brusquement glacés par l'urgence.

Alors que nous arrivions sur le pont, j'éprouvai une émotion sans précédent. Jonathan ne m'embrassa pas, car nous étions exposés aux regards, mais, avant de me quitter, il me regarda avec une si vive nostalgie que je détournai le regard.

« La séparation va être longue. M'écrirez-vous, Damaris ? »

Cela ressemblait trop à un engagement et, de plus, l'idée d'attendre des nouvelles de lui, des nouvelles qui ne viendraient peut-être jamais, m'était insupportable.

« Non, articulai-je avec embarras, consciente de lui faire de la peine. Ne me demandez pas cela. »

Il prit une grande inspiration.

« Alors, vous verrai-je quand je reviendrai ?

— Si je suis encore ici, sans aucun doute », dis-je, m'efforçant de prendre un ton léger.

La déception se peignit sur son visage et je m'en voulus.

« Alors, soupira-t-il en me serrant très fort la main, quoi que vous fassiez, où que vous soyez, laissez-moi un message aux bons soins de Bella ou de ce photographe pour qui vous travaillez. Promis ? »

Je promis donc et il partit. Je le regardai disparaître dans l'obscurité et se hâter de rentrer chez lui pour emporter ses affaires avant d'embarquer sur la *Lillian*. Le navire mettrait d'abord cap au nord, vers la Tyne, pour prendre une cargaison de charbon, et de là, selon toute probabilité, il voguerait vers la Suède pour un chargement de bois. Jonathan m'avait vanté les qualités de son brigantin, qui était selon lui « un vaisseau bien battant », même par gros temps, et celles du capitaine, excellent navigateur. J'en étais soulagée, voulant croire qu'il ne courait aucun risque.

Deux heures plus tard, sans en souffler mot à personne, je sortis discrètement de la maison et retournai vers le quai Sainte-Anne pour y attendre l'ouverture du pont. Plusieurs navires étaient en partance et la *Lillian* était déjà en remorque. Elle voguait la première, avec sa figure de proue luisante, impatiente de franchir la barre toutes voiles dehors, et de prendre le vent de terre pour partir.

Il y avait des hommes sur le pont et dans le gréement, mais dans l'obscurité il était difficile de les distinguer. La lumière du mât et la lanterne rouge de bâbord émettaient une faible lueur tandis que le navire glissait silencieusement dans le sillage bruyant du remorqueur qui battait l'eau. Moi aussi, je circulai entre les groupes de badauds, essayant de repérer les marins qui, sur le pont du bateau, n'étaient qu'à quelques mètres de moi. J'avais atteint la jetée lorsque j'aperçus Jonathan qui enroulait des cordes d'amarrage sur la poupe. Il leva la tête afin de regarder les curieux et son visage fut un instant vivement éclairé, avec des ombres nettes et une expression intense. Il était si près que je vis la ride qui se creusait entre ses sourcils et le pli dur de sa bouche. Je m'immobilisai et criai son nom . il ne m'entendit pas et le bateau s'éloigna.

Je dus prendre mes jambes à mon cou pour le rejoindre. Je courus sur toute la longueur de la jetée et étais presque arrivée au phare lorsqu'il me vit : alors son visage s'épanouit d'un seul coup en un sourire ravi. Il leva la main et j'agitai frénétiquement les bras en lui souhaitant bon voyage, bon vent et prompt retour, tout ce que disent les femmes depuis des siècles en voyant partir leurs hommes. Je le regardai en lui adressant des signes d'adieux jusqu'à ce que le remorqueur fasse demi-tour et que le vent gonfle les voiles choquées du navire. Quand il s'éloigna, glissant comme un fantôme dans la nuit, je tournai les talons et repris le chemin de la ville en me demandant ce qui m'avait pris et pourquoi diable j'allais me ronger les sangs à cause d'un homme qui prenait la mer.

8

Lorsque je parlais de quitter Whitby, de trouver un travail qui me permettrait d'avoir une existence moins précaire, Bella tenait des discours inquiétants et m'accusait de tout, du snobisme à l'ingratitude. Elle argumenta même que Jonathan y était pour quelque chose, que j'avais changé depuis que je l'avais revu. Je niai, mais cela me troubla. L'après-midi que j'avais passé avec lui avait fait naître en moi bien des désirs inavoués.

J'étais fiévreuse et insatisfaite. J'ignore si cela était dû ou non à Jonathan ou à la fièvre de printemps, mais son conseil de partir me trottait dans la tête. Et, quelque temps après, Jack Louvain me tint un langage analogue, plus direct encore.

Peu après Pâques, alors que je posais pour lui par une belle soirée, il me dit tranquillement : « Il doit y avoir un an, Damaris, que j'ai pris mes premières photographies de toi... » Il rectifia la position de mon épaule, tourna mon menton vers lui et m'examina de ses yeux brillants. Il fronça les sourcils et passa les doigts sur mes tempes, puis derrière mes oreilles et sous ma mâchoire.

« Tu as beaucoup maigri », constata-t-il d'un ton de reproche. Lorsque je m'excusai, il se borna à secouer la tête et plongea de nouveau sous la toile noire.

« Ce qu'il y a, c'est que maintenant tu as un air un peu hagard, tu ressembles à une incarnation de la tragédie. »

Il s'interrompit pour regarder dans l'objectif qui ressemblait à un œil de poisson, puis déclara avec une jubilation feutrée :

« Tu sais que ça rend à merveille ? Voilà qui devrait donner d'excellentes photos. »

Je ne sus trop comment interpréter sa remarque et m'abstins prudemment de lui parler pendant qu'il travaillait. Dans la lumière flatteuse du soir, et debout dans l'embrasure d'une porte de chaumière, je m'étais attendue à offrir une vision séduisante, et non à évoquer la tragédie ; pas plus que Jack au départ, sans doute. Après mûres réflexions et modifications de mes attitudes, il exposa deux autres plaques, puis décida d'arrêter la séance.

« Nous recommencerons demain à l'aube, sur la falaise ouest. La lumière sera plus rasante, et avec un peu de chance nous aurons les bateaux qui sortent. J'ai envie de te représenter en jolie fille qui a perdu récemment son amant pêcheur, ajouta-t-il avec un sourire sarcastique.

— Mon amant pêcheur, fis-je en me tournant vers lui avec un sourire moqueur. Pour l'amour du ciel, n'allez pas raconter ça aux gens qui me connaissent, hein. Ils pourraient vous croire ! »

Je pensais l'amuser, mais il pinça les lèvres et me reprocha de me mettre à parler comme Bella. Sur le chemin du retour, il reprit :

« Tu sais, la première fois que tu as posé pour moi l'année dernière, tu m'as dit que tu ne comptais pas t'installer chez les Firth. Et, quand tu as commencé à travailler pour moi, tu m'as dit de nouveau que tu n'y restais qu'en attendant d'avoir trouvé un travail à ta convenance. Pourquoi n'as-tu rien fait ? Pourquoi es-tu encore chez eux ? »

Il ne voulait pas se montrer cruel, mais je fis semblant d'être vexée et pris la mouche, ce qui le mit en colère.

« Tais-toi, Damaris et écoute-moi. Tu n'es pas faite pour la vie que tu mènes actuellement : tu n'es ni fille ni femme de pêcheur. Tu n'as pas besoin de me dire à quel point cette existence est difficile ; pour les hommes, elle est déjà pénible, et je ne parle même pas des femmes, qui travaillent encore plus dur. Mais toi, tu as le choix. Si tu le voulais vraiment, tu pourrais aller voir ailleurs. Alors, pourquoi ne cherches-tu pas avant qu'il soit trop tard ?

— Ce n'est pas si facile que ça.

— Et pourquoi ? Prépare ton baluchon et pars. Tu ne dois

rien aux Firth. Et même, après tout ce que tu as fait pour eux, c'est plutôt eux qui sont en dette envers toi ! »

Je voulus protester, arguant du fait qu'ils m'avaient donné un toit, mais cela n'impressionna guère Jack, qui estimait que ce toit, je l'avais payé, au même titre que le reste : leurs bonnes grâces et le couvert chez eux.

« Si j'ai gardé le silence jusqu'ici, poursuivit-il, c'est que je n'ai pas à me mêler de tes affaires. Seulement, je m'inquiète pour toi. Si tu as besoin d'argent, je pourrais peut-être t'en prêter... seulement à condition que tu quittes cette maison et Whitby aussi.

— Eh bien, grand merci, fis-je, vexée. C'est vraiment très gentil à vous !

— Oh, je t'en prie, ne le prends pas mal. Tu me manquerais, bien sûr. Nous avons été bon amis, je crois, toutes choses mises à part. Mais les Firth ne valent rien pour toi, Damaris. Ils profitent de toi, te prennent ton courage, ton énergie, et ton bon sens. Tu trimes dur pour eux : tu sais que tu ferais moins d'heures comme fille de cuisine à l'hôtel Royal ! Et tout cela pour quoi ? (D'un geste éloquent, il désigna l'air et reprit avec une insistance discrète :) Tu n'es pas la gardienne des Firth, tu sais. Ils ont réussi à se tirer d'affaire avant ton arrivée, et je t'assure qu'ils continueront après ton départ ! »

C'était brutal, même s'il y avait une grande part de vérité dans ce qu'il disait. Ses remarques me touchèrent au vif, douloureusement même.

« Vous n'aimez pas Bella, voilà le hic », rétorquai-je âprement, voulant le blesser.

Malgré cela, mon attaque tomba à plat.

« Tu as raison, admit-il en haussant les épaules. (Et il ajouta avec une franchise assez choquante :) Ce qui me déplaît chez elle, c'est sa façon de se servir de son corps pour provoquer les hommes ; elle le fait ouvertement. Si elle était sincère, cela ne serait pas si grave, mais...

— Ce n'est pas vrai ! »

Jack tourna la tête vers moi.

« Damaris, dans mon métier, on étudie les gens, on les observe, on interprète leur comportement, leur façon de se tenir. J'essaie de prendre en compte tous ces éléments quand je travaille. Je sais pertinemment de quoi il retourne en ce qui concerne Bella.

— Ah oui ? Allons donc ! Et comme vous êtes un homme, je suppose que vous avez tendu le bras et que vous vous l'êtes fait mordre. Voilà pourquoi vous n'aimez pas Bella.

— Moi ? Faire des avances à Bella Firth ! (Et il eut le toupet de rire.) Tu plaisantes ! Je n'aime pas les putains, moi, et elle est en train d'en devenir une belle !

— Eh bien, si c'est le cas, c'est la faute d'un homme ! » m'écriai-je avec rage avant de m'enfuir.

Cette conversation m'avait tellement bouleversée que je fis exprès de ne pas aller à notre rendez-vous le lendemain à l'aube. Sachant que la fois suivante j'aurais droit à une semonce en règle, j'évitai de me rendre au studio. Deux jours passèrent, pendant lesquels je travaillai sur le quai, fis la coquette avec les visiteurs et acceptai même de me laisser photographier par un concurrent de Jack, qui sauta sur l'occasion. C'était une provocation stupide de ma part, car j'aurais dû me douter qu'il l'apprendrait, et cela ne fit qu'aggraver mon cas. Le troisième jour, je l'aperçus à deux reprises, mais il m'ignora et, le soir venu, je commençais à avoir quelques inquiétudes au sujet de mon travail au studio. Jack disait toujours qu'il me laissait l'aider parce que j'étais soigneuse et habile, et qu'il savait pouvoir me confier l'équipement ; mais je n'étais pas la seule fille adroite de Whitby ; certes, je lui servais de modèle à l'occasion, mais ce n'étaient pas les filles qui manquaient dans le coin. Aussi, quand j'eus fini ma journée de travail, je rentrai à la maison avec Bella et décidai de faire ma toilette et de me changer avant d'aller chez lui. J'allais devoir m'excuser, de toute évidence. Ce que je redoutais le plus, c'était qu'il me pose des questions au sujet de Bella et qu'il veuille savoir ce que signifiait ma dernière remarque.

Il était toutefois trop furieux pour se rappeler ce qui n'était qu'un détail par rapport à la monstrueuse impertinence, la grossièreté insigne et l'incroyable ingratitude que j'avais manifestées. Il m'avait donné du travail, me dit-il, parce qu'il pensait que j'avais un peu plus de jugeote que le premier joli minois venu ; et assez de cran et d'intelligence pour saisir une occasion intéressante de sortir de l'ornière où je me trouvais. Il avait attendu avec intérêt de voir comment j'allais jouer les cartes que le destin m'avait mises entre les mains. Or, ces derniers temps, je l'avais déçu, et au cours des derniers jours il en était arrivé à la conclusion que Thaddeus Sterne avait raison et que j'étais effectivement aveugle, sotte et d'une vanité sans bornes.

Juste au moment où je croyais qu'il en avait fini, il reprit :

« C'est incroyable, on dirait que tu tiens absolument à te brouiller avec tous tes amis ! »

L'œil noir, il allait et venait dans le studio pendant qu'à la porte j'aurais voulu me cacher dans un trou de souris.

« Tu n'est pas venue mercredi matin, et tu n'as même pas jugé bon de me prévenir. Pourquoi ? La lumière était parfaite, mais comme je t'ai attendue, je n'ai pas pu travailler. Une occasion perdue. Je ne peux pas me permettre de laisser passer ce genre de caprice, Damaris. Et quand j'ai appris ensuite que tu avais posé pour Henderson, je n'en croyais pas mes oreilles. Tu devais pourtant te douter qu'il irait s'en vanter partout. »

Je le savais, oui, et j'en avais honte. La concurrence entre les différents photographes était rude. Ils étaient au moins une douzaine à exercer le métier à Whitby durant l'été, et chacun s'efforçait d'offrir les meilleures photographies, prises avec les meilleurs modèles. Si c'était grâce aux portraits de commande que les professionnels gagnaient leur pain, les séries de personnages du pays leur permettaient d'améliorer l'ordinaire ; quant aux études pittoresques sur la ville et le port, elles représentaient la cerise sur le gâteau. C'était ainsi que se faisaient et se défaisaient les réputations, que s'affirmaient le style et l'identité, surtout dans un marché envahi par les idées prises indifféremment aux professionnels et aux amateurs. La survie économique n'était pas la seule chose qui entrait en ligne de compte chez les photographes. Les rares qui sortaient du rang pouvaient s'attendre à obtenir des médailles, des récompenses et une petite notoriété. Il y avait de multiples enjeux, et je m'étais mal conduite avec quelqu'un qui comptait sur moi. Jack Louvain avait de bonnes raisons d'être en colère.

« Je vous demande pardon », murmurai-je, bouleversée, au bord des larmes.

J'étais fâchée d'avoir l'air stupide et mal élevée ; fâchée que Jack me croie poussée par un motif aussi mesquin que la vanité. Mais peut-être percevait-il quelque chose de mon dilemme ; ou alors mes yeux plaidèrent avec plus d'éloquence que je ne le croyais, car son regard furibond s'adoucit, et il se laissa tomber avec un soupir exaspéré dans le fauteuil qu'il réservait à ses clients.

« Bon, dit-il d'une voix sèche. Nous oublierons ta conduite pour cette fois-ci, à condition que tu ne me fasses plus faux bond. À l'avenir, prends tes dispositions si tu dois décommander un rendez-vous. Cela me gênera peut-être, mais au moins j'aurai été prévenu. »

Je lui donnai ma parole. J'étais reconnaissante et, surtout, j'éprouvais un immense soulagement. Après quoi nos relations reprirent leur cours normal, en apparence du moins. À mesure que l'été avançait et que le nombre de visiteurs croissait, je finis par aller travailler au studio presque tous les jours. Il y avait beaucoup à faire, et j'étais heureuse de voir que Jack se reposait sur moi de plus en plus pour les tâches quotidiennes ; il me donna même une clé pour entrer au studio en son absence. Pendant la journée, il était occupé par ses séances de pose et ses commandes et, en général, le matin de bonne heure et le soir, il sortait avec son appareil pour essayer de fixer les instantanés que les visiteurs voulaient acheter comme souvenirs.

Il ne prononçait que rarement le nom de Bella et je m'en abstenais aussi. On eût dit qu'elle était devenue un sujet tabou. Je m'efforçai d'oublier ce qu'il avait dit car je ne voulais pas le croire, mais je commençai à prêter plus d'attention au travail que je faisais pour les Firth, aux heures passées au marché dans la journée, ou à proposer mon poisson dans les cuisines des grandes maisons de la falaise ouest. Si les Firth m'avaient payé les heures où je travaillais pour eux au même tarif que Jack, Magnus aurait dû me payer une somme rondelette au lieu de m'offrir mes repas et deux shillings d'argent de poche. Autrement dit, je travaillais gratuitement alors que je payais ma chambre. C'était parfaitement injuste, mais je m'étais moi-même mise dans cette situation dont je ne savais comment sortir.

En hiver, encore, je n'aurais pu trouver d'objection, car la communauté tout entière n'avait qu'une idée en tête : survivre ; mais là, il faisait beau, le poisson abondait et les homards se vendaient un bon prix. Magnus Firth était tellement occupé que nous ne le voyions presque pas, ce qui signifiait que les affaires étaient bonnes. Je m'armai de courage pour parler à Bella et l'occasion se présenta quelques jours plus tard. Elle portait un corsage que je n'avais encore jamais vu, les enfants avaient eu des vêtements neufs pour la Pentecôte et la cousine Martha ellemême parlait de robes d'été. J'étais apparemment la seule à devoir m'en passer et cela me mortifiait, non seulement parce que c'était l'habitude d'acheter quelque chose de neuf à la saison nouvelle mais aussi parce que j'étais très coquette.

Ce sentiment d'injustice me donna la force d'aborder la question du travail et du salaire. Bella fut surprise de m'entendre me plaindre.

« Mais tu vis avec nous, en famille. Nous non plus, nous ne somme pas payés.

— Peut-être, mais toi, tu ne paies pas de loyer, pas plus que tes frères. Moi, si. Si je dois rester ici, dis-je d'un ton lourd de sous-entendus, sachant qu'il était inutile de parler de départ, il faudra que je gagne plus que je ne le fais en travaillant au studio. J'ai pris l'habitude de vous aider et c'est un tort. Si ton père voulait bien me payer un salaire convenable, ce serait parfait, mais il ne le fera pas, hein ?

— Il ne peut pas », fit Bella, sur la défensive.

Je me dis qu'avec ce qu'il tirait de sa pêche et ses activités de contrebande il le pouvait certainement, mais je n'avais pas envie d'entamer une discussion. Bien résolue à ne plus perdre de temps, je décidai de commencer à chercher du travail dès le lendemain, et à cette fin je mis de l'eau à chauffer pour prendre un bain et me laver les cheveux. En général, Bella et moi faisions nos ablutions ensemble ; nous nous rincions mutuellement les cheveux, les brossions et les séchions devant les braises du feu de la cuisine. Parce que ma requête était considérée comme déplacée et qu'elle annonçait un changement pour le pire sans doute, on me faisait sentir qu'elle était déraisonnable.

Je n'en tins aucun compte et m'occupai moi-même de ce que j'avais à faire tandis que Bella vaquait aux préparatifs du repas du soir. Je pensai qu'elle manifesterait sans doute de la mauvaise humeur, mais, une fois sa mère sortie et les hommes partis au pub, elle décida de profiter elle aussi du feu et de l'eau chaude.

Pendant qu'elle montait coucher les petits, je me mis en devoir de ménager un écran de serviettes à l'aide des séchoirs à linge. Lorsqu'elle descendit, je trempais déjà dans la baignoire depuis plusieurs minutes, très absorbée par mes projets du lendemain. J'avais espéré pouvoir en discuter avec Bella, mais elle paraissait surtout disposée à me frotter le dos.

Au bout de quelques instants, mes sens en alerte m'avertirent que l'assistance amicale de Bella devenait plus insistante et qu'elle me caressait plus qu'elle ne m'aidait à me laver. De cela je ne voulais plus. Je me plongeai délibérément dans l'eau et m'ébrouai, l'éclaboussant. Elle recula en protestant. Je me frottai les cheveux puis, attrapant le savon, me frictionnai délibérément tout le corps. Vexée, elle me laissa me rincer seule les cheveux, mais un peu plus tard, lorsqu'elle se fut baignée, elle se tint devant les braises mourantes du feu dans une pose qui me parut délibérément provocante. Les paroles de Jack me revinrent en mémoire, et je me rendis compte qu'elle savait instinctivement se mettre en valeur. Avec son joli visage et son corps harmonieux, elle avait tout ce qu'un homme pouvait désirer, mais l'ironie de la chose, c'est qu'elle détestait les hommes. Et le comble c'est qu'elle voulait me prodiguer toute sa passion, à moi qui n'en avais que faire.

Je ne voulais pas de sa tendresse, je voulais sentir autour de moi les bras d'un homme, sentir sa force et sa protection, même si elles étaient illusoires. Avec une nostalgie presque douloureuse, je pensai à Jonathan, me rappelai ce jour froid où ses lèvres s'étaient réchauffées au contact des miennes. Puis je m'en voulus, me demandant pourquoi il fallait toujours que je m'amourache d'hommes impossibles comme Jonathan Markway ou Mr Stoker : l'un en mer et l'autre à Londres, et sans doute marié par-dessus le marché. Pourquoi ne pouvais-je être attirée par quelqu'un comme Jack Louvain, qui était non seulement disponible mais bienveillant. J'en savais tout de même assez pour me rendre compte que l'attirance devait être réciproque et que Jack n'en éprouvait aucune pour moi.

Mes réflexions furent brutalement interrompues par le bruit de la porte d'entrée qui s'ouvrait avec fracas. Bella se couvrit en hâte et je mis sur ma chemise de nuit un châle que je nouai autour de ma taille. Magnus Firth entra, puant la bière éventée et le tabac, et annonça qu'il allait se coucher. Mais je remarquai la façon dont il regarda Bella et celle dont elle se raidit et sortit. À cet instant, je le détestai si violemment que je souhaitai le voir dans sa tombe.

Mes mauvaises pensées furent alors dissipées par l'arrivée de la cousine Martha, le visage allumé et la langue déliée par la boisson. J'en profitai pour m'excuser aussitôt et monter dans ma chambre.

9

Le lendemain, après être restée deux heures au studio, je rentrai me laver et me changer. Je remontai mes cheveux en chignon, cirai ma paire de bottines la plus neuve et mis ma plus jolie robe d'été en coton à rayures blanches et jaunes bien assortie au temps. C'était une belle matinée lumineuse égayée par les cris des oiseaux de mer, un matin à vous rendre l'âme joyeuse et à chasser toutes les idées noires de la veille.

Il y avait de bonnes choses en perspective, j'en étais sûre. Ma décision de passer à l'action tombait à point nommé, juste au moment où les visiteurs d'été commençaient à arriver en nombre appréciable. Les cuisines seraient en pleine activité, on aurait besoin de femmes de chambre et j'aurais sans aucun doute le choix entre une demi-douzaine de places. Ce n'était que le premier pas. Dès que je serais engagée quelque part, je chercherais un autre toit. Pleine d'optimisme, je me dirigeai en premier vers les cuisines de l'hôtel Royal, situé juste au-dessus de chez les Firth en haut de la falaise ouest, mais, malgré les efforts que j'avais déployés devant mon miroir, quelqu'un reconnut en moi l'une des filles qui venaient vendre le poisson et l'on me renvoya avec un sourire méprisant. Un tel choc si tôt dans la journée entama sévèrement mon assurance. Ensuite, j'eus beau me montrer plus circonspecte et m'adresser à des hôtels de plus en plus petits où je reçus des accueils variés, la réponse fut partout la même : on avait déjà engagé le personnel saisonnier et je venais trop tard. Je montai et descendis toutes les collines de Whitby, maudissant en silence le destin, mes talents de vendeuse de poisson, et les cheveux roux qui me rendaient si facilement reconnaissable. Un petit bonnet de paille ne suffisait pas à me déguiser.

Lasse et découragée, au milieu de l'après-midi, je regagnai le Cragg, consciente de n'avoir frappé qu'à la moitié des portes, mais sachant que l'autre devrait attendre le lendemain. Je montais d'un pas lourd la ruelle de la Falaise lorsque j'avisai à quelque distance devant moi une haute silhouette. L'homme avait la démarche désœuvrée de l'estivant ; la forme de ses épaules me parut familière ; je relevai la tête, plissai les yeux pour mieux percevoir les détails. Cette barbe rousse, cette charpente bien découplée, ce chapeau à larges bords...

« Monsieur Stoker ! » m'écriai-je, hors d'haleine, en faisant de grands signes de la main lorsqu'il se retourna.

J'eus l'immense satisfaction de constater qu'il avait l'air également ravi en me reconnaissant. Il ôta son chapeau et descendit à grands pas la pente, les bras tendus pour venir me saluer.

« Damaris Sterne ! Comme je suis content de vous voir ! »

Son sourire m'enveloppa, et un bref instant, lorsqu'il m'étreignit les deux mains, je crus qu'il allait me soulever et me faire tourner comme cela lui était déjà arrivé une fois. Rien de tel ne se produisit, mais cette pensée me donna le vertige et je me pris à rire tandis que nous échangions les civilités ordinaires.

« Vous êtes occupée ? demanda-t-il en me serrant le bras, ou puis-je vous inviter à prendre le thé avec moi ? Acceptez, je vous en prie ! Je vous cherche depuis que je suis arrivé.

— C'est-à-dire ? »

Il sortit sa montre de son gousset.

« Oh, il y a au moins deux heures ! »

Riant à nouveau, je pensai soudain à ma grand-mère, qui aurait jugé ma conduite des plus inconvenantes. Mais Mr Stoker ne paraissait nullement s'offusquer de constater que je ne boudais pas mon plaisir. En fait, je le soupçonnais de m'y encourager, car c'est à peine s'il cessa de parler durant le trajet qui nous séparait du salon de thé de la rue Skinner, et on aurait dit un gamin qui s'amusait de sa liberté. Il voulut savoir comment j'allais et ce que j'avais fait depuis notre dernière rencontre ; or, à peine avais-je eu le temps de préparer une réponse acceptable qu'il me disait déjà que l'hiver à Londres avait été interminable et épuisant malgré la bonne saison qu'ils avaient eue au théâtre.

« C'est si bon d'être ici, dit-il avec chaleur. Je me sens déjà mieux ! J'avais besoin de vacances – enfin, c'est ce que tout le monde m'a dit, ajouta-t-il en souriant. Pour être honnête, je crois que je les faisais tous tourner en bourrique et qu'ils n'avaient qu'une envie : se débarrasser de moi pendant quelque temps ! »

Je me demandai ce qu'il entendait au juste par « ils », mais il ne me laissa pas le temps de poser la question. Assise à la table en face de lui, je me dis que sous ses manières badines devait se dissimuler une large part de vérité. Malgré la barbe qui lui couvrait l'essentiel des joues, de la mâchoire et de la bouche, il me parut avoir maigri. Il y avait des creux que je n'avais pas remarqués avant, et un tic nerveux sous l'œil droit dont il ne semblait pas s'apercevoir. J'aurais aimé le lui lisser du bout des doigts ; mais ce n'était pas un geste à oser en public ; et puis mes mains n'étaient pas ce que j'avais de mieux. J'avais envie de les cacher, même lorsqu'elles étaient couvertes par des gants de crochet.

« Officiellement, je suis venu me reposer pour faire des randonnées à partir de Scarborough, me confia-t-il. J'ai donné des nouvelles – j'ai envoyé des cartes postales enthousiastes à tous –, seulement on ne peut pas me joindre ici, c'est ce qui m'enchante.

— Vous vous cachez donc ? » chuchotai-je sur le ton de la plaisanterie, tout en me demandant pourquoi cela me paraissait si important.

« Oui, répondit-il avec sérieux. Ils me fatiguent : Florence autant qu'Irving et tous les autres.

— Florence ? »

Avais-je besoin de poser la question ?

« Ma femme », articula-t-il d'une voix morne.

Son regard soutint le mien sans broncher, et dans ses yeux assombris je lus une tristesse qui contrastait fort avec le rire qui les habitait quelques minutes avant. Déconcertée, je détournai les miens.

Il en interpréta mal la raison. Sa main chercha la mienne sous la table, trouva mes doigts et les serra doucement.

« Pardonnez-moi. Je ne voulais pas vous induire en erreur.

— Ce n'est pas grave, dis-je en me forçant à sourire pour masquer ma déception. Je me doutais que vous étiez marié – vous avez trop de charme pour être célibataire. »

Sous la table, il m'écrasa les doigts.

« Cela signifie-t-il que nous pouvons encore être amis ?

— Oh, sans doute ! » dis-je d'un ton léger.

Je libérai ma main et la tendis vers la théière. L'excitation me rendait nerveuse, et il y avait longtemps que je n'avais servi le thé à une table bien mise avec de la jolie porcelaine et des cuillères en argent. Je réussis néanmoins à le servir sans en verser une goutte à côté et à lui tendre la tasse d'une main qui ne tremblait que très peu.

« Combien de temps comptez-vous rester ?

— Je l'ignore. Quelques jours, quelques semaines, allez savoir ?

— Vous devriez passer l'été ici, fis-je d'un ton ferme, tendant la main vers les scones. Cela vous ferait du bien.

— Peut-être. J'y ai songé. Connaissez-vous un endroit où je pourrais séjourner ? Enfin, m'installer pour plus d'un ou deux jours. Ce qu'il me faudrait, voyez-vous, c'est une petite maison, un endroit calme où je pourrais écrire. C'est la condition première. »

Je ne voyais rien de tel, mais je me dis que Jack Louvain aurait peut-être une idée ; et puis, il y avait aussi le journal local, et une agence immobilière à côté de la gare. Il aurait voulu que je l'accompagne ; or, sachant que Jack serait très occupé, j'hésitai à le déranger pour ce genre d'affaire. Et puis, je n'avais pas été à la maison de la journée.

« Vous verrai-je plus tard ? J'espère que nous dînerons ensemble, comme la dernière fois ? »

J'acceptai, comme de bien entendu, avec toutefois le sentiment d'avoir consenti à davantage qu'un simple dîner, et je lui donnai rendez-vous dans le jardin au-dessus du Cragg.

J'étais dans mes petits souliers et aurais bien voulu m'habiller autrement ce soir-là, mais je ne possédais pas de tenue plus flatteuse que la robe que je portais. Je mis donc les fers au feu, de l'eau à bouillir et, après avoir repassé ma robe, la pendis sur un cintre devant la fenêtre ouverte de ma chambre pour l'aérer. Puis je concentrai mon attention sur ma personne. Lorsque Bella monta les escaliers quatre à quatre, je me brossais les cheveux en tentant sans grand succès de domestiquer mes boucles épaisses pour en faire de petites anglaises. Elle le devina tout de suite et me prit le peigne et la brosse des mains.

Les sourcils froncés sous l'effet de la concentration, elle fit les anglaises, qu'elle passa dans une boucle de cheveux, puis fixa les deux côtés avec des peignes d'écaille.

« Et voilà, dit-elle en souriant. Tu es jolie comme un cœur à présent, Damsy ! »

Je la remerciai et me retournai pour examiner ma robe. Alors, elle me demanda :

« Où vas-tu comme ça, et pourquoi te fais-tu toute belle ? »

Je m'efforçai de ne pas laisser paraître mon excitation dans ma voix et de donner l'impression que j'attachais plus d'importance à la coïncidence de la rencontre qu'à l'intérêt que me témoignait Mr Stoker.

« Tu ne devineras jamais qui j'ai rencontré en rentrant ici ce soir. Mon ami, le monsieur de Londres, celui qui a aidé Jack Louvain le jour de la tempête, tu sais, quand il essayait de photographier les bateaux en perdition.

— Non, je ne me souviens pas, dit-elle en pinçant les lèvres.

— Mais si, rétorquai-je d'un ton acerbe. Il n'y a pas eu tant de messieurs que ça dans ma vie. Souviens-toi, il m'avait invitée à dîner.

— Oh, celui-là ! Celui qui t'a embrassée avant de te quitter, après quoi tu t'es languie pendant des semaines ! Tu sais, à un moment, j'ai cru que tu parlais du petit Markway. »

Elle se servait de son nom comme d'un couteau qu'elle me plantait entre les côtes, et j'en restai quelques instants le souffle coupé.

« Parce que, aux dernières nouvelles, c'était le petit Jonathan que tu voulais – au point que tu avais décidé de partir d'ici et de te trouver une place pour qu'il n'ait pas honte d'être vu avec toi ! »

Sur ces paroles, elle quitta brusquement la pièce. Furieuse, je me précipitai derrière elle.

« Je n'ai jamais dit ça ! Où veux-tu en venir au juste ?

— Nulle part, lança-t-elle d'un ton amer en descendant l'escalier. Et tout cas, mets-toi bien ça dans la tête : ce sont ceux qui ont de l'argent qui sont les pires, surtout quand ils cherchent la bonne affaire ! »

Avant que j'aie pu répondre, elle avait dévalé l'escalier et était sortie. Là-dessus, je claquai la porte si fort que les vitres de la fenêtre tremblèrent et que ma robe tomba en tas par terre.

La joie que je me faisais de cette rencontre dans la ruelle de la Falaise était presque anéantie. Je ne pouvais croire qu'en quelques heures tout ait pu changer de façon aussi radicale, qu'après avoir été si joyeuse en reconnaissant Mr Stoker j'allais maintenant à notre rendez-vous avec des pieds de plomb. La dernière réflexion de Bella était méchante, mais j'avais bel et bien affaire à un homme marié, ce qui donnait à sa remarque une certaine vraisemblance et rendait caduc ce qui aurait dû être un bon moment sans arrière-pensées.

Je m'efforçai de paraître insouciante et crus y être parvenue jusqu'à ce que nous fûmes installés à notre table au Cheval blanc. Là, dès que la commande eut été passée, Mr Stoker alla droit au but et me demanda pourquoi j'étais aussi mal à l'aise.

« Est-ce le fait que je sois marié qui vous offusque à ce point ?

— Non », répondis-je, ce qui était vrai en grande partie.

Ce qui me dérangeait, c'était l'éclairage déplaisant que Bella avait jeté sur toute l'histoire, sur mes motivations et sur ses intentions. Comme je ne pouvais le lui avouer, je dis que les gens chez qui je logeais avaient vu d'un mauvais œil que je passe la soirée dehors.

Il fronça les sourcils puis déclara :

« Mais pas le jeune homme dont vous m'avez parlé la dernière fois ? Celui dont la mère est une mégère ? »

Je secouai la tête, étonnée qu'il se souvienne de Jonathan et des ennuis que j'avais à l'époque.

« Non, non. Il est parti depuis avant Pâques. C'est ça le hic, ajoutai-je avec une légèreté feinte. Tous les jeunes gens les plus séduisants partent en mer et laissent les femmes à terre.

— Et vous ne voulez pas vous trouver dans cette situation ?

— Merci bien ! »

Il rit et me pressa la main.

Je me rendais compte qu'il ne savait pas trop à quoi s'en tenir avec moi : il prenait souvent une remarque mi-figue mi-raisin de ma part pour une plaisanterie, et une réflexion badine pour une vérité première. Lui aussi, du reste, racontait des histoires que j'avais du mal à jauger, rapportant des anecdotes du théâtre devant le rôti et citant pendant le dessert des noms célèbres qui me laissèrent bouche bée. Partagée entre la stupéfaction, l'émerveillement et le rire, j'écoutai ses descriptions alertes des hommes politiques et des membres de la famille royale, des pièces qu'ils étaient allés voir et de leurs commentaires ; je ris encore plus en l'écoutant me décrire ce qui se passait en coulisse, les farces et les désastres évités de justesse, en général à la dernière minute grâce à ses interventions.

Si ses histoires sur les gens huppés et célèbres me paraissaient parfois incroyables, elles étaient fort drôles ; cependant, à mesure que la soirée avançait, il se fit plus sérieux, et je compris que les exigences de son travail à Londres étaient devenues plus pressantes. En dehors de ses responsabilités quotidiennes, il passait toutes ses soirées au théâtre à essayer d'aplanir les difficultés, à entrer dans les bonnes grâces de mécènes importants, et même à organiser des dîners pour que son cher Mr Irving pût se détendre avec des amis après les représentations. Il rentrait rarement chez lui avant deux heures du matin et parfois, en fonction des invités, il ne quittait le théâtre qu'à l'aube pour redescendre le Strand. Cela faisait partie de son travail, mais je voyais bien que ledit travail l'épuisait.

« Vous avez besoin de changer d'air, dis-je avec sympathie.

— Oh, c'est vrai ! s'exclama-t-il. Je m'en rends compte depuis des mois. J'espérais partir à Pâques, mais cela n'a pas été possible. Jusqu'au jour où j'en ai vraiment eu assez. L'autre soir, j'ai dit à Irving ce que je pensais de sa façon de me traiter et de mes heures de travail. Je lui ai dit que j'avais droit à quelque repos, que je le prenais sur l'heure et que je ne savais pas quand je rentrerais. Il m'a averti que je ferais bien d'être prudent, que peut-être je ne retrouverais pas mon travail à mon retour. C'est là que j'ai claqué la porte. Je ne lui ai même pas répondu. Je suis rentré, j'ai préparé mes bagages et j'ai pris le train le lendemain matin. Et je m'en félicite. »

Il souriait comme un gamin qui fait l'école buissonnière, mais quand je dis : « Bravo, monsieur Stoker ! », il me reprocha de lui donner l'impression d'être un vieillard et me pria de l'appeler Bram, comme tous ses amis du théâtre. Il m'appellerait Damaris, qui était un nom délicieusement désuet. Je dis qu'en effet il était désuet, et que c'était précisément cela qui me chagrinait. Il me répliqua que le *maris* lui évoquait la mer, et du coup je fus réconciliée avec ce prénom. Prononcé par lui, il devenait singulier, d'une certaine façon plus harmonieux et plus flatteur qu'il ne m'avait jamais semblé.

Après l'éclairage aux chandelles du Cheval blanc, nous fûmes surpris par la lumière du crépuscule au-dehors. C'était l'heure où Whitby était baigné de paix et de silence, et en remontant Kirkgate je songeai que mon nouvel ami avait bien fait de revenir. Il y avait là un compliment indirect qui me fit sourire. Ce que voyant, il me demanda à quoi je pensais, et j'eus l'impertinence de rétorquer que mes pensées n'avaient pas de prix.

« Vous savez, m'avoua-t-il avec un sourire de biais, j'ai pensé à vous tout l'hiver. Je vous ai souvent regardée dans votre costume de pêcheuse...

— Non ! protestai-je. Pas sur ces cartes postales que Mr Louvain vous a envoyées ?

— Si, justement ! »

Il plongea la main dans une poche intérieure et sortit la photographie où j'avais une pose mélancolique, celle que je préférais. Ses yeux gris dansaient en me regardant rougir, puis rire nerveusement cependant que je remerciais le ciel de la pénombre environnante.

En passant devant le Duc d'York, il voulut jeter un coup d'œil à l'endroit où le bateau russe avait sombré. Je lui dis que la goélette était depuis longtemps démembrée et vendue et sa cargaison de sable argentifère dispersée en mer. Nous restâmes quelques minutes à regarder au-delà des jetées et je me rendis compte que j'étais intensément consciente de sa proximité, non seulement de sa présence physique, mais d'une sorte d'intimité, comme si nous nous connaissions depuis toujours. J'avais le sentiment que ce moment de calme était une pause nécessaire entre ce qui s'était passé avant et ce qui était à venir. Lorsqu'il fit un mouvement pour se retourner, la magie de l'instant disparut.

Comme nous remontions sur la jetée, je lui demandai s'il avait trouvé le logement qu'il souhaitait.

« Non, l'agence dont vous m'avez parlé fermait. Mais votre ami le photographe m'a dit qu'il connaissait plusieurs endroits en dehors de la ville, des chaumières attenantes à des fermes et mises en état pour l'été ou autres logements similaires. Il m'a dit qu'il vous indiquerait où ils se trouvent pour que vous m'emmeniez les voir demain. Enfin, si vous êtes libre, ajouta-t-il.

— Bien sûr », répondis-je allègrement, sans plus songer à mon désir de trouver du travail qui, d'un seul coup, passait au second plan.

Cette fois-ci, nous montâmes sans difficulté les degrés de l'église. Lorsque nous fûmes presque en haut, mon compagnon leva les yeux vers le profil rude de l'édifice avec sa tour carrée trapue et son toit plat. Au bout d'un moment, il me prit simplement la main et la serra. Puis il se retourna pour regarder derrière lui et vit l'immense étendue de la mer, des grèves et des falaises qui s'étendaient au loin jusqu'à la pointe de Kettleness. Le soleil avait disparu, mais derrière les falaises subsistait une lumière blonde qui dorait les vagues en contrebas et laissait la ville dans une ombre fuligineuse. En bas c'était presque la nuit, tandis que nous étions baignés par les dernières lueurs du jour et avions l'impression d'être des anges avec le ciel entier pour domaine.

« Et vous voulez dire que vous envisagez de quitter un endroit pareil ? demanda-t-il.

— Seulement si j'y suis obligée », répondis-je en secouant la tête.

Il voulut savoir si j'étais déjà partie, et je lui parlai de ma première place, à des kilomètres à l'intérieur des terres, et du désir que j'avais eu de revenir au bord de la mer. Il me tapota la main avec sympathie et la glissa dans le creux de son bras.

Là-dessus nous repartîmes, empruntant le chemin de la falaise à travers le cimetière.

« La mer me manque, confessa-t-il. Lorsque j'étais enfant, j'habitais sur la côte près de Dublin, une maison qui donnait sur la baie. J'avais une chambre tout en haut et une vue immense. Jamais je ne me lassais de regarder le ciel, le temps et tous ces bateaux, chacun en partance pour une destination différente. Quand j'étais malade et que je ne pouvais pas sortir, je me racontais des histoires à leur sujet... »

Si j'avais imaginé une vie aisée dans une grande maison, je fus surprise en apprenant que son père avait été fonctionnaire et qu'il occupait un poste assez modeste au palais de justice de Dublin. Abraham Stoker, dont le fils portait le nom, était mort, mais je crus comprendre que c'était un homme simple, aux opinions discrètes, alors que sa mère, Charlotte, était pleine de vie, et avait des idées bien arrêtées. Élevée dans l'ouest de l'Irlande, elle venait d'une famille plus pittoresque qui comptait, semblait-il, autant de gueux et de rebelles que de loyaux partisans de la Couronne. La description qu'il me fit d'elle me plut, et je fus intriguée en apprenant par la suite qu'elle avait vingt ans de moins que son mari, et qu'il y avait le même écart entre son fils et moi. C'était le genre de précédent qui atténuait la différence ou, du moins, la rendait acceptable.

Il était clair que Bram continuait à révérer sa mère. C'était elle qui, à force de douceur ou d'autorité, avait poussé ses cinq fils sur le chemin de la réussite et avait insisté pour qu'ils reçoivent une bonne instruction, quel qu'en fût le coût.

« Je suis sans doute celui des cinq qui a le moins bien réussi, dit-il avec un sourire forcé. Après Trinity College, j'ai passé quelque temps moi-même au palais de justice de Dublin, où je me suis ennuyé à mourir. J'avais toujours imaginé une vie un peu plus originale – j'aurais aimé être écrivain ou acteur, enfin vous voyez –, mais mon père m'a fait entrer dans l'Administration, et il fallait bien que je gagne ma vie après tout... Maman ne voyait pas d'un très bon œil que je parte pour Londres au mépris de toute prudence pour travailler avec Irving, mais sans doute préférait-elle encore cela pour son fils à une carrière sur les planches ! Je ne sais pas quelle serait sa réaction si j'abandonnais tout à présent... En tout cas, elle sait que l'écriture est importante pour moi, et elle m'a toujours encouragé dans cette voie. »

L'opinion de sa mère comptait manifestement beaucoup pour lui, et il ajouta qu'elle était fière du guide juridique complet qu'il avait publié avant de quitter le palais de justice. Lui aussi, d'ailleurs, car cela lui donnait le sentiment de n'avoir pas complètement perdu son temps pendant qu'il était resté à ce poste. Mais elle aimait également beaucoup ses nouvelles, surtout les plus mystérieuses, parues quelques années auparavant dans des magazines comme le *Shamrock*. Il regrettait surtout de ne pas avoir eu le temps d'écrire quoi que ce soit d'important depuis.

Il semblait avoir envie d'y remédier pendant son séjour à Whitby et cela m'intrigua. Mais, pour l'instant, ce qui m'intéressait davantage, c'était l'opinion de Florence.

« Et votre femme ? » demandai-je.

Dans l'obscurité qui s'épaississait, j'entendis un rire bref.

« Oh, je ne crois pas qu'elle fasse grand cas des récits d'aventures ou histoires du même ordre ! Non, du moment que Florence a ses amis, une vie mondaine active et une allocation confortable, elle est contente. »

Nous nous arrêtâmes sur les collines au-dessus du petit croissant de la baie de Saltwick, et j'essayai d'imaginer leur vie de couple, mais en vain.

« Elle n'a pas vu d'objection à ce que vous partiez en vacances sans elle ?

— Je crois qu'elle a surtout été soulagée. Cela fait une

éternité qu'elle me dit que je devrais partir me reposer », lança-t-il d'un ton sans réplique.

Je réfléchis un moment, me demandant pourquoi une femme pouvait bien encourager son mari à partir sans elle. Cela me paraissait un arrangement des plus curieux. Je me demandai si elle l'aimait, mais mes pensées prirent pour s'exprimer le sens inverse.

« Vous l'aimez ? » chuchotai-je avec circonspection, espérant à moitié que mes paroles seraient couvertes par les soupirs des vagues en contrebas.

Je le sentis se tourner vers moi, et la tension entre nous se resserrer ; puis il reporta son regard vers le large, où subsistait une faible bande de lumière pâle à l'horizon.

« Si je l'aime ? Bien sûr, dit-il sèchement. C'est ma femme, la mère de mon fils. »

Bien sûr. Il les aimait tant tous les deux qu'il avait besoin de s'éloigner d'eux, de revenir à Whitby, où la mer et le ciel se confondent et où, par une soirée comme celle-ci, une brise fraîche soufflait sur les falaises. J'eus froid soudain et, en proie à des émotions contradictoires, je m'écartai. Les falaises à cet endroit étaient dangereuses, et il faisait trop sombre pour aller plus loin. Il était temps de rentrer en coupant par l'intérieur des terres. Nous avancions en silence ; j'ouvrais la marche sur un chemin champêtre bordé de touffes de fleurs fanées.

Au bout de quelques minutes, il me rejoignit en riant doucement :

« Ne partez pas, Damaris. Vous ressemblez à un fantôme qui me précède dans l'ombre et que je ne peux pas rattraper. »

J'inspirai profondément et ralentis encore. Il en profita pour saisir ma main, et s'enhardit à me prendre la taille pour me garder contre lui sur l'étroit sentier. J'avais une conscience exacerbée de ce bras dont je sentais le poids et la fermeté, de ce contact si différent de celui de Jonathan. En marchant, je percevais le mouvement de sa cuisse contre ma hanche, ce qui entraînait une légère gêne, car ma taille et mes enjambées étaient beaucoup plus petites que les siennes, mais s'accompagnait par ailleurs d'un certain plaisir inattendu. En atteignant l'échalier, j'avais oublié ma mauvaise humeur.

Les marches de bois étaient hautes, et pour les gravir je dus remonter mes jupes. Il insista pour passer le premier et m'aider, alors que j'aurais été parfaitement capable de me débrouiller toute seule. Je m'arrêtai en haut, en souriant, et appréciai la sensation, nouvelle pour moi, de sauter en étant tenue. Des mains fortes autour de ma taille, une impuissance momentanée, le fait de me retrouver serrée contre lui tandis qu'il me reposait par terre, tout cela était assez inédit en soi pour m'enchanter. Mais de plus mon compagnon était un homme qui me plaisait, que je trouvais séduisant et à qui je plaisais. Son contact me laissa amollie et hors d'haleine.

Peut-être mon sourire était-il trop épanoui, ou mes yeux, comme les siens, trop brillants ; peut-être pensait-il lui aussi à notre première bouffée de passion. Comme il baissait la tête vers moi, je me mis sur la pointe des pieds pour accueillir son baiser, et, cette fois-ci, nos lèvres se joignirent voracement. Sa langue envahit ma bouche, et cette intimité chaude et choquante me donna aussitôt l'impression de sombrer, de plonger au plus profond des vagues. Je ne savais plus si j'avais la tête à l'endroit ou à l'envers, ni qui ni où j'étais, ni même, l'espace d'un instant, avec qui. Lorsque vint le moment de nous désunir enfin, je n'osai lâcher mon compagnon, car la tête me tournait, les lèvres me brûlaient et les oreilles me tintaient. Il s'appuya contre l'échalier et me fit m'asseoir avec lui sur la marche, le bras toujours autour de moi. Ce qui nous laissa le temps de reprendre notre respiration et de ramasser nos chapeaux tombés dans l'herbe sous nos pieds. Puis soudain, notre rire fusa à l'unisson. Un rire où se mêlaient la joie des sensations partagées et la surprise d'avoir pu nous laisser aller à un aussi total abandon.

10

Au-dessus de l'abbaye, les étoiles et le croissant de la nouvelle lune se reflétaient distinctement dans le bassin devant l'édifice. La nuit, la situation de ces ruines dressées au-dessus de la falaise leur conférait une beauté mystérieuse et, bien qu'à mon sens elles fussent plus austères le jour, la plupart des visiteurs les trouvaient romantiques. Bram ne fit pas exception à la règle. À mesure que nous approchions, il sembla grisé à la vue de la partie gauche, intacte, avec ses rangées de fenêtres en ogive et ses tourelles gothiques aux deux extrémités.

De la route, elle avait l'air plus importante qu'elle ne l'était en réalité, et, comme j'étais jalouse de l'attention qu'il lui consacrait, j'essayai de l'impressionner en lui racontant que l'endroit était hanté par une dame blanche qui, pensait-on, était lady Hilda, une princesse de Northumbrie qui avait fondé l'abbaye au VIIe siècle.

« Vous voyez, l'abbaye n'était pas simplement réservée aux hommes, lui dis-je. À cette époque, tout le monde vivait ensemble, hommes, femmes et enfants, et lady Hilda avait autorité sur tous. Il paraît qu'on peut parfois l'apercevoir à l'une des fenêtres du haut...

— Vous croyez aux fantômes ? » demanda-t-il en me serrant affectueusement l'épaule.

Je réfléchis quelques instants avant de répondre :

« Ma foi, pas le jour ; la nuit, j'en suis moins sûre !

— C'est la même chose pour moi, dit-il en levant les yeux vers les grands arcs gothiques. Pouvons-nous entrer ?

— Je ne pense pas, la grille doit être fermée à cette heure-ci. De toute façon, il n'y a pas grand-chose à voir, dis-je en désespoir de cause, sentant qu'il mourait d'envie d'y aller. Tout est là. Le reste s'est effondré il y a des années.

— Mais je veux entrer.

— Demain...

— Demain, ce ne sera plus pareil, insista-t-il. Allez, venez, Damaris, vous qui habitez ici, vous savez certainement comment on entre. »

Il me déposa sur le front un baiser qui tenait plus de l'injonction à l'obéissance que du témoignage de tendresse.

Il avait raison, je savais comment faire et mon cœur se mit à battre plus vite pendant que je réfléchissais à la meilleure façon de procéder. La grille était haute et fermée à clé ; quant au mur, il était trop lisse pour se prêter aux tentatives de grimpeurs en chaussures de cuir élégantes ; mais en redescendant sur la route, à côté du bassin qui était jadis la réserve à poissons de l'abbaye, se trouvait un endroit d'où l'on pouvait gagner une prairie puis, de là, franchir une palissade de moindre hauteur qui donnait accès à l'abbaye.

« Vous savez que c'est une propriété privée, chuchotai-je. Si nous sommes pris, nous sommes passibles de poursuites !

— Bien sûr que non, Damaris. Nous serions passibles de poursuites seulement si nous endommagions quelque chose, mais comme nous ne ferons que regarder...

— Et si nous étions pris ?

— Ça n'arrivera pas. Faites-moi confiance », dit-il avec assurance.

Curieusement, je me fiais à lui ou, plus exactement, je le croyais capable de nous sortir d'affaire le cas échéant. Sa veste de toile grise était assez sombre pour se fondre dans le paysage, tandis qu'avec ma robe claire je me sentais extrêmement vulnérable. Tout en franchissant la haie, je songeai non sans appréhension que nous pouvions être aperçus par un fermier curieux ou un veilleur de nuit vigilant, et quand Bram suggéra que je pourrais prétendre être lady Hilda j'étouffai un rire horrifié. L'instant d'après, ce furent des gros mots que j'étouffai, car je m'étais pris la manche d'abord, puis l'index à une branche d'aubépine, et j'essayais de me libérer.

« Ne bougez pas, dit Bram à mi-voix, se mettant en devoir de dégager méticuleusement le tissu sans le déchirer. Là, je crois que votre manche n'a rien. Et vous ?

— Ça va. Je me suis piquée, voilà tout. Ce n'est rien, mais ça saigne un peu et je ne voudrais pas tacher ma robe...

— Tenez », dit-il en sortant un mouchoir.

Déjà, il avait porté ma main à sa bouche pour lécher le sang. Le contact de sa langue sur mon doigt me troubla encore violemment, et me donna l'impression étonnamment intime qu'il me touchait dans les endroits les plus secrets, m'explorait et me caressait comme un amant. Je me sentis rougir et eus un mouvement de recul, mais il ne me lâcha pas le poignet et entortilla prestement le doigt blessé dans le mouchoir propre.

« Voilà, murmura-t-il. Votre robe ne craint rien et aucune goutte n'a coulé. »

S'était-il rendu compte de mon trouble ? À son regard, je me dis que oui ; qu'il allait sûrement m'embrasser à nouveau, et je fus déçue qu'il ne le fît pas. Il me prit la main et m'aida à franchir la clôture avant de traverser à grands pas décidés l'espace recouvert d'herbe qui nous séparait du bâtiment. Son audace m'inspirait de l'admiration mais aussi de la peur, et je me cramponnai à lui pour me sentir protégée. Il leva les yeux vers les hauts murs qui se dressaient avec raideur et se détachaient sur le firmament étoilé. Puis il entra dans le chœur à ciel ouvert et déambula sur toute sa longueur comme un archevêque ; il caressa les grands pilastres de grès, puis il vint me tirer par la main pour aller explorer les arches plus obscures du bas-côté nord et du transept. Le sud de l'église abbatiale était complètement ouvert – les cloîtres, les bas-côtés et les tours s'étaient effondrés sous les assauts du vent et du temps, puis les pierres avaient été volées au fil des siècles pour l'édification d'autres bâtiments.

On voyait encore çà et là des restes de chutes plus récentes, plus ou moins cachés par des masses de buissons et d'arbustes rabougris ; dans des coins abrités, des touffes d'œillets odorants avaient élu domicile. Je suivis leur parfum qui flottait dans la nef, m'arrêtai sous l'arc sculpté de l'ancienne porte ouest, et découvris une profusion de petites fleurs dont les corolles bougeaient doucement. En contrebas se dressait l'église paroissiale et, encore plus bas, le port, invisible d'où nous étions. À travers une légère brume, je voyais des lumières allumées sur la falaise ouest, et je distinguais le profil du Croissant, où était descendu Bram, et, à côté, le Cragg.

Il s'approcha de moi par-derrière ; j'entendis sa respiration profonde, et il posa la main sur mon épaule avec une douceur inattendue. Ses bras m'encerclèrent et je m'abandonnai contre lui. Nous demeurâmes là quelques instants immobiles à regarder la ville. Je me rendis compte que j'aimais l'impression de force protectrice qu'il me donnait, ainsi que celle que je comptais pour lui. Il avait une présence un peu paternelle, cette présence qui m'avait tant manqué. Et maintenant que je l'avais trouvée, je souhaitais m'y cramponner à tout prix. J'aimais aussi son odeur, un mélange rassurant et très masculin de savon et de cigare : au bout d'un moment, je me retournai, enfouis mon visage dans le plastron de sa chemise et frottai ma joue contre sa barbe.

Brusquement, je me mis à trembler à l'idée de ce qui allait suivre, et lui aussi. Sa virilité me troublait, tout comme la fermeté de ses lèvres, la rudesse de sa barbe contre ma peau, la force des doigts qui m'étreignaient et exploraient mon corps, et dont l'étrangeté me paraissait merveilleuse. Sa façon de me toucher n'avait rien à voir avec celle d'une femme, ce qui aiguisa mon désir. Je l'encourageai même par mes caresses, soupirant de plaisir lorsqu'il dégrafa mon corsage, et je ne protestai pas lorsqu'il me souleva légèrement pour m'installer sur une plate-forme de pierre lisse. Au-dessus du genou, mes cuisses étaient nues et, lorsqu'il retroussa mes jupons, il eut l'air étonné de ne pas découvrir d'autres obstacles. Je retins ma respiration et ouvris même les jambes obligeamment, si bien qu'il dut me croire coutumière de ce genre d'aventure. S'il se montra soudain pressé, j'étais pour ma part d'une ignorance lamentable, et ne m'attendais pas à être confrontée à des difficultés alors que je pensais me débarrasser facilement de ma virginité.

De toute évidence, j'avais un hymen qui n'entendait pas céder à la première sollicitation. Cramponnée aux épaules de mon compagnon, je serrai les dents. La douleur et la difficulté me prirent au dépourvu, et je poussai un cri aigu. Il étouffa une exclamation, me serra contre lui et son souffle haletant caressa mon cou. En l'embrassant, je perçus une impatience ardente qui me ravit et j'eus la surprise de sentir monter rapidement en moi un plaisir dont je ne soupçonnais pas l'existence jusqu'alors. Mais brusquement, comme je me familiarisais avec son rythme, il gémit, trembla et se retira rapidement. L'acte était consommé, l'union rompue. Incapable de me contrôler, je m'accrochai à lui et éclatai en sanglots.

Le souffle court, le front emperlé de sueur, il avala sa salive et me tint serrée contre lui ; puis il se tourna de côté et m'attira sur ses genoux comme une enfant. Il me tapota l'épaule, embrassa mes joues mouillées et s'abstint prudemment de tout commentaire tant que je ne fus pas calmée. Je crois qu'en reprenant ses esprits il se demandait ce qu'il devait penser de moi. La jeune fille apparemment innocente s'était muée en femme expérimentée qui lui avait prodigué sans réserve des encouragements habiles ; puis, contre toute attente, il avait découvert une virginité en bonne et due forme, avec le sang, la douleur et les larmes de rigueur. Le mouchoir qui avait servi à panser mon doigt écorché fut utilisé cette fois pour essuyer le sang qui avait coulé sur mes cuisses. En l'entendant pousser un cri de consternation, je fus tentée de dire que j'avais connu pire. Mais c'était bon de se laisser dorloter et je me contentai de me cacher le visage.

« Si j'avais su..., soupira-t-il ; puis il secoua la tête avec stupéfaction : Pourquoi ne m'as-tu rien dit ? »

Pour toute réponse, je levai la tête et pressai passionnément ma joue contre la sienne.

« Je voulais que tu me fasses l'amour », dis-je.

Et je fus moi-même étonnée, car c'était la pure vérité. Je n'éprouvais ni regret ni impression d'avoir été prise au piège, mais seulement le sentiment d'avoir décidé librement et saisi l'occasion. Néanmoins, j'avais la gorge serrée en ajoutant :

« Je voulais que tu sois le premier. »

Un soupir lui échappa, qui était presque un gémissement, et il m'étreignit plus fort.

« Oh, Damaris, ma chérie, je ne méritais pas un cadeau pareil... »

Le désir avait été aiguillonné par l'attrait de l'interdit et du clandestin tandis que nous explorions les ruines ensemble, mais au plus fort de l'ivresse j'avais oublié où nous nous trouvions. À présent, j'éprouvais une crainte superstitieuse, celle que Dieu et lady Hilda ne nous foudroient pour nous punir d'avoir profané un lieu sacré. Et Bram semblait également pressé de partir, bien qu'il m'assurât que ces ruines n'étaient plus un territoire consacré, et ce depuis plusieurs siècles.

Lorsque je regagnai la maison, il était largement plus de minuit et le silence régnait. Je me déchaussai pour monter l'escalier, redoutant de voir apparaître Bella, qui se serait immédiatement doutée de quelque chose et aurait exigé de savoir dans le détail ce qui s'était passé pendant que j'étais dehors. Et, qui plus est, elle n'aurait pas épargné ses commentaires méprisants, ce que je n'aurais pas supporté. Je me sentais enfin adulte, incroyablement supérieure, comme si j'étais maintenant au fait d'un secret d'importance, révélé seulement à de rares mortels.

J'étais persuadée que je ne fermerais pas l'œil ; en fait je dormis comme un bébé et me réveillai joyeuse et pleine de vitalité. J'allai travailler au studio, y pris le mot de Jack et retournai à la maison pour faire ma toilette, me changer et prendre un petit déjeuner de pain frit et de bacon. Oh, seulement une très mince tranche, trop grillée, ce qui me valut des excuses geignardes de la cousine Martha, qui se déclara désolée qu'il n'y ait ni œufs ni harengs fumés pour compléter l'assiettée. Mais je connaissais ce refrain et m'en moquais éperdument. Pour une fois, ce que je mangeais m'importait peu.

Quelques minutes plus tard, je me hâtai d'aller rejoindre mon amant, qui m'attendait dans les jardins de la falaise ouest. En se posant sur moi, ses yeux gris clair se mirent à pétiller et ses mains broyèrent les miennes un long moment. La joie me coupait le souffle.

« Tu as bien dormi ?

— Comme une souche.

— Moi aussi », dit-il avec un sourire qui se changea en mine de conspirateur.

Il se retourna et me montra un paquet soigneusement emballé sur le banc derrière lui.

« Figure-toi que j'ai dit à la patronne de l'hôtel que j'allais passer la journée à me promener, et elle a insisté pour me préparer des sandwichs. Assez pour nourrir un régiment ! Je me suis dit que nous les partagerions et que nous pourrions acheter une bouteille de bière au gingembre en route. »

Touchée par son enthousiasme, j'acceptai volontiers.

« Bien sûr. Par où veux-tu commencer ? »

Je lui montrai le message de Jack, où il était question de cinq ou six maisons, pour la plupart en dehors de la ville, dont il expliquait les emplacements respectifs.

« La mer, soupira-t-il. Du moment que l'une de ces maisons a une vue sur la mer, c'est elle que je prendrai.

— Dans ce cas, allons d'abord à Dunsley et nous reviendrons par ici. »

Cela représentait une marche d'un peu moins de cinq kilomètres. Le trajet, agréable, nous faisait longer la plage en direction de Sandsend, puis passer sous la nouvelle voie de chemin de fer vers l'intérieur des terres en empruntant un chemin charretier escarpé, lequel montait vers un ensemble de fermes et de chaumières dominant le domaine très boisé de Mulgrave qui s'étirait le long d'une étroite vallée. Mais, en arrivant au premier cottage, ce fut la déception : il faisait partie d'une série de trois, et n'avait pratiquement aucune vue. Nous continuâmes, laissant derrière nous le château de Mulgrave pour suivre un chemin parallèle aux falaises jusqu'à Newholm. Le village, un peu plus important, avait l'avantage d'être plus proche de Whitby d'un kilomètre et demi. Il était légèrement moins en hauteur que Dunsley, mais offrait cependant de très belles vues, et j'espérais que Bram y trouverait ce qu'il voulait. Mais le cottage fut assez difficile à dénicher, et on nous envoya partout sauf au bon endroit, si bien que nous fûmes à deux doigts d'abandonner, pensant que Jack Louvain s'était trompé. Enfin, nos efforts furent couronnés de succès : c'était une petite maison basse, isolée, à quelque distance du village, et collée au flanc de la colline. Elle avait des murs blanchis à la chaux et un toit de tuiles flamandes avec, au fond du jardin, une haie échevelée, penchée dans le sens du vent.

Je remarquai qu'elle était située dans un creux abrité avec vue sur la mer. De l'extérieur, elle avait assurément un aspect agréable. Pourvu que l'intérieur soit à l'avenant ! pensai-je.

« Eh bien, celle-ci pourrait convenir, dis-je à voix haute.

— En effet. Je me demande qui a la clé. »

Nous allâmes donc nous renseigner dans une ferme devant laquelle nous étions passés un peu plus tôt, prenant soin de ne pas manifester trop d'intérêt quand la fermière descendit avec nous pour nous ouvrir la maison. Il n'y avait que deux pièces au sol dallé, avec une arrière-cuisine attenante et des cabinets à l'extérieur. L'endroit était convenablement meublé : dans la pièce du fond, un lit de cuivre haut sur pieds, une commode et un lavabo, et dans l'autre une table de cuisine en bois blanc avec des bancs et une banquette de chêne à haut dossier. Derrière des paravents, un étroit lit clos à l'ancienne occupait une alcôve à côté de la cheminée, et une desserte qui semblait pouvoir faire office de bureau avait été placée sous la fenêtre. Deux fauteuils à bascule se trouvaient de part et d'autre du fourneau et une rangée d'ustensiles de cuisine étaient pendus au linteau de la haute cheminée. Tout était propre et net, malgré une assez forte odeur d'humidité.

La maison était restée vide tout l'hiver, dit la femme ; ces temps-ci, la terre offrait moins de travail ; les gens partaient s'installer dans les villes, pour être embauchés dans les usines et les chantiers navals, et les vieilles maisons ne servaient plus qu'aux estivants à qui on les louait. Elle renifla avec désapprobation (visiblement ce n'était pas elle la propriétaire) pendant que Bram prenait la mine sourcilleuse du parfait citadin, lui qui quelques instants auparavant était l'homme le plus accommodant du monde.

Il se tourna vers moi.

« Hum, ma foi, je ne suis pas si sûr à présent, vous savez. Vous ne m'avez pas dit que votre oncle avait une maison à louer à la baie de Robin-des-Bois ?

— Il en a plusieurs, dis-je sèchement, l'œil fixé sur la ligne d'horizon. Et toutes ont une jolie vue sur la mer.

— Oh, cette maison-ci est très saine, intervint la femme. Très abritée des intempéries. Vous le sauriez si vous passiez l'hiver ici. Je peux vous faire porter le lait tous les jours, et le pain. Les repas aussi, monsieur, si vous êtes seul. »

Il tira sur sa barbe et fit mine de réfléchir. J'avais envie de rire parce que je voyais bien que sa décision était prise. Il finit par dire :

« Cela dépend. Je suis écrivain, et je préférerais ne pas être dérangé.

— Comme vous voudrez, monsieur, c'est tout à votre convenance. Si vous voulez être servi, il suffit de le demander.

— Bien. Ma foi, je crois que je vais la louer, cette maison. Je vous avoue que c'est la vue qui m'a décidé. (Il se détourna de la fenêtre et sourit.) Alors, comment dois-je m'y prendre pour m'acquitter des formalités ? »

Elle lui dit de s'adresser à l'agence en ville, et tandis que Bram lui donnait sa carte et annonçait qu'il louait pour un mois, la fermière, qui se présenta comme Mrs Newbold, accepta d'aérer les chambres, d'allumer le feu dans la cuisinière et de tout préparer pour qu'il puisse prendre possession des lieux à midi le lendemain. Je me dis que tout paraissait réglé d'avance, comme si le contrat était déjà signé, et Bram installé dans la maison. Et comme si quelque chose de personnel et de plus profond devait se mettre en place entre nous deux.

Après le départ de Mrs Newbold, nous n'avions aucune raison de nous presser, et nous allâmes nous asseoir sur un banc près du mur pour nous féliciter. Le moment semblait venu de piqueniquer pour fêter l'occasion. Après avoir ouvert les bouteilles de bière au gingembre, nous bûmes à la santé l'un de l'autre comme si nous trinquions avec du champagne. Je fis couler quelques gouttes sur mon menton et frissonnai de plaisir lorsque Bram les essuya. Le contact de sa main raviva les souvenirs de la veille. J'adorais ses mains. Je les trouvais belles, soignées et élégantes, avec de longs doigts et des ongles ovales. Le seul défaut visible était un cal noirci au majeur, provoqué par la plume, et même cela me fascinait. Je me souviens de l'avoir regardé ôter le papier du paquet et d'avoir souhaité que ce fût moi dont il eût ôté les vêtements.

Il surprit mon regard et sourit en me tendant un sandwich de pain blanc croustillant avec du jambon et de la moutarde. Il était délicieux, mais la présence de Bram me troublait tant que j'avais du mal à manger. J'essayai de regarder l'horizon ; or, pendant ce temps-là, il en profitait pour me regarder ; quand je m'en aperçus, l'épisode se solda par un éclat de rire. Le repas était à peine fini qu'il me prit la main, me fit traverser le creux du jardin et me mena de l'autre côté de la haie où, bien à l'abri des regards indiscrets, il me coucha dans l'herbe haute et sèche de ce qui ressemblait à un champ de foin, où le parfum de fleurs champêtres se mêlait à l'odeur salée des embruns. Alors, il posa les mains sur moi, ces mains si élégantes, les laissa courir sur mes bras et mes épaules comme s'il avait besoin de s'assurer que j'étais bien réelle, et caressa mon visage et ma gorge comme un aveugle. On eût dit que la nuit précédente n'avait été qu'un avant-goût, un échantillon des plaisirs à venir, pourvu que nous fussent donnés le temps et l'occasion.

La barbe de Bram et sa moustache dissimulaient une bouche charnue, plutôt sensuelle et de grandes dents blanches qui me fascinaient. Je me penchai pour l'embrasser et les agaceries légères se transformèrent bientôt en une étreinte où je me retrouvai au-dessus de lui pour un échange folâtre de baisers et de morsures d'amour qui ne tardèrent pas à se faire plus exigeants. Les couches de vêtements étaient, certes, un obstacle, mais rien ne fut ôté. Sous l'aiguillon du désir, l'acte le plus intime fut consommé là, dehors, dans ce creux de prairie, nous laissant trop comblés pour en éprouver la moindre honte. Dieu merci, ce lieu à l'abandon était si loin de tout qu'on ne pouvait le voir de la plage ou du train, et il y avait vraiment peu de chances pour que l'œil de nos semblables, surpris et choqué, ait pu nous détecter en contrebas. Ce fut du moins notre raisonnement. Ensuite, quand Bram eut retrouvé ses esprits, il me déclara d'une voix heureuse et somnolente que c'était le plus beau pique-nique de sa vie.

Ce jour-là, il ne fut pas question de mon éventuelle installation dans la maison ; cependant, une sorte de pressentiment me poussa à trier mes affaires après être rentrée chez les Firth. Je crois que ce furent les livres qui remirent Jonathan au premier plan de mes préoccupations. Depuis ma dispute avec Bella, je m'étais efforcée de le chasser de mon esprit, refusant d'admettre que je pouvais le trahir. Après tout, qu'y avait-il à trahir ? Une attirance, une sympathie, quelques instants de conversation convenue sur des sujets généralement neutres : la marine marchande, le commerce, les livres, les subtilités des manœuvres de navigation, et un baiser, certes, qui, je le savais pertinemment, n'avait rien de frivole.

Mais je ne voulais pas que cela compte. Je ne voulais pas que Jonathan ait de l'importance, jamais je ne l'avais souhaité. Malgré son charme et sa beauté, je ne voulais pas de lui. Il avait dix-neuf ans, vingt peut-être, et il lui faudrait servir des années avant d'obtenir son brevet de capitaine, avant d'avoir les moyens de se marier et de se fixer. En admettant qu'il veuille toujours m'épouser. En admettant qu'il ne lui arrive pas malheur et que sa mère ne lui rende pas la vie impossible pour avoir ne fût-ce qu'envisagé d'épouser une fille comme moi. Enfin, j'avais réglé la question une fois pour toutes. Il ne voudrait pas épouser la maîtresse d'un autre, ce qui m'évitait d'avoir à me mettre martel en tête.

Toutefois, ma satisfaction n'effaçait pas complètement ma mauvaise conscience.

Le lendemain matin de bonne heure, je lavai quelques effets, les étendis à sécher dans la cour, puis montai ranger toutes les affaires dont je n'avais pas un besoin immédiat. Bella entra dans ma chambre au milieu de ces préparatifs et comprit aussitôt.

« Tu as pris ta décision, à ce que je vois. »

Je me contentai de hocher la tête et elle poursuivit :

« Alors, tu as trouvé une place, ou tu t'installes avec lui ? »

Je pris une inspiration profonde.

« Ni l'un ni l'autre pour le moment. Mais je partirai demain ou après-demain. Je ne crois pas pouvoir habiter ici plus longtemps, Bella, et tu penses sûrement comme moi, non ?

— En effet, répondit-elle avec un soupir résigné. Tout ce que je peux dire, c'est que j'espère qu'il te traitera correctement, et pas comme... (Ici, elle s'interrompit et pinça ses lèvres pleines en une moue réprobatrice.) De toute façon, tu sais ce que je pense des hommes... »

Lorsque peu après je levai les yeux, elle était partie. Si peu de mots, et pourtant irrévocables. D'un seul coup je fus bourrelée de remords et, l'espace d'un instant, j'eus envie de dévaler l'escalier pour prendre Bella dans mes bras et lui dire que j'étais désolée, qu'il n'y avait pas de raison que cela se termine ainsi et que nous pouvions rester amies malgré tout. Mais lorsque je me tournai vers la porte, j'eus le sentiment que rien ne serait plus jamais comme avant entre nous. Et, malgré mes regrets, je savais que j'avais hâte de m'en aller. Je ne la rejoignis donc pas, et ne prononçai pas non plus les mots de réconfort que j'aurais peut-être dû lui adresser. Et dès lors, je fis en sorte de l'éviter.

11

Deux jours plus tard, lorsque Bram eut emménagé, défait ses bagages et empli le cottage de sa présence, il me demanda de venir habiter chez lui. J'éprouvai une grande bouffée de soulagement et de bonheur mais, tout en acceptant, je m'efforçai de lui faire clairement comprendre que si je le trouvais extrêmement attirant, je ne m'imaginais pas être amoureuse, et que je n'attendais de lui que son respect – et cela, j'étais bien décidée à l'obtenir. L'idée de vivre un mois dans cette maison m'apparaissait – tout autant qu'à lui, j'en suis sûre – comme un intervalle béni, en marge du quotidien et de la vie normale. Je précisai aussi que mon travail au studio devait passer avant toute autre considération. J'en avais besoin non seulement financièrement, mais aussi pour préserver mon indépendance et ma fierté. Il en allait de même de ma décision de m'occuper du ménage et de la cuisine en contrepartie de mon hébergement et de ma nourriture. Une fois que tout cela fut bien entendu, je retournai au Cragg chercher mon bagage.

Prévoyant quelques difficultés, je lui dis que je préférais y aller seule, et avec l'aide de Lizzie j'emmenai mes affaires jusqu'au studio. Jack Louvain eut beau ne rien dire lorsqu'il me vit arriver, sa réprobation était manifeste. Sans le regarder, les yeux rivés sur mes gants neufs, je lui expliquai brièvement que j'avais accepté de travailler chez Mr Stoker comme femme de charge pendant ses vacances et que j'avais besoin de laisser mon bagage au studio quelques temps en attendant de pouvoir le faire prendre. Il y eut un long silence gêné avant que Jack déclare, en contrôlant sa voix avec effort, qu'il espérait que je savais ce que je faisais et que je n'étais pas tombée de la poêle dans la braise. Lorsque j'osai enfin relever les yeux, il fixait sa liste de rendez-vous, les sourcils froncés.

« Je ne pouvais plus rester chez les Firth...

— Je sais, répondit-il d'un ton sec. Mais je ne voudrais pas que tu t'absentes encore au moment où j'aurai le plus besoin de toi. Et dépêche-toi de faire enlever cette malle – elle encombre. »

Je sentais que j'étais descendue dans son estime et lui jurai mes grands dieux qu'il pouvait compter sur moi. Au début, je fis de mon mieux pour venir aux mêmes heures qu'avant, c'est-à-dire très tôt le matin. Or, je me rendis vite compte qu'en vivant avec Bram cela ne serait pas facile. Ses habitudes avaient été façonnées par le théâtre, par des années de soupers tardifs et de discussions conviviales qui se poursuivaient souvent très tard dans la nuit. Du coup, il avait l'esprit alerte à minuit, alors que mes yeux commençaient à se fermer, et à six heures, heure à laquelle je partais en général travailler, il dormait à poings fermés. J'expliquai donc à Jack Louvain qu'il serait plus commode pour moi de venir travailler le soir après la fermeture du studio, et dès lors les journées s'organisèrent sur un mode qui convenait à tout le monde.

Le temps, qui avait été beau et sec, vira à la canicule dans cette première semaine de juin et, malgré notre proximité de la mer, ce fut à peine si un souffle de vent ébranlait la chape de chaleur. Lorsque nous regardions par la fenêtre le matin, nous voyions flotter sur l'eau un étrange banc de brume, à environ deux kilomètres au large. Il y demeura des jours entiers, attendant les heures les plus chaudes de la journée pour se lever un peu et s'enrouler en volutes au contact de courants d'air froids et humides comme la main d'un mort.

J'étais allée faire des courses en ville le jour où les premiers écheveaux de brume se rapprochèrent en rangs serrés, rampant sur la surface immobile de la mer ; les serpents blancs montèrent à l'assaut de la falaise ouest et investirent les murailles de l'église et de l'abbaye. Cela arrivait chaque année, parfois pendant une semaine d'affilée ; mais ce siège inopiné et alarmant avait de quoi stupéfier le spectateur, et les habitants de la ville eux-mêmes restèrent cloués sur place en pleine matinée de travail, et contemplèrent la nuée qui en quelques minutes envahit le port, le pont et l'estuaire. Bram m'attendait sur la jetée, et il fut pétrifié de surprise en voyant la rivière métamorphosée en grand python de brume qui se tordait à ses pieds.

Nous étions peut-être à cinquante mètres l'un de l'autre. Je le vis se tourner tandis que la brume l'enveloppait et, craignant que nous ne nous perdions, je traversai le brouillard et me hâtai de le rejoindre. Quand je lui pris le bras, il se retourna vers moi.

« Tu as vu ça ? Tu as vu ce brouillard ?

— Ici, on appelle ça une brumasse », rectifiai-je.

Mais pour l'instant, ce n'était pas tant l'étymologie locale qui l'intéressait que le phénomène auquel il venait d'assister.

« Jamais je n'ai rien vu de tel ! s'exclama-t-il. C'est extraordinaire, tout à fait extraordinaire – il faut que je rentre, que je note ça tout de suite par écrit... »

Je souris, amusée par son enthousiasme et heureuse d'être libérée de mon inquiétude passagère. Il nous fallut redescendre dans le brouillard jusqu'à la plage, dans l'intention de longer les grèves jusqu'à Newholm. Sur notre gauche, la falaise avait résisté à cette invasion subite, et le brouillard s'éclaircissait à mesure que nous nous éloignions de la ville et du port. Quelque part au-dessus de nos têtes, le soleil brillait et transformait la brume en voile laiteux et translucide. Une fois l'auberge dépassée, nous étions isolés, à l'abri des regards, libres de courir, de sauter – et même de faire des cabrioles si le cœur nous en disait – sur le sable dur près de la mer. J'ôtai mes chaussures et partis à la course pour le simple plaisir de bouger, incitant Bram à en faire autant. Il ôta col et cravate, chaussures et chaussettes, qu'il laissa tomber dans mon panier à provisions lorsqu'il m'eut rattrapée. Entre deux rires et deux baisers, les mains enlacées, l'envie nous prit de gambader comme deux enfants, les pieds dans l'écume des vagues douces, à l'endroit même où la *Mary and Agnes* avait été drossée sur le rivage par une mer déchaînée, si incroyable que cela pût paraître ce jour-là.

Il ne restait plus trace de cet épisode mais, en nous rappelant le jour du naufrage qui nous avait réunis, il n'était pas difficile de retrouver le lieu exact. Des sternes et des huîtriers s'envolèrent à notre approche lorsque, ralentissant l'allure, nous nous mîmes à ramasser des coquillages et des morceaux de jais. Nous avancions dans une sorte d'Éden où régnait une chaleur diaphane et trempée de rosée, et nous nous arrêtâmes pour nous embrasser. Chacun avait les sens exacerbés par la présence de l'autre, et l'envie nous saisit de faire l'amour là, tout de suite. Seuls l'audace ou la folie nous manquèrent pour oser. Finalement, le désir nous poussa à quitter la plage et à remonter le raidillon menant à Newholm et au cottage.

Il nous fallut passer sous les poutrelles d'acier fantomatiques de la voie ferrée, grimper encore, avant d'éprouver en sortant de la brume la curieuse sensation d'avoir franchi une porte. Derrière nous, le bord de la falaise se dessinait sous le soleil brûlant tandis qu'au-delà flottait une masse de nuages blancs et duveteux qui cachaient la mer, le sable et tout le paysage sauf le sommet des falaises de Kettleness d'un côté et l'abbaye dont le squelette se dressait de l'autre.

Saisie par la beauté magique de la scène, je m'arrêtai ainsi que Bram pour contempler cet édredon mouvant. Autour de nous évoluaient les papillons, et les abeilles bourdonnaient dans les ajoncs. Je sentis soudain la brûlure du soleil, et la chaleur qui collait à ma peau le coton léger de ma robe. En regardant Bram, je vis que sa barbe était parsemée de gouttelettes et qu'une mèche de cheveux lui pendait au-dessus de l'œil droit. Épaule contre épaule, nous repartîmes. Nous eûmes tôt fait de regagner la maison, de nous débarrasser de nos vêtements humides entre deux baisers voraces, et de nous laisser tomber sur le lit dans les bras l'un de l'autre sans même nous soucier de fermer la porte.

Après, satisfaite et somnolente, je me pris à sourire comme une chatte, réjouie à l'idée de me trouver au lit à cette heure de la journée, pendant que Bram allumait une cigarette et exhalait des spirales de fumée qui s'enroulaient dans un rayon de soleil. Je reniflai avec plaisir l'odeur du tabac et, lorsqu'il me demanda si cela me dérangeait qu'il fume, je le rassurai ; mais il me donna un choc désagréable en déclarant d'un ton satisfait :

« Florence a horreur de ça. Ce serait totalement exclu à la maison. Comme le reste, d'ailleurs : à la maison, je ne fumerais pas, je ne serais pas au lit et je n'aurais certainement pas fait l'amour...

— Enfin, pas avec moi », glissai-je avec une légèreté forcée, ignorant le compliment détourné ainsi que l'allusion à sa femme.

« Non, non, rectifia-t-il. Je dis bien que je n'aurais pas fait l'amour.

— Évidemment, à cette heure-ci, tu serais au théâtre, en train de travailler, pardi... », rétorquai-je en lui envoyant un coup de coude dans les côtes avant de m'esquiver rapidement.

Il rit et me traita d'insolente. J'en étais peut-être une, mais je voulais qu'il me voie moi, Damaris Sterne, et non qu'il me prenne pour un substitut commode et docile de Florence. Je me dis que, si de temps à autre je le remettais en place et parvenais à désamorcer ces comparaisons avec sa femme, je lui rendrais service. À mon sens, cela contribuerait à rendre nos rapports plus honnêtes.

Comment interprétait-il mon comportement ? Je l'ignorais ; je savais ce que Bella aurait dit, mais je ne me considérais pas comme une fille perdue, et je ne croyais pas que Bram me voyait ainsi non plus. Peut-être pensait-il que ces libertés relevaient de la culture ou des coutumes locales ; ou estimait-il avoir eu beaucoup de chance en rencontrant une fille comme moi, qui n'avait pas hésité à se donner à un étranger, marié de surcroît. Ou alors il pensait que j'étais folle. Mais le plus probable était qu'avec tous les soucis qu'il avait laissés derrière lui il n'avait pas envie de se poser trop de questions. Je savais pourtant que ses affaires à Londres le tracassaient, même s'il en parlait rarement.

Quant à moi, je me contentais de prendre les choses comme elles venaient, sans me poser de questions pour le moment. Je suppose qu'en un sens Bram et moi cherchions à fuir des situations intolérables et que, comme tous les évadés, nous étions ivres de liberté, grisés par nos mille et un petits points communs, par une connivence physique et émotionnelle que ni lui ni moi n'avions encore connue. Assurément, je connus, lors de ces premières journées, un plaisir nouveau et extrême à vivre dans l'instant et résolus de bannir de mon esprit les remords, ainsi que tous les bien-pensants de ma famille.

Mon existence semblait transformée par une sorte de magie et je me trouvais tout aussi enchantée par la vie que je menais que par Bram. Cela ressemblait à un jeu où tout n'était que plaisirs, délices et frissons de joie. Le temps ne comptait pas, et j'avais l'impression de faire l'école buissonnière avec la complicité d'un père aimant et indulgent à l'extrême. Lorsque je le lui dis, il se contenta de rire et abonda dans mon sens en m'offrant une excursion par le train à Scarborough pour m'emmener prendre le thé dans un joli petit salon près du château, puis voir la revue au théâtre.

Il m'entourait de mille attentions. Il n'avait jamais l'air à court d'argent, et adorait m'offrir des cadeaux. À Scarborough, il se fit un plaisir de me commander presque toute une nouvelle garde-robe, des tenues commodes aussi bien que de jolies robes. Et il précisa que nous souhaitions être livrés rapidement ; à la fin de la semaine, si possible, et il ajouta cinq livres pour accélérer le mouvement. Ravie et impressionnée, je m'efforçai de ne pas ouvrir des yeux ronds.

Mais quand mes jolies robes arrivèrent, je ne pus voir l'effet produit sur moi car nous n'avions qu'un petit miroir. Bram prit donc une chambre à l'hôtel Royal, sur la falaise ouest, où nous allâmes en attelage à poney, avec nos bagages, pour le seul plaisir d'essayer mes nouveaux atours devant un grand trumeau. Plusieurs corsages, une belle jupe avec la veste assortie, deux robes de coton à fleurs avec des volants ramenés en tournure à l'arrière, ainsi qu'une robe plus habillée en soie vert pâle. Elle était si belle que j'en eus presque le souffle coupé. Jamais je n'avais rien possédé d'aussi luxueux. Même les dessous étaient ravissants, garnis de plus de dentelle et de rubans que je n'en avais jamais vu.

Bram ôta sa redingote et ses chaussures et s'étendit sur le lit pour me regarder. Si j'avais l'habitude de porter un corset, je me refusais à mettre des culottes, partant du principe que je ne connaissais aucune femme qui en portait, hormis une femme de médecin pour laquelle j'avais travaillé, et que je ne trouvais pas très propre. Je dis que je préférais rester sans et, à en juger par le sourire en coin de Bram, je crus comprendre qu'il était content que je ne change pas mes habitudes. Mais malgré ma réticence, il tint à me faire essayer le maquillage que nous avions acheté : du rouge à joues, de l'ombre à paupières et de la poudre de riz.

Avec son expérience du théâtre, il maniait habilement les fards et me montra comment les appliquer.

« Là... comme ça... »

Il s'agenouilla devant moi et j'eus grand mal à garder mon sérieux et à ne pas plisser les yeux pendant qu'il me maquillait doucement les paupières, les lèvres et les joues.

« Il est inutile de t'en mettre beaucoup, dit-il à mi-voix, tu ne montes pas sur scène. Il faut juste de quoi rehausser ta beauté naturelle... Et puis si tu te remontes les cheveux sur le côté avec des épingles, comme ça... »

Je ne voulais pas le croire, mais il avait raison. La coiffure était nouvelle et sophistiquée ; le rouge à lèvres soulignait la forme de ma bouche, qui paraissait plus charnue et finalement plus jolie, tandis que l'ombre verte faisait ressortir la couleur de mes yeux. Quand il eut appliqué un peu de poudre sur mes joues pour en cacher les taches de rousseur et un peu de noir de lampe sur mes cils, j'eus du mal à me reconnaître. Je trouvais incroyable qu'un homme pût être l'auteur d'une telle métamorphose, si vite et avec une telle facilité. Je regardai son reflet derrière le mien dans la glace, et il sourit pour confirmer mes pensées : pour la première fois j'acceptai de croire que, lorsque Bram me disait que j'étais jolie, il le pensait vraiment.

L'austérité un peu guindée de l'habit de soirée lui allait bien, soulignant sa prestance et faisant ressortir par contraste la soie vert pâle et froufroutante de ma robe. Comme le disait Bram, nous étions bien assortis, lui avec sa barbe rousse, moi avec mes cheveux roux, et nous formions un beau couple. En descendant à la salle à manger, j'eus l'impression que nous avions été transportés dans un autre monde, le sien, où tout était illusion et beauté, et où rien ne correspondait vraiment à son apparence. Je n'étais plus Damaris Sterne, pêcheuse et domestique à l'occasion, j'étais une vedette avec ma robe chatoyante, jouant un rôle et y prenant un plaisir extrême. J'étais ravie de dîner dans l'imposante salle à manger : c'était une fenêtre ouverte sur un Whitby inconnu de moi jusque-là, un monde de luxe, d'aisance et de volupté, où les pièces magnifiques étaient ornées de lustres, où jouaient des orchestres, où des femmes et des hommes élégants évoluaient en tenue de soirée, un monde où vin et compliments coulaient à flots et où la nourriture était présentée avec une recherche spectaculaire. C'était grisant et, j'avais beau faire de grands efforts pour paraître calme, je ne parvenais pas à dissimuler complètement que j'étais aussi intimidée qu'enchantée. Le sourire de Bram faisait briller ses yeux et, chaque fois que je le regardais, je le voyais m'observer avec orgueil et affection, ce qui, je ne sais pourquoi, m'émouvait tant que j'en avais la gorge serrée, du mal à parler, et l'envie folle de retenir l'instant.

Faute de quoi, je me cramponnai à la main de Bram. Et ce contact muet me persuadait que le moment était beau, qu'il pouvait durer, se développer, qu'il n'était pas qu'illusion et comédie. Mais il n'y avait pas moyen d'échapper à cette réalité : notre liaison était illicite, et l'impératif de la clandestinité introduisait partout une tension supplémentaire. Lorsque nous allions à Whitby, l'une des premières craintes de Bram était d'être reconnu par quelque vieille relation ou l'un des habitués du théâtre. Parfois, on aurait dit que, par goût du risque, il faisait exprès de jouer avec le feu – bien qu'il eût donné un faux nom à l'hôtel, par discrétion. Mais comme la *Gazette de Whitby* publiait chaque semaine la liste des visiteurs, il ne tenait pas à afficher ainsi sa présence. Heureusement, ses amis les du Maurier, qui séjournaient chaque été à Whitby, arrivaient rarement avant le mois de juillet en même temps que les familles qui venaient s'installer pour un mois avec enfants et domestiques.

Le lendemain après le déjeuner, nous allâmes nous promener du côté de l'auberge qui, comme Bram le fit remarquer avec un sourire malin, ressemblait à une sorte de *schloss* allemand miniature creusé à même la falaise ouest. Ensuite, je pris le thé avec lui en écoutant l'orchestre jouer des valses viennoises. Cette excursion était surtout destinée à me faire plaisir, car je voulais avoir l'occasion de mettre mes jolies robes de coton et de jouer de l'ombrelle, comme toutes les belles dames ; en fait, l'après-midi ne fut pas une réussite. Derrière son journal, Bram paraissait satisfait, mais il glissait de temps à autre un coup d'œil sous le rebord de son panama pour regarder ce qui se passait ; quant à moi, si je m'étais sentie bien à l'abri à l'intérieur de l'hôtel, là, sur l'esplanade, je me trouvais vulnérable. Pas seulement parce qu'on pouvait me reconnaître : parce qu'à tout moment j'avais le sentiment qu'Isa Firth ou une autre de mes rivales du marché aux poissons pouvait regarder du haut de la falaise et me repérer à mes cheveux. En fin de compte, je ne fus pas fâchée quand vint l'heure de partir.

Je crois que Bram fut aussi content que moi de rentrer et de retrouver la sécurité de notre petit cottage. Il pouvait s'y détendre et être lui-même, sans col de chemise, les manches retroussées, à mordiller un cigare ou le bout d'un porte-plume, et à me poser des questions tandis que je faisais la cuisine, le ménage ou le repassage. Après les repas, nous nous reposions quelque temps et en général il me rejoignait dans le jardin pour boire de la limonade ou de la bière au gingembre ; ou nous nous amusions à cueillir les petites fraises que j'avais découvertes du côté où le mur était au soleil et nous nous donnions la becquée.

Nos journées se déroulaient toujours plus ou moins de la même façon ; nous étions dans un monde ensoleillé, affranchi du temps, où rien ne comptait. L'après-midi, je pris l'habitude de m'installer dehors à l'ombre avec un livre ou le journal de la veille à portée de main. C'était un tel luxe de pouvoir lire si l'envie m'en prenait et quand je voulais que je ne me sentais plus obligée de me bourrer de mots comme une affamée. Parfois, alanguie par un après-midi d'amour, je regardais la mer pendant que Bram somnolait ; je pouvais agir à ma guise et le fait de le savoir augmentait encore mon plaisir. J'adorais ce jardin, son aspect sauvage et négligé, sa haie non taillée, et son mur de pierres sèches qui s'écroulait par endroits, avec ses touffes de thym, d'œillets maritimes et de valériane. J'adorais ses parfums, ses couleurs et ses bruits, le bourdonnement des insectes et le murmure lointain de la mer, mais ce monde ne semblait pas plus durable qu'un trésor de conte de fées, et je savais qu'il me fallait l'apprécier dans l'instant car il pourrait disparaître avec la prochaine averse.

Peut-être Bram partageait-il mon sentiment. Lui aussi adorait le cottage, mais il disait que c'était moi qui le rendais heureux, moi qui lui donnais l'impression qu'il pouvait encore attendre quelque chose de la vie. Je trouvai ses propos bizarres, mais il refusait de s'expliquer. Cependant, avec le temps, je me rendis compte de l'instabilité de ses humeurs, car il passait de l'optimisme à l'incertitude, d'une gaieté bienveillante à une sorte de mélancolie absente qui m'étaient difficiles à comprendre.

On aurait dit que l'amour lui faisait du bien ; c'était même parfois la seule façon de l'arracher à ses rêveries moroses. Je le prenais dans mes bras et le caressais comme un enfant jusqu'à ce que son humeur change, qu'il se tourne vers moi comme un amant pour m'ôter mes vêtements et me conduire au lit. Dans le plaisir, ses humeurs noires étaient proscrites et oubliées.

L'intensité de nos joutes amoureuses m'étonnait, comme le besoin sans cesse croissant que nous avions l'un de l'autre. J'aurais préféré bannir de ma mémoire mon expérience avec Bella et me dire qu'elle ne comptait pas, mais, que j'en aie eu conscience ou non alors, elle m'avait ouvert l'esprit et avait rendu mon corps plus réceptif ; et dans l'univers sensuel que Bram et moi partagions, le bien et le mal semblaient n'avoir aucune réalité.

Certaines préoccupations pratiques entraient évidemment en ligne de compte et nous avions beau être très amoureux, nous faisions en sorte de ne pas aller au-devant des ennuis. Nous observions la plus grande discrétion dans nos rapports avec le monde extérieur et restions prudents en faisant l'amour. J'utilisais les méthodes préconisées par Bella, comme de me lever aussitôt après, de me laver soigneusement et de me protéger avec une éponge imbibée de vinaigre. J'ajoutais foi à ces pratiques, car elles avaient manifestement prouvé leur efficacité pour elle, et, bien que Bram fût plus sceptique, il s'efforçait de m'éviter les risques. Dans mes moments raisonnables, j'appréciais le souci qu'il prenait de moi, même si à certains autres, notamment dans les moments de passion, j'aurais voulu qu'il s'abandonne corps et âme comme moi. À cet égard, toutefois, il avait été à bonne école avec sa femme. Florence avait porté son enfant, un fils unique la première année de leur mariage, et après un accouchement difficile avait juré de ne plus renouveler une expérience aussi abominable. Je crus comprendre que sa principale technique de prévention était de fermer la porte de sa chambre ou, quand son mari se montrait tendre et insistant, de demeurer froide et impassible, si bien que les demandes de ce dernier devenaient moins pressantes et beaucoup moins fréquentes. Pourtant, il l'aimait, je m'en rendais compte même à l'époque. Cela me blessait parce que j'aurais voulu qu'il m'aime. J'aurais voulu être la seule, l'unique. Je ne savais alors rien de l'amour et de la passion, ni des différents arrangements au sein d'un couple.

Sous ses airs d'homme courtois et sensé, Bram était un grand passionné, doté d'une nature souvent aussi généreuse que ses traits le laissaient présager. Je fus navrée de découvrir qu'il n'aimait pas son physique, qu'il se trouvait laid, avec une mâchoire et un front trop proéminents, et une bouche trop charnue d'après les canons de la beauté masculine. Bien entendu, c'était ridicule. Je lui dis que l'idéal classique était une chose, mais qui aurait eu envie d'embrasser une froide statue de bronze ou de faire l'amour à une description livresque ? Pas moi en tout cas. En dépit de mes goûts secrets, je lui expliquai que je préférais un homme de chair et de sang, avec des mains douces et un sourire généreux, à tous les portraits de beauté académique, quels qu'ils fussent.

Mais il n'était pas d'accord avec moi. Je lui demandai alors qui il trouvait beau. En guise de réponse, il me décrivit son ami Irving, avec son ossature délicate, ses traits fins et aristocratiques. J'eus du mal à retenir une remarque désobligeante. Henry Irving n'était pas plus aristocratique que moi, et je m'aperçus que je commençais à le trouver fort antipathique, presque autant que cette mijaurée de Florence. Je me demandai si l'un ou l'autre connaissait Bram aussi bien que moi ou lui accordait ne fût-ce que le quart de la tendresse que je lui portais.

12

Ces journées chaudes et longues étaient, certes, de saison mais n'en semblaient pas moins interminables et nous laissaient épuisés. Le soleil se levait avant quatre heures et brillait à travers une brume de chaleur étincelante jusqu'à huit heures du soir ; la lune apparaissait alors et transformait le crépuscule doré en pénombre baignée d'argent. Même par temps brumeux, les nuits avaient un éclat pâle et mystérieux qui donnait l'impression d'évoluer dans un rêve. Les lieux quotidiens étaient curieusement irréels ; reconnaissables tout en étant différents, rehaussés et comme déformés par cette étrange lumière diffuse.

Vers dix heures, après avoir passé plusieurs heures à son bureau de fortune, Bram avait toujours envie de sortir, de marcher, de parler, d'explorer les alentours, de flâner le long des quais, à regarder les bateaux, la marée et l'apparition de la lune au-dessus des falaises. Parfois, il venait au studio de bonne heure et, si Jack était là, bavardait avec lui ; le plus souvent, il me donnait rendez-vous au cimetière, où se trouvait un banc orienté face aux derniers rayons du soleil couchant. C'était là que sous la lune, chaque jour plus grosse et plus lumineuse, nous partions ensemble explorer Whitby.

Si, au début, cette existence nocturne me parut bizarre, je ne tardai pas à y prendre plaisir ; après la chaleur écrasante de la journée, ce n'en était que plus agréable. Avant minuit, beaucoup de visiteurs circulaient encore, heureux de profiter de l'air frais, et les sentiers entre Whitby et les villages avoisinants, très courus, étaient fréquemment envahis par des groupes de jeunes gens bien habillés dont les voix péremptoires et excitées portaient dans l'air calme de la nuit. Les promenades au clair de lune semblaient fort à la mode et, à en juger par la fréquence des rires aigus, les facéties et pitreries aussi.

« Mais qu'est-ce qu'ils ont donc ? demandai-je à Bram un jour où l'un de ces groupes traversait le pont de Ruswarp, à grand renfort de cris et de gémissements angoissés, ainsi que de glapissements qui auraient rendu jalouse une harpie. Quel raffut ! On dirait qu'ils ont le père Dindonnard à leurs trousses.

— Ils doivent raconter des histoires de fantômes, dit-il avec un sourire en coin, et se faire des frayeurs pour leur plus grand plaisir. À propos, qui c'est, le père Dindonnard ? Fantôme ou mauvais esprit ? Homme ou volatile ?

— C'est un homme, un revenant qui marche comme un dindon... »

En entendant Bram éclater de rire, je me rendis compte du côté drolatique de la chose. Et, comme il insistait, je finis par lui raconter l'histoire dudit père Dindonnard, un homme du pays qui avait gagné son surnom après un pari, et perdu la vie pour l'avoir renouvelé.

« Il y a bien des années, quand les temps étaient durs, il a parié avec un riche qu'il arriverait à manger une dinde tout entière en une seule fois. L'épreuve a eu lieu dans l'une des auberges de la ville, devant une grande foule où les paris allaient bon train. La première fois, il a perdu : il avait tout mangé, sauf le croupion. La deuxième fois, il a commencé par là et a réussi à tout finir. Après ça, on l'a surnommé Dindonnard, et il est devenu célèbre. Mais il a mal fini à cause d'un autre pari, quelques mois plus tard. Il a encore gagné, seulement, voilà : en quittant l'auberge, il n'était plus très frais et, sur le chemin du retour, il s'est fait attaquer, détrousser, après quoi on a jeté son corps dans la rivière. Son agresseur n'a jamais été retrouvé, alors tu vois, c'est pour ça que son fantôme marche le long de la rivière : il cherche son assassin...

— Mais sûrement pas sous la forme d'un dindon, c'est ridicule ! protesta Bram.

— Pas du tout. Tu ne comprends donc pas que c'est son châtiment ? Il a peut-être été assassiné, mais c'est sa faute, en un sens. Il s'est montré gourmand et cupide, voilà pourquoi il a été condamné à revenir sous la forme d'un dindon.

— Un châtiment adapté à la faute ?

— En quelque sorte. J'y crois, moi, à cette histoire. Pas toi ?

— Euh... »

Il me dit que nous versions dans la métaphysique, un mot dont je ne connaissais pas le sens à l'époque. Je croyais à l'existence du bien et du mal, et, à l'occasion, l'idée du châtiment divin me terrorisait, même si le chemin longeant la vaste et paisible prairie au bord de l'Esk n'avait vraiment rien d'effrayant. On y voyait des vaches derrière des haies abondamment fleuries d'églantines et de chèvrefeuille ; de grands arbres trempaient leurs branches dans la rivière qui coulait avec une lenteur estivale jusqu'au barrage de Ruswarp, où le clair de lune laissait voir des bateaux à rames amarrés aux troncs. Pendant la journée, le village était accueillant et, grâce à la gare à côté du pont, c'était un lieu d'excursion privilégié pour les amateurs de pique-niques, depuis les familles avec enfants et vieilles tantes jusqu'aux marcheurs confirmés qui commençaient et finissaient leurs randonnées le long de ces aimables berges.

Cependant, de l'autre côté, en aval du barrage, là où la rive devenait abrupte au-dessus de l'Esk, s'enfonçait un ravin couvert par les bois denses du moulin du Coq, à la réputation fort différente. Les touristes qui en ignoraient l'histoire trouvaient l'endroit superbe, avec la cascade d'environ quarante mètres dont l'eau tombait sur d'énormes rochers avant de rejoindre le lit de la rivière un peu plus bas. Admirer la nature par une belle journée d'été était une chose, mais la nuit, c'était une autre affaire. Je notai avec intérêt que le groupe si bruyant qui avait franchi plus tôt le pont de Ruswarp restait sur la route et se dépêchait de traverser le ravin en direction de Whitby sans guère, cette fois-ci, s'arrêter pour jouer la comédie de l'effroi. Je les comprenais, ces gens : il faisait bien noir là-bas, et je n'avais pas la moindre envie de m'attarder, moi non plus.

Sentant ma peur, Bram voulut en connaître la cause. Il insista pour que je lui raconte l'histoire sur-le-champ, sinon, me dit-il, il ne ferait pas un pas de plus. Nous nous arrêtâmes donc sur le pont qui enjambait la rivière, où miroitaient des taches de clair de lune qui révélaient en contrebas des rochers entre lesquels coulait l'eau vive. De chaque côté se dressaient de grands arbres noirs, immobiles et serrés, et, lorsqu'un murmure de feuilles ou de sous-bois se faisait entendre, un frisson d'angoisse me courait dans le dos.

Dans les bois, quelque part au-dessus de nous, se situait l'ancien moulin qui, avec son aire de combats de coqs, avait donné son nom à l'endroit. À mon avis, les deux devaient exister depuis l'époque où l'abbaye possédait toute la côte de Whitby, mais le moulin était suffisamment loin et bien dissimulé aux regards pour que les autorités en ignorent l'existence. Jadis, on disait que c'était un lieu malfamé, un repaire de contrebandiers, de joueurs de dés et de femmes de mauvaise vie, où de grosses sommes d'argent changeaient de main, où le sel, la soie et les vins fins étaient cachés dans des cavernes secrètes, et où des hommes se battaient à mort parce qu'ils s'étaient insultés ou avaient fait des paris malencontreux. Par la suite, à l'époque des guerres contre la France, le ravin était devenu un refuge pour les marins qui cherchaient à échapper aux sergents recruteurs. Parmi les matamores de Sa Majesté, rares étaient ceux qui auraient osé s'aventurer en pareil endroit.

Si nous avions eu une lanterne, je suis sûre que Bram aurait tenu à remonter vers la route en passant par les bois qui couvraient l'escarpement, malgré tous ces récits de morts, de tragédies et de personnes disparues sans laisser de traces. Avec son passé de jeu, de cruauté et de bagarres sanglantes, le ravin avait sinistre réputation, et on racontait encore dans le coin des histoires concernant le Malin, qui assistait aux jeux de dés et aux combats de coqs. On disait qu'il avait l'habitude de se mêler à la foule et qu'il était plus acharné que les autres, tapant du pied, poussant les gens aux pires excès ; et, si d'aventure il s'agrippait à quelqu'un ou lui marchait sur le pied, sa victime gardait, profondément imprimées dans sa chair, des marques qui ressemblaient à celles d'un pied fourchu.

Bram frissonna, puis se mit à rire comme s'il avait honte de s'être laissé impressionner par de telles sottises. Il me serra plus fort et essaya de me persuader de prendre par le bois, mais là, à la nuit tombée, l'idée de voir l'enfer s'ouvrir, béant, dans quelque crevasse cachée ne semblait que trop réelle. Je voulais rentrer, et pour une fois mon insistance l'emporta sur le caprice de Bram. J'avais hâte de remonter le long de la berge pour être libérée de ce sentiment d'oppression.

Si Bram m'encourageait à lui raconter les histoires du folklore local, il aimait aussi me faire peur avec celles qui circulaient dans son cercle d'amis londoniens. Je les imaginais souvent dans les coulisses du Lyceum après le départ du public – je voyais le célèbre théâtre, avec sa grande salle vide, où résonnaient les voix de générations d'acteurs, pendant que Bram, Irving et Hall Caine, leur ami romancier, se détendaient devant un cognac accompagné d'un cigare après un confortable dîner dans la vieille Beefsteak Room, une salle que Bram avait découverte dans les coulisses et qu'il avait ouverte lors de la première saison d'Irving au théâtre. D'après ses descriptions, des lambris de chêne et des poutres au plafond conféraient à la pièce une atmosphère médiévale ; elle était agrémentée d'armures, de vieux portraits d'acteurs célèbres, qui vous regardaient du haut de leur mur, et d'une énorme cheminée. Parfois, tard dans la nuit, d'après Bram, on sentait leur présence lorsque le calme régnait tout autour, et on pouvait imaginer les fantômes d'autres grands interprètes qui s'attardaient encore sur la scène.

Entre eux trois, c'était à qui trouverait et rapporterait le plus grand nombre d'événements étranges et de superstitions à raconter après minuit, lorsque le feu baissait et que les autres convives étaient partis en quête de fiacres pour rentrer chez eux. Même si mes histoires semblaient bien anodines en comparaison, Bram avait l'air de les apprécier et me demandait souvent de les lui répéter le lendemain pour s'assurer qu'il les avait retenues correctement.

En règle générale, nous sortions tous les soirs, et la lune devait agir sur nous et finir par nous mettre un grain de folie dans la tête. Nous nous promenions, nous bavardions et dénichions des endroits à l'écart pour nous asseoir et manger ce que j'avais apporté. J'étais surprise de voir avec quelle facilité ces promenades se transformaient en rituel. Bram aimait marcher sur la lande mais, même si nous étions sortis l'après-midi, je m'aperçus bientôt qu'il avait besoin de marcher le soir, qu'il avait du mal à rester à la maison et que, dans ce cas, il n'arrivait généralement pas à dormir. Il récupérait son sommeil grâce à de petites siestes, comme s'il craignait de manquer quelque chose ou de perdre un temps précieux. Il ne tenait pas en place et se montrait avide de tout jusqu'à la voracité ; affamé d'amour comme de connaissance. Il tentait le diable et prenait parfois des risques qui me laissaient sans voix.

En sa compagnie j'arpentai Whitby en tous sens, si méthodiquement que peu de touristes pouvaient se targuer d'en avoir fait autant, tout en me creusant la mémoire pour trouver des histoires susceptibles d'amuser Bram. Je lui parlais de lutins et de farfadets, de sorcières et de devins, de maisons vides et de cours hantées. Le vieux manoir, sur la lande de Bagdale, s'enorgueillissait de la présence d'un cavalier sans tête, tandis que dans une autre demeure des alentours on voyait circuler des lumières dans les étages vides ; j'avais entendu parler d'une dame grise qui montait les escaliers pavés de pierres rondes d'Union Road ; et un entrepôt entre Baxtergate et le quai Neuf était hanté par un capitaine de baleinière, qui se déplaçait entouré d'un air aussi glacial que les mers du Groenland.

Dans le port, nous regardions les bricks et les goélettes que l'on déchargeait pendant les longs crépuscules d'été, et nous évoquions les mystères de la mer, les vaisseaux fantômes qui naviguaient au large, le gouvernail bloqué, ou le dîner mis sur la table du capitaine alors qu'il n'y avait pas une âme à bord. Je parlai à Bram du capitaine hollandais que connaissait mon frère, qui jurait avoir tenu une conversation un soir dans la timonerie avec le second pour apprendre que l'homme avait été tué dans une rixe plusieurs heures auparavant. Cette histoire me donnait le frisson rien qu'en la racontant.

De l'autre côté du pont, au détour de Low Lane où James Cook avait passé les hivers de sa jeunesse, de très vieux estaminets et des tavernes de réputation douteuse se serraient de guingois les uns contre les autres en face de demeures du XVIIIe siècle à la façade austère. Là, on surplombait un coin du port où, chaque année, la coutume voulait qu'on érige une *penny hedge* ou « haie pénitentielle » de branchages que l'on brûlait au bout de trois jours, en expiation d'un meurtre dont la mémoire se perdait dans la nuit des temps. Là, on avait le sentiment que le passé affleurait partout, et que se mêlaient l'histoire et la légende. Là, je n'avais aucun mal à imaginer un groupe d'ombres plus denses que les autres et qui prenaient forme, animées d'intentions maléfiques ; de petits points lumineux tremblotants – qui n'étaient peut-être que des réverbères mal réglés – pouvaient facilement passer pour les yeux du *barghest*, ce chien fantôme aux yeux d'escarboucle, censé hanter ces ruelles. Je me souvenais de soirs, surtout pendant l'hiver, où Bella et moi étions mortes de peur, car nous avions cru entendre bouger derrière nous ou voir, braqués sur nous, de grands yeux luisants dans les ténèbres de l'un des entrepôts.

« Mais le pire, chuchotai-je en scrutant avec crainte les venelles obscures ou les encoignures de portes, c'est de l'entendre. Il vient hurler et glapir sous les fenêtres de ceux qui vont mourir. Par ici, quand quelqu'un n'en a plus pour longtemps, on dit : "Il a entendu le cri du *barghest*."

— Un peu comme en Irlande, quand on parle de la plainte des *banshees*[1] », dit Bram, avançant sans bruit dans la nuit.

En débouchant sur le quai de Southgate, je lui parlai d'un autre phénomène surnaturel, la voiture fantôme, qu'on voyait longer l'abbaye à toute allure, traverser le cimetière en roulant sur les tombes et se précipiter de la falaise pour plonger dans la mer.

« Elle apparaît toujours après l'enterrement d'un marin d'ici – elle vient le sortir de la terre, tu comprends, pour le rendre à l'océan, où il a sa vraie place...

— Tu veux dire que tous ces beaux monuments à la mémoire des marins défunts ne sont que des stèles sur des tombes vides ? » demanda-t-il en me jetant un regard de biais tandis que nous traversions la rue devant le magasin d'accastillage.

1. Esprit féminin qui s'attache à une famille et apparaît pour gémir devant la maison où l'un de ses membres va mourir. *(N.d.T.)*

« Mais bien sûr », lançai-je avec conviction en le faisant délibérément changer de trottoir, car je préférais répondre à des questions sur le folklore plutôt qu'à propos de Jonathan et des Markway.

Nous passâmes devant les entrepôts et les ateliers de réparation, pour prendre au bout du quai la route des Corbillards, chemin emprunté par les enterrements de notables, car le vieux sentier muletier à côté des marches de l'église était beaucoup trop raide pour être compatible avec la solennité requise en la circonstance ; seuls les gens de peu allaient à pied à l'église pour enterrer les leurs et montaient l'escalier en portant le cercueil. Dans certains villages des alentours, il y avait encore des processions funèbres avec des flambeaux, mais la coutume tendait à disparaître. À la baie de Robin-des-Bois, toutefois, on servait avant de partir des biscuits et du vin, et malheur à la famille qui oubliait d'inviter quelqu'un, car personne ne venait à un enterrement sans y être invité, ce qui pouvait provoquer des rancœurs à vie.

En m'entendant évoquer mon village natal, Bram voulut savoir pourquoi nous n'y étions jamais allés, et pourquoi je ne l'y avais pas emmené. Je fus obligée d'expliquer que s'il craignait, lui, de rencontrer des personnes de connaissance à Whitby, je n'avais pour ma part aucune envie d'être vue avec lui à la Baie.

« Les gens peuvent toujours jaser... tant que l'on ne m'a pas vue avec quelqu'un, je peux nier.

— C'est la politique de l'autruche !

— Et alors ? Quelle différence avec la tienne ? »

Il prit son temps pour répondre.

« Ma foi, aucune... », admit-il enfin.

Saltwick n'était guère qu'à deux kilomètres environ, et, comme la lune était claire, nous poursuivîmes notre chemin dans cette direction. La petite anse ressemblait à un lieu magique, abrité et ravissant, où les vagues frangées d'argent venaient lécher doucement la plage. On avait du mal à croire que l'endroit avait jadis été une vraie fourmilière et, plus encore, le théâtre de batailles meurtrières à l'époque du recrutement forcé. Plusieurs sentiers rustiques permettaient de descendre jusqu'aux vestiges d'une vieille jetée, ce qui, de jour, en faisait un lieu de prédilection pour les baigneurs. Cependant, les falaises étaient dangereuses, truffées comme un gruyère de galeries creusées pour les mines d'alun désaffectées depuis longtemps. Plus récemment, le bruit avait couru selon lequel l'endroit abritait un important trafic de contrebande, ce qui était une raison supplémentaire pour éviter d'y aller après la tombée de la nuit. Mais comme je les avais escaladées mille fois, je les connaissais bien et, par une nuit aussi claire, je ne m'attendais pas vraiment à y rencontrer des contrebandiers.

Bien que la marée fût basse, nous trouvâmes sur la plage un rebord de rocher lisse et sec pour nous asseoir et manger le pique-nique que j'avais apporté : du pain tendre, du fromage du pays, à pâte friable, du jambon et des cornichons, et un crabe que je venais de faire cuire. J'avais été si longtemps réduite au régime poisson et flocons d'avoine qu'imposait la pauvreté que j'appréciais d'autant plus le goût de Bram pour la bonne chère et son plaisir à me voir me régaler à chaque repas. Il aimait que je lui donne la becquée et me suçait les doigts, l'un après l'autre ; après quoi il me donnait à manger à son tour et me glissait dans la bouche les meilleurs morceaux, comme un oiseau nourrissant ses petits, me regardait manger et boire avec un intérêt avide, avant de m'embrasser et de me faire l'amour au milieu des reliefs d'un repas.

Il se laissait aller à un abandon sensuel, reniflant l'odeur de mes cheveux et de ma peau, me caressant avec tendresse. Je ne fus pas longue à apprendre ce qu'il aimait, et étais heureuse de le satisfaire. Ce soir-là, à peine avions-nous fini de manger qu'il m'attrapa, retroussa mes jupes et se mit à caresser mes jambes nues. Ce signal suffisait. Son ardeur était contagieuse, et, quelques instants plus tard, nous cherchions fébrilement la meilleure façon de faire l'amour dans ce lieu désert mais franchement inconfortable. Il y avait des galets, et le sable était mouillé. Après diverses tentatives, nous fûmes pris de fou rire et tentés d'abandonner. Puis je sentis la bouche de Bram écraser la mienne, sa langue s'insinuer entre mes lèvres, entre mes dents, et soudain un désir impérieux nous saisit. Avec un gémissement, il me fit pivoter sur le rebord rocheux et releva mes jupes par-derrière. Je sentis sa main entre mes cuisses, et l'instant d'après il s'enfonçait au plus profond de moi, m'emplissant tout entière, butant contre ma matrice dans un accouplement qui me laissa pantelante. C'était douloureux, presque angoissant, car je ne pouvais ni bouger ni protester ; mais la sensation était si intense que je pris mon plaisir en même temps que lui. Ce ne fut que lorsque je me ressaisis que je me rendis compte de l'empreinte que ses dents avaient laissée au creux de mon cou, et d'un picotement sur les paumes et au visage, là où je m'étais égratignée contre le rocher.

Inconscient de tout cela, Bram me serra dans ses bras avec une tendresse farouche et frotta sa joue contre la mienne. La caresse m'arracha un gémissement qui lui fit remarquer mes égratignures. Aussitôt, il s'excusa, tout penaud, et lécha le sang et les saletés incrustées dans ma joue et ma main, embrassa l'endroit où ses dents s'étaient imprimées sur mon cou.

« Je te demande pardon », chuchota-t-il encore. Mais je trouvai son comportement excessif, et ses tentatives pour me consoler me troublèrent.

Ne sachant trop que penser, je choisis de bouger pour dissiper ma gêne. Je me redressai et entrepris d'ôter mes vêtements.

« Tu sais nager ? lançai-je en guise de défi, amusée de voir son air stupéfait. Chiche que j'arrive la première au Bec là-bas ! »

Pendant qu'il se levait, je courus jusqu'à la mer et m'y jetai d'un coup pour que le froid ne me retarde pas. Je traversai l'anse jusqu'au nez Noir et ne m'arrêtai que pour reprendre mon souffle et repousser les cheveux plaqués sur ma figure. Bram se rapprochait rapidement car il nageait à grandes brassées puissantes et régulières. C'était un excellent nageur et je fus aussi impressionnée que bien décidée à ne pas le montrer. Lorsqu'il tendit le bras vers moi en riant, je lui échappai et me laissai à nouveau glisser dans l'eau pour retraverser la petite baie. En me retournant pour le regarder, je vis que le ciel était déjà plus pâle et que la lune disparaissait à l'horizon. Tout était calme et silencieux dans ces instants précédant l'aube, et je me dis qu'il était temps de partir avant qu'un pêcheur ne nous voie batifoler ainsi en passant ou avant qu'un visiteur matinal et moins compréhensif ne nous dénonce pour mauvaise conduite.

« On dirait une sirène, dit Bram, qui me rejoignait en secouant la tête pour se débarrasser de l'eau de mer qui lui piquait les yeux.

— Dans ce cas, tu dois être Neptune ! » rétorquai-je en tirant doucement une pincée de poils roux sur sa poitrine.

Il me pinça pour la peine et me poursuivit jusqu'au rivage, où nous nous arrêtâmes en riant, hors d'haleine sous l'effet conjugué du froid et de nos efforts. Il était superbe dans la lumière naissante, avec un air dangereux qui évoquait moins le dieu marin que l'envahisseur viking. En regardant l'eau couler sur son corps musclé, j'eus encore envie de lui et je me pressai contre lui, l'embrassant jusqu'à ce que son désir fût égal au mien. Il me pénétra avec la plus grande facilité et l'excitation nous gagna tous les deux. Il me fit l'amour avec lenteur, en se concentrant, pendant ce qui parut une éternité. Je fus comblée. Enfin, lorsque je serrai sa taille à deux jambes, chevilles croisées, ce fut le signal et il m'inonda derechef tandis que la jouissance nous emportait l'un et l'autre.

Alors, je me sentis glisser mollement comme une poupée de son. Couchée contre lui sur cet étroit rebord rocheux, je sombrai dans le sommeil. Peu à peu, je me rendis compte qu'il faisait jour et que le soleil allait apparaître. Et sur la mer, à l'est, comme une bénédiction, le disque magnifique inonda le paysage d'or liquide, et le miroitement fut tel que nous pouvions à peine regarder l'eau.

Nous restâmes immobiles, pétrifiés par la beauté du spectacle jusqu'à ce que cette lumière nous fasse redouter une éventuelle découverte. J'aurais aimé retourner dans l'eau pour me laver, mais nous ne pouvions pas nous attarder davantage, malgré la réticence que j'éprouvais à briser le lien qui nous unissait alors. Pour une fois, j'avais envie de serrer Bram contre moi, de ne plus le laisser partir. C'était une idée sottement sentimentale, et une moitié de moi le savait. J'avais du sel sur la peau, sans doute, mais j'étais sèche et réchauffée. Je me dis que c'était trop bête d'aller me mouiller à nouveau.

13

Les matinées étaient superbes, nimbées d'une brume bleutée qui, de la mer, gagnait l'estuaire jusqu'en amont comme un sortilège. De gros buissons de reines-des-prés et d'angélique sauvage poussaient au bord des champs aux haies feuillues et des sentiers le long des falaises. Au-dessous du Saloon, sur la plage, se déployait un régiment de cabines de bains roulantes peintes de couleurs vives, et, chaque jour, de petits enfants vêtus de sarraus venaient creuser des tranchées et construire des châteaux de sable avec l'application d'apprentis ingénieurs.

Dans le port, des gamins nus plongeaient et replongeaient, tandis que la vie et les activités continuaient comme à l'accoutumée. De petits bateaux à vapeur remorquaient des trois-mâts et des brigantins qui entraient et sortaient avec la marée, et des barques à fond plat partaient pêcher. Chaque fois que je me trouvais en ville, je cherchais du regard les visages de connaissance dans les rues et sur les quais. Je n'avais aucune crainte particulière, mais je me rendais parfaitement compte que mes jours avec Bram étaient précieux, que je tenais à chaque minute avec lui comme à la prunelle de mes yeux et n'avais aucune envie de les laisser gâcher ou salir par des commentaires malvenus. Bref, je ne voulais pas avoir à défendre l'indéfendable.

Or, je m'attachais de plus en plus à Bram, comme je m'en aperçus un samedi après-midi juste avant la Saint-Jean. Il faisait particulièrement chaud et je devais aider Jack Louvain qui avait un rendez-vous important pour prendre des photos dans une grande maison près du village de Dunsley, derrière Whitby. Nous étions convenus de nous retrouver devant le pub à Newholm. Je m'attendais plus ou moins que Jack fût à l'intérieur, en train de boire une pinte de bière ; mais, de même que le gamin au visage rougeaud qu'il avait engagé pour porter son matériel depuis Whitby, il buvait un verre d'eau à la pompe du village.

« Je suis au régime sec moi aussi, dit-il avec un sourire forcé. Les clients n'aiment pas respirer une haleine qui sent la bière, surtout ceux qui demandent aux photographes de venir à domicile ! »

Quand nous arrivâmes, la famille finissait de déjeuner sous des toiles de tente dans le jardin. En un sens, c'était tant mieux, car tout le monde paraissait repu et satisfait ; cependant, il fallut tout mettre en ordre avant de pouvoir enfin commencer. Les mères durent attraper leurs petits et leur essuyer le museau pour qu'ils soient propres et présentables, et la grand-mère fit mille embarras lorsqu'il fallut décider comment on devait s'installer, qui devait avoir la préséance après son mari – c'était son anniversaire après tout – et sur les genoux de quel adulte tel enfant devait s'asseoir.

Je rongeai mon frein et, m'abstenant d'intervenir, je concentrai mon attention sur le cadre. Si la maison avait une architecture des plus simples, le jardin clos, à l'arrière, était un vrai bonheur : des arceaux et des treilles croulaient sous les roses à grosses fleurs et le lierre grimpant. Par les hautes fenêtres ouvertes d'un salon, j'aperçus des tapis, des bergères, des tables bien cirées, de jolis bibelots et un piano à queue couvert de photographies. C'étaient de belles choses, mais ce qui m'ébranla si fort fut ce qu'elles évoquaient : voilà à quoi devait ressembler la maison que Bram partageait avec Florence, et non à un petit cottage de deux pièces avec une minuscule cuisine et un sol de pierre. Brutalement, je fus envahie par la honte, l'envie et un sentiment de désespoir. Jamais Bram ne pourrait abandonner un tel cadre pour la simplicité rustique dans laquelle nous vivions à Newholm, et pourtant, presque à mon insu, je m'étais habituée à ce mode de vie conjugal et souhaitais que le jeu continue.

À cette époque de l'année, cette existence-là était parfaite – *charmante*, pour reprendre le mot de Bram –, mais elle ne pouvait se comparer à un train de vie avec domestiques et pignon sur rue à Londres. Surtout en plein cœur de l'hiver. Si je le croyais, je me faisais de lourdes illusions.

Jack me donna un grand coup de coude et me glissa à mi-voix :

« Pour l'amour du ciel, fais-les s'asseoir comme tu pourras. On ne peut pas mélanger grands et petits, malgré les principes de bonne-maman sur l'âge et la préséance. Et mets cet enfant sur les genoux de quelqu'un d'autre avant qu'il ne tombe et se mette à hurler. Sinon, nous sommes ici jusqu'à minuit. »

Je m'exécutai avec soulagement. Mes pensées étaient vaines et pénibles ; je les repoussai donc et me mis en devoir d'installer les enfants. Avec précision et efficacité, j'assistai Jack jusqu'à ce que la photographie fût prise comme il le souhaitait. Puis, après avoir consommé des assiettées de gâteaux et des verres de limonade qui furent les bienvenus, vint le moment de plier bagage et de prendre congé. L'expédition avait duré des heures et je pensais que nous rentrerions directement à Whitby, mais Jack dit que la lumière était particulièrement intéressante et que, de toute façon, après la séance de pose, il lui restait des plaques qui ne demandaient qu'à servir.

Le gamin qu'il avait amené avec lui traînait les pieds et je commençais à sentir la fatigue de l'après-midi. Malgré cela, Jack ne voulut rien savoir. Il nous fallut le suivre jusqu'à la plage d'Upgang. De là, on voyait la vieille auberge du château de Mulgrave, avec son toit de tuiles de guingois et ses cheminées penchées, accrochée au rebord de la falaise. Elle était illuminée par les rayons du soleil couchant et se détachait sur un ciel sombre ; d'en bas, la scène était spectaculaire et sauvage, comme si l'auberge défiait les éléments et, de plus, abritait derrière ses murs les barils et les rouleaux de soie d'antan. Mais si l'ancien repaire de contrebandiers était fermé comme estaminet depuis un an ou davantage, je le soupçonnais d'être encore utilisé par certains pêcheurs les nuits sans lune. Sa réputation douteuse subsistait, comme celle qui colle à la peau d'un vieux filou jusqu'à la fin de ses jours. Il suffirait d'un autre hiver, d'une autre tempête féroce pour miner le schiste de la falaise, ou d'une période de gel prolongée pour que la vieille auberge disparaisse.

Jack réussit à photographier la plage avant que la marée montante n'eût rendu l'angle impraticable. Une fois parvenus en haut, il insistait pour me faire prendre la pose lorsque j'aperçus Bram qui venait de Newholm et se dirigeait vers nous. Il était content de nous avoir trouvés, plus encore de voir Jack travailler avec moi, et voulut tout savoir des détails techniques et artistiques qu'impliquait ce type de cliché. Fatiguée, affamée et assez abattue après la séance à Dunsley, je n'étais pas de très bonne humeur ; tout ce que je voulais, c'était rentrer à la maison pour qu'il me fasse l'amour.

Je m'agitais nerveusement tandis que Jack semblait bien décidé à tout expliquer à son nouvel élève. Il le laissa même m'observer – la tête en bas, bien entendu – dans l'objectif, rond comme un gros œil de poisson. Devant un auditoire intelligent, il ne résistait pas à l'envie de faire l'important, et se mit à parler de la composition et de l'art de faire des portraits. J'avais beau être le sujet de la photographie, j'aurais aussi bien pu ne pas être là. Je serrai les dents, m'exécutai quand on me dit de me mettre ici ou là, pendant que les deux hommes discutaient des ombres, du centrage, et de l'angle de mes membres contre le fond qu'offrait le mur décrépit de l'auberge. La déception me fit me renfrogner, alors que c'était une mine rêveuse que Jack voulait pour cette photographie, aussi dus-je me recomposer un visage et imaginer quelque chose d'agréable, par exemple des baisers passionnés en guise de goûter et des fraises à la crème pour dîner.

Comme je n'avais pas besoin d'aller au studio le lendemain, je quittai Newholm avec Bram un peu plus tôt que d'habitude pour notre promenade du soir. L'air était pur, sans un souffle de vent, et pendant presque tout le trajet les murs de l'église et de l'abbaye demeurèrent éclairés par les derniers rayons du soleil, tandis que s'y reflétait la mer. À notre arrivée sur la falaise est, la lumière avait disparu et la marée emplissait le port ; les visiteurs du dimanche partaient, et des groupes de vieux marins parlaient du temps, comme toujours, disant que cette chaleur exceptionnelle ne pouvait pas durer. Comme nous recherchions la solitude, il nous fallut aller jusqu'à l'extrémité du cimetière et nous asseoir sur le banc favori de Bram, regardant les barques de pêche et une petite goélette sortir entre les deux jetées.

Il nous suffit de quelques minutes pour nous fondre dans l'obscurité : deux ombres d'un gris un peu plus foncé que les pierres tombales. D'en bas nous parvenaient des voix, des bribes de chansons, mais autour de nous tout était paisible, comme si nous étions déjà des fantômes. Je me sentis en proie à un sentiment très étrange, et totalement impuissante à le dissiper. Au bout d'un moment, Bram rompit le silence avec un long soupir qui nous fit reprendre à tous deux nos esprits.

« Quand nous montons ici, murmura-t-il, c'est chaque fois pareil... Cet endroit a quelque chose d'extraordinaire... »

Son accent irlandais, en général imperceptible, devenait toujours plus prononcé lorsqu'il était ému. Et ce soir-là, il était très distinct et reconnaissable.

« Ce lieu m'attire... il me donne envie de rester... »

Je perçus la nostalgie dont sa voix était empreinte et je voulus me mettre au diapason, mais je redoutais presque de parler.

« Alors, reste, chuchotai-je en me pressant contre son flanc.

— Si seulement ! (Il se tourna, glissa un bras sur le dossier du banc et m'attira contre lui.) En cet instant, c'est ce que je désire le plus au monde. »

J'en eus presque le souffle coupé et murmurai :

« C'est vrai ? »

Il écarta quelques mèches de cheveux de mon cou et je vis qu'il me couvait d'un regard ardent.

« Tu sais bien que oui. Cet endroit et toi : que pourrais-je demander de plus ? Tu m'as tant donné, et je te désire tout le temps. Je crois que je te désire plus que je n'ai désiré aucune femme dans ma vie... »

Mon cœur battit la chamade. Voilà ce que je voulais entendre, mais cette allusion à d'autres femmes dans sa vie me fit aussitôt penser à son épouse.

« Plus que Florence ? » demandai-je.

Aussitôt je m'en voulus d'avoir été incapable de retenir ces mots.

Il me lâcha et se leva en grimaçant soudain.

« Oh, oui, dit-il sèchement, encore plus que Florence. »

Furieuse contre moi-même, je regrettai amèrement de n'être pas plus mûre, plus avisée, plus habile, ou de ne pas savoir au moins contrefaire un sourire et me taire. Je le regardai avec désespoir s'éloigner de moi.

À quelque distance, de l'autre côté du chemin, une vieille tombe surélevée couverte d'une pierre plate se dressait tout près du bord de la falaise, comme un rappel d'autres tombes qui avaient disparu. C'était un endroit dangereux mais attirant, et Bram s'y arrêtait souvent au coucher du soleil pour fumer, appuyé contre la tombe en attendant que j'arrive du studio. Il était perdu dans ses pensées secrètes, et je ne voyais que sa silhouette sombre adossée à cette tombe. Assise sur le banc, je le regardais. J'aurais tant voulu qu'il me parle, m'explique la situation, me dise ce qu'il voulait et ce qu'il comptait faire. Et avant tout, j'aurais voulu avoir le courage de le lui demander.

Je l'observai en essayant de deviner son humeur au pli de ses épaules. Au bout d'une minute ou deux, il se détendit, se retourna et me fit signe de le rejoindre.

« Tu es encore très jeune, tu sais, murmura-t-il en me baisant le front. J'ai tendance à l'oublier. »

J'aurais préféré l'entendre dire que j'étais insolente, car cela impliquait au moins une forme grossière de sagacité ; tandis qu'être jeune c'était être ignorante, et je n'avais que trop conscience que je péchais par là. Je me sentais vulnérable et allai me percher en silence sur le bord de la tombe. En contrebas, à quelque distance, se trouvaient la jetée est et la bande pâle du havre du Charbonnier : à notre gauche, on voyait le môle de Tate Hill et la perspective de Henrietta Street, élégante mais courte.

« Ce devait être une adresse très prisée jadis », dit-il d'un ton songeur en suivant mon regard et en observant la ligne inégale des maisons au-dessous de nous. La rue avait été construite dans le prolongement du quai et bordée de demeures élégantes à l'époque du roi George, troisième du nom, sur une corniche appelée le Haggerlythe ; aujourd'hui, elle était surtout connue pour ses fumoirs en bois et ses harengs fumés au chêne. Sentant une bouffée de cette odeur, Bram ajouta d'un ton pince-sans-rire :

« Je ne pense pas que les vieux harengs aient prêté beaucoup d'attention à la vue, hein ?

— En tout cas, les harengs, ça sait nager ! » répondis-je, soulagée de son changement d'humeur.

Et, pour abonder dans son sens, je lui montrai la brèche entre la falaise et la jetée et entrepris de lui raconter le jour où Henrietta Street s'était effondrée sur le port.

« La rue continuait tout le long de la corniche, jusqu'aux marches. Mais, à l'époque, la brèche n'était pas aussi large. »

Je me souvenais nettement d'avoir été tirée du lit en pleine nuit par ma mère, qui m'avait prise dans ses bras et avait quitté en courant sa maison du Cragg. On entendait des hurlements, des voix agitées, un bruit de tonnerre et, au port en face, on voyait la lueur des torches...

Je pris une grande inspiration et me lançai.

« Ça s'est passé un soir quand j'étais enfant, pas très longtemps avant Noël. On a entendu un grand bruit sourd, une sorte de grondement, et la moitié de la falaise a disparu dans la mer. Le bout de la rue s'est effondré le premier en emportant presque toutes les maisons. Le bruit et la secousse ont été terribles. On aurait dit un tremblement de terre. On l'a senti de l'autre côté du port. Tout le monde est sorti voir ce qui se passait. On croyait que la falaise entière allait s'écrouler. C'était affreux, affirmai-je, bien que mes souvenirs personnels fussent assez limités. On aurait cru entendre les trompettes du Jugement dernier, comme on dit : il y avait des crevasses qui s'ouvraient, des maisons entières qui se fendaient et glissaient en bas de la falaise, d'énormes morceaux de rochers et de shiste qui dégringolaient et, le pire, c'est que le cimetière s'est écroulé ! Les cercueils tombaient comme s'il en pleuvait ! Tous ont éclaté sur la corniche ou en bas, sur le Scaur. Il paraît que c'était difficile de distinguer les os et les crânes des *haggomsteeans* au milieu des rochers. »

Bram, qui scrutait le pied de la falaise avec une certaine crainte, dressa l'oreille comme toujours en entendant un mot de dialecte.

« Qu'est-ce que c'est ?

— Oh, des pierres magiques, des porte-bonheur, tu sais, celles qui ont un trou parfaitement rond et que tu cloues au montant de la porte pour repousser les mauvais esprits. On en trouve sur le Scaur, ainsi que des dents de géant et des boulets de canon, dis-je d'un air faussement détaché. Tu sais, les pierres qu'on appelle les ammonites. Mais pendant des années on a aussi trouvé des crânes, des os et des dents d'homme avec le reste.

— Des dents ? »

Et avec un petit grognement de surprise, il fouilla dans sa poche pour en tirer son calepin et son crayon, et se mit à écrire en plissant les yeux dans la pénombre et en marmonnant des remarques indistinctes sur les fossiles, la mort et la résurrection, tandis que je regardais par-dessus son épaule avec un sourire en coin. C'était tout à fait vrai que les deux falaises étaient instables et que, chaque hiver, il y avait de petits éboulements et de nouveaux risques de chutes de pierres. À mon sens, cependant, les gens qui ajoutaient foi à de pareilles chimères – sur la vie ou la mort – devaient être prêts à en payer le prix. D'autres faits macabres me revenant en mémoire, je poursuivis :

« En fin de compte, la mer a tout emporté. Cela valait mieux, d'ailleurs, car la plupart des tombes étaient celles du coin où l'on avait enterré les morts du choléra, le plus loin possible de l'église et le plus près de la mer. Pas étonnant que les gens n'aient pas voulu y toucher. »

En entendant le mot « choléra », il regarda lentement autour de lui et rangea son calepin.

« En Irlande, dit-il d'une voix chargée de tristesse, il y a eu une épidémie terrible quand ma mère était jeune. Des familles entières en sont mortes à Sligo. Maman m'a raconté que dans une maison voisine, une petite fille est restée toute seule. De chez nous, on l'entendait pleurer à fendre l'âme, et maman a insisté pour qu'on la laisse lui porter secours, mais la pauvre petite est morte dans ses bras peu après.

— Et ta mère, elle n'a rien attrapé ? » demandai-je, impressionnée par un tel courage.

Quand il parlait d'elle, Bram en donnait une image qui me plaisait. Ce devait être une femme selon mon cœur, avec du sang dans les veines et un esprit indépendant. J'aimais bien ce qu'il me disait de Charlotte Stoker, et avais toujours soif d'en savoir davantage sur elle.

« Non, me dit-il, elle n'a rien eu, sans doute parce que sa propre mère était une maniaque de la propreté, qui, pour elle, rimait avec sainteté. Elle faisait tout bouillir, sinon elle désinfectait par fumigation. Ma mère disait toujours qu'elle était trop jeune alors pour pouvoir songer sérieusement à mourir. Je sais qu'elle avait peur du fabricant de cercueils, qui lui donnait la chair de poule. Il venait taper à la porte de la maison en demandant s'ils avaient des morts à enterrer ou, sinon, s'ils voulaient faire prendre leurs mesures pour avoir des cercueils bien à leur taille. Cette vieille fripouille jurait que, si on le payait de suite, il veillerait à ce qu'ils aient de la première qualité.

« On lui disait de partir et de ne plus revenir, mais il ne se décourageait pas. Un beau jour, maman a ouvert la fenêtre et lui a dit que si elle le revoyait, elle lui enverrait un cadeau, et que ce ne serait pas de l'argent. Ce qui ne l'a pas empêché de recommencer. Alors il a reçu une grande bassine d'eau sale sur la tête. Il était furieux ! Il a montré le poing à ma mère et lui a dit que, si elle mourait dans l'heure, elle pouvait être sûre qu'il ferait en sorte qu'elle n'ait rien pour se faire enterrer, pas même une boîte. Maman a répondu que, de toute façon, elle s'en moquait bien, et elle a refermé la fenêtre. Il n'est pas revenu. Mais après lui, ce sont les pillards qui sont apparus, et ils étaient autrement redoutables. Au début, ils n'ont pris que de petits objets dans les maisons vides du voisinage : de la nourriture, des vêtements, de l'argent, ce qui se comprenait en un sens car tant de gens étaient vraiment pauvres. Chaque jour ils s'enhardissaient ; ils arrivaient en groupe, avec des charrettes, pour déménager des maisons entières, emportant aussi bien les pendules et les tableaux que les fauteuils et la vaisselle ; et tout cela en buvant du whisky au goulot. Et il n'y avait pas que des hommes, mais aussi des femmes, rapaces, les yeux exorbités, folles même, capables de tout.

« Chez maman, toute la famille s'est barricadée en organisant des tours de garde. À force, ils n'en pouvaient plus. C'était le mois de juillet et il faisait chaud ; il ne restait presque plus rien à manger dans la maison, sauf de la farine et des haricots, et quasiment plus de bois pour les faire cuire. Personne n'osait plus sortir, de peur d'attraper le choléra ou de se voir attaqué par les voleurs ; personne n'osait plus dormir au-delà de quelques instants d'affilée, au cas où des bandes de hors-la-loi se risqueraient à donner l'assaut à la maison et à tuer tout le monde pour mettre la main sur quelques malheureux meubles !

« Ils étaient tous terrorisés, tu sais, et craignaient pour leur vie. C'est alors que... enfin, il s'est produit quelque chose et ils ont compris qu'il fallait qu'ils partent à tout prix. »

Il marqua une pause et se tint immobile quelques instants. Je le sentais tendu. Impatiente d'entendre la fin de l'histoire, j'observai son profil dans l'obscurité croissante. Il regardait le port et se demandait manifestement s'il devait me révéler ces détails. Il chercha son étui à cigarettes et reprit :

« Maman ne m'a jamais raconté la suite ; je la tiens d'un oncle qui était beaucoup plus jeune et a assisté à la scène. »

Il alluma une cigarette, inspira la fumée et exhala un nuage pâle dans la nuit chaude.

« Une bande de pillards a essayé d'entrer par effraction. Ce devait être une tentative concertée, avec deux ou trois groupes attaquant la maison de différents endroits. Toujours est-il qu'un homme a voulu entrer par la tabatière au-dessus de la porte d'entrée, et maman a eu si peur qu'elle a pris une hache et lui a coupé la main. Je ne sais pas si elle l'a fait exprès ou si elle voulait juste l'effrayer, mais elle n'a pas raté son coup. L'homme s'est mis à pousser des hurlements affreux. Avant de retomber à l'extérieur, murmura Bram d'une voix rauque, il est resté accroché là, l'œil fixe, avec le sang qui lui giclait sur la figure et les vêtements. »

Frappée de stupeur, je le regardai bouche bée : il semblait loin, très loin, bien au-delà du port, bien au-delà du temps présent, perdu dans une époque qui n'était ni la sienne ni la mienne.

14

Cette histoire m'avait soulevé le cœur. Troublée, je m'efforçai de repousser l'image de cet homme coincé dans la tabatière, et qui hurlait en perdant son sang. Voilà qui donnait une image différente, plus sinistre, de la jeune Charlotte Stoker, celle d'une femme capable d'une détermination féroce et sans merci. Brusquement, je ne sus plus trop que penser d'elle ; et de son fils non plus.

« Il est mort ? demandai-je d'une voix mal assurée.

— Qui ? Le voleur ? fit Bram en se levant. Je ne sais pas. Peut-être. Probablement, oui. Je ne pense pas qu'il ait eu la possibilité de se faire soigner.

— Ils se sont sauvés ? Je veux parler de ta mère et de sa famille.

— Quoi ? Oh, oui. Ils ont vite pris quelques affaires et sont partis avant l'aube. Ils ont eu beaucoup de mal à rejoindre leur famille à Ballina, mais oui, ils ont réussi à se sauver... »

Il s'écarta d'un ou deux pas, ombre dans l'obscurité où l'on ne distinguait que la pointe incandescente de sa cigarette. Je frissonnai, impressionnée par ce récit qui me semblait bien réel et bien présent, beaucoup plus que l'effondrement du cimetière, dont j'avais été témoin enfant mais que je connaissais surtout par ouï-dire.

Il se retourna et ajouta :

« Tu sais, à cette époque, c'était plus ou moins l'anarchie, Damaris, et je pense qu'ici cela ne devait guère être mieux. Quand ils ont peur, les gens commettent des horreurs. »

Je hochai la tête et me rendis compte qu'à la lumière de son histoire je voyais désormais le môle de Tate Hill et les marches de l'église sous un jour nouveau. Je pris sur moi pour empêcher ma voix de trembler et dis abruptement :

« C'est ici qu'on transportait par bateau les victimes du choléra, pour leur faire traverser le port la nuit et ne pas avoir à rentrer dans la ville. Il fallait quand même monter les cent quatre-vingt-dix-neuf marches pour les enterrer. À ce qu'on raconte, on en a enterré au moins un vivant.

— Comment est-ce possible ? demanda Bram, saisi.

— Il paraît que ceux qui portaient le cercueil ont senti remuer à l'intérieur quand ils ont grimpé les marches ; mais ils ne se sont pas arrêtés pour l'ouvrir parce que le couvercle était déjà cloué. On a peine à le croire, non ?

— Ma foi, le pire c'est que je le crois volontiers... », dit-il doucement tandis que je rentrais la tête dans les épaules avec une grimace.

Je m'efforçai de chasser ces idées de mon esprit, mais le mot « cloué » m'évoquait d'autres récits que j'avais entendus, des histoires d'assassins et de malfaiteurs, de suicidés aussi, qui avaient été littéralement « cloués » à leur cercueil et au sol par des pieux en chêne ou en bois d'églantier.

« D'après mon vieil oncle Thaddeus, dis-je, tous ceux qui ne pouvaient reposer en paix dans leur tombe – ceux dont l'âme appartenait au diable plutôt qu'aux saints – étaient enterrés à des carrefours sur la lande, sans aucun signe indiquant leur sépulture. Sinon, on les enterrait avec un pieu dans la poitrine pour les empêcher de sortir de leur tombe et de revenir hanter les vivants.

— Ici ? chuchota Bram en me regardant avec des yeux brillants et impressionnés. Des malfaiteurs ont été empalés ici ?

— À ce qu'il paraît. Il y a longtemps de ça, me hâtai-je d'ajouter pour le rassurer. Mais oui, ils ont été empalés. À certains on attachait les jambes et les chevilles avec des chaînes pour qu'ils ne puissent pas marcher. À d'autres on coupait la tête.

— Ils étaient décapités ? Pour les empêcher de sortir de leur tombe ? C'était un rituel et non un châtiment ? »

Je hochai la tête. Alors, il me saisit le bras et me le serra à m'en faire mal.

« Tu sais quand cela se passait ? Comment le sais-tu, d'ailleurs ? C'est de mémoire d'homme qu'on raconte cela ou ces histoires remontent-elles à plusieurs siècles ? »

La question était difficile, et sa curiosité insatiable m'effrayait plus encore que le sujet lui-même. Il fit les cent pas en s'approchant dangereusement du vide tandis qu'assise sur le rebord de la tombe je m'y cramponnais comme à un perchoir. Je lui expliquai nerveusement l'intérêt de l'oncle Thaddeus pour l'histoire et le folklore de la région : il avait publié plusieurs opuscules et articles, et mes souvenirs venaient de ce que je lui avais entendu raconter ou de ce que j'avais lu en cachette étant enfant, car grand-mère ne voulait pas entendre parler d'histoires aussi macabres.

« Ce devait être il y a longtemps, dis-je. Il y a sûrement des exemplaires des publications de mon oncle à la bibliothèque. Tu pourrais les consulter... »

Il me promit de le faire et s'arrêta pour regarder la mer. J'avais froid et hâte de rentrer. Je me laissai glisser de la pierre glacée et lui pris le bras pour le tirer vers le chemin.

Alors, il se tourna vers moi :

« Dis-moi, me demanda-t-il d'une voix basse et vibrante, as-tu jamais entendu parler des vampires ? »

Brusquement, j'eus le souffle coupé et une énorme lune apparut juste à ce moment-là, tel un visage monstrueux derrière l'abbaye. L'espace de quelques instants, elle parut capable d'avaler falaise, église et cimetière, ainsi que nous par surcroît, sans même un hoquet. Surpris et impressionnés, nous la regardâmes s'élever au-dessus de l'horizon et rapetisser mystérieusement jusqu'à ce que son grand sourire jaune cesse de nous menacer et ne soit plus qu'un lointain rictus amusé.

Un signe, me dis-je, le cœur battant à tout rompre, un avertissement. Si le sens m'échappait, j'étais intensément consciente de ces gros yeux qui nous observaient du ciel. On dirait les yeux de Dieu, pensai-je, affolée au souvenir des homélies de mon enfance. L'abécédaire au point de croix sur lequel étaient brodés ces mots : « Ô DIEU TU ME VOIS », orné d'yeux de cyclope, m'avait toujours donné la chair de poule. Je me demandais si viendrait vraiment un jour du Jugement où chacun devrait rendre des comptes, un jour où les morts sortiraient de leur tombeau pour répondre de leurs méfaits avant d'être précipités en bas de la falaise, rejetés dans les ténèbres de la damnation éternelle.

Là, debout au milieu des tombes, à m'imaginer des squelettes et des cadavres en décomposition en train de sortir de leur sépulture, j'étais comme paralysée de terreur. Je me cramponnai au bras de Bram et il tourna vers moi des yeux qui étincelaient au clair de lune.

« Il n'y a aucune raison d'avoir peur, dit-il d'une voix douce. Ce n'est que la lune... »

J'eus le sentiment qu'il me regardait d'un air étrange. Il prit mon menton dans sa main et m'embrassa, lécha ma lèvre inférieure et l'aspira entre ses dents. Il faisait souvent cela et je m'y étais accoutumée. Si cela me plaisait assez au cours d'un après-midi d'amour, ce soir-là je n'en étais plus si sûre. Je craignis qu'il ne veuille me prendre là, sous la pleine lune, à côté de l'une des tombes. Saisie par l'appréhension et un certain malaise, je voulus m'éloigner mais ne pus me dégager de son étreinte. Du pouce il retroussa ma lèvre pour baiser la chair tendre à l'intérieur. Comme je lui rendais son baiser, je sentis la légère morsure de ses dents.

Choquée, je me débattis, mais il me serra contre lui, s'excusa, et m'embrassa plus doucement, me chuchotant qu'il m'aimait, qu'il voulait ne faire qu'un avec moi et que je ne fasse qu'un avec lui. Je m'essuyai la bouche, passai ma langue sur la morsure et lui dis d'une voix tremblante que je n'avais aucune envie d'être aimée de cette façon-là, et que je lui saurais gré de ne plus recommencer. Tandis que nous quittions le cimetière et son atmosphère insolite, je commençai à me demander ce qui nous arrivait, et si la lune n'exerçait pas son étrange pouvoir sur nous comme sur les marées, en nous rendant aussi fous l'un que l'autre.

Ce que j'avais dit à Bram des publications de l'oncle Thaddeus l'avait fort intéressé, et, dès le lendemain, il se rendit à la bibliothèque de la route de la Jetée pour emprunter plusieurs ouvrages de différents auteurs. L'après-midi, au lieu de sortir comme il en avait l'habitude pendant que j'étendais le linge, il se mit à lire et se plongea dans différentes histoires, livres et récits de voyage sur la région en prenant des notes.

Il paraissait intrigué par l'idée des morts qui se mettaient à marcher, pas seulement les âmes qui ne pouvaient trouver le repos, mais les corps qui sortaient de leur tombe pour « revenir » physiquement. Je l'entendis se demander tout haut en feuilletant les volumes d'où venaient de telles croyances. Pour ma part, l'esprit encore sous le coup de la conversation de la veille sur l'épidémie et les enterrements prématurés, je me souvins d'un des récits les plus horribles de mon enfance ; il appartenait à l'histoire familiale et était donc probablement vrai, ce qui le rendait d'autant plus terrifiant.

À la fin du siècle dernier, la jeune Alicia Sterne, célibataire, était morte subitement, sans raison apparente, sinon que son cœur avait simplement cessé de battre. Le fait était déjà curieux en lui-même ; or, de surcroît, la mort ne modifia en rien son apparence. Le jour prévu pour ses funérailles, alors que la maison était pleine de parents et d'amis réunis pour l'enterrement, le croque-mort refusa de fermer le cercueil. Il insista pour qu'on rappelle le médecin, qu'on examine de nouveau la défunte pour certifier sa mort, car avec ses cheveux blonds et brillants, ses joues et ses lèvres roses et ses yeux bleus, brillants et grands ouverts, elle avait l'air effroyablement vivante. À ce qu'on disait, le docteur lui avait alors percé le cœur pour être bien sûr de sa mort, et depuis lors on chuchotait sous le manteau le mot que Bram avait utilisé : *vampire*. Les enfants se faisaient des frayeurs avec cette histoire, qu'on racontait en général le soir ou lors des veillées mortuaires, année après année. La pauvre Alicia Sterne avait fini par entrer dans la légende et, dans le vieux cimetière qui dominait la baie de Robin-des-Bois, les gens faisaient un détour pour éviter sa tombe.

Bram aurait voulu y aller tout de suite pour la voir, mais, comme je le lui dis, il y avait beaucoup de tombes de la famille Sterne au cimetière et je n'avais aucune idée de l'endroit où il fallait chercher. Néanmoins, lorsqu'il vint m'attendre le soir après mon travail, il se dirigea d'un pas inexorable en direction de la Baie, à travers la lande, avec la mer étincelante en contrebas. Le village était cependant plus éloigné qu'il ne l'avait cru, et le dernier train était parti depuis longtemps. Il nous fallut donc rebrousser chemin, Dieu merci. En dépit de la distance il aurait été plus raisonnable de rentrer par la route, à ceci près que Bram, qui avait acheté une carte de la région, tenait absolument à prendre le raccourci, un raidillon qui passait par les bois du moulin du Coq.

J'étais tout aussi hostile à cette idée bien que la nuit fût claire et qu'on y vît presque aussi bien qu'en plein jour. Alors Bram me mit au défi, se moqua de moi et insista jusqu'à ce que je finisse par céder de mauvaise grâce. En voyant les bois, j'essayai de ne pas penser à ce qui pouvait nous y attendre, car, de la lande au bord de la rivière, il y avait une descente de près de deux kilomètres par le sentier ténébreux que seules des flaques de lune miroitantes d'un blanc bleuté éclairaient, brillant sous les arbres fantomatiques.

Tout était déformé et chaque pas incertain, on avançait comme dans de l'eau. Le vieux sentier pavé, trop étroit, ne nous permettait pas de marcher côte à côte sans risque, et l'obscurité limitait tant notre vision que chacun n'était pour l'autre qu'une voix qui descendait et s'éloignait, circulant entre des taches de lumière mouvantes. Au début, Bram passa en tête pour me protéger, mais lorsqu'il commença à mieux voir les marches il me céda le pas. Il était assez insouciant pour parler, alors que j'étais épouvantée à l'idée de tomber et me sentais trop terrifiée pour répondre autrement que par monosyllabes.

Il me dit que les bois et les cascades lui rappelaient les forêts allemandes où il était allé l'année précédente avec Ellen et Irving. Je le priai sèchement de ne pas me raconter encore une de ses histoires morbides ; il s'empressa de faire le contraire, naturellement. Sa préférée, *Carmilla*, était l'œuvre du rédacteur du journal pour lequel il avait autrefois écrit des critiques de pièces de théâtre, et il m'en fit le récit comme si je devais comprendre qu'il était tout à fait normal d'inventer des histoires pareilles, comme s'il n'y avait réellement rien à craindre. Cela n'éveilla guère mon courage, et de plus renforça le sentiment que j'avais sur moi-même d'être d'une ignorance lamentable : il savait tout et connaissait tout le monde, tandis que moi je ne savais rien.

Je ne voulais pas écouter, mais ses paroles avaient une cadence qui s'accordait parfaitement à celle de notre descente, et sa voix qui résonnait dans le bois possédait une qualité hypnotique. Dans les ténèbres bruissantes, il raconta l'histoire d'une jeune femme bien née, fille unique d'un père âgé, dont la famille et les voisins habitaient à bonne distance. Aussi, lorsque arriva un jour dans leur château une dame en détresse fort distinguée, ils accueillirent l'événement comme une heureuse diversion. Si le père et la fille ignoraient tout de leur visiteuse, la mystérieuse Carmilla fut aussitôt traitée avec égards et amitié.

Son séjour au château dans la forêt se prolongea, et la jeune héroïne, qui était influençable, tomba rapidement sous son emprise. Toutefois, elle n'était pas sans éprouver une certaine répulsion à l'égard de Carmilla, malgré son exceptionnelle beauté et l'éclat de ses yeux, surtout lors de ses embrassements ardents. La superbe créature pouvait être aussi insinuante et insistante qu'elle était passionnée, et prodiguait les baisers, les caresses et les gestes langoureux et sensuels d'une femme expérimentée et avide de volupté. La jeune fille était déconcertée, dit Bram, mais à force d'être l'objet d'une séduction sans relâche, dans son cœur, malgré elle, elle brûlait de répondre à l'amour qu'on lui portait...

« Le désir et le dégoût étrangement mêlés », cita Bram, et je compris aussitôt. L'amitié, la beauté, la sensualité, le plaisir de se savoir aimée et désirée se doublaient d'une impression de consternation puissante. Et même, en fin de compte, de répulsion. J'avais beau comprendre ces sentiments, c'était troublant d'en entendre la description de la bouche de Bram. Au nom de Carmilla, je me surpris même à évoquer le visage et le corps de Bella, m'attendant à chaque pas à la voir surgir en découvrant les dents de l'ombre où elle était tapie.

« Puis la cour faite par Carmilla se mit à changer de façon subtile, reprit Bram. Au milieu de ces émois romantiques, la jeune fille commença à avoir des rêves troublants ; à se sentir mélancolique, léthargique et vaguement éprise de la mort. La belle comtesse Carmilla était aussi maléfique et perverse qu'elle était séduisante ; elle utilisait des vampires pour hypnotiser la jeune fille, lui rendre visite la nuit, posséder sa jeunesse et sa beauté, absorber sa vie même... »

On aurait dit que Bram était excité par son récit et attendait ma réaction, mais j'étais trop effrayée pour pousser des « oh » et des « ah ». Je descendais l'étroit sentier aussi vite que je l'osais, m'efforçant de ne pas penser aux fantômes de jadis en passant devant le vieux moulin et les cascades, ni aux horreurs sans nom tapies sous le pont en contrebas.

Enfin, une fois le pire derrière nous, je respirai un peu plus librement. Mais, quand les arbres s'éclaircirent et que nous eûmes atteint le bord de la rivière au cours lisse, Bram me dit d'une voix qui me glaça :

« Tu sais, Damaris, l'amour demande des sacrifices, et il n'y a pas de sacrifice sans effusion de sang.

— Qu'entends-tu donc par là ? » demandai-je.

Bien que ma poitrine fût encore palpitante, j'avais repris courage en voyant non loin de moi l'eau de la rivière refléter la lumière.

« Oh, ce n'est qu'une citation, dit-il en allongeant le pas tandis que je me dirigeais vers le pont de Ruswarp. Cette phrase de l'histoire m'est toujours restée en mémoire. Mais c'est la vérité, tu ne trouves pas ? »

Et il développa cette idée à propos de l'amour et du mariage, du sacrifice de la virginité de la femme, de la naissance et de la mort, et du sacrifice absolu d'amis qui donnaient leur vie l'un pour l'autre.

Je me sentais suffisamment édifiée lorsqu'il dit :

« Et il ne faut pas oublier le plus grand sacrifice entre tous, le sang du Christ que nous buvons sous les espèces du vin ? Ou de sang véritable, d'ailleurs, si tu es catholique. »

En dépit de ce que je me plaisais à appeler mon incroyance, je crus déceler une allusion blasphématoire qui justifiait une protestation scandalisée de ma part. Sans doute la peur ajouta-t-elle de la force à mes paroles ; toutefois, j'avais à peine fini ma phrase que Bram me saisit le bras et me força à me retourner pour lui faire face. Il avait le souffle court, et je me rendis compte que lui aussi était furieux.

« Je ne t'ai jamais prise pour une fille à l'esprit étroit, Damaris. Jeune oui ; peu cultivée, certes ; mais ni ignorante ni mesquine. Tu ne comprends donc pas que si je te parle de cela, ce n'est pas pour te provoquer ; c'est parce que ce sujet m'intéresse et m'intrigue. Le sang est l'essence même de la vie, c'est pourquoi nous redoutons de le voir couler ; c'est pourquoi il est si précieux à nos yeux, et a une charge mystique tellement forte.

« Cela ne signifiait donc rien, que tu m'aies donné ta virginité ? poursuivit-il d'une voix plus douce en me caressant le visage et le cou. Que tu me l'aies donnée à moi, un inconnu ? Jamais je n'aurais pu la prendre si j'avais su la vérité, c'était un cadeau beaucoup trop précieux. Tu m'as dit alors que tu voulais que je t'aime – et c'est ce qui est arrivé : je t'aime. J'ai partagé avec toi des choses que jamais je n'ai partagées avec personne d'autre... »

J'éprouvai soudain une certaine honte de m'être donnée si légèrement et pour des raisons aussi futiles. L'épisode avait de toute évidence eu beaucoup plus d'importance pour lui que pour moi, et maintenant je le blessais en ne comprenant pas le cadeau qu'il me faisait en retour.

« Tu es dépositaire de mon moi le plus secret. Garde-le précieusement, je t'en prie... »

Je promis de faire de mon mieux, mais me sentis à part moi bien indigne d'un aussi lourd cadeau. Quand Bram se mettait à philosopher, j'étais parfois mal à l'aise et, j'avais beau me dire que je ne devais pas me laisser affecter, je le trouvais un peu trop attiré par le sens du sang vital, des effusions de sang et de la mystique du mariage.

Cette nuit-là nous rentrâmes avant le chant du coq et, après quelques heures de sommeil, je n'eus aucun mal à repousser mon malaise de la nuit et à le considérer comme le fruit de la fatigue.

Bram était d'ordinaire debout le premier, et quand je me levais il était habillé, avait allumé le feu et rempli la bouilloire posée sur la plaque. Ce matin-là ne fit pas exception. En entrant dans la cuisine, je le vis à son bureau, en train d'écrire, une cigarette à la bouche et une tasse de thé à côté de lui. Il leva la tête pour m'embrasser, et je me dis qu'il était tout à fait normal, comme le monde de l'autre côté de la fenêtre, qu'il avait de l'imagination, voilà tout, et qu'il était intrigué par certains aspects de la vie auxquels personne ne pensait jamais. Ou plus précisément auxquels personne n'avait jamais le temps de penser.

Lorsqu'il sortit, j'en profitai pour regarder les notes qu'il avait prises. Sur son bureau était ouvert un vieux livre au titre étrange : *Description des principautés de Valachie et de Moldavie*, dont l'auteur avait jadis été consul britannique à Bucarest. Je regardai une page ou deux, et il me sembla que c'était l'histoire de l'époque où princes catholiques et orthodoxes se faisaient la guerre entre eux en même temps qu'aux Turcs, et où un suzerain avait du mal à garder longtemps son territoire.

Cette période sanglante avait captivé l'imagination de Bram, cela se voyait à ses notes. Je ne sais pourquoi, ma langue se glissa à l'intérieur de ma lèvre, à l'endroit précis où il m'avait fait saigner la veille ; puis je retournai dans la chambre et ouvris mon col pour regarder les traces pourpres des suçons sur mon cou et ma gorge.

15

Bien que passant peu de temps à Whitby, j'étais vigilante et regardais si je voyais des gens de connaissance quand je faisais des courses ou allais au studio le soir. Lorsque c'était le cas, je m'engouffrais dans une rue adjacente, mais parfois je ne pouvais éviter le face à face, et il était amusant de comparer les différentes réactions à mon départ du Cragg. Comme amie de Bella, j'avais été plus ou moins acceptée sans qu'on cherche trop ouvertement à savoir d'où je venais ; or, le bruit avait visiblement circulé que je « tenais la maison » d'un monsieur de Londres, ce qui semblait avoir déchaîné la curiosité chez plus d'une. Soudain, des femmes qui étaient voisines des Firth – comme Mrs Penny, la femme du marchand de charbon, Sarah Blyth la couturière ou Betsy Cullen, qui habitait de l'autre côté de la cour – se faisaient un plaisir de m'arrêter dans la rue et de me demander de mes nouvelles. Auparavant, elles n'avaient jamais évoqué mon identité et mes origines, ou que très rarement ; maintenant elles étaient curieuses des Sterne et voulaient savoir ce qui m'avait amenée à venir habiter au Cragg, et comment je me trouvais dans ma nouvelle place. Qu'y avait-il de particulier à servir un riche étranger ? Était-il très exigeant ? Aimait-il la bonne cuisine simple ou lui fallait-il des plats compliqués, et était-il difficile à satisfaire ? Les questions s'accompagnaient de sourires en coin et de regards envieux. Ce qui les intéressait, au fond, bien entendu, c'était de savoir si je couchais avec lui, et comment il était au lit ; si, en fait, il était très différent des autres hommes, de leurs hommes qui n'étaient que de simples travailleurs.

Je pensais qu'il l'était sans doute, encore que je n'eusse aucun point de comparaison dans mon expérience, ce qui d'ailleurs commençait à me préoccuper. Comme je ne pouvais leur répondre, je m'efforçais de ne pas rougir sous leurs regards inquisiteurs, et me bornais à dire qu'il était un maître aimable et plutôt facile à servir. En voyant mes jolis vêtements, elles pinçaient les lèvres et tiraient leurs conclusions. J'en éprouvais quelque désagrément, sachant qu'elles iraient les répéter à qui voudrait les entendre, et aussi que j'étais impuissante à les en empêcher. Ce qui me contraria davantage encore fut d'apprendre que sans moi Bella était comme une âme en peine.

Paradoxalement, c'était elle que j'avais envie de voir, or on aurait dit qu'elle avait disparu. Je n'imaginais certes pas qu'elle aurait la réponse à mes questions, mais je me disais que, si je lui expliquais la situation, elle en deviendrait plus claire à mes yeux. Cependant, tout en faisant le lit et en rangeant la maison, je me demandais ce qu'elle penserait de Bram et de ses histoires étranges, ce qu'elle dirait de nos expéditions nocturnes. Je craignais qu'elle n'affiche son mépris de tout cela.

Malgré tout, je n'avais pas le courage d'aller au Cragg et de frapper à la porte. Je n'en étais pas fière, mais c'était comme cela. Si auparavant j'avais tout fait pour éviter de me trouver face à elle, à présent, où que j'aille, je cherchais en vain son visage. J'allai même jusqu'à passer devant les éventaires des poissonnières, sans résultat aucun et je ne voulus pas demander après elle ni parler à la cousine Martha. C'était ridicule : Bella était ma seule amie, certainement l'unique personne avec laquelle je pouvais parler d'affaires aussi intimes, et je lui avais tourné le dos.

Cette inquiétude gâcha tout mon plaisir et même ma bonne humeur, et, comme je ne pouvais rien expliquer à Bram, j'attribuai ce changement à la chaleur oppressante, à une impression d'épuisement et au fait que nos promenades nocturnes étaient des activités auxquelles je n'étais pas habituée. Lorsqu'il me vit me détourner de lui, il fut meurtri, car il prit cela pour un rejet de ma part, et devint plus capricieux et absent que jamais. Il avait toujours été impulsif, même au milieu d'une séance d'écriture, et souvent, après une longue période de concentration, il se levait d'un seul coup, attrapait son chapeau à larges bords souples et sa veste de toile et m'appelait pour que j'aille me promener avec lui. Maintenant, il ne me demandait plus rien et partait seul.

Je me sentis blessée et mon inquiétude redoubla. Pendant plusieurs jours, il y eut une tension entre nous, mais si je me souviens bien, à la fin de ce mois de juin-là, la chaleur et la tension étaient omniprésentes. Du côté de la terre, le ciel avait viré au jaune sale. On eût dit qu'il était couvert d'une chape qui cachait le soleil et arrêtait la moindre brise. La brume elle-même restait au large, comme si elle était incapable de pénétrer cette barrière. Les nuits, qui jusqu'au solstice avaient été claires et toniques, étaient devenues moites, et la lune en son déclin ressemblait à une lanterne voilée au-dessus de la mer.

La crise éclata d'une façon imprévisible. La journée avait été étouffante et la soirée n'avait guère apporté de fraîcheur. Bram vint me chercher au studio vers neuf heures et demie et s'arrêta pour bavarder avec Jack à la porte alors que je finissais de développer la dernière photographie de petit format et éteignais la plaque à gaz. La petite pièce à l'arrière du studio empestait les produits chimiques et la colle, et j'avais hâte de sortir. J'ôtai mon tablier et me dépêchai de me laver et de remettre de l'ordre dans ma tenue devant le fragment de miroir au-dessus du lavabo. Quelques instants plus tard, j'étais prête à partir, mais le pont était ouvert pour laisser le passage à l'un des remorqueurs à aubes qui crachait des étincelles et de la fumée en tirant une grosse goélette chargée de bois.

Jack avait horreur des remorqueurs et, comme d'habitude, il se plaignit du bruit et de la fumée, tandis que Bram, ainsi qu'on pouvait s'y attendre, rétorquait qu'il ne demandait pas mieux que de traverser l'Atlantique sur un bateau à vapeur. Leur conversation devint une joute amicale sur les mérites relatifs de la voile et de la vapeur, et du coup je me trouvai reléguée au rang d'auditrice. Soudain, je fus assaillie par des souvenirs de Jonathan. Comme Bella, il avait été absent de mes pensées lors de ces dernières semaines irréelles, mais là, sa présence me sembla si forte que si je l'avais vu je n'en aurais pas été autrement surprise. Que penserait-il en nous voyant ensemble, Bram et moi ? Involontairement, je reculai dans l'ombre du studio. C'est alors que me revint en tête la phrase de Jack lorsque j'avais quitté le Cragg : *J'espère que tu n'es pas tombée de la poêle dans la braise.* À l'époque, le plaisir tout neuf d'être désirée et choyée par un homme d'âge et d'expérience l'avait emporté sur les risques encourus. À présent, je comprenais que je risquais de sentir le feu des brûlures.

Les bateaux passèrent, le pont bascula et se referma, et les gens commencèrent à traverser, mais, lorsque Bram fut prêt à partir, la foule s'était réduite au nombre habituel de promeneurs du soir. Comme moi, il semblait examiner le visage de chaque passant. Pendant ce temps-là, je sentais la sueur ruisseler sous mon corsage.

J'aurais préféré rentrer à la maison, mais Bram, qui était allé sur la jetée pour y trouver un peu de vent, voulait se promener sur la falaise est pour la même raison ; or, quand il avait une idée en tête, il s'y tenait. J'alléguai que l'effort de grimper l'escalier menant à l'église ôterait tout le bénéfice de la promenade, mais il ne voulut rien savoir.

Du côté de Kettleness, les dernières lueurs du soleil couchant coloraient en rouge sang un ciel d'orage, et la scène devenait de plus en plus spectaculaire à mesure que nous grimpions. Un voile de fumée sombre flottait tel un linceul au-dessus du port, et l'atmosphère était lourde et menaçante ; j'avais l'impression d'avoir un bandeau serré autour de la tête. Je montai les marches lentement et m'arrêtai sur les paliers prévus pour poser les cercueils. Je répétai que nous devrions rentrer, mais Bram insista pour continuer.

« Il n'y a pas un souffle d'air », protestai-je en atteignant le haut des marches.

Il n'y avait pas besoin d'être prophète pour savoir qu'un orage se préparait.

« Il y a du vent sur la pointe.

— Dans ce cas, insistai-je, pourquoi ne sommes-nous pas allés sur l'autre falaise ? On aurait aussi bien pu chercher le vent là-bas au lieu de se traîner jusqu'ici. »

Et je le suivis d'un pas réticent. Alors il se retourna et lança :

« Si tu n'as pas envie d'être ici, tu n'as qu'à rentrer. Fais ce que tu veux, Damaris, je ne suis pas ici pour t'en empêcher. Mais arrête de geindre, je t'en prie.

— Je ne geins pas ! » protestai-je, piquée au vif – tout en détectant dans ma voix une note outragée qui me rappela désagréablement la cousine Martha.

Je toussotai et repris, d'un ton que j'espérai plus léger, comme si sa réflexion ne m'avait pas touchée :

« C'est cette chaleur étouffante qui me gêne et, comme il va y avoir un orage, je préférerais être à la maison avant qu'il éclate. »

Il ignora ma remarque, me prit le bras et me conduisit à notre observatoire habituel. Comme je m'y attendais, il alla s'asseoir sur la tombe et non sur le banc et, appuyé contre la pierre, regarda la mer. Même à cette hauteur, il n'y avait qu'un léger souffle, à peine plus frais qu'en bas, un frémissement plus proche du courant d'air que du vent. Le soir tombait rapidement ; seul subsistait un rougeoiement enflammé à l'ouest. Il faisait plus sombre qu'à l'accoutumée ; même la mer paraissait noire ; quant à la masse grise et trapue de l'église, elle se détachait à peine contre le ciel. Avec un soupir appuyé, je regardai alentour, puis posai les yeux sur Bram. Je détectai de la tension dans le pli de ses épaules. Il alluma une cigarette et se mit à fumer, pensif, tandis que je me demandais pourquoi les choses s'étaient ainsi dégradées entre nous. Hésitante et perplexe, je me hissai sur la tombe et repliai les pieds sous moi, puis suivis d'un doigt absent le tracé des lettres sur la surface de pierre. Des vents chargés de sel avaient tout effacé, sauf un nom solitaire, *Lucy*, ainsi que le mois et l'année de son décès ; et même l'année était incertaine car les deux derniers chiffres ne se voyaient presque plus.

Il nous était arrivé d'échafauder diverses hypothèses sur son âge et son identité, ajoutant de temps à autre un fragment à une histoire qui était devenue presque aussi invraisemblable que celle de la jeune héroïne de *Carmilla*. Quelques jours auparavant, alors qu'il était d'humeur moins sombre, Bram avait rassemblé tous les éléments épars et m'avait annoncé que Lucy était une jeune femme gâtée et adorée, très belle, dont plusieurs soupirants se disputaient la main. Tragiquement, elle avait été atteinte de consomption et, en l'espace de quelques semaines, avait dépéri...

Dans cette histoire, les soupirants éplorés avaient porté son cercueil à travers tout Whitby, pendant que sa meilleure amie suivait, tenant entre ses mains les gants de Lucy et une couronne de roses sans épines, roses et blanches, symboles de jeunesse et de pureté. « À ceci près, avait précisé Bram, qu'une des tiges avait une épine unique, et que le doigt de l'amie avait été piqué ; des gouttes de sang étaient donc tombées sur toutes les marches menant au cimetière... » À ce stade, ayant introduit le chien fantôme de Whitby pour menacer l'amie, il dut faire apparaître un autre personnage pour affronter la bête. Cet être aristocratique et assez impressionnant devait beaucoup au comte allemand qui avait résolu le problème de Carmilla. Il devait arriver par bateau d'un des ports de la Baltique lors d'une abominable tempête...

Mes doigts passaient et repassaient sur le nom de Lucy gravé dans la pierre ; brusquement, Bram se retourna et me dit :

« Sais-tu que j'ai finalement déchiffré la date de sa mort ? Je m'y suis attelé l'autre soir, quand tu étais au studio. »

Il se pencha, craqua une allumette qu'il promena au-dessus de la pierre pour essayer d'éclairer la date. Mais les volutes et déliés à l'ancienne avaient été déformés, comme dilatés par les intempéries, et je fus tout aussi incapable que les autres fois de distinguer nettement quoi que ce soit. L'allumette se consuma, et il la laissa tomber pour en allumer une autre, mais en vain.

« Quel dommage, soupira-t-il. Le soleil était vraiment rasant, et en posant le regard sur la pierre j'ai vu la date : soit 1852, soit 32...

— Je pense que 1852 est exclu, dis-je tandis que la seconde allumette s'éteignait ; cette tombe est trop près du bord de la falaise...

— Je sais. Alors ce doit être 1832, l'année de l'épidémie. (Il s'interrompit quelques instants avant de reprendre.) Je crains bien que notre pauvre Lucy n'ait été l'une des victimes du choléra...

— Ce n'est pas "ma" Lucy », dis-je, révulsée à cette idée.

Néanmoins, le fait qu'elle eût été enterrée dans les formes, si loin de l'église, rendait la suggestion tout à fait vraisemblable. Tout semblait soudain si évident que je trouvai étrange de n'avoir rien deviné plus tôt. Je me laissai glisser de la tombe avec un frisson de répulsion ; Bram, lui, ne parut rien remarquer et ne pas être consterné comme je l'étais d'avoir tissé toute une histoire autour d'une malheureuse morte du choléra une cinquantaine d'années plus tôt.

« Ma foi, dit-il avec simplicité, je n'aurais pas fait le rapprochement si tu ne m'avais pas parlé de l'effondrement du vieux cimetière. Elle devait se trouver vers l'intérieur. Je me demande, ajouta-t-il en regardant autour de lui, si d'autres sépultures ont été épargnées par ce glissement de terrain ? »

Je secouai la tête, préférant me dire que tous les miasmes de la maladie avaient disparu depuis longtemps, absorbés et purifiés par la mer. L'ombre s'épaississait, et j'aurais voulu être ailleurs, de préférence dans un endroit plein de rires et de lumière, à mille lieues de ces préoccupations morbides. Mais lorsque je suggérai de retourner en ville, Bram refusa aussi catégoriquement qu'avant et insista pour que nous marchions le long des falaises et revenions par l'abbaye comme nous l'avions fait si souvent. J'acceptai, quoique de fort mauvaise grâce.

Lorsque nous eûmes marché quelques instants, il se tourna vers moi et annonça :

« À propos, il faut que je te dise quelque chose. »

Il s'arrêta et moi aussi. Il faisait à présent nuit noire, même en haut de la falaise, et je ne distinguais pas son visage. Saisie par l'appréhension, je demandai :

« Quoi donc ?

— Ce soir, je suis allé me promener sur la jetée. »

Lorsqu'il leva les yeux, je notai son expression d'excitation et hochai la tête, l'encourageant à poursuivre. Sans autre préambule il annonça :

« Je suis tombé sur la femme de George du Maurier.

— Ils sont déjà là ! Mais ils ne viennent jamais avant juillet...

— Elle est venue avec une amie, expliqua-t-il. George et les enfants sont encore à Londres. Bien entendu, elle était très surprise de me voir, continua-t-il d'un ton ironique. Elle voulait savoir où je logeais, à quoi j'avais employé mon temps ces dernières semaines. Mon départ n'est pas passé inaperçu à Londres, toutes sortes de bruits ont couru, et – du moins à ce qu'elle dit – Florence est extrêmement réticente quand il est question de mon absence. »

Je devins soudain réticente moi aussi et me bornai à répondre :

« Tiens. Et que lui as-tu répondu ? »

Il eut un rire bref.

« Ma foi, j'ai essayé de prendre la chose à la légère et j'ai prétendu que je ne comprenais pas, parce que tout le monde savait que j'étais parti faire de la marche dans le Yorkshire et que l'on ne pouvait pas me joindre. Alors, évidemment, elle a commencé à me demander quand je rentrerais à Londres. Je n'avais qu'une envie, lui dire de se mêler de ses affaires ! avoua-t-il d'un ton furieux. Enfin, j'ai réussi à rester calme et j'ai déclaré que je n'avais pas encore de projets précis... »

Je poussai un petit gémissement consterné, et il se retourna vers moi, me demandant d'un ton brusque :

« Qu'est-ce que je vais faire ? »

L'air était si lourd que j'avais du mal à respirer. Qu'allait-il faire ? Au fond, j'avais toujours appréhendé ce moment, mais nous n'avions jamais abordé le sujet. À n'en pas douter, Mrs du Maurier, dont le mari était célèbre même ici, à Whitby, pour ses articles et ses dessins humoristiques dans *Punch*, enverrait un petit mot plaisant à Mrs Stoker pour lui dire de ne pas s'inquiéter, que son mari avait été retrouvé et rentrerait d'un jour à l'autre... *Quelle blague ! Nous nous sommes amusés comme des fous, à faire semblant de croire que Bram avait disparu, qu'il avait abandonné famille, enfants et travail, alors qu'il était tout bonnement parti faire de la marche dans le Yorkshire – c'est vraiment la meilleure !...* Et Florence, que ferait-elle ? Elle traiterait cela comme une bonne blague ? Dirait-elle à Bram que c'était un malentendu et le dorloterait-elle une fois qu'il serait rentré à la maison ?

C'est ce que ferait une femme du monde, me dis-je, et elle éviterait ainsi à tout le monde beaucoup de désagréments et d'explications embarrassées. Seulement moi, à la place de Florence, je serais folle de rage – assez folle pour rechercher sa trace, ne fût-ce que pour le faire revenir à Londres et le jeter dehors avec fracas une fois rentré.

Mais Bram, que voulait-il, lui ?

« Ma foi, dis-je, m'efforçant de ne pas céder au chagrin et à la détresse, tu savais bien que cela risquait d'arriver. Nous avons eu quatre semaines ensemble. Le moment est peut-être venu de renoncer avec bonne grâce.

— Non, jamais ! s'écria-t-il aussitôt. Je ne renoncerai pas. Je ne rentrerai pas. » Il me serra l'épaule, m'embrassa les cheveux, la joue et trouva ma bouche, qu'il écrasa sous la sienne.

« Comment pourrais-je vivre sans toi, chuchota-t-il

ardemment, alors que je ne me rassasie jamais de toi ? Je te désire tout le temps ! »

Moi aussi je le désirais, avec une force que le désespoir aiguisait encore, tout en ayant le sentiment que nous avions atteint le bout de la route. Malgré tous mes espoirs, à aucun moment je ne m'étais sérieusement attendue qu'il renonce à sa vie à Londres. Lorsqu'il parlait de vivre à Whitby, de gagner sa vie avec sa plume, ce n'était qu'un songe creux, et ma nature pragmatique se révoltait à l'idée d'être bercée de promesses qui ne seraient jamais réalisées. Je m'efforçai donc de contre-attaquer et d'opposer à ses chimères des questions plus concrètes. Chaque fois qu'il disait qu'il voulait rester, je lui demandai de m'expliquer ce qu'il ferait et comment il pourvoirait à l'entretien de sa femme et de son fils à Londres s'il vivait avec moi à Whitby.

« Je trouverai un moyen.

— Mais tu dis toujours qu'elle est extrêmement dépensière, rétorquai-je posément, tâchant de le rattraper quand il marchait plus vite que moi dans l'obscurité. Que feras-tu si Florence s'endette ? C'est ta femme, tu es responsable d'elle. Et Noël ? Tu ne tiens donc pas à lui ? »

Il s'arrêta brusquement et se prit la tête à deux mains.

« Damaris, pour l'amour du ciel, arrête ! Ce qui concerne Florence ne regarde que moi. D'ailleurs, je ne vois pas pourquoi tu te soucies d'elle, ou de mon fils. Ils ne te sont rien !

— Je ne me soucie pas d'eux ! hurlai-je en sentant les larmes me piquer les yeux et en espérant qu'il ne verrait rien. Ce n'est pas mon affaire en effet. Mais je me soucie de toi et je ne veux pas que tu fasses des promesses inconsidérées et que tu me donnes des espoirs, tout ça pour t'en aller et me quitter ensuite. Ça, je ne veux pas !

— Je n'ai aucune intention de te quitter. Je te le répète, je reste ici, à Whitby. Je ne retournerai pas à Londres !

— Mais Florence, tu l'aimes, je le sais, à quoi bon dire...

— Tu veux que je m'en aille ? coupa-t-il. Tu en as assez de moi, toi aussi ?

— Bien sûr que non ! criai-je, sanglotant dans mon impuissance. Je t'aime ! »

Nous étions face à face à nous défier du regard dans l'obscurité. Puis il s'approcha et me prit dans ses bras avec précaution. L'émotion le faisait trembler de la tête aux pieds. Il me tenait à quelque distance, comme s'il redoutait un autre contact que celui de son front contre le mien.

« Je sais, et je suis désolé, murmura-t-il. Pardonne-moi, mon amour, je ne sais pas ce que j'ai ce soir. »

Je pris une profonde inspiration et dis :

« Nous devrions rentrer...

— Non, marchons encore un peu. »

Je repartis avec lui, et quand il prit ma main je crus qu'il allait la broyer. Je ne prêtai aucune attention à notre destination, ce qui donne la mesure de ma distraction. L'aimais-je ? Sans doute, puisque je le lui avais dit, mais j'avais été aussi étonnée que Bram de m'entendre prononcer ces mots. Pourtant, il avait répondu qu'il le savait. Et qu'il était désolé. De quoi ? De s'être mis en colère, ou du fait que je l'aimais ? Ma tête éclatait, assaillie par l'espoir et le désespoir, par une foule de questions et de solutions qui étaient autant d'impasses. À la fin, je me risquai à en formuler une.

« Peut-être, commençai-je d'une voix hésitante, que si tu ne peux pas te résoudre à quitter Whitby, alors...

— Ce n'est pas cela. Ce qui me gêne, c'est Londres, Damaris : je ne veux pas y retourner. »

J'eus l'impression de recevoir un coup de poignard dans la poitrine, et je fus très soulagée d'avoir parlé de Whitby et non de moi. J'avais ainsi évité une situation embarrassante pour nous deux. Mais je trouvai blessant de constater que sa colère et le dégoût qu'il éprouvait pour sa vie là-bas étaient beaucoup plus forts que l'amour qu'il déclarait me porter.

Sur le coup, je fus trop meurtrie pour me demander pourquoi, trop meurtrie pour remarquer quoi que ce fût, hormis le fait que nous marchions et que je m'en félicitais. Je me félicitais même de l'obscurité ambiante ; toutefois, lorsque je repris mes esprits, je me rendis compte que nous avions largement dépassé la baie de Saltwick, et que nous avions parcouru plusieurs kilomètres le long des falaises. Des éclairs à l'horizon nous avertirent qu'il serait sage de ne pas aller plus loin et, d'un commun accord, nous fîmes demi-tour pour rentrer.

Préoccupée par Londres, j'essayais de me représenter Florence. C'était une belle femme, qui avait apparemment beaucoup d'admirateurs. Je me demandais si elle s'était liée plus intimement avec l'un d'eux ou, plus précisément, si elle avait mis dans son lit un autre homme et si c'était cela qui constituait pour Bram le vrai dilemme.

Cela aurait expliqué beaucoup de choses et j'en étais à raisonner sur cette hypothèse pour prendre ma décision lorsque Bram déclara à brûle-pourpoint :

« L'ennui, c'est que maintenant Emma du Maurier va écrire à George, et, même si elle n'écrit pas tout de suite à Florence aussi, George annoncera certainement la nouvelle à Irving. En fait, ajouta-t-il avec une âpreté qui pouvait paraître excessive, je crois George capable d'aller au théâtre dans le but exprès de transmettre l'information : c'est le genre de choses qui l'amuse...

— Et quelle importance cela peut-il avoir ?

— Quelle importance ? Eh bien, jusqu'à présent, personne ne savait où j'étais. Irving l'ignore. Je te l'ai dit, j'étais censé m'absenter huit à dix jours, alors que depuis un mois il n'a pu me contacter ! Pendant tout ce temps, ajouta-t-il en m'entourant les épaules d'un bras et en m'attirant contre lui, j'ai été à l'abri, et maître de mon destin. J'ai été ici avec toi, Damaris, et pas un seul d'entre eux n'a pu m'atteindre. T'aimer m'a sauvé, ajouta-t-il avec conviction.

— Sauvé de quoi ? » demandai-je d'une voix faible.

Je ralentis et m'arrêtai, et Bram me prit le menton dans la main pour m'embrasser.

« De moi-même », chuchota-t-il contre mes lèvres.

Troublée, voire un peu alarmée par son étrange humeur, je reculai et partis devant lui sur le chemin, mais il m'attrapa par le bras.

« Je t'en prie, murmura-t-il passionnément, ne t'éloigne pas de moi. Je ne peux pas le supporter. Je t'aime. Si je pouvais t'épouser, je le ferais demain. Je ne peux pas vivre sans toi. Tu m'as libéré, tu m'as rendu la vie, tu m'as appris ce qu'est l'amour. Je ne peux pas retourner à mon existence d'avant : elle est fausse, artificielle. C'est une illusion, au même titre que les pièces d'Irving. Et je ne suis qu'un spectateur, tu ne le vois donc pas ? Je ne peux rien toucher... (Sa voix se brisa sur une note de détresse et il se détourna en secouant la tête.) Je n'arrive à toucher personne, tu comprends ? Tout m'est interdit. Je ne peux même pas approcher ma femme... »

Son chagrin me fit oublier le mien. Je ne comprenais pas, mais j'avais entendu les mots *t'épouser* et *je ne peux pas vivre sans toi*, et vibrai en conséquence. Il ne pouvait pas m'épouser, mais il le désirait : seul cela comptait. Je me sentis envahir par l'amour et la reconnaissance et en cet instant j'eusse volontiers donné ma vie pour lui. Je l'étreignis avec passion pour le rassurer, et sa bouche chercha la mienne pour un baiser si intense qu'il me fit tourner la tête. Il s'interrompit pour me regarder, caresser mon cou et la ligne de ma mâchoire, passa son pouce sur mon menton et ma lèvre inférieure, qu'il retroussa et mordit en prélude à un baiser profond qui me fit suffoquer. Je sentis ma lèvre cuire et mon sang couler et entendis Bram me supplier de le mordre à mon tour. Je me débattis, mais il ne relâcha pas son étreinte et je sentis son souffle haletant lorsqu'il reprit mes lèvres de force.

Le goût doux-amer et métallique du sang emplit ma bouche, et je compris qu'il s'était mordu violemment pour que son sang se mêle au mien. L'espace de quelques secondes, des éclairs diffus illuminèrent l'horizon et nous restâmes unis, comme soudés par le choc ; puis, voyant que je me mettais à tousser, à suffoquer en avalant, il me souleva avec autant de facilité que si j'avais été une enfant et m'assit sur un talus herbeux.

« À présent, tu es à moi, chuchota-t-il d'une voix apaisante en me caressant doucement. Et je suis à toi pour toujours. Je fais partie de toi comme toi tu feras toujours partie de moi, rien ni personne n'y peut rien désormais. »

J'eus un frisson et un mouvement de recul tandis que le tonnerre grondait non loin de nous. Bram voulait faire l'amour, mais je le repoussai. J'essuyai ma lèvre, me relevai et m'apprêtai à donner libre cours à mon indignation quand un bruit de voix m'arrêta net.

Je tendis l'oreille pour essayer de deviner à quelle distance se trouvaient les intrus, quand soudain, saisissant quelques mots, je les identifiai. Mes lèvres se glacèrent, et d'un geste j'imposai silence à Bram. Bella et son père s'approchaient de nous.

Je m'efforçai d'entendre ce qu'ils disaient, sachant que Bella était en colère mais tentait de se contrôler et que son père, ne voulant rien entendre, ne lui laissait pas placer un mot. Nous étions déjà à quelques mètres du chemin, mais, lorsque Bram voulut se lever, je me cramponnai à son bras et l'attirai avec moi derrière un buisson.

« Je les connais, sifflai-je, alors, pour l'amour du ciel, tais-toi ! »

Ils étaient encore à quelque distance, mais leurs voix portaient. Celle de Magnus, qu'il avait élevée pour vitupérer, était aussi menaçante que le tonnerre qui s'approchait.

« Tu es complètement folle, sale petite garce, à croire que tu as un quartier de lune dans la tête. Maintenant fous-moi la paix ou rentre à la maison. J'ai du travail !

— Non, je ne te lâcherai pas tant que tu ne m'auras pas promis de la laisser tranquille ! »

Là-dessus, j'entendis une suite de mots inintelligibles grondés à voix basse, suivis par un glapissement de Bella :

« Espèce de salaud ! Je te tuerai. Tu es une pourriture vivante, un suppôt de Satan. Je me demande pourquoi Dieu te laisse vivre ! »

Les éclairs illuminaient le ciel à présent et faisaient étinceler les yeux de Bram, fixés sur moi. Un hurlement de rage retentit, plus près de nous, suivi par des cris et des imprécations. Le père et la fille se battaient non loin de nous sur la falaise, mais nous ne pouvions rien voir.

Il y eut un grand roulement de tonnerre, suivi par un silence total, inquiétant. Je sentais mon cœur battre dans ma gorge et la main de Bram me broyer le poignet. Brusquement, un torrent d'insultes déversé par Bella nous rassura. Magnus aboya quelques mots en guise de réponse, et je me rendis compte que j'étais couverte de sueur. Peu après, à la fin d'un autre grondement de tonnerre, je crus entendre encore un bruit – un cri, peut-être –, mais comme il était assez éloigné je ne pus en être certaine.

Alors je me relevai et tâchai de voir où ils se trouvaient et ce qui se passait ; j'eus beau écarquiller les yeux jusqu'à ce qu'ils me piquent, ce fut en vain. Le ciel s'illumina, mais j'en fus aveuglée. Je descendis en trébuchant jusqu'au sentier, Bram sur mes talons, et partis à leur poursuite.

Nous étions l'un et l'autre impressionnés par la férocité de l'altercation, et en redoutions l'issue, aussi menaçante que l'orage imminent. J'avais surtout peur pour Bella, une peur que Bram parut partager. En hâte, nous suivîmes le sentier de notre mieux, veillant à ne pas trop nous approcher du bord de la falaise. Le vent se leva, une brise de mer soudaine accompagnée de craquements et d'éclairs au-dessus de nous, et d'énormes gouttes de pluie s'écrasèrent avec bruit. En quelques instants, nous fûmes transpercés, aveuglés par l'averse cinglante et assourdis par le bruit.

La maison semblait affreusement loin, mais un éclair illumina le nez Noir et une petite silhouette loin devant nous sous la pluie. Ce devait être Bella, ce ne pouvait être qu'elle. Cette vision nous redonna du courage. Nous pûmes l'apercevoir une seconde fois en train de traverser la zone découverte autour de l'abbaye. À force de courir, j'avais un point de côté et demandai à Bram de ralentir. J'avais d'abord eu l'intention de rattraper Bella, de lui parler et d'en avoir le cœur net, mais j'abandonnai cette idée. Je savais qu'elle était saine et sauve et cela me suffisait. Quant à Magnus, je préférais ne pas penser à lui.

Lorsque nous eûmes gagné le haut de Kirkgate, Bram me traîna sans hésitation jusqu'au Duc d'York, où les marins russes avaient été accueillis après leur naufrage l'année précédente. En apparaissant sur le seuil, nous devions avoir l'air aussi mal en point qu'eux. Il était déjà minuit passé et le patron s'apprêtait à fermer, mais il sortit une serviette pour parer au plus pressé et une bouteille de sous le bar. Sans broncher, il nous servit deux doses généreuses du meilleur cognac français à la place des boissons que nous avions commandées. Voyant que Bram, intrigué, allait poser des questions, je lui donnai un coup de coude pour lui intimer le silence.

Assis l'un en face de l'autre sans nous regarder, nous étions trop épuisés pour parler. En sentant le cognac picoter ma lèvre enflée, je compris ce que faisaient Magnus et Bella sur la falaise par une nuit sans lune. Le soulagement fut tel que je dus réprimer un sourire. Pendant que les garçons sortaient la barque, fournissant ainsi un alibi, Magnus et Bella avaient dû se rendre à l'une des criques cachées entre Saltwick et la Baie, à la rencontre d'un bateau, probablement l'un des boutres hollandais qui apportaient une lucrative cargaison de gin et de tabac sans avoir subi les formalités de douane. Les marchandises seraient sans aucun doute cachées quelque part dans les falaises en attendant d'être transportées dans les terres lors d'une autre nuit sans lune – du moins était-ce cela le plan initial.

L'orage avait pu le modifier, mais assurément Magnus Firth

n'était pas mort. Sachant qu'il n'y a de la chance que pour la crapule car le diable veille sur elle, et connaissant mon cousin, je me dis qu'il devait toujours être là, abrité dans une grotte en contrebas du sentier, à attendre le bateau.

16

Depuis quelque temps, Bram me harcelait pour que nous allions à la baie de Robin-des-Bois, et j'eus la sottise d'accepter de l'y accompagner le lendemain. Pourtant, après la pluie diluvienne que nous avions essuyée la veille et les heures passées devant le feu de la cuisine ranimé par nos soins, j'aurais cru qu'il préférerait remettre cette visite à plus tard. Mais la pluie avait cessé avant que nous nous couchions. À notre réveil, le soleil brillait et toute trace de l'orage avait disparu. Je sentis que l'humeur de Bram était au diapason. On avait l'impression que les événements de la veille n'avaient jamais eu lieu. Il s'était levé tôt, avait préparé le petit déjeuner et me dit que ce serait dommage de ne pas profiter d'une si belle journée. J'étais aussi désireuse que lui de tourner la page après toutes ces émotions et, debout devant le miroir, j'accrochai un sourire sur mon visage et me préparai à affronter quelques heures difficiles à la Baie.

Peu après, nous retraversions la ville et reprenions le chemin sur les falaises. Je n'étais pas fâchée d'avoir un solide petit déjeuner dans l'estomac. Le vent pénétrant qui soufflait de la mer, ébouriffant les vagues en bas et la bruyère au-dessus de nous, me rappelait que j'avais trop souvent pris ce chemin le ventre vide, surtout l'hiver précédent. Des promontoires jumeaux qui encadraient la Baie devant nous et jusqu'au nez de Saltwick et à Kettleness derrière nous, des voiles constellaient la mer, roses, jaunes et brunes, glissant vers le nord en direction de l'estuaire de la Tees, ou louvoyant pour atteindre Scarborough, ou l'embouchure du Humber ou même celle de la Tamise. La mer s'étalait en contrebas, impossible à ignorer. Nous avions beau feindre de nous intéresser aux types de voiles et de gréement et de deviner la destination des bateaux, je suis persuadée que, tout comme moi, Bram pensait aux événements de la nuit précédente.

La veille, pendant que nous nous séchions devant le feu, je lui avais parlé des Firth, hésitant au début à lui révéler les pires détails, pour la simple raison que je n'arrivais pas à trouver les mots pour dire ce que Magnus faisait à ses filles. Ce fut Bram qui utilisa le mot *profanation*, et cela me parut tout exprimer. Malgré sa consternation, d'une certaine façon il parut moins choqué que je ne l'aurais imaginé ; il m'expliqua même pourquoi Magnus Firth ne s'était jamais attaqué à moi et pourquoi Bella était délaissée en faveur de sa petite sœur Lizzie. Il me dit que certains hommes préféraient les très jeunes filles, même si c'était regrettable. Mais qu'un homme abuse de ses propres filles, cela, c'était véritablement impardonnable. Vue sous cet angle, la fureur de Bella et même ses pires imprécations se comprenaient et suscitaient la compassion. Toutefois, il se demandait ce qui avait pu les provoquer...

Nous continuâmes notre chemin vers la Baie, débouchant sur la route juste au-dessous des Hauts de la Rampe. À partir de là, la pente était très raide et, juste au moment où elle semblait ne pas pouvoir l'être davantage sans devenir verticale, les pots de cheminée et les toits de tuiles rouges du village surgissaient comme s'ils poussaient sur les ajoncs et l'herbe tout au bord de la falaise. Des mouettes tournoyaient lentement au-dessus des toits, et la route grossièrement pavée descendait plus abruptement encore avant de devenir une rue bordée de maisons et de magasins, où des sentiers s'ouvraient de part et d'autre.

J'éprouvai une curieuse impression en me retrouvant chez moi, mais je me doutais que Bram serait enchanté par les rues en miniature et les petites maisons côte à côte qui composaient le village de Baytown. Pour moi, c'était toujours le lieu secret, caché, de l'enfance, un labyrinthe de délices et de surprises permanentes, de fenêtres qui s'ouvraient au sud et au soleil, et de maisons blotties contre les falaises pour se protéger des intempéries ; un lieu pour jouer à cache-cache et à chat. En partie du moins. Mais là où les maisons se serraient frileusement les unes contre les autres, les habitants vivaient dans une grande promiscuité, et ils avaient beau s'enorgueillir d'être des citoyens sages et intègres, tous ne résistaient pas à la tentation d'écouter les commérages. C'était pour cela que j'avais manifesté tant d'appréhension avant de revenir, surtout avec Bram. On raconterait qu'on avait vu la petite Damaris Sterne avec un monsieur, et l'on ne manquerait pas de faire le lien avec Newholm et mon travail de gouvernante. Avant la fin de la journée, pour sûr, l'oncle Thaddeus verrait ses pires soupçons confirmés.

Si Bram veillait d'ordinaire à ne pas être vu avec moi, ce matin-là il ne parut pas s'en soucier. Il était prêt à tomber sous le charme de Baytown, de son cachet désuet et romantique, et il tint absolument à tout voir. Je le conduisis dans le labyrinthe, le fis passer devant de grands murs de pierre et des cottages blanchis à la chaux, monter des marches et traverser des passages voûtés pour lui révéler des vues inattendues dont je gardais le souvenir. Un ensemble de toits, une mer qui s'incurvait à l'horizon, semée de navires et de bateaux de pêche, toutes ces scènes, avec leurs variations infimes, apparaissaient comme une série de clichés encadrés. Le lieu avait la faveur des photographes et des artistes, surtout des aquarellistes, qui semblaient prendre plaisir à poser leur chevalet dans les endroits les plus malcommodes.

Comme la plupart des visiteurs, Bram demanda pourquoi, alors que Robin des Bois était censé être un hors-la-loi des forêts vivant à près de deux cents kilomètres à l'intérieur des terres, il avait donné son nom à ce point de la côte. Je lui expliquai donc que les forêts étaient immenses à cette époque reculée et que, de toute façon, le hors-la-loi légendaire avait été appelé par l'abbé de Whitby pour l'aider à repousser les assauts acharnés d'une horde de pillards vikings. Robin et ses hommes avaient vaincu les assaillants, ce qui leur avait valu non seulement un pardon royal, mais aussi le droit de résider au bord de la mer à la Baie. Ce fut alors que l'endroit prit son nom, pour se distinguer de l'autre village plus à l'intérieur des terres, à Fyling. Non loin se trouvaient les monticules connus sous le nom de buttes de Robin des Bois, car ils étaient censés servir de cibles à ses hommes lorsqu'ils s'exerçaient au tir à l'arc.

Avec un sourire provocateur, Bram déclara que l'histoire était assez invraisemblable pour être authentique ; j'étais heureuse qu'elle lui plaise, mais incapable de partager sa bonne humeur, car trop préoccupée par le risque des rencontres. Plus nous approchions de mon ancien quartier, plus mon inquiétude augmentait. Après être passés devant les magasins et le poste de sauvetage, nous arrêtâmes là où les pavés ronds de la rue cédaient la place au rocher qui formait un plan incliné naturel pour lancer les bateaux à la mer. La marée commençait juste à descendre ; la plage et les rochers étaient encore recouverts, mais dans moins d'une heure nous pourrions marcher au pied des falaises à la recherche de coquillages et de fossiles. C'était une des activités favorites des visiteurs, et nous pourrions nous y livrer sans attirer l'attention sur nous.

Bram, cependant, ne l'entendait pas de cette oreille. D'abord, il avait remarqué l'hôtel de la Baie, solidement installé sur son rocher et dominant la mer ; il repoussa toutes mes objections et insista pour aller y prendre du café avec des scones chauds et beurrés ; après quoi, tout en admirant la vue, il suggéra que nous louions un bateau pour une heure ou deux. C'était une autre chose qu'appréciaient les estivants, mais non les gens du pays, et j'eus l'impression de me donner en spectacle en allant demander au vieux Fred Poskitt s'il voulait bien nous emmener pour une promenade en mer. Toutefois, comme je jouais le rôle du guide autochtone, je me serais sentie encore plus mal à l'aise si j'avais laissé Bram se charger de l'affaire. En l'occurrence, je dus subir les exclamations et les commentaires du vieux Fred sur ma visite soudaine après ma longue absence, et ses multiples questions sur ma santé et ma situation actuelle. Il voulut savoir si j'étais allée voir Mr Thaddeus, aussi fus-je obligée de dire que j'avais l'intention de lui rendre visite un peu plus tard, et j'ajoutai que j'avais été très occupée, ayant eu cet été deux ou trois emplois qui ne m'avaient guère permis de faire des visites.

Pendant tout ce temps, je maudissais en silence Bram, qui clignait de l'œil à mon intention derrière le dos de Fred. Heureusement, quand le vieillard eut mis le bateau à l'eau, Bram fut bientôt distrait par le spectacle. Si le village est en grande partie caché quand on vient de la terre, il est très pittoresque vu de la mer. Je me retournai de temps en temps pour le contempler ; comme je n'avais pas de parasol, j'étais obligée de tirer sur le bord de mon bonnet pour me protéger les yeux du soleil. Tout en les fermant à demi, je me rendis compte que le vieux Fred regardait parfois derrière lui, à la manière de tous les rameurs ; mais quand je le vis se retourner continuellement, sans perdre pour autant son rythme, j'en conclus ainsi que Bram qu'un événement malencontreux s'était produit. Des mouettes tournoyaient autour d'un point précis, et leurs cris rauques attirèrent notre attention sur un groupe de trois barques de pêche qui se trouvaient entre nous et l'horizon.

« Y a quelque chose qui s'est pris dans le filet, je parie », dit Fred.

Et il continua de ramer pendant que Bram et moi regardions

les pêcheurs au loin. Les éclats de soleil reflétés par les vagues empêchaient de voir ce qui avait provoqué ce rassemblement.

« Avec l'orage de la nuit dernière, déclara Fred, ça peut être n'importe quoi. Un bout d'épave, je vous en fiche mon billet... »

Je hochai la tête d'un air convaincu, imitée par Bram. Un peu plus tôt, nous avions parlé tous deux des marées et des courants, notamment de celui qui venait de Whitby et faisait tout dériver vers le sud, si bien que les épaves se retrouvaient en règle générale quelques heures plus tard du côté de la Baie. Je détachai mes yeux du large et posai des questions à Fred sur la qualité du saumon pêché cette saison et sa quantité, et je réussis à alimenter plusieurs minutes une conversation sur la pêche et le poisson. Après quoi, n'y tenant plus, je profitai de la légère houle qui agitait le bateau pour prétexter que je voulais rentrer.

Les trois barques nous avaient précédés, et, lorsque nous atteignîmes la plage, mon mal au cœur n'était pas feint. J'avais un pressentiment horrible concernant ce qui avait pu se prendre dans le filet à saumons, et au regard que me lança Bram, lui aussi. Un attroupement se formait sur le rivage où une forme de sinistre augure avait été déposée sur la pente rocheuse.

« Un noyé », murmura le vieux Fred avec flegme en tirant le bateau sur le rivage et en nous aidant à descendre. L'angoisse me prit à la gorge. Le pire, c'était de faire mine de ne pas savoir qui c'était. Pourtant, il fallait que j'aille voir, afin d'en avoir le cœur net. Je ne pouvais laisser ce soin à Bram, qui aurait voulu m'épargner ce spectacle par galanterie mal placée. Jamais il n'avait vu Magnus Firth, et moi, je voulais une certitude.

Il nous fallut, pour traverser la plage, un temps qui nous sembla interminable. Je sentais le sable et les coquillages crisser sous mes bottines et les algues s'écraser avec un bruit mou sous mes semelles, et ne pouvais détacher les yeux du groupe rassemblé près de la pente rocheuse. Les mouettes, nécrophages téméraires aux petits yeux ronds brillants, se posaient déjà, très intéressées par la chose morte qui gisait là.

Le cadavre livide et ratatiné me parut beaucoup plus petit que dans mon souvenir, et il ressemblait bien plus à un phoque mort qu'à un homme. En m'approchant, je vis le visage blême, exsangue, couvert d'algues et de mucosités, et strié d'étranges marques violacées. Du nez à la bouche et entre les sourcils, elles transformaient ce visage en une étrange caricature ; mais il n'y avait aucun doute, c'était bien lui. De plus, je reconnus son chandail tricoté à la mode de Whitby. D'autres que moi le reconnaîtraient. Les noyades étaient si fréquentes que les mailles et les dessins étaient spécifiques, pour faciliter l'identification.

Je n'éprouvai aucun chagrin, mais l'espace d'un court instant j'eus la tête vide et fus étreinte par un sentiment d'irréalité, comme si j'assistais à la scène de très loin. Je vis un goéland massif avec un bec redoutable s'avancer d'un pas décidé entre les grosses bottes des pêcheurs et décocher à la tête quelques coups vicieux et rapides avant de se faire chasser par l'un des hommes. D'autres oiseaux le remplacèrent aussitôt jusqu'à ce que quelqu'un tire une toile cirée et en recouvre le cadavre.

Le vertige céda la place à l'horreur ; mon cœur se souleva et je dus me détourner pour vomir. Bram me témoigna beaucoup de sollicitude alors que j'aurais préféré être ignorée ; Dieu merci, l'arrivée d'un sergent du poste de police créa une diversion et monopolisa l'attention générale. Fred Poskitt nous conseilla charitablement de partir avant que l'administration ne commence à poser des questions auxquelles personne ne pourrait répondre ; sinon, nous serions retenus là jusqu'à la fin de la journée. Il ne fallut pas me le dire deux fois : je le remerciai et en profitai pour filer.

Laissé à lui-même, Bram se serait attardé. Sans doute serait-il retourné à l'hôtel pour observer du bar la suite des événements. Je trouvais cela morbide, mais il me dit qu'il était curieux de savoir comment on réglait ce genre d'affaire à la Baie ; ajoutant avec une étrange moue ironique que son ami Irving aurait été fasciné. Lors de leur séjour à Paris, il se plaisait à fréquenter la morgue afin d'étudier l'expression des morts.

Écœurée, je remontai la rampe à grands pas. J'avais besoin d'air, besoin de prendre du recul. Parvenue à mi-côte, j'achetai une demi-livre de bonbons à la menthe pour me rafraîchir l'haleine. Puis nous continuâmes en direction de la gare, où un train arrivait dans un panache de vapeur. Il repartit en soupirant et en grondant, et quelques minutes plus tard un flot de voyageurs animés envahit la route. Je brûlais de leur dire d'éviter la plage, mais à en croire Bram la découverte d'un cadavre serait pour beaucoup une excitation supplémentaire, un événement dont ils s'amuseraient à lire le compte rendu en prenant leur petit déjeuner le lendemain. Pour eux, il n'y avait rien de personnel là-dedans, rien qui soit susceptible de les bouleverser outre mesure, si ce n'est comme rappel que la mort attend chacun d'entre nous, parfois dans les endroits les plus inattendus. J'aurais pu commencer à me raconter des histoires, à me dire que l'orage et la violente dispute n'avaient existé que dans un cauchemar. Hélas, la vue de Magnus Firth mort sur la plage prouvait le contraire.

Soudain, Bram poussa une exclamation étouffée et dit quelque chose que je ne compris que trop tard. Il s'arrêta pendant que je me retournais et, au comble de l'embarras, je le vis qui souriait en ôtant son chapeau pour saluer deux dames élégantes d'un certain âge, vêtues de robes pastel et coiffées de jolis chapeaux. La plus âgée des deux venait régulièrement à Whitby et je la reconnus aussitôt : la femme de Mr du Maurier, l'écrivain. Au même moment, à ma grande consternation, son regard tomba sur moi. Je me sentis dénudée, percée à jour, jugée et condamnée. Quoi que Bram pût dire ou faire pour expliquer la situation, cette femme ne le croirait pas. Au premier coup d'œil, elle avait vu ce qu'elle voulait voir et n'avait pas besoin de preuves supplémentaires.

Je crois qu'il ressentit la même chose que moi. Mais, pour la forme, il fit des présentations tardives, comme si je n'étais rien pour lui, seulement la fille des gens chez qui il logeait. Consciente de ma lèvre gonflée, je me forçai à sourire et tirai sur le bord de mon bonnet pour me protéger du soleil, tandis que Bram se mettait en devoir d'expliquer d'une voix sépulcrale la tragédie dont nous venions d'être témoins sur la plage.

« Très malencontreusement, je dois le reconnaître, d'autant que miss Sterne s'était proposée pour être mon guide aujourd'hui, et, ma foi, le spectacle l'a bouleversée et je la raccompagne à Whitby. »

Il joua fort bien la comédie, me faisant passer pour la fille très choyée de parents affectionnés, mais je pense que Mrs du Maurier avait trop d'expérience pour être dupe. Enfin, les deux femmes prirent congé, car elles étaient venues à la Baie dans l'intention d'explorer les petites placettes et les sentiers du village avant d'aller déjeuner à l'hôtel. J'étais pour ma part si nerveuse que mon corps était contracté des pieds à la tête, et, au moment où Bram souleva son chapeau pour les saluer, je vis que son front était marqué d'une bande luisante. J'aurais voulu m'accrocher à lui, me pendre à son bras et le sentir m'enlacer la taille en guise de déclaration de solidarité, au lieu de quoi il nous fallut remonter la côte en restant au moins à trente centimètres l'un de l'autre.

« C'est à peine croyable de rencontrer encore ces deux femmes-là, marmonna-t-il à mi-voix. Tu penses qu'elles sont cru un mot de ce que j'ai raconté ? »

Je secouai la tête, incapable de proférer le moindre son, saisie d'un fou rire qui redoublait chaque fois que je croisais son regard ou pensais à l'épreuve que nous venions de subir. Non qu'il y eût quoi que ce soit de drôle dans l'affaire, et, à la vérité, ce rire était très proche des larmes. En fait, ce fut un autre choc qui l'arrêta. La malchance voulut que Bram fût juste en train de prendre nos billets de retour pour Whitby lorsque j'avisai un grand vieillard à cheveux blancs, tout de gris vêtu, qui traversait la cour de la gare : l'oncle Thaddeus.

Je fis un signe frénétique à Bram et plongeai vers le portillon. Heureusement, le contrôleur me laissa passer sur le quai où Bram, l'air intrigué, me rejoignit quelques instants plus tard. Je n'eus que le temps de lui expliquer et de lui donner quelques instructions à la hâte. Quand l'oncle Thaddeus apparut, je me glissai dans la salle d'attente des dames jusqu'à ce que j'entende le train grimper la côte en arrivant de Scarborough. Je risquai un coup d'œil afin de profiter du moment où il serait très occupé à chercher un compartiment libre pour me glisser dans le dernier des wagons de troisième classe. Je n'osai rejoindre Bram de peur d'être remarquée.

En descendant à la gare de la falaise ouest, je restai en retrait jusqu'à ce que j'aie vu l'oncle entrer dans Whitby pour prendre la route dans la direction inverse. Bram m'attendait sur un banc à une centaine de mètres, beaucoup plus joyeux que lorsque nous nous étions séparés. Il était ravi d'avoir enfin rencontré le chef de famille et voyagé dans le même train que lui. Non seulement il s'était installé dans le même compartiment mais il avait engagé la conversation avec lui sur l'histoire locale et le folklore.

« Il m'évoque Tennyson avec cette barbe et ces traits, dit-il avec chaleur. Et aussi un peu le poète américain Walt Whitman – encore qu'avec ces yeux je t'assure qu'il a l'air beaucoup plus farouche que l'un et l'autre.

— C'est un vieux chef viking, dis-je avec brusquerie. Et il le sait. Il devrait porter un casque à cornes, et non un chapeau haut de forme. »

Bram se mit à rire à cette évocation, ce qui me fit sourire aussi et dissipa finalement les alarmes qui s'étaient succédé pendant la matinée. En prenant le chemin de Newholm, nous nous félicitâmes de la façon dont nous avions résolu une difficulté majeure : la présence de l'oncle Thaddeus. Quant à Mrs du Maurier, elle n'avait aucune raison de douter de l'histoire de Bram ni de l'impression qu'il s'était efforcé de donner. Nous n'étions convaincus ni l'un ni l'autre, mais chacun faisait semblant de le croire. Quant au cadavre sur la plage, il n'y avait vraiment rien de plus à en dire.

Ce soir-là, notre promenade parut s'imposer : nous prîmes la direction de Ruswarp, et pour cela il nous fallut traverser la rivière, puis suivre la rive et cheminer à travers les bois hantés du vallon de l'Esk et du moulin du Coq, dont l'aspect était plus fantastique que jamais. Les ténèbres environnantes semblaient peuplées de soupirs et de craquements soudains. Cramponnée au bras de Bram, je le tirais presque pour qu'il avance plus vite. Alors que je poussais un soupir de soulagement en quittant les bois, il insista pour faire un détour et longer l'abbaye. Contrariée, je le suppliai de renoncer, mais il tenait absolument à passer quelques minutes près de cette ruine majestueuse, ou parmi les morts de la falaise est.

Nous commençâmes à monter par la route des Corbillards, pour nous retrouver, je ne sais comment, en bas de Tate Hill où un cortège funèbre se formait. Des dizaines de pêcheurs avec leur chandail de marin et leurs grandes bottes de mer attendaient l'arrivée du cercueil, mais, quand il vint, il ressemblait davantage à un brancard, porté par quatre créatures étroitement enveloppées de linceuls. Je regardai, perplexe, et vis que le corps était celui de Magnus Firth, dans la position où je l'avais vu le matin même sur le rocher en plan incliné. Un cadavre bouffi, exsangue, au visage marqué de traits indélébiles. Et Bram me disait : « C'est le sang ? Le sang qui donne la vie ? La Camarde est venue prendre son... »

Il répétait sans cesse ces phrases, et j'essayais de le faire taire tandis que nous suivions le cortège qui gravissait les cent quatre-vingt-dix-neuf marches, nous arrêtant avec les porteurs à chaque long palier plat prévu pour reposer le cercueil.

« Reposer, reposer ? Il ne reposera jamais en paix, me chuchota Bram à l'oreille. Il faudra l'empaler... »

L'église était sombre. Pas une lumière n'était allumée pour nous guider ou hâter le départ de l'âme du défunt. Sous la lumière capricieuse de la lune, le cortège se déploya autour de l'antique édifice, puis déboucha sur la falaise, et se dirigea vers l'extrémité du cimetière, devant l'immense étendue de la mer, qui semblait éternelle et infinie. Tout le monde regardait l'horizon lorsqu'un grand trou noir apparut à nos pieds : les porteurs en linceul saisirent le corps, le balancèrent à trois reprises, et le laissèrent tomber dans le trou avec un bruit sinistre.

Aussitôt retentit un grondement menaçant et le sol se mit à frémir comme lors d'un tremblement de terre. Prise de panique, l'assistance voulut reculer tandis que toute la falaise paraissait s'effondrer. Alors, des ruines ténébreuses de l'abbaye surgit une vieille voiture massive tirée par six chevaux noirs dont les panaches tressautaient au clair de lune et dont les sabots résonnaient lourdement dans le cimetière. Ils s'arrêtèrent, renâclant et se cabrant, l'écume à la bouche, laissant derrière eux un sillage dans lequel se distinguaient plusieurs silhouettes en cirés ruisselants. Je sentis l'odeur saumâtre de la mer pendant qu'elles entouraient la tombe ouverte ; puis, encadrant le mort, elles regagnèrent la voiture. Quelques instants plus tard, les chevaux étaient repartis, l'attelage sinistre descendait en cahotant les marches de l'église dans un bruit infernal et tournait en bas pour s'engager sur la corniche. Sous nos yeux effarés, parvenu au bout, il plongea de la falaise et s'engloutit dans l'écume en contrebas...

Je me sentis tomber avec lui, me mis à hurler et m'éveillai en sursaut. Ces images effrayantes surgies des ténèbres m'assaillaient, énormes et saisissantes, et je n'arrivais pas à croire qu'elles n'étaient que le fruit d'un cauchemar. Bram voulut me prendre dans ses bras mais je le repoussai, puis me cramponnai à lui comme une enfant, tremblant et gémissant.

« Dis-moi, chuchota-t-il, dis-moi ce que c'était... »

Je le fis en reprenant mes esprits, et en racontant mon cauchemar je revis les événements de la veille, mâtinés de peur et d'angoisse et mêlés aux récits de jadis relatés par mon oncle. Je me rendormis et ne me réveillai qu'au milieu de la matinée, abrutie et la tête lourde. Puis le rêve me revint avec la brutalité d'un coup dans l'estomac, et je me souvins brusquement de Magnus Firth et de la nuit où il était tombé de la falaise.

« Tu veux dire la nuit où il a été poussé », rétorqua Bram quand je lui fis part de mes pensées.

Une fois réveillé par mon cauchemar, il ne s'était pas rendormi. Il était nerveux, avec les yeux cernés. Des feuilles froissées s'entassaient sur son bureau, résultat d'heures inquiètes passées à travailler. Mais lorsque j'osai une allusion discrète, je compris mon erreur :

« Ce sont des lettres, me dit-il. J'ai écrit la majeure partie de la nuit et j'ai essayé de réfléchir à ce que je devais faire.

— À ce que tu devais faire ? » répétai-je, inquiète, songeant immédiatement aux policiers, à la prison et aux juges, à Bella comparaissant devant le tribunal et risquant sa vie.

« Oui. Je ne peux pas rester enfermé ici comme un lapin pris au piège, à attendre qu'il se passe quelque chose. Florence mérite au moins une explication. »

Je fus tellement soulagée que j'en défaillis presque et m'effondrai dans la fauteuil le plus proche en m'efforçant de dissimuler de mon mieux mon sourire tremblant.

Lorsque j'arrivai au studio, tout Whitby était au courant de la découverte du corps de Magnus Firth. Bien entendu, Jack aussi avait appris la nouvelle et se posait beaucoup de questions. Je dus faire un énorme effort pour paraître surprise, redoutant la suite. Peu après, Isa Firth arriva, et sa présence me causa plus de crainte que de contrariété, ce qui donne une idée de mon angoisse. Elle avait un faible pour Jack, je l'ai dit, et le fait de savoir depuis longtemps que ce n'était pas réciproque me réjouissait. En d'autres circonstances, j'aurais été contente de voir Isa la mine défaite et les yeux rougis, ce jour-là, non. De toute évidence, elle avait été prévenue au travail et venait de Middlesbrough.

Je fis mine d'être très occupée à choisir parmi mes couteaux et mes pinceaux, à allumer le gaz et à mélanger la colle, et pris mon courage à deux mains pour lui présenter mes condoléances. D'après ce que je savais, la mort de Magnus Firth était encore inexpliquée, aussi était-il normal de poser des questions sur les circonstances de cette mort.

« Ma foi, comment savoir ? dit Jack. Il est parti lundi soir et a été retrouvé mardi matin à la Baie, noyé. Il a peut-être été surpris par cet orage soudain qu'il y a eu... Tout est possible. »

Vous ne croyez pas si bien dire, pensai-je en détournant le visage.

« Il était parti pêcher, je suppose ? » demandai-je.

Il y eut un silence et, quand je me risquai à regarder la jumelle de Bella, je vis qu'elle fronçait les sourcils et se tordait les doigts.

« Non, les garçons avaient pris la barque. Il était à pied. Il allait à, euh..., à Saltwick, je crois, où il avait rendez-vous avec un ami.

— Pas un ami contrebandier, j'espère ?

— Pour l'amour du ciel, siffla Jack en jetant un coup d'œil à la fenêtre ouverte, comme si des gardes-côtes rôdaient au-dehors. Il ne faut pas plaisanter là-dessus !

— Loin de moi cette idée, dis-je. N'oubliez pas que j'ai vécu près d'un an sous son toit. Je connais ses habitudes aussi bien qu'Isa. »

Je me tournai vers elle et me forçai à poser une autre question.

« Il était seul ? »

Elle regarda de nouveau ses doigts.

« Oui. »

Elle sait que Bella était avec lui, pensai-je. Ou si elle ne le sait pas, elle s'en doute. Tout d'un coup, l'idée que Bella n'était pas seule, que quelqu'un d'autre que moi – fût-ce sa sœur Isa – était au courant, m'ôta de la poitrine un énorme fardeau. Isa avait beau être sournoise et rancunière, c'était la jumelle de Bella, c'était une Firth malgré tout, et elle savait mieux que quiconque ce que toute la famille avait enduré sous la férule du père.

« Ma foi, dis-je d'une voix douce, il a pu se passer n'importe quoi sur ces falaises en pleine nuit. Surtout pendant l'orage.

— Eh oui, c'est ce qu'on se dit aussi. (Sa voix se brisa et ses paupières rougirent encore davantage. Embarrassée, elle se détourna.) Il faut que je parte, maintenant. Je ne veux pas laisser maman toute seule dans l'état où elle est. Merci de votre aide, monsieur Louvain.

— Je vous en prie, Isa. Vous êtes toujours la bienvenue ici.

— Et Bella, demandai-je d'une voix qui me parut un peu trop tendue. Comment va-t-elle ? Et les autres ?

— Ils sont perdus sans lui », fit-elle avec un haussement d'épaules et une ironie amère.

Pour la première fois, j'éprouvai un élan de sympathie en comprenant ce qu'elle voulait dire. Ils haïssaient tous leur père, je le savais ; mais lui disparu, leur vie était comme un bateau sans gouvernail.

17

Les humeurs de Bram étaient imprévisibles depuis quelque temps ; lorsqu'il eut posté ses lettres pour Londres, il devint plus nerveux que jamais. Un matin, deux jours après l'orage, je profitai de son absence pour fouiller son bureau. Il n'y avait pas de quoi en être fière, mais ma curiosité me mettait au supplice. Il avait écrit à sa mère et à Florence, je le savais, et j'espérais qu'il avait fait des brouillons, ou laissé quelques pages parmi celles que j'avais vues, froissées dans la cuisinière.

J'en trouvai quelques-unes jetées d'une écriture hâtive et au début j'eus quelque espoir, rapidement déçu quand je me rendis compte qu'il s'agissait de notes sur le folklore local ou de débuts d'histoires. L'une d'elles, rédigée à la première personne, était assez longue et quelque chose retint mon attention. Je commençai à la lire mais, pour une raison qui m'échappait, les feuilles avaient été coupées : chaque page était incomplète et le manque de continuité augmenta ma frustration. Rien n'avait de sens. Contrariée, je cherchai d'autres feuilles, et j'allais abandonner lorsque, en voyant un vieux pot de colle au fond d'un tiroir, j'eus l'idée de me mettre en quête de la partie manquante du manuscrit. Aussitôt, j'examinai une pile de livres posée sur le rebord de la fenêtre et là, entre des romans et les volumes que Bram avait empruntés à la bibliothèque de Whitby, j'avisai un carnet relié avec une couverture marbrée, entre les pages duquel étaient glissés les morceaux manquants de l'histoire.

Je me dis que Bram avait une curieuse méthode de composition, mais bizarrement elle semblait fonctionner de façon satisfaisante. C'était l'histoire de trois amis, deux hommes et une femme, qui voyageaient ensemble en Europe. À mon sens, le narrateur n'était autre que Bram et, malgré des différences manifestes, je reconnus dans les deux autres protagonistes des traits d'Irving et d'Ellen Terry, ainsi que le cadre du récit, qui se situait dans une ville fortifiée d'Allemagne, Nuremberg sans doute, d'après les descriptions que Bram m'en avait faites. Parmi toutes les anecdotes qu'il m'avait relatées, je ne me rappelais cependant aucune allusion à des accidents macabres dans la chambre des tortures, bien qu'il m'eût décrit la visite qu'ils y avait faite ainsi que les affreux instruments de persuasion accrochés aux murs.

Dans la nouvelle, ils étaient dépeints en détail – chevalets et brodequins, chaises hérissées de clous et lits à broyer les os –, l'objet le plus effroyable étant une vierge de fer, grossièrement façonnée, dont l'étreinte conduisait à une mort certaine. Avec des fentes pour les yeux et une bouche grimaçante, cette silhouette massive en forme de cloche avait une porte à charnières qui ne s'ouvrait qu'à l'aide de cordes et de poulies. À l'intérieur se trouvaient de longues piques de métal, deux pour percer les yeux et deux au-dessous pour percer le cœur et les organes vitaux. Lorsqu'il me l'avait décrite, Bram m'avait dit que la pauvre Ellen Terry avait été soudain si bouleversée par l'horreur de cet instrument qu'elle avait voulu s'asseoir, puis s'était relevée d'un bond avec un cri de terreur, piquée par les clous rouillés d'une chaise de torture. Seule sa robe avait été endommagée ; malgré cela, elle avait été très affectée et désireuse de partir au plus vite. Ce qui avait beaucoup amusé Irving, selon Bram ; après quoi, toujours aussi peu soucieux de la détresse des autres, il avait insisté pour regarder de près chacun des instruments exposés.

D'après tout ce que Bram m'avait dit de lui, je l'imaginais semblable au personnage de l'histoire, repoussant toutes les tentatives de dissuasion, tous les arguments concernant son confort, tant il était déterminé à découvrir l'impression qu'on avait à se sentir dans la peau d'une victime. À coup sûr, il était capable de rire – je l'entendais presque – en voyant les cordes et les poulies nécessaires pour tenir la porte ouverte, et les taches incrustées sur les piques de fer à l'intérieur.

Si l'histoire en elle-même était trop réaliste pour ne pas déranger, la fin, elle, était macabre. Elle me laissa ébranlée, alarmée même, par les sombres recoins de l'imagination de Bram. À mon sens, il l'avait utilisée pour illustrer certains des aspects les plus déplaisants du personnage d'Irving : sa froideur et son manque de sensibilité, son orgueil allié à une fatuité démesurée, et à une cruauté aveugle qui ne concevait pas l'éventualité d'une sanction. J'ignorais les torts qu'Irving pouvait avoir envers Bram, mais il me semblait que celui-ci les lui faisait chèrement payer. Les éléments de vengeance étaient si forts dans le récit que je me surpris à espérer ne jamais me trouver dans une situation où je risquerais de décevoir Bram.

En frissonnant, je refermai le carnet et le rangeai dans la pile où il était. Dans ma hâte, je déplaçai le volume sur la Valachie et la Moldavie, et des feuilles couvertes de notes griffonnées par Bram en tombèrent tandis que je m'efforçais de remettre ses affaires en place. Je regardai le nom de ces princes médiévaux, de ces suzerains sanguinaires qui régnaient sur une région violente et pour qui les instruments de torture ne devaient être que des jouets dans la lutte pour le pouvoir. L'un de ceux qui semblaient avoir écrit leur nom en lettres de sang était un voïvode valaque du nom de Dracula. Il avait une prédilection pour le pal comme moyen d'éliminer ses ennemis et infligeait ce supplice à grande échelle. On disait qu'il cherchait ainsi à venger la mort de son père et de son frère aîné.

Je vis que Bram avait souligné le mot « venger ».

Ce soir-là, à mon arrivée au studio, Jack m'apprit que l'on devait procéder à une enquête judiciaire sur la mort de Magnus Firth le lendemain après-midi à Baytown. La nouvelle me fit un curieux effet. Je me sentis obligée d'y aller, d'assister aux témoignages, tout en redoutant les conclusions qui en seraient tirées. Surtout, je redoutais de voir Bella, de me trouver face à face avec elle, de devoir croiser son regard. J'étais sûre qu'elle se rendrait compte que je savais et que, d'une façon mystérieuse, cela nous ferait du mal à l'une comme à l'autre.

Finalement, il fut convenu que Bram et moi nous rendrions séparément à la Baie et assisterions à l'audience chacun de son côté : il était normal que j'y aille en tant qu'amie et lointaine parente, et Bram, estivant dans la région, pouvait légitimement manifester une curiosité naturelle, ayant été présent lorsqu'on avait ramené le corps à terre. Malgré tout, nous étions inquiets l'un et l'autre. Bram décida de faire la route à pied le matin et de déjeuner à l'hôtel avant de gagner l'endroit où aurait lieu l'audience. Quant à moi, je décidai de m'y rendre par le train et étais si nerveuse que je ne pus manger qu'une tranche de pain avant de partir.

À Whitby, les enquêtes concernant les noyades se tenaient en général dans le pub le plus proche et le plus commode ; mais tant de corps étaient rejetés à terre à la Baie qu'un local spécial était prévu sur la colline à la périphérie du village, une bâtisse de pierre basse qui remplissait la double fonction de morgue et de bureau du coroner. Dans le coin, on l'appelait la Maison des morts et, bien que je l'eusse toujours connue, ce ne fut pas sans émotion que je m'en approchai, tout en ouvrant l'œil pour voir si j'apercevais Bram ou le grand-oncle Thaddeus qui, comme parent éloigné de la veuve éplorée et pilier de la communauté locale, assisterait assurément à l'audience. Je portais l'une de mes vieilles robes d'été, et un bonnet à la mode du pays qui avait l'avantage de dissimuler complètement mes cheveux et presque tout mon visage. Je ne voulais ni me faire remarquer, ni devoir engager une conversation gênante avec un membre de la famille.

J'attendis soigneusement l'arrivée de Bella, d'Isa, ainsi que des deux aînés des garçons accompagnés de la cousine Martha, pour aller prendre place sur les bancs du fond de la salle avec un petit groupe de vieilles femmes. Douglas et Ronnie baissaient la tête comme à l'église tandis qu'Isa lançait des regards furtifs alentour. Bella, elle, regardait fixement devant elle. Vêtue d'une robe noire sévère, elle était coiffée d'un bonnet de coton assorti qui lui donnait l'air austère. Elle ne regardait pas le cercueil, ce que j'aurais préféré moi aussi éviter, sans toutefois pouvoir m'en empêcher. Mes yeux y revenaient sans cesse, comme attirés, et, chaque fois que j'entendais le cri des mouettes au-dessus du bâtiment, je revoyais le grand goéland qui cherchait à donner des coups de bec aux yeux et au front du mort.

Tout en attendant dans le silence ambiant, ma tête s'emplit

d'impressions où se mêlaient la colère, les ténèbres et l'orage imminent. Après avoir lu l'histoire de Bram et ses notes, peut-être avais-je l'esprit obnubilé par la vengeance, mais je ne pouvais oublier les vitupérations de Bella ni sa menace furieuse de tuer son père.

Je pris une grande inspiration et m'efforçai de repousser ce souvenir. Un accident, me dis-je. Cela a dû être un accident.

Une ombre s'encadra dans la porte ; je levai les yeux et vis entrer Bram qui ôta son chapeau à bords souples et alla s'asseoir au bout d'une rangée vers le milieu de la salle. Quelques instants plus tard arriva l'oncle Thaddeus sur lequel tous les regards se braquèrent. Il adressa un signe de tête à Bram et s'assit non loin de lui. Quelqu'un toussa. Une bouffée d'air venue du dehors apporta l'odeur du foin fraîchement coupé et, juste au moment où je me demandais s'il faudrait encore attendre longtemps, un homme en redingote noire entra d'un pas vif, posa son chapeau haut de forme et ses papiers sur la table et ouvrit la séance sans plus de cérémonie.

Je fus surprise par la simplicité de la procédure. Le coroner s'adressa à la famille, fit un résumé de l'état des recherches, posa des questions à l'officier de police de la ville sur la façon dont le corps avait été découvert, au garde-côte sur les marées, à la cousine Martha et aux garçons sur les allées et venues du défunt le soir de sa disparition. La cousine Martha déclara que Magnus avait quitté la maison, apparemment pour aller relever des lignes du côté du Nez de Saltwick. Mais, lorsqu'elle fut interrogée plus en détail, elle reconnut que son mari avait jadis fait de la contrebande et que son déplacement de ce soir-là n'avait peut-être rien à voir avec la pêche.

La voix du coroner se fit particulièrement douce lorsqu'il interrogea Bella ; elle reconnut d'une voix tremblante avoir suivi à travers la ville son père – mon cœur s'arrêta en entendant cela – qui avait oublié son dîner et qu'elle essayait de rattraper. Surprise par la pluie battante, elle s'était inquiétée pour lui mais avait dû s'abriter et n'avait donné l'alarme que le lendemain matin en constatant qu'il n'était pas rentré...

Je poussai un long soupir mais n'osai lever les yeux. Nous avions été témoins de la violente altercation entre le père et la fille : se pouvait-il que personne d'autre ne l'eût entendue ? Mais personne ne se présenta et le coroner ne poussa guère l'interrogatoire plus loin. Dans son résumé, il déclara qu'on ne pouvait écarter l'hypothèse que Magnus Firth se soit livré à des activités illégales dans la baie de Saltwick, telles que le débarquement en contrebande de marchandises en provenance de bateaux hollandais ou français. S'il était très possible qu'il ait eu une dispute avec l'un de ces individus peu recommandables et qu'il ait trouvé la mort de façon violente, il n'y avait aucune preuve en ce sens. L'hypothèse la plus vraisemblable était que, surpris par l'orage brutal, Magnus Firth avait glisse et fait une chute mortelle. Et de toute évidence, on ne pourrait jamais en savoir davantage, dit le coroner. Il se voyait donc dans l'obligation de conclure à une mort accidentelle.

Pendant quelques instants, j'eus la respiration coupée. Je regardai Bella, qui était toujours aussi raide. Douglas la prit par le bras et il dut la tirer pour qu'elle se remette debout, puis tout le monde se leva tandis que le coroner quittait la salle. Bram attendit que les gens sortent et je l'imitai. Personne ne parut me remarquer, pas même l'oncle Thaddeus, qui s'arrêta près du cercueil pour parler à Douglas et à la cousine Martha. Il était question des obsèques, qui devaient avoir lieu à Whitby. Je m'arrêtai près d'eux et entendis l'oncle s'assurer que la famille avait assez d'argent pour enterrer le mari de la cousine Martha. Bella et Isa sortirent avec leur frère cadet et descendirent les marches qui menaient au pied de la colline, escortées à quelques mètres par la haute silhouette de Bram.

J'aurais voulu parler aux uns ou aux autres pour présenter mes condoléances, ne fût-ce qu'en quelques mots brefs et conventionnels, mais la présence de Bram et de l'oncle Thaddeus m'en empêcha finalement. Je me contentai donc d'aller jusqu'à la place et demeurai un moment à regarder la petite maison où j'avais passé la plus grande partie de mon enfance. Lorsque j'entrai dans la gare, Bram était sur le quai ; mais d'autres personnes s'y trouvaient aussi. Il ôta son chapeau pour me saluer et nous restâmes à distance comme de vagues connaissances jusqu'à la fin du trajet. Et même une fois arrivés et déjà sortis de la gare, nous évitâmes de discuter de l'enquête avant d'être sûrs que personne ne pourrait nous entendre.

Le lendemain, des réponses aux deux lettres que Bram avait envoyées lui parvinrent. Manifestement, elles déçurent son attente. Il soupira tellement en les lisant que je lui dis qu'il allait déclencher une tempête, ce qui provoqua un petit sourire et je pus alors lui demander qui avait écrit et ce qu'on lui disait.

Malheureusement, la lettre que lui avait envoyée sa mère de Dublin était blessante, et des plus décevantes. « Elle a tant écrit elle-même que j'espérais qu'elle comprendrait mes ambitions », me dit-il avec amertume. Il me donna lecture de quelques passages qui me permirent de voir que Charlotte Stoker traitait son fils d'imbécile et le conjurait de se ressaisir avant de gâcher complètement sa vie. Je décelai une note d'exaspération dans ses paroles, à moins que ce ne fût dans la voix de Bram qui me lisait sa lettre : « Ce genre de coup de tête te perdra. » Cette phrase se détachait du reste et faisait allusion à diverses erreurs passées, notamment son mariage avec Florence Balcombe, cette fille avec qui il n'y avait même pas eu de fiançailles. À quoi pensaient ses parents, c'est ce que Charlotte ne parvenait pas à imaginer ; sauf si, étant encore moins aisés que les Stoker, ils avaient considéré Bram comme une bonne affaire. Illusion qui devait être contagieuse, d'ailleurs, puisque Bram avait abandonné un emploi stable au palais de justice de Dublin pour devenir imprésario d'un saltimbanque !

Quelques lignes plus bas, il tourna vers moi le visage outragé et furieux d'un petit garçon.

« Comment se fait-il que les mères sachent si bien blesser ? » demanda-t-il.

Et quelques instants plus tard, il ajouta tristement :

« Je dois dire en tout cas qu'elle n'a jamais tenu Florence ni Irving en grande estime, et qu'elle n'a jamais cherché à le cacher. »

Pour une femme aux opinions si tranchées, je trouvai sa réaction mesurée. À mon avis, les deux personnages incriminés s'en tiraient à bon compte, avec quelques commentaires mortifiants, ainsi que Bram, qui en était quitte pour une simple volée de bois vert par écrit. Mais je me demandai ce qu'elle penserait de moi si nous devions un jour nous rencontrer.

Rien de tout cela n'était de très bon augure, en fait, et je fus bientôt aussi abattue que Bram. J'osai à peine lui poser des questions sur l'autre lettre, dont il se borna à me dire qu'elle était de son ami Hall Caine. Dans tous les passages qu'il avait cités, je ne me sentais remarquable que par mon absence et je me mis à soupçonner que, en parlant de ses projets de quitter Londres et de se retirer à Whitby pour écrire, Bram n'avait absolument pas parlé de moi. Mon cœur se serra encore davantage. La perspective de notre avenir commun s'effaçait rapidement, et Bram ne faisait aucun effort ni ne prononçait aucune parole susceptible de corriger cette impression. Tandis que j'étais là, perchée sur le tabouret près de la table de la cuisine, il ne me regardait même pas et restait assis à côté de son bureau, tendu, à fumer une cigarette après l'autre, les yeux rivés sur la fenêtre.

Paralysée par le chagrin, je gardais le silence. Au bout d'un moment, je me forçai à sortir. Malgré le soleil, je frissonnai car il y avait beaucoup de vent. Même le jardin paraissait triste. En contrebas, caché par un repli de la colline, un train passa en direction de Sandsend en lâchant des panaches de fumée qui nous rappelaient l'existence du monde extérieur. Pendant le mois qui venait de s'écouler, nous avions fait comme si la réalité n'existait pas ; or elle nous assiégeait à présent de tous côtés.

La panique m'étreignit, et l'espace d'un instant j'eus envie de m'enfuir. Puis je me retournai et vis Bram qui m'observait par la fenêtre. Son expression reflétait si fidèlement mes propres sentiments que j'en eus mal pour lui. Je me rendis compte qu'il était lui aussi en équilibre instable entre deux univers très différents. Je compris que, si je voulais l'avoir, il faudrait que je me batte et que j'use de toutes les armes à ma disposition. Pourquoi devrais-je avoir pitié de sa femme ? me demandai-je. Elle ne m'était rien. Sa mère elle-même n'éprouvait pas de sympathie pour elle. Un sentiment de devoir, peut-être, mais ni compassion ni affection réelles. Et une Florence abandonnée ne risquait pas de mourir de faim : elle avait beaucoup trop d'amis et d'admirateurs influents. Moi, je n'en avais qu'un et j'avais besoin de lui.

Je relevai le menton, me forçai à sourire et rentrai pour lui passer les bras autour du cou et frotter ma joue contre la sienne. Les lettres, dans leur enveloppe, étaient posées sur le bureau devant lui. Malgré mon envie de les lire, je les pris et les jetai sur la table de la cuisine.

« N'y pense pas, murmurai-je contre sa bouche. Qu'est-ce qu'ils savent ? Ils ne comprennent pas... »

Ce qui n'était pas mon cas, bien entendu ; ou du moins était-ce le message que j'essayais de lui faire passer. Moi, je connaissais ses ambitions littéraires aussi bien que ses goûts sexuels, et j'étais prête à l'aider pour les premières et à satisfaire les seconds. J'avais à peine dix-neuf ans et je me croyais si sage, si expérimentée. J'avais compris que l'instinct sexuel pouvait prendre le pas sur beaucoup d'autres choses, y compris le sens du bien et du mal. J'avais compris qu'il pouvait bafouer les interdits sociaux et familiaux et exister entre des membres du même sexe. Et je soupçonnais qu'il pouvait détruire ceux dont les désirs étaient constamment frustrés. Si Florence était décidée à se refuser à lui, alors Bram avait besoin de moi. Avec moi, il n'avait pas besoin de donner le change, avec moi, il pouvait être lui-même.

Bien décidée à le prouver, je défis sa cravate et glissai ma main à l'intérieur de sa chemise, telle une courtisane des temps jadis. Avec force taquineries, le mordillant et lui prodiguant des baisers légers, je descendis vers sa taille. Mon intention était de l'attirer au lit où nous pourrions consacrer l'après-midi au plaisir. Il réagit, mais ne bougea pas pour autant de sa chaise. Au contraire, il me fit clairement comprendre qu'il ne voulait pas que je m'arrête et me poussa de façon que je sois à genoux devant lui.

Pour la première fois, j'eus le sentiment d'agir comme la catin que Bella m'accusait d'être.

18

Jadis, quelques agaceries avec les lèvres et les dents suffisaient à l'exciter. Cela faisait partie d'un jeu dont je croyais que nous connaissions les règles l'un et l'autre. Jusque-là et pas davantage. Cette fois, il fut long à démarrer et ne me laissa pas renoncer. J'aurais volontiers abandonné, mais il me força à poursuivre. Il n'y eut aucune parole, aucun mot doux ; seulement une tension terrible qui aboutit au spasme final.

Ensuite, il me lâcha et je m'effondrai à ses pieds comme une poupée de son, puis roulai sur le côté et enfouis mon visage dans ma jupe. J'attendais un geste de tendresse. Rien ne vint, ni réconfort, ni aide, ni excuses. J'entendis quelque temps sa respiration saccadée, puis les pieds de la chaise grincer sur le sol de pierre, et un peu plus tard il annonça qu'il allait se promener. La porte se ferma. Après son départ, je laissai libre cours à mes larmes.

Je me sentais humiliée par ce qui venait de se passer et me dis qu'il ne pouvait éprouver pour moi autre chose que du mépris, ce qui meurtrissait mon orgueil autant que mes sentiments. Je me blâmai et pleurai de plus belle. Enfin, je repris suffisamment mes esprits pour me laver le visage et remettre du charbon sur le feu. Puis je remplis le ballon d'eau pour prendre un bain.

Pensive, je retournai vers la table où j'avais posé les lettres de Bram. Malgré sa précipitation il n'avait pas oublié de les prendre. Leur absence constituait une autre forme d'insulte, et je me dis que je le détestais. Sur ces entrefaites, la pluie se mit à tomber. Au début, je m'en félicitai, mais, voyant qu'elle s'installait et tombait dru, au bout d'une heure je m'inquiétai de le savoir dehors seul sur la lande. Je l'imaginai trempé jusqu'aux os, ou pis, tombé dans quelque ravin dissimulé aux regards, blessé et impuissant.

C'était une triste soirée et, bien que ma présence au studio ne fût pas requise, j'étais navrée de ne pas avoir à travailler car cela eût constitué une distraction. Je marchais de long en large dans la cuisine, jetais par la fenêtre des regards inquiets et essayais d'évaluer le temps qui s'était écoulé depuis le brusque départ de Bram. Finalement, j'entrepris de préparer notre ragoût de lapin du samedi soir. Je n'avais pas faim, mais c'était une façon de m'occuper ; et puis, lorsque Bram rentrerait – bien sûr qu'il rentrerait, voyons ! mes craintes n'étaient que le fruit d'une imagination débridée –, il lui faudrait bien quelque chose à manger. Curieusement, alors que j'étais vraiment préoccupée, je fis tout ce qu'eût fait une bonne ménagère de la Baie. Et, après avoir pris mon bain, je m'installai même dans un fauteuil pour attendre.

La nuit tomba de bonne heure et, ne voyant toujours pas Bram rentrer, je commençai à m'inquiéter sérieusement. Et s'il était bel et bien blessé ? Qui devrais-je alerter ? Je ne savais même pas dans quelle direction il était parti. En regardant par la fenêtre, je me surpris à penser à Florence avec sympathie pour la première fois : car je pouvais l'imaginer seule, comme moi, à se demander où était Bram, s'il lui était arrivé quelque chose et si elle le reverrait un jour, des pensées qu'elle avait dû ruminer chaque soir ces dernières semaines. Je me sentis indigne et contrite : je n'avais que ce que je méritais. Et leur fils, Noël ? Son père lui manquait-il à l'heure du thé, quand Bram rentrait en général à la maison et jouait avec lui une heure pendant que Florence recevait ses amis ? Même à présent, priait-il pour le retour de son père ?

C'était insupportable. J'étais si épuisée que j'allai m'allonger. Je ne pensais pas pouvoir dormir, mais un moment plus tard des mouvements et une lumière dans les yeux me dérangèrent. Ahurie, l'œil plissé, à moitié réveillée seulement, je vis Bram qui, assis au bord du lit, se retournait pour m'adresser un sourire gêné en se déshabillant. Lorsqu'il se pencha vers moi, je sentis une forte odeur de bière et de tabac et, malgré mon hébétude, je compris qu'il avait fait la fête, tandis que j'avais attendu des heures durant, non seulement à me torturer sur la nature de notre relation, mais aussi à me demander s'il était mort ou vif.

« Où donc étais-tu passé ?

— Je sais, il est tard, je suis désolé. Figure-toi que je suis tombé sur Jack Louvain, et...

— Tu as été au studio pendant tout ce temps ?

— Oh, non, pas du tout – on a circulé dans la ville, dans quelques pubs, à discuter avec les pêcheurs. Des types formidables, je dois dire...

— Je croyais que tu étais allé te promener », protestai-je.

J'avais du mal à le croire capable d'un pareil manque de cœur, j'avais du mal à m'exprimer.

« Je croyais...

— Oui, seulement il s'est mis à pleuvoir et comme j'ai vu que cela allait durer toute la soirée, je suis revenu en ville et c'est là que j'ai rencontré Jack. Il m'a proposé de boire un verre, et puis, tu sais comment c'est, je n'ai pas vu le temps passer... »

Je saisis la courtepointe, non pour me retourner, mais pour m'écarter de lui le plus possible tant j'étais furieuse. Je sentais mon cœur battre à tout rompre ; les yeux me piquaient, je ne voulais pas qu'il le remarque.

« Oh, écoute, Damaris, dit-il comme si c'était moi qui étais dans mon tort, ne sois pas grincheuse comme ça. Un soir, qu'est-ce que c'est ? Je me suis excusé. Et tu dois comprendre qu'un homme a besoin de compagnie masculine de temps en temps.

— Cela n'a rien à voir, grinçai-je entre mes dents serrées. J'étais très inquiète. J'ai cru... (Incapable de dire ce que j'avais cru, je terminai ma phrase avec dépit.)... Enfin, j'ai préparé ton repas. Il est sur le feu. »

Pour toute réponse, il tendit une main et me caressa l'épaule. Je crus qu'il allait prendre son dîner trop cuit, mais l'instant d'après il était étendu en travers du lit et m'attirait vers lui. « Je préfère dîner d'amour », murmura-t-il d'une voix rauque en glissant la main entre les draps vers ma poitrine.

J'étais bouleversée. À l'évidence, il avait bu. Malgré tout, pour de multiples raisons, je me dis qu'il était préférable de ne pas montrer trop de réticence afin de ne pas lui donner de prétexte pour repartir. Lorsqu'il répéta qu'il était désolé de ce qui s'était passé, je fis mine de bouder encore, sans toutefois le rabrouer, car je voulais être aimée et rassurée. Cependant, lorsque j'essayai de l'attirer contre moi, il repoussa les couvertures et m'écarta les cuisses. Ce n'était pas du tout ce que j'avais escompté, mais au bout d'un moment je me rendis compte qu'il ne serait pas à la hauteur. Je murmurai quelques mots pour lui faire comprendre que cela n'avait pas d'importance et levai les bras pour le serrer contre moi, mais il les attrapa, les maintint au-dessus de ma tête et, en poussant un gémissement amer, concentra son attention sur mes seins que, dans sa déception, il se mit à sucer et à mordre. Comme je n'étais pas du tout excitée, la douleur de ces assauts ne fut pas compensée par le moindre plaisir. Il me mordit à nouveau, plus fort, et j'eus l'impression de recevoir un coup de couteau. J'eus un sursaut convulsif, poussai un cri et lui fis lâcher prise en lui donnant un coup de pied. Après quoi je roulai de l'autre côté du lit et me couvris.

Cela le dégrisa et il marmonna une excuse. Je finis par me calmer et, cramponnée au bord du matelas, anéantie par la fatigue et la désolation, je me laissai persuader de rester après qu'il m'eut juré ses grands dieux qu'il ne me toucherait plus.

Je dus m'endormir, car des rêves me firent reprendre conscience. Des rêves érotiques où j'étais caressée par un amant sans visage mais persuasif. Sans visage car il était derrière moi, la bouche dans mon cou et le creux de mon épaule, tandis que son membre rigide battait contre le creux entre mes cuisses. Puis les rêves se firent réalité et je m'abandonnai à moitié à cette exploration somnolente et sensuelle jusqu'au moment où je m'aperçus que ces lents travaux d'approche devenaient une offensive en règle contre des zones inhabituelles. Une main saisit ma gorge et ma mâchoire pendant que l'autre m'emprisonnait la taille. Il me pénétra de force à brefs coups de boutoir, violents et féroces. Une douleur déchirante irradia jusqu'au bout de chaque nerf, me paralysant et me réduisant à un état de panique absolue. Je me débattis, le mordis, donnai de grands coups aveugles pour tenter de reprendre ma respiration, pour tenter de me libérer de lui ; mais je me sentais empalée, percée jusqu'au tréfonds, et mes hurlements étouffés, étaient réduits à des protestations étranglées. En quelques instants il eut terminé, et le hoquet d'aise qui ponctua sa jouissance marqua pour moi le comble d'une insoutenable humiliation.

Je lui en voulais à mort. Rétrospectivement, j'éprouvai une certaine satisfaction de lui avoir mordu l'avant-bras jusqu'au sang, et de lui avoir donné dans l'estomac des coups de coude si violents qu'il en avait été plié en deux de douleur. Cela était malheureusement sans commune mesure avec le dégoût que m'inspirait ce qu'il venait de me faire et avec la honte que j'éprouvais à m'être comportée jusque-là avec une complaisance telle qu'il s'était cru autorisé à me traiter comme une putain. Cette fois-ci, il ne s'excusa pas et se borna à secouer la tête en disant : « Je ne sais pas ce qui m'a pris. »

En dépit de mon chagrin et de ma rage, je savais au fond de moi qu'il disait la vérité. Pourtant, je ne pouvais plus supporter de rester à côté de lui dans ce lit. Frissonnante, je me réfugiai dans la cuisine. Mon corps tout entier me faisait mal. Je me sentais flétrie, souillée, et aspirais à la solitude. Des traînées sanglantes révélaient la perte d'une autre forme de virginité dont je n'étais pas consciente jusque-là, mais qui avait été violée malgré tout. Si j'avais été seule, j'aurais tiré de l'eau afin de me laver et d'apaiser mes douleurs, mais le jour se levait et la mer attendait au pied de la colline. J'avais le sentiment d'avoir besoin qu'elle me nettoie. Je saisis donc une vieille robe de coton que je portais à la maison, l'enfilai sans peine sur mon corps nu, pris une serviette et un châle et sortis en laissant la porte ouverte, calée sur les pierres inégales.

Du cottage à la plage d'Upgang, il y avait moins de deux kilomètres, et je fis le trajet comme une aveugle, sans penser à rien qu'aux vagues froides et purificatrices où j'allais me plonger. La marée haute recouvrait toute la plage, sauf quelques mètres de sable dur et sombre. Tremblant de froid, je laissai mes affaires derrière un rocher, me précipitai dans l'eau grise et partis à grandes brassées qui en quelques minutes m'emmenèrent loin de la plage. Le froid engourdissant fut pour moi le bienvenu. Cependant, c'était une erreur regrettable que d'essayer de fuir ainsi ma douleur, oublieuse des courants qui allaient de Kettleness vers le large. Quand le soleil perça enfin le plafond bas des nuages, je me rendis compte que j'étais très loin, balancée par une longue houle, et que je me trouvais au large de Whitby. Les fenêtres du Saloon reflétaient le soleil levant et les cabines de bains multicolores étaient remontées au pied de la falaise. Soudain, tout ce qui, sur cette falaise élégante et huppée, avait toujours provoqué mon envie et mon mépris me sembla très précieux.

Je sentis la panique, brûlante comme une coulée de lave, m'envahir, et la combattis avec l'énergie du désespoir, m'obligeant à discipliner chaque inspiration, et à rendre chaque brasse efficace. Lorsque je me tournai pour évaluer la distance qui me séparait du rivage, elle me sembla infranchissable. À plusieurs reprises, la marée, en descendant, parut me faire dériver davantage encore. Je nageais régulièrement, mettant le cap sur le pont du chemin de fer à Upgang. Je savais que les courants me déporteraient probablement plus près du Saloon, mais je voulais surtout éviter qu'ils ne me poussent au-delà des jetées, ou pis encore, près de la ville. Le spectacle d'une fille nue, à moitié noyée un dimanche matin au début des vacances, eût provoqué un scandale. Je voyais presque la tête des fidèles qui se rendraient au premier service religieux du matin à Sainte-Marie, tout essoufflés d'avoir gravi notre mont des Sept-Douleurs local, avec ses cent quatre-vingt-dix-neuf marches, pris de court par la nouvelle et impatients de trouver un bon point de vue d'où apercevoir le cadavre nu de cette jeune femme échouée sur le Scaur. Feraient-ils diligence pour me recouvrir ? Penseraient-ils que ma mort était préméditée ou accidentelle ? Croiraient-ils que j'avais été assez impudique pour partir nager sans le moindre vêtement – et assez bête pour sortir à marée descendante ? Pareil événement pourrait même faire les gros titres de la *Gazette de Whitby*.

Ces réflexions étaient ridicules, mais au moins ne cédai-je pas à la panique. Curieusement, je ne pensai à Bram que quand je fus parvenue presque à portée du rivage, alors que chaque respiration était un coup de poignard et que l'effort de nager me donnait l'impression de soulever des membres en plomb. Combien de temps étais-je restée dans l'eau ? Je l'ignorais. Sans doute une heure environ, une heure à l'issue de laquelle les gens devaient être levés et vaquer à leurs occupations, indépendamment du jour : heureusement, c'était un dimanche ; il n'y avait donc pas de barques en train de pêcher ni de navire charbonnier en train de décharger sur la plage. Face à la perspective de la mort, ma nudité m'avait amusée, mais maintenant que j'étais presque sauvée je tenais à ne pas être vue nue. Je me jurai que jamais au grand jamais je ne repartirais nager sans un costume, ne fût-ce qu'une chemise, afin de me protéger d'une inculpation pour outrage à la pudeur.

Je repris enfin pied non loin du Saloon. Je restai dans l'eau jusqu'au cou et rassemblai assez d'énergie pour marcher ainsi parallèlement à la plage et me rapprocher des chevalets du pont, peut-être à deux ou trois cents mètres de là ; à cet endroit toutefois, l'écart entre la mer et la colline s'élargissait considérablement. Éperdue et à bout de forces, je me mis à exhaler des imprécations rauques. Que faisait donc Bram ? Il aurait dû y avoir sur la plage un sauveteur diplômé pour m'attendre, prêt à sortir le bateau de sauvetage si besoin était. Où était-il ? Ne se souciait-il pas de moi ? Toute notre histoire n'avait-elle donc été qu'une comédie ?

J'eus finalement le bon sens de renoncer et me laissai rouler sur le rivage, mais je m'écorchai en rampant sur le sable et les coquillages, car c'est à peine si je pouvais me soulever pour sortir de l'écume. La colère me donna cependant l'énergie de franchir la distance qui me séparait de mes vêtements. Glacée et en état de choc, je grelottais. J'enfilai ma robe, me couvris de mon châle et m'assis pour me remettre. Je pensais ne jamais trouver la force de marcher jusqu'à la maison, mais au bout d'un moment je tressaillis en entendant siffler le train du matin qui traversa avec fracas l'étroit ravin derrière moi. Cela me donna le courage de me lever.

Le temps était couvert, mais le sel me tirait la peau, et j'avais la gorge parcheminée. Je me sentais comme une naufragée, et mes pensées, qui avaient été tout entières orientées vers la survie, ne se tournèrent que trop vite vers le désastre de la nuit précédente. La honte m'envahit, ainsi que la tristesse d'avoir perdu quelque chose de précieux. J'avais aimé Bram sincèrement, en dépit de mes déclarations de principe du début. Je n'avais pas eu besoin de lui donner d'explications ni de me soucier de ce qu'il pensait car il avait toujours paru m'accepter telle que j'étais et s'était montré très spontané avec moi, même si je ne le comprenais pas toujours. Pourquoi avait-il fallu qu'il gâche tout ? Ensemble, nous avions été si heureux ; nous avions partagé l'amour et le luxe, la joie et l'excitation ainsi que les plaisirs inattendus du quotidien à deux. J'aurais dû savoir, me dis-je avec amertume, qu'une chance pareille ne m'était pas destinée, d'autant que cet homme était le mari d'une autre.

Pourtant, sur le rebond de cette amertume vint l'inévitable révolte, le sentiment que la vie était profondément injuste, que je méritais tout de même d'être heureuse et que si je me battais, je pourrais conquérir ce bonheur. Mais pouvait-il être partagé avec Bram ? Pouvais-je vouloir être heureuse avec un homme qui non seulement était marié, mais m'avait traitée de semblable façon ?

Je n'en étais pas sûre. Brusquement, je n'étais plus sûre de rien, ni de son amour pour moi, ni du mien pour lui ; je ne savais plus s'il prenait plaisir à infliger la douleur ou s'il était simplement excité par l'idée du sang, par sa couleur, et je n'osais penser à ce qu'il pourrait faire d'autre si nous restions ensemble. Malgré tout, je redoutais encore plus ce qui pourrait m'arriver si nous nous quittions.

Sans doute serait-il souhaitable d'avoir une conversation avec lui et d'éviter toute conduite impulsive. Je ne voulais pas sauter une seconde fois de la poêle dans la braise. Aussi, avec l'impression d'avoir pris une décision très sage, je me frottai la peau pour la débarrasser du sable et m'efforçai de me démêler les cheveux, que le sel et les impuretés avaient rendus collants et qui ressemblaient à un écheveau d'algues séchées. L'un de mes premiers désirs était de trouver de l'eau fraîche, d'abord pour boire, ensuite pour me laver ; et quand mes cheveux seraient propres et bouclés au soleil comme du duvet roux, Bram viendrait s'asseoir avec moi dans le jardin pour les brosser jusqu'à ce qu'ils soient secs. Il adorait mes cheveux, leur longueur luxuriante, leur poids, adorait les enrouler autour de ses doigts, les rassembler pour les épingler sur ma tête, les relâcher, les enrouler voluptueusement autour de mon cou ; les lèvres contre ma peau, il me dirait que j'étais belle, qu'il avait besoin de mon amour, de ma complicité, et il me promettrait ce que je voudrais, pourvu que je reste...

Totalement absorbée dans mes pensées, je ne remarquai rien avant d'avoir pénétré dans le jardin et de me trouver face à face avec un homme à l'aspect étrange, au vaste front bombé et aux longs cheveux d'un brun tirant sur le roux. Il était très mince et extrêmement bien mis. Ses doigts squelettiques tenaient un mouchoir jaune qui devait être parfumé, car il le secoua dans ma direction comme s'il faisait signe à une mendiante mal lavée de passer son chemin.

« Non, vous ne pouvez pas entrer, voyons », me dit-il d'un ton péremptoire en me voyant m'approcher de la porte.

Et, me barrant l'entrée du bras, il voulut m'écarter.

« Mais j'habite ici ! » protestai-je.

Si je ne reculai pas d'une semelle, la colère et l'inquiétude firent grimper ma voix dans les aigus.

« Qui êtes-vous ? Où est Bram ? »

Je tentai de forcer le passage, d'atteindre la fenêtre, mais l'homme maigre aux yeux sombres et inquiétants était plus fort qu'il ne le paraissait.

Il y eut du mouvement à l'intérieur, et j'entendis un bruit de voix, celle de Bram qui criait « Pour l'amour du ciel, Tom, laisse-la entrer. » Et il ouvrit la porte avec précipitation.

J'aurais voulu me jeter dans ses bras. Cependant quelque chose me retint. Il tendit les mains vers moi et chuchota :

« Où étais-tu donc passée ? Je m'inquiétais.

— Pas assez pour venir me chercher, pourtant ! » rétorquai-je avec un mouvement de recul.

Son visage se crispa de colère. Il se détourna et jeta un coup d'œil par-dessus son épaule vers le fond de la cuisine mal éclairée, et je me rendis compte alors qu'il y avait quelqu'un d'autre, une forme sombre qui s'avançait dans ma direction, avec des mains pâles et des traits aristocratiques. Une impression de puissance inexplicable mais glaçante me fit trembler à nouveau, et je compris alors que je venais d'échapper de très peu à la noyade. La chaleur superficielle que j'avais ressentie en remontant à pied à la maison s'évanouit, cédant la place au froid de la mer qui s'était insinué jusqu'à la moelle de mes os.

J'essayai d'en appeler silencieusement à la vigueur de Bram, à sa cordialité naturelle, et je m'appuyai sur son bras. Une voix que je reconnus à peine comme la mienne dit faiblement :

« J'étais descendue à la plage – pour me baigner.

— C'est ce que je vois », répondit-il sans me laisser m'expliquer.

Il toucha mes cheveux avec une certaine consternation, ce qui normalement, entre nous, n'aurait eu aucune importance. Or, face à ces deux hommes, ces amis à lui avec leurs beaux habits et leurs mouchoirs parfumés, son geste trahissait une critique et me signifiait qu'il avait honte de mon aspect. J'en fus profondément meurtrie et, percevant mon mouvement de recul, il dit aussitôt en manière d'excuse :

« Je suis quand même soulagé de te voir saine et sauve. Je partais à ta recherche quand Tom et Irving sont arrivés. Je ne m'attendais vraiment pas à les voir ici, surtout à une heure pareille ! »

Il était nerveux, et le tic qui, depuis quelques jours, faisait tressaillir un muscle sous son œil avait reparu.

La petite bouche de Tom – Thomas Hall Caine – s'étira en un sourire contraint lorsqu'il vit Bram me prendre le bras pour me faire entrer. Il me présenta à l'homme qui se tenait dans l'ombre, un homme de haute taille qui se tourna lentement vers moi, mouvement visant à produire un maximum d'effet, révélant ainsi un visage aux yeux perçants et enfoncés et un mince sourire qui parut me jauger entièrement et sans hâte d'un seul coup d'œil. Il portait longs ses cheveux bruns, légèrement grisonnants. Sa redingote noire et son pantalon rayé n'auraient pas été déplacés à l'office du matin, mais le nœud papillon en soie et le gilet richement brodé étaient sans doute un peu trop voyants pour Whitby avant midi un dimanche. À ceci près que Henry Irving, dont la notoriété égalait celle des membres de la famille royale, pouvait s'habiller comme bon lui semblait, même en pêcheur si la fantaisie l'en prenait, sans se voir taxer d'autre chose que d'une légère excentricité.

Jamais je ne m'étais sentie aussi nettement à mon désavantage. En rencontrant des inconnus, avant et après ce face à face, je me suis montrée courageuse, audacieuse, parfois même insolente ; il m'est aussi arrivé de me sentir intimidée, mortifiée ou furieuse, mais jamais je n'ai été aussi désarmée face à un ennemi. Un homme capable de m'examiner ainsi, alors que je venais de risquer ma vie, et de passer outre sans autre manifestation d'intérêt qu'un léger haussement de sourcil surpris, avait peu de chance d'être un jour de mon côté. Il était évident qu'il me considérait comme un spécimen des classes domestiques, indigne à ce titre de son attention. Je compris plus tard que, si j'avais été habillée en pêcheuse et s'il m'avait vue sur le quai, il m'aurait peut-être accordé quelque attention ; en revanche, une souillon de cuisine maigre, couverte d'éraflures et mal fagotée ne présentait pas le moindre intérêt pour lui.

Ce qui m'irrita au plus haut point cependant, ce fut de constater le peu de sympathie réelle qu'il manifestait à Bram qui, après tout, était censé être son collègue de travail estimé, et aussi son ami. Il n'était même pas disposé à gratter la surface pour voir ce qui se passait réellement et ce qui avait conduit à cette situation. À l'inverse, mon intuition était tellement exacerbée que je sentais entre eux une lutte de pouvoir faite d'accords et de manipulations tacites, comme l'aspiration de courants puissants ou les coups de boutoir des vagues. Toutefois, après la bataille que je venais de livrer, je me rendais compte que je n'étais pas bien placée pour gagner celle-ci, qui s'annonçait infiniment plus dangereuse.

19

De toute évidence, mon irruption avait agacé Irving. Je dois dire à la décharge de Bram qu'il me manifesta plus de sollicitude que je n'en attendais. Mon apparition échevelée et l'explication sèche qui avait suivi lui avaient manifestement donné à réfléchir et, en s'excusant rapidement auprès de ses visiteurs, il me conduisit dans la chambre et referma la porte. Je me tournai vers lui et lui tins des propos incohérents sur la mer et le Saloon, sur ma nudité et la peur que j'avais eue de me noyer, sur le choc que j'avais reçu en revenant au cottage pour y trouver ses amis, prêts à l'enlever et à le ramener à Londres. Il me tint serrée contre lui, me murmura des paroles apaisantes et me dit de ne pas m'inquiéter, qu'il n'allait nulle part.

J'avais peut-être les vêtements en désordre et la mine épuisée, mais lui aussi. Ces derniers temps, il avait négligé ses cheveux et sa barbe, naguère si courts et bien entretenus, ce qui lui donnait un air fiévreux encore accentué par une nuit sans sommeil. Et s'il portait une veste, il s'était certainement habillé en hâte, car il n'avait ni col ni cravate. Il semblait si égaré que je redoutai ce qu'il était susceptible d'accepter, et je le laissai partir à regret. Quelques instants plus tard, tandis que perchée sur le bord du lit je me forçais à avaler une mixture répugnante de cognac et d'eau qu'il tenait absolument à me faire boire, je m'aperçus qu'il avait laissé tomber quelque chose : une lettre écrite à l'encre violette sur un papier jaune.

Une feuille de papier coûteux et parfumé – au jasmin, je crois – couverte des deux côtés d'une écriture serrée, nette et droite. Mon nez se plissa, car le parfum éveilla mes soupçons, mais mon exaltation en voyant la signature fut de courte durée car c'était une page d'une lettre de Florence et, après l'avoir lue, je ne savais plus où me mettre.

Sur une page précédente, elle avait dû l'accuser de l'avoir arrachée à l'Irlande et à sa famille pour l'amener à Londres – sans doute au moment où Irving avait pris la direction du Lyceum et offert du jour au lendemain un travail à Bram.

« Nous n'avons même pas eu de lune de miel, écrivait Florence. Non, tu as consacré alors toute ton attention à ton seigneur et maître, et tu m'as abandonnée en plein hiver en me laissant me débrouiller toute seule à Londres. Alors que j'attendais un enfant de toi ! T'es-tu soucié de savoir si j'avais peur, si j'avais la nostalgie de mon pays ou si j'étais malheureuse ? Tu n'étais jamais là ! » Même en faisant la part d'une certaine exagération, ces lignes sonnaient terriblement juste, et j'avoue que j'éprouvai quelque sympathie pour cette fille, pas plus âgée que moi, qui s'était trouvée seule, sans parents ni amis, dans une ville étrangère. Mais Florence n'avait pas cédé au découragement. Avec les années, elle avait appris à survivre et, d'après ce que j'avais compris, elle avait puisé quelques consolations dans les relations mondaines de leur couple. « J'ai appris à me contenter de ce que j'ai, poursuivait-elle, une maison confortable où je peux recevoir, des amis intéressants, et une vie personnelle assez gratifiante... »

Elle laissait clairement entendre qu'elle se battrait bec et ongles pour conserver ce qu'elle avait, ne voyant pas pourquoi l'ordre de sa vie aurait dû être bouleversé, ni pourquoi elle aurait dû souffrir pour que Bram puisse satisfaire un caprice. S'il voulait écrire, qu'il le fasse chez lui – elle pourrait peut-être ainsi profiter plus souvent de sa présence –, et s'il devait avoir une maîtresse pour assouvir ses désirs charnels, pourquoi pas à Kensington ? Tout ce qu'elle demandait, c'était qu'il respecte les convenances.

Ses désirs charnels ! Hier encore, cela m'aurait fait sourire, mais plus maintenant. Je me mis même à me demander ce qui se passait en réalité dans leur couple. Il disait qu'elle se refusait à lui ; si cela était vrai, pour quelle raison ? Et s'il ne voulait pas la forcer, pourquoi m'avait-il forcée, moi ? Je réfléchis à la réponse et en sentis le goût amer lorsque je fus distraite par trois voix d'homme : celle de Bram, reconnaissable entre mille, plus grave et plus sombre que d'habitude ; celle de Hall Caine, avec son léger accent ; et, dominant les deux autres, la voix ample et bien modulée d'Irving qui s'ingéniait à proposer des solutions imparables au présent dilemme.

J'aurais donné cher pour entendre ce qu'ils disaient. Le sel qui me brûlait la peau me démangeait, et Bram m'avait apporté de l'eau. Je me déshabillai donc et entrepris de me laver à l'éponge de la tête aux pieds, en m'efforçant de ne pas grimacer de douleur en passant sur mes contusions. Je ne pouvais pas faire grand-chose pour mes cheveux, et me contentai donc de les coiffer relevés avec des peignes, puis j'enfilai une jupe et une blouse qui, je l'espérais, correspondaient mieux à une Sterne de la Baie qu'à la souillon à moitié noyée qui avait surgi quelques instants auparavant devant les visiteurs. Lorsque je m'examinai dans le miroir, je remarquai les cernes bleuâtres sous mes yeux. Je me mis donc de la poudre, une touche de rouge sur les joues et les lèvres, et fus satisfaite du résultat. J'avais l'intention de les surprendre tous en arrivant sans crier gare dans la cuisine. Mais, sur une bourrasque de vent, j'entendis la porte d'entrée s'ouvrir et se refermer, et le bourdonnement des voix masculines cessa.

En regardant par l'entrebâillement des rideaux, je vis Hall Caine partir et plissai le front, perplexe, tandis que la conversation reprenait dans la cuisine. Alors, j'entendis prononcer mon nom et, en dépit du vieil adage qui veut que ceux qui écoutent aux portes n'entendent jamais dire du bien d'eux, je m'immobilisai, la main sur la clenche métallique de la porte. C'était une porte à l'ancienne, avec trois trous de ventilation disposés en triangle à hauteur des yeux : et de ce poste d'observation, je voyais très bien la pièce de l'autre côté : Bram, qui me tournait le dos, assis devant son bureau de fortune, et Irving, debout devant la cheminée, les mains croisées derrière lui. D'après le silence ambiant et la posture d'Irving, immobile comme un oiseau de proie aux aguets, je devinai qu'il attendait les réponses aux questions qu'il avait posées. La porte qui donnait sur l'extérieur étant fermée, il faisait assez sombre dans cette partie de la cuisine, et dans l'obscurité il semblait pâle, exsangue, aussi immatériel qu'une photographie, une silhouette en noir et blanc quasiment figée qui se détachait contre la cuisinière en fonte et les charbons qui rougeoyaient derrière lui. Pourtant, sa présence envahissait totalement la pièce. Si j'avais cet homme derrière moi au moulin du Coq, et s'il m'agrippait le bras, pensai-je en frissonnant, j'y chercherais la marque d'un sabot fourchu...

En revanche, Bram était plongé dans la pénombre, le menton dans la main et le coude sur le bureau. Quand il parla enfin, sa voix me parut exprimer le désespoir.

« Je sais, je sais. Je comprends, mais que veux-tu que je te dise ?

— Tout de même, fit Irving de sa voix bien cadencée, tu as dû y réfléchir, non ?

— Évidemment. Seulement, vois-tu, c'est que j'ai fait une promesse.

— Ah, parce que tu ne te sens pas obligé d'honorer d'autres promesses antérieures à celle-ci, mon cher ami, dis-moi ? (La voix était douce comme du velours, mais les yeux avaient la cruauté de ceux d'un rapace.) Des promesses que tu m'as faites, si tu t'en souviens – sans parler de cette pauvre Florence, qui est folle d'inquiétude.

— Pour l'amour du ciel, Irving, ne mêlons pas Florence à tout cela, tu veux ? À quoi bon invoquer son nom, alors que nous savons aussi bien l'un que l'autre que vous êtes à couteaux tirés depuis que je l'ai amenée en Angleterre après l'avoir épousée ! »

En dépit de ce que je venais de lire, l'amertume de Bram me bouleversa. Je fus heureuse de voir qu'Irving avait au moins l'élégance de paraître déconfit. Il se détourna légèrement et, comme il ne se savait pas observé, je pus voir avec quelle acuité il surveillait sa proie et la jaugeait ; je remarquai la façon dont il changeait son angle d'attaque tout en gardant la maîtrise de la conversation ; et, surtout, celle dont il modulait sa performance en fonction de la situation. À cet instant précis, donc, il se retourna, l'air meurtri, et le ton de sa réponse renforça encore cet effet.

« Mon cher ami, il faut que tu comprennes que Florence et moi avons transigé et posé les armes depuis longtemps. Nous avons appris à nous respecter, tout comme nous respectons chacun les besoins de l'autre et le temps que tu passes avec chacun de nous. »

La phrase avait été dite simplement, d'un ton raisonnable, comme s'ils avaient parfaitement le droit de se partager Bram. Cela me mit en rage ; je sentis mes poings se serrer et je dus me détourner. J'entendis Bram protester, sans comprendre ses paroles. Lorsque je regardai à nouveau, il avait abandonné l'abri de son bureau et se passait les doigts dans les cheveux d'un geste absent et fiévreux.

« Florence a sa vie, comme tu le sais pertinemment, dit-il

d'un ton sec. Elle n'a pas besoin de moi, sinon comme élément du décor.

— Ah, tu me permettras de ne pas être d'accord ! intervint Irving d'un ton qui me sembla pour la première fois laisser percer un soupçon de sincérité réelle. Elle dit qu'elle t'aime et, là-dessus, je la crois... Je sais qu'elle peut être difficile, Bram, mais c'est une femme après tout, et lequel d'entre nous a la moindre idée de la façon dont fonctionne une cervelle de femme ? (Il secoua la tête et porta son regard vers le renfoncement obscur de la cuisine.) Tu as de la chance, tu sais. Ta Florence a en tout cas appris à être accommodante. À mon sens, la plupart des femmes sont destructrices et folles à lier. Regarde donc l'exemple de Tommy. La Rossetti, passe encore, je pouvais comprendre, mais cette... cette gamine avec laquelle il s'est lié à présent, et qui lui fait du chantage, à l'âge de treize ans, s'il te plaît ! »

Le grand acteur marchait de long en large devant la cheminée, l'air sincèrement furieux et perplexe.

« On se demande ce qu'elles ont, ces jeunes filles, Bram. On peut difficilement appeler cela de l'innocence lorsqu'il s'agit de menées aussi sordides ! »

J'étais encore en train d'essayer de comprendre ce que signifiaient ses allusions à Hall Caine lorsqu'il s'arrêta pour regarder de nouveau Bram.

« Et celle-ci, dit-il doucement, cette fille avec qui tu es ici, elle te fait du chantage ? »

L'espace d'un instant qui sembla s'éterniser, j'eus le sentiment que ma vie était en suspens. Le sang lui-même se figea dans mes veines, et se remit à courir follement après que Bram eut protesté avec indignation. Je m'appuyai le dos au mur, les jambes coupées.

Une volée de gouttes de pluie contre la vitre me fit reprendre mes esprits. Lorsque la brève averse fut passée, j'ouvris la fenêtre et inspirai à grands traits l'air froid et humide. Comment cet homme, qui ne savait rien de moi, pouvait-il me soupçonner d'une chose pareille ? J'avais l'impression d'être une enfant, blessée, ignorante, impuissante, et je n'avais qu'une envie : le blesser en retour. Je me voyais en train de l'abandonner le soir sur les falaises par une nuit sans lune, ou au large dans un petit bateau. Or, quand il parlait d'Irving, Bram mettait toujours en avant son immense courage et son sang-froid exceptionnel ; j'avoue que j'étais frappée de constater qu'il avait entrepris ce long voyage – de nuit apparemment, et probablement après une représentation à Londres – dans le seul dessein d'avoir un tête-à-tête avec Bram. Cela indiquait une grande force et une grande détermination. Était-ce un signe d'amitié, toutefois ? Et Hall Caine, pourquoi était-il venu ? Comme émissaire de Florence, sans doute ; à ceci près que, pour ma part, jamais je n'aurais pu faire confiance à un homme qui avait des yeux pareils. Peut-être ignorait-elle l'existence de la fille de treize ans qui exerçait un chantage ? À n'en pas douter, on épargnait aux dames des détails aussi déplaisants.

Soudain, je m'aperçus que je claquais des dents tant j'avais froid devant la fenêtre ouverte. J'en avais assez entendu. Mais, tandis que je drapais mon châle autour de mes épaules, je fus de nouveau poussée à reprendre mon poste derrière la porte : dans la cuisine, Irving tentait de persuader Bram que Whitby était un trou, pittoresque peut-être, mais beaucoup trop perdu pour un homme ayant son talent et ses ambitions. C'était un lieu sans envergure, sans aucune vie culturelle, sans...

— Tu ne crois pas que j'en ai eu assez, de la vie culturelle, au cours de ces huit dernières années ? coupa Bram. C'est tout ce que j'ai eu. Au point que je n'avais même plus le loisir de respirer, de m'épanouir, ni même de penser, ce qui est un comble. Ici, au moins, je peux être moi-même. Personne ne me connaît, personne n'attend rien de moi. Si tu savais quel soulagement cela représente pour moi !

— Un soulagement ? reprit l'autre avec juste une pointe de mépris dans la voix. Tu veux dire le soulagement de quitter la scène, d'ôter le maquillage et de jouir d'un bref répit ? Je n'y vois aucun inconvénient, mon cher ami, tant que tu n'oublies pas que nous avons tous besoin des demandes des autres et de leurs espérances pour tirer le meilleur de nous-mêmes. Sans espérances, nous nous contentons d'exister, nous ne nous dépassons pas ; et sans ce désir de dépassement, que sommes-nous ? Des animaux, des créatures, ce que tu voudras. Sans désir de dépassement, nous ne sommes pas des hommes.

— J'ai essayé de me dépasser, Irving, tu le sais. Toi, en particulier, tu as eu le meilleur de mon... »

Bien que sa voix fût assourdie, son émotion était clairement perceptible. Je vis qu'il s'était déplacé pour s'asseoir près de la cuisinière, pendant qu'Irving, assis dans l'autre fauteuil, se penchait vers lui.

« Je sais, dit-il d'une voix si basse que je dus tendre l'oreille, et c'est pour cela que notre association a été si réussie : nous avons tous deux donné le meilleur de nous-mêmes, et en toutes circonstances. Jamais nous n'avons pleuré notre peine, jamais nous n'avons triché. Pendant ces huit dernières années, nous avons travaillé davantage que ne le font la plupart des hommes dans une vie. Nous avons réussi, Bram. Et tu sais pourquoi ? Parce que toi et moi, Bram, nous avons dirigé, en alternant main de fer et gant de velours, la meilleure troupe de Londres. Et, qui plus est, c'est nous qui avons fait d'elle la meilleure de Londres. Je t'en prie, maintenant que notre réputation est bien établie, ne m'abandonne pas. »

J'eus le sentiment qu'il resta en suspens longtemps, immobile, attendant une réponse.

Bram soupira et secoua la tête.

« Voilà précisément où le bât blesse, éclata-t-il enfin. Maintenant, tu as réussi, et aucune troupe n'arrive à la cheville de celle du Lyceum. Grâce à cela, tu as pu t'attacher les services des meilleurs comptables, des meilleures secrétaires et des meilleurs agents de publicité pour accomplir toutes les tâches dont je m'acquittais seul jadis. Tu peux te permettre de commanditer tes propres pièces et même de t'offrir les services d'écrivains pour réécrire les anciennes. Tu n'as plus besoin de moi, Irving, et Florence non plus. Si je pensais le contraire, je n'aurais pas... »

Irving leva les mains.

« Oh, mon cher ami, tu te trompes lourdement ! Qu'importe ce que je peux m'offrir ! Personne ne peut annoter une pièce comme toi, personne n'en perçoit comme toi l'essence, et je te jure que personne n'a ton flair pour le rythme, le découpage, et l'effet dramatique bien calculé... »

Tiens donc, me dis-je non sans ironie, tu es bien placé pour apprécier... Mais je le crus, et me dis que Bram allait en faire autant. Je fus surprise lorsqu'il s'en défendit :

« Prends Tom, il est meilleur.

— Non. Tu ne m'as pas du tout compris. Hall Caine est un homme de qualité et un romancier parfaitement compétent, mais il lui manque ce dont je viens de parler, et que je ne saurais décrire, sinon en termes de connivence ? Entre toi et moi, il y a connivence, alors qu'avec les autres je consacre tant de temps à leur expliquer ce que je veux dire et ce que je désire que je trouve en général plus rapide de faire les choses moi-même ! De toute façon, avec qui pourrais-je discuter de mes idées, sinon avec toi ? »

Il parlait avec une telle fougue, une telle sincérité qu'il n'était pas possible de demeurer insensible à ses requêtes. Même moi, je fus convaincue. Lorsqu'il tendit la main et dit : « Je ne peux pas m'en tirer tout seul, mon vieux, j'ai besoin de toi », je m'attendais que Bram, touché, le remercie avec effusion de ce vote de confiance et de cet honneur. J'étais presque prête à renoncer à lui pour une si juste cause. Mais je ne m'attendais pas à la violence avec laquelle Bram bondit de sa chaise pour traverser la pièce. Je crus que la porte allait s'ouvrir et m'aplatis contre le mur. Lorsque j'osai à nouveau regarder, il était penché sur le bureau, le visage crispé ; j'entendais sa respiration, des halètements âpres et rauques qui devaient lui déchirer la gorge autant qu'à moi le cœur. Finalement, au prix d'un énorme effort, il se maîtrisa et dit à Irving :

« Ainsi, c'est tout ce que je suis pour toi ? Nous étions amis, autrefois. »

Il y avait une émotion si exacerbée dans ces quelques mots que je dus me mordre les doigts pour ne pas crier. Cette brusque prise de conscience fut aussi impitoyable et tranchante que la lame d'un couteau de boucher. Ce n'était pas Londres que Bram redoutait, c'était Irving. C'était Irving qu'il avait fui, Irving dont il se cachait, et avec qui il était aux prises dans les recoins les plus secrets de son esprit, Irving qui lui faisait battre le cœur et tourner les sangs, et qui était capable de le faire passer par le trou d'une aiguille.

Quand il sortit de l'ombre, je vis dans les yeux d'Irving une certaine sollicitude, et l'entendis aussi dans sa voix, Dieu merci.

« J'espère que nous le sommes encore... Et que nous le serons toujours... »

Bram prit une profonde inspiration et parut se calmer, mais je vis sur ses joues des traces de larmes.

« Je l'espérais moi aussi, mais tu sais, ces derniers temps... »

Il s'interrompit et secoua la tête, incapable de poursuivre.

« Je sais. Je te demande pardon. C'est ma faute. Il faut tout remettre en ordre, reprendre nos anciennes habitudes... qu'en dis-tu ? » demanda Irving avec un sourire charmeur, presque espiègle.

De nouveau, il tendit la main, et cette fois Bram n'eut pas de mouvement de recul. Au contact d'Irving, il se tourna vers lui et, sans un mot, sans une exclamation, les deux hommes s'étreignirent.

Si le geste fut aussi bref que chargé d'émotion, l'intimité et même l'absence de gêne de Bram lorsqu'il s'essuya les yeux ensuite révélaient l'étroitesse des liens qui les unissaient et que je n'avais jamais soupçonnés. Choquée, jalouse, je me sentis exclue. J'avais envie d'ouvrir la porte à la volée, de me précipiter sur

Irving pour l'écarter de mon chemin et entourer mon amant de mes bras protecteurs. Mais j'avais également envie de le secouer, de l'arracher à ce bourbier d'émotions et de larmes pour qu'il revienne à ses positions précédentes, à la colère et à la révolte qui l'animaient. Je voulais qu'il tienne bon.

J'entendis la voix d'Irving, douce comme de la soie :

« Tu as traversé une passe très difficile, je le sais, et je me sens affreusement responsable. Mais tu vois, tu as un tel génie de l'organisation qu'avec toi tout semble facile. Du coup, j'oublie à quel point ce travail est complexe. À l'avenir, rappelle-le-moi. »

À l'avenir ! Il parle comme si tout était réglé, comme si ses seuls désirs entraient en ligne de compte, comme si la décision finale n'était pas encore en suspens ! me dis-je avec fureur. Sans aucun doute, il était habitué à parvenir à ses fins et pour cela à faire feu de tout bois : à suivre la discipline professionnelle la plus rigoureuse ou à se draper dans la sympathie chaleureuse et charmeuse que je voyais. De toutes mes forces, je souhaitais que Bram refuse cela, sorte du cercle enchanté de séduction qui entourait l'acteur. Or, il avait beau continuer à protester, ses paroles manquaient de conviction. Dans l'étreinte d'Irving, je ne sais comment, il avait perdu cette vitalité merveilleuse qui lui était si particulière, il était devenu lent et maladroit, et paraissait même diminué physiquement, comme si on lui suçait la moelle.

20

J'avais eu l'absolue certitude que Bram était amoureux de moi, que la passion pouvait lui tourner la tête et que sa froide épouse n'avait aucune chance. Or, voilà que derrière cette porte à laquelle je m'accrochais, en regardant mon amant face à l'homme qui avait gouverné sa vie au cours des dix dernières années, je devais me rendre à l'évidence : ce n'était pas Florence Stoker ma rivale. À côté de Henry Irving, Florence passait au second plan, et l'aventure de Bram avec moi n'était guère qu'une escapade dont il se souviendrait peut-être quelque temps, mais qu'il oublierait tôt ou tard.

Je me sentis écrasée, anéantie, tandis qu'il était absorbé dans sa conversation, oublieux de tout le reste. En dépit de ses protestations et de ses explications – sur ce qui le fascinait dans Whitby, sur ses aspects extraordinaires et son folklore, sur ce qu'il avait écrit depuis son arrivée –, je savais que quelque chose avait été admis entre eux et qu'à cause de cela Irving était prêt à écouter. Pendant quelque temps du moins. Ce fut lorsque Bram commença à parler de moi que je l'aurais volontiers étranglé. Il n'avait à mon sens aucun droit de le faire avec quelqu'un d'autre, et surtout pas avec Irving, bien qu'il me décrivît en termes si outrageusement flatteurs que je me reconnus à peine.

À l'entendre, j'incarnais la femme nouvelle, issue d'un passé ancien, presque mythique, et qui menait une vie beaucoup plus fascinante que ce qu'il avait pu décrire dans ses histoires. C'était un tissu de sottises, mais, tout en étant persuadée qu'Irving ne croyait pas un mot de tout ce qu'il disait, je n'en étais pas moins embarrassée et irritée par cette outrance.

Je ne pouvais écouter plus longtemps à la porte, et il me fallait absolument passer à l'acte. Sans la moindre idée de ce que j'allais dire, je pris la lettre, ouvris le loquet et fis mon entrée dans la cuisine. Ils se retournèrent tous les deux, un instant abasourdis, et mon effet me donna du courage.

« Tiens, dis-je à Bram en lui tendant la feuille de papier, tu as laissé tomber ça. »

Il la regarda fixement avant de porter la main à sa poche pour voir si l'autre partie s'y trouvait. Visiblement pris de court, il eut l'air de chercher ses mots et finit par déclarer d'un ton abrupt :

« Nous parlerons plus tard.

— Et pourquoi pas maintenant ? » demandai-je d'une voix que la nervosité rendait plus aiguë.

Je sentis qu'Irving avait noté mon changement d'apparence et de comportement, et il intervint avec un parfait à-propos.

« Nous ne vous dérangerons guère plus longtemps, dit-il avec un léger salut d'une élégance raffinée. Hall Caine s'occupe en ce moment de changer nos réservations pour le voyage de retour. »

Je me tournai vers lui.

« Pour deux personnes ou pour trois, monsieur Irving ? »

Cette provocation le surprit mais, comme par un fait exprès, Hall Caine entra à cet instant précis et ma question resta sans réponse. Puis Bram fut entraîné dans la conversation et, par un enchaînement qui me parut prémédité, je me retrouvai dans le jardin avec Henry Irving. C'était le genre d'homme qui concentrait toute son attention sur la personne avec laquelle il se trouvait. Il avait été obligé de réviser son jugement sur moi par rapport à mon apparition du matin et son attitude s'en trouva considérablement changée. Malgré mon antipathie, je pouvais difficilement ne pas avoir conscience de son charme. Ou de sa beauté. Car il était grand, avec une prestance élégante, aussi beau en chair et en os que dans les descriptions de Bram et beaucoup plus impressionnant que sur ses photographies. Il possédait aussi le talent de l'acteur, capable d'exploiter au maximum le moindre avantage.

Si je percevais bien sa séduction, il s'y mêlait pour moi un élément plus puissant de répulsion. Néanmoins, quand il me parla, j'eus du mal à ne pas tomber sous son charme. De sa voix douce et persuasive, il tenait des propos excessivement raisonnables ; si je ne retins aucun mot en particulier, sans doute fut-ce parce que j'entendis très clairement le message sous-jacent : abandonnez la partie, libérez Bram et laissez-le retourner avec ses pairs. Je m'efforçai de le contredire, non parce que je croyais que Bram m'aimait plus qu'Irving ou Florence, mais parce que je savais qu'il avait d'autres talents dont Irving, avec son égoïsme et sa suffisance incroyables, risquait d'user et d'abuser.

C'était tout au plus un combat d'arrière-garde, et Irving finit par venir à bout de ma résistance en utilisant la plus simple des stratégies : il me prit en confidence et, pour cela, choisit de me parler de dettes. Il dut se dire, à juste titre, qu'une jeune femme pauvre comprendrait l'horreur qu'il y a à se trouver dans l'obligation, et les implications d'une situation où l'on devait de l'argent à des personnes mal choisies, et me confia que Florence avait toujours vécu au-dessus de ses moyens et que Bram lui-même ignorait les grosses sommes qu'elle avait dépensées pour les travaux de rénovation de leur maison. Il n'avait pas de réserves lui permettant de payer les dettes de sa femme, alors que lui, Irving, était prêt à résoudre le problème pourvu que Bram revienne au théâtre.

« Et croyez-moi, me dit-il avec une voix vibrante de sincérité, j'ai grand besoin de lui. Bram est excellent dans son travail. Excellent. Croyez-vous que je serais là, à le supplier de revenir, si je pouvais m'accommoder de quelqu'un d'autre ? Depuis son départ, le désordre règne au Lyceum.

— Alors, traitez Bram avec respect, monsieur Irving, rétorquai-je. Pas comme vous l'avez fait, comme un larbin que vous pouvez remplacer à votre guise ! »

Avec un petit rire triste, il accepta le reproche.

« Oui, je le reconnais, la leçon s'imposait, et soyez sûre que je ne l'oublierai pas ! Quoi qu'il en soit, miss Sterne, il y a certaines choses que vous feriez bien de ne pas oublier non plus ; et notamment qu'il se nourrit d'illusions lorsqu'il envisage de vivre de sa plume. C'est très bien si l'on s'appelle Charles Dickens, ou même Thomas Hall Caine, et que l'on sache faire bouillir la marmite en captivant l'imagination du public. Mais qui a entendu parler de Bram Stoker ? S'il avait des rentes, à la rigueur, il pourrait se retirer à la campagne et vivre comme vous le suggérez, mais ce n'est pas le cas, vous savez. Il n'a pas un sou. Il ne peut pas se permettre une folie pareille, ma petite fille, croyez-moi, c'est totalement exclu. »

En semant le doute, il avait brisé mon élan, et lorsque je fis une ultime tentative pour retenir quelque chose qui en réalité m'avait déjà été arraché, et que je déclarai vouloir accompagner Bram à Londres, il me démontra que cela aussi serait très malvenu.

« Vous savez, ma petite fille, il ne faut pas prendre à la lettre les paroles de Florence. Pour l'instant, elle a besoin de lui et elle est prête à dire n'importe quoi pour qu'il lui revienne. Cependant, elle pourrait lui rendre la vie très difficile. Et à vous aussi. Par ailleurs, Bram ne serait sans doute pas ravi de s'entendre rappeler tous ses projets irréalisables et ses promesses données un peu trop vite ; il serait mécontent et malheureux. En pareille instance, j'ai tendance à penser que la meilleure solution est une rupture complète, pas vous ? »

Son arrogance me sidéra. Je n'étais pas une « instance », que diable, mais un être vivant, et c'était de ma vie qu'il s'agissait. J'avais envie de hurler : *Et moi dans cette histoire ? Quand Bram retrouvera son ancienne existence et que tout sera rentré dans l'ordre, qu'est-ce que je ferai, moi ?* Toutefois quelque chose – l'orgueil, peut-être – m'en empêcha. Cette question me regardait et je la réglerais plus tard. Pour l'heure, j'étais en rage et, sentant que je n'avais plus rien à perdre, je m'en pris à lui avant qu'il puisse s'éloigner.

« Allons, allons, monsieur Irving, pourquoi vous cacher derrière les jupes de Florence ? Vous l'avez mise au pas, cette malheureuse. Tandis qu'avec moi vous ne savez pas à quoi vous en tenir et je représente un danger. La vérité, c'est que vous ne voulez pas me voir sur votre chemin. Vous avez un petit peu peur que j'aie une prise sur Bram, n'est-ce pas ? Peur que je ne sois une gêne, que je ne reste pas à ma place, et que je sois une rivale sérieuse, finalement ! »

Il réussit à prendre un air sincèrement stupéfait.

« Je ne comprends pas ce que vous insinuez, miss Sterne.

— Je n'insinue rien. Ce que je dis, c'est que je ne suis pas dupe. Vous êtes un hypocrite, monsieur Irving, prêt à sucer le sang des autres. Penser qu'il peut en subsister une goutte pour quelqu'un d'autre, à commencer par Bram lui-même, cela vous est insupportable. Vous voulez que je vous dise, monsieur le vampire, je vous le laisse. Après tout ce que j'ai vu et entendu aujourd'hui, je ne veux plus de lui. Je ne veux pas d'un homme qui se laisse traiter ainsi, ou qui m'utilise comme substitut de ce qu'il ne peut pas avoir ! »

J'aimerais pouvoir me rappeler que ma tirade fut suivie par un silence retentissant, mais quand j'eus terminé je tremblais si violemment de rage que je n'éprouvais d'autre désir que de fuir. En retournant vers la maison d'un pas mal assuré, je me heurtai à Bram qui, ayant tout entendu, était éperdu et voulait nier, expliquer, me prendre dans ses bras.

« Ah, laisse-moi ! criai-je en le repoussant. Je ne veux pas te parler. Je ne veux même pas te voir. Tu me dégoûtes. Prends tes livres, tes habits et débarrasse-moi le plancher. Retourne à Londres avec ces beaux messieurs qui sont tes amis ! Va là où je ne te verrai plus. Va-t'en ! »

Il poussa une exclamation de dépit quand je me dégageai et me rattrapa à la grille que je n'arrivais pas à ouvrir, m'agrippa le bras et me secoua avant que je puisse lui échapper.

« Arrête, Damaris, écoute-moi et ne sois pas bête ! (Sa voix se brisa et il s'écria :) Ce n'était pas comme tu le dis. Il faut me croire !

— Non ? Alors c'était comment ? Tu croyais faire quoi au juste ?

— Il y a eu un malentendu ! Ce n'était pas...

— Lâche-moi, tu veux. Je ne veux plus rien entendre ! Lâche-moi !

— Promets-moi d'abord que tu éviteras d'aller en mer. »

Un rire monta de quelque part, un rire hystérique, dément.

« Qu'est-ce que tu crois ! m'écriai-je en m'arrachant à son étreinte d'un mouvement violent. Ce n'est pas parce que j'ai frôlé la mort que j'ai envie de recommencer. En tout cas pas pour toi !

— Où vas-tu ?

— Je sors. Je vais marcher. Seule. Et je veux trouver la maison vide quand je rentrerai ! »

Vaincu, il baissa les bras.

« Tu ne comprends pas. Ce n'est pas ce que tu crois. J'ai des choses à faire à Londres, qui me prendront peut-être un certain temps, mais... (Il s'interrompit et poussa un long soupir tremblant.)... je t'aime et je veux revenir.

— Surtout pas, dis-je d'une voix dure. Je ne veux plus jamais te revoir. »

Ma rage et ma douleur étaient telles que je crus que mon cœur allait se briser. À tâtons, j'ouvris la barrière et grimpai sur la colline. Lorsque je me retournai, Bram était toujours là, à me suivre des yeux. À ce moment précis, le soleil apparut et le nimba de lumière. Sa barbe s'enflamma et je fus tentée, l'espace d'un instant, de courir vers lui pour qu'il me pardonne et me prenne dans ses bras. Mais alors je vis Irving derrière lui, attendant, immobile, comme le Malin.

Bien que ce fût le plein été, j'avais terriblement froid. Je regarnis le feu comme si l'hiver était à la porte, et bus d'affilée plusieurs tasses de thé fort et bien sucré. J'étais incapable de manger et de dormir. Mon esprit revenait sans cesse aux événements de ces dernières semaines, depuis le jour où je m'étais donnée à Bram dans l'abbaye jusqu'aux épisodes plus récents, avant l'orage. J'avais souhaité une relation fondée sur la liberté, le plaisir, une relation d'où toute responsabilité serait exclue de part et d'autre. Avec pareil marché en main, il n'était pas étonnant qu'il se fût cru autorisé à tout prendre, à me posséder entièrement et de toutes les manières possibles, avec les mains, la bouche, la langue et les dents, à me posséder corps et âme. Il avait mordu ma chair et goûté mon sang ; il m'avait couverte de son corps nu jusqu'à ce que notre sueur se mêle, jusqu'à ce qu'enfin il me pénètre de toutes les manières possibles. On eût dit qu'il avait essayé de m'emplir de son essence même, afin de me faire sienne.

Il y avait quelque chose d'effrayant dans ce désir de possession, dans des moments d'une telle intensité physique et spirituelle. Je ne comprenais pas ce qui le poussait, mais plus j'y réfléchissais et plus je le plaignais. Si c'était Irving qu'il voulait vraiment, alors, à mon sens, Bram était condamné au malheur. Irving l'appâterait en permanence et ne donnerait qu'au compte-gouttes : un regard, un geste, une brève caresse d'approbation, voire une étreinte si nécessaire. Rien de plus. Donner serait abandonner une partie importante de son pouvoir. Et, à mon sens, Florence utilisait des armes analogues.

Bien entendu, je n'arrivai pas tout de suite à de telles conclusions. Pendant des années, je réfléchis à ces questions, je les tournai et retournai comme une équation mathématique obscure, ajoutant ici ou là quelques fragments d'information, et m'efforçai de la résoudre jusqu'à ce qu'enfin émerge une certaine cohérence et un certain sens. Hélas, au début, je ne compris rien du tout et ne pensai à rien d'autre qu'à notre relation. Je l'examinai sous tous les angles, encore et encore. Je voulais comprendre où j'avais commis une erreur, et si, en parlant ou en agissant différemment, le résultat eût pu être autre. Pour cela, il me fallait comprendre Bram et je me mis à penser à lui en premier. Bella, je le savais, m'aurait traitée d'idiote, de rêveuse, et m'aurait dit que je perdais mon temps. Mais c'était là-dessus que nous différions, elle et moi. Lorsque était venu pour elle l'instant décisif, la souffrance l'avait rendue agressive et elle avait fini par tuer. Je préférais perdre mon temps à ne rien faire.

Et du temps, j'en perdis. Le dîner que j'avais préparé la veille était resté intact sur le feu. Si je me souviens bien il y demeura plusieurs jours. Chaque fois que je regardais cette marmite pleine de ragoût de lapin, mon estomac se soulevait. Incapable de la vider et de la ranger, je fis comme si elle n'était pas là et me nourris du peu qu'il y avait dans le garde-manger : du pain rassis, quelques œufs et du fromage. Ce ne fut que quand Mrs Newbold descendit de la ferme afin de me demander pourquoi je n'étais pas allée chercher le lait que la surprise me ramena à la raison.

Je découvris avec effarement que trois jours s'étaient écoulés, bien que je n'eusse aucun souvenir d'être sortie de la cuisine ni d'être allée me coucher. Quand j'ouvris la porte de la chambre, tout était tel que nous l'avions laissé. Je me regardai et vis que je portais les vêtements que j'avais passés en hâte le matin du départ de Bram, maintenant fripés et tachés. En m'en rendant compte, j'éclatai enfin en sanglots. Dieu merci, Mrs Newbold était partie. Je pleurai durant des heures, jusqu'à ce que l'épuisement me gagne, et je sombrai dans le sommeil sur ce lit que nous avions partagé. Je dormis toute la nuit et une partie de la journée du lendemain.

Je m'éveillai avec un sentiment de panique : j'aurais dû me trouver au studio, Jack devait se demander où j'étais, furieux que je lui aie fait faux bond une seconde fois alors qu'il m'avait si sévèrement mise en garde. Je regardai mes vêtements, levai la main pour toucher mes cheveux et compris qu'avant tout il fallait que je me change et que je reprenne une apparence plus soignée. Il me fallut si longtemps pour séparer mes boucles emmêlées et les peigner qu'à la fin, exaspérée, j'en coupai de grandes mèches. Une fois que j'eus égalisé les bouts, j'avais raccourci mes cheveux de presque dix centimètres. Ils m'arrivaient à peine à l'épaule. Néanmoins, je n'avais pas de regrets car je me sentais plus à l'aise.

Il me fallut rallumer le feu de la cuisine et l'eau mit un certain temps à chauffer ; en attendant, j'entrepris de nettoyer le cottage, ôtai les draps du lit et jetai le contenu de la marmite qui avait commencé à fermenter et à moisir. Après les chocs de l'autre jour, après l'hébétude, l'épuisement et les tourments qui avaient suivi, je me sentis envahie d'une rage sourde. Cela me donna un regain d'énergie et, quelque temps du moins, bannit la léthargie où m'avait jetée le chagrin.

La table d'appoint avec les deux tiroirs dont Bram s'était servi comme bureau avait manifestement été rangée, et débarrassée de l'habituel attirail de papiers, crayons et livres. Je passai dessus un chiffon à poussière puis m'assis dans le fauteuil de Bram, mains et bras tendus pour essayer de recréer sa présence à partir des objets qu'il avait touchés, mais en fait étreignant le vide. Je sentis le chagrin menacer et me levai aussitôt, refoulant mes larmes inutiles. Alors seulement me vint l'idée de regarder dans un des tiroirs ; j'y trouvai une boîte entamée de papier à lettres et d'enveloppes, avec de la cire à cacheter. L'enveloppe du dessus, cachetée, portait l'écriture de Bram, hâtive comme toujours, et m'était adressée.

Mes mains tremblaient et, tandis que je dépliai la feuille qu'elle contenait, quelque chose en tomba. *Je t'en conjure, Damaris, si tu m'as aimé un tant soit peu, prends soin de toi. Le loyer est payé jusqu'à la fin du mois d'août et tu trouveras ci-joint de quoi voir venir – dépose ceci dans une des banques de la ville. Si tu as besoin de plus, écris-moi au Lyceum. Pardonne-moi. Toute ma tendresse, à jamais, Bram.*

Je revins sur sa première phrase. *Si tu m'as aimé un tant soit peu*... Oh oui, je l'avais aimé, aucun doute là-dessus. Entre mes doigts crispés, je chiffonnai la feuille. Ce qu'elle contenait, un morceau de papier plus étroit, tombé sur le bureau, était écrit et signé par Bram, et portait l'adresse de la banque Coutts, imprimée en haut. Je mis un certain temps à comprendre ce que c'était ; je finis néanmoins par me rendre compte qu'il s'agissait d'un chèque de cent livres, et que cela représentait une somme d'argent qu'il voulait m'offrir.

Je restai là, assise, pendant longtemps, à contempler le chèque. Si la somme avait été moins importante, ou s'il me l'avait laissée en souverains, je crois que j'aurais eu le sentiment d'être une putain payée pour les services rendus. Mais comme je n'avais pas du tout l'habitude des chèques, que ce papier ne donnait pas l'impression qu'il s'agissait d'argent tout en ayant manifestement de la valeur, je ne songeai pas à le détruire. L'énormité de la somme me semblait presque irréelle, même si je me souvenais m'être entendu dire par Bram que dans les théâtres londoniens les acteurs principaux gagnaient plus de cinquante livres pour une semaine de travail. Pour moi, une livre était déjà un luxe et je pouvais me débrouiller avec la moitié. Alors autant d'argent me paraissait une folie ridicule. Pourquoi m'avait-il laissé tout cela ? Pour soulager sa conscience ? Pour assurer mon avenir ?

Je ne crois pas avoir songé sur le moment que cet argent devait venir d'Irving d'une manière ou d'une autre. Si l'idée m'avait effleurée, j'aurais brûlé le chèque. Pour moi, c'était l'argent de Bram, le cadeau de Bram, et avec le temps je le considérai de plus en plus comme l'évidence tangible que j'avais compté pour lui.

Mais ce bout de papier me rendait perplexe, voire un peu craintive, et je le remis dans son enveloppe en me disant que je m'en occuperais plus tard. Je fis mes ablutions à la hâte, me séchai les cheveux devant le feu et m'habillai pour aller au studio.

J'éprouvai une sensation curieuse en traversant la ville. Sachant que, pour la première fois, je ne retrouverais pas Bram après mon travail, je me sentais dépossédée et en conçus de l'appréhension. Je ne savais comment expliquer son départ soudain et j'espérais que Jack comprendrait mon absence. Or mes inquiétudes étaient bien inutiles. Lorsque j'arrivai au studio, je découvris que je n'avais plus de travail.

Jack s'excusa et eut la délicatesse de fermer la porte intérieure afin que nous puissions parler en privé. Je me dis qu'Isa Firth était probablement dans la pièce à l'arrière et qu'elle aidait Jack en mon absence. Ce fut un choc d'apprendre qu'il lui avait donné ma place.

« Comprends-moi, Damaris, dit-il d'un ton appuyé, en me retenant alors que je m'apprêtais à partir sans un mot, je t'avais prévenue. Je t'avais dit que j'avais besoin d'aide, qu'il était hors de question que tu me fasses faux bond à nouveau, et il y aura bientôt une semaine que je ne t'ai pas vue. Tu ne m'as pas prévenu. Je ne savais pas si tu étais souffrante ou si tu n'avais pas envie de venir. Mets-toi à ma place : que voulais-tu que je fasse ? Pourquoi ne pas m'avoir envoyé de message par l'intermédiaire de ton ami Mr Stoker ? »

Sur ce, il inspira profondément et réussit à prendre un air à la fois sardonique et réprobateur ; puis il soupira, apparemment avec regret, et ajouta :

« Isa a besoin de ce travail, tu comprends ? Maintenant que son père est mort, c'est elle qui a la charge de la famille. »

J'eus l'impression qu'on me poignardait dans le dos.

« Comment cela ? demandai-je. Et Bella ? C'est elle qui s'est toujours occupée d'eux tous.

— Ça, je n'en sais rien. Je ne l'ai pas vue. D'après Isa, elle est très affectée. Remarque, ajouta-t-il en haussant les épaules d'un air entendu, elle a toujours été la préférée de son père... »

Je m'entendis répondre : « Oui, c'est vrai », avec des lèvres que la stupéfaction et l'ironie paralysaient. L'explication de Jack pouvait sembler convaincante, mais pas pour moi. Je m'étais imaginé qu'il y avait entre nous de la sympathie et un certain respect ; néanmoins, il s'était laissé manipuler par Isa Firth, qui avait aussitôt profité de mon absence et avait fini par obtenir de

Jack ce qu'elle voulait, à savoir être près de lui. Je ne pouvais me résoudre à dire à Jack la véritable raison de mon absence, à lui révéler que mon ami Mr Stoker – après tout, il avait aussi été le sien – était retourné à Londres et que je me retrouvais seule et sans travail. Je pris un certain plaisir à l'idée que, puisque Jack m'avait renvoyée, il devrait découvrir certaines choses par lui-même.

En dehors du chèque – qui ne semblait pas entrer en ligne de compte – j'avais en poche mes gages de la dernière semaine, un peu de monnaie dans ma bourse et, Dieu merci, pas de loyer à payer. Cela dit, je savais que mon travail au studio me manquerait car il me plaisait bien. Jack me manquerait également, même si cela me chagrinait de le reconnaître, d'autant qu'il s'était montré déloyal.

Je m'apprêtais à partir quand la porte du réduit s'ouvrit et Isa apparut. Jack se tourna et la salua, puis se retourna vers moi. Derrière son dos, Isa fit un sourire minaudier que, dans ces circonstances, je ressentis comme un geste obscène. J'aurais aimé le lui faire rentrer dans la gorge à coups de poing. Je serrai les dents et sortis.

21

Il fallait que je voie Bella. Nous étions l'une et l'autre en deuil, nous avions l'une et l'autre besoin d'une oreille compatissante, et notre affection mutuelle, j'en étais sûre, dissiperait les éventuels restes de culpabilité de ma part et d'orgueil de la sienne. Or elle n'était pas chez elle. Je ne rencontrai que Lizzie, qui jouait avec sa sœur cadette, Meggie, dans la cour. Quand je l'interrogeai, elle me répondit d'un ton revêche que sa mère était sortie et Bella au pub. Découragée par ces nouvelles, je restai un moment avec les deux petites et trouvai Lizzie toujours aussi réticente, mais plutôt moins hostile. Depuis cet après-midi horrible de l'hiver précédent, elle s'était efforcée de m'ignorer ; je notai toutefois que si elle détournait toujours le regard en me parlant, elle ne semblait plus avoir peur. En tout cas, pas de moi.

Ne sachant trop que dire à propos de la disparition de son père, j'essayai de faire preuve de tact et d'aborder le sujet de façon aussi détournée que possible. Cela me valut une réaction abrupte qui me rappela sa sœur aînée.

« Il est mort, déclara-t-elle carrément, et Bella dit "Bon débarras". »

Sur ce, elle prit la main de Meggie et rentra dans la maison, tandis que je me sentais vertement remise à ma place.

Je me relevai, époussetai ma jupe aux genoux et me demandai quel parti prendre. Plus que jamais il me paraissait important de parler à Bella, bien que je n'eusse guère envie de la chercher dans les tavernes et estaminets de la rive ouest. Jadis, elle en fréquentait plusieurs qui étaient situés du côté de la route de la Jetée, et je les essayais l'un après l'autre, me sentant mal à l'aise et étrangère. Les hommes qui m'auraient jadis souri en me reconnaissant me considéraient à présent d'un air soupçonneux lorsque je glissais un œil dans les coins et dérangeais avec mes questions des parties de dominos ou de galets. En regardant au-delà de ces dos qui formaient comme des murs de chandails, je me demandai où étaient passés les visages familiers et eus le désagrément de constater qu'en un laps de temps très court tout avait changé. Et pas en bien à ce qu'il semblait.

On me tournait le dos, on ne me reconnaissait plus, et l'atmosphère n'était plus accueillante. Telle fut alors mon impression. Rétrospectivement, je pense que le changement était en moi, non pas tant à cause de mes vêtements que de ma façon de parler, de me tenir et de marcher. Curieusement, en quittant le Cragg, j'avais laissé derrière moi l'attitude et la personnalité de la petite pêcheuse. J'avais intégré en partie les vues de Bram ; ou peut-être y avait-il en lui quelque chose qui résonnait en écho des Sterne et de l'oncle Thaddeus, quelque chose qui provoquait chez moi une réaction semblable. Quoique ce fût troublant, je devais admettre que ce mois où j'avais partagé la vie de Bram avait créé en moi des changements subtils, surtout dans ma façon de voir. La vieille auberge de Neptune, avec sa salle unique où l'on ne distinguait presque rien tant la fumée de cigarettes était épaisse, n'était plus un refuge confortable contre les vents du port, mais un trou étouffant où les marins fumaient un tabac nauséabond en grognant contre les prix du marché et les vilaines machines des nouveaux chalutiers à vapeur. D'après eux, ces chalutiers remontaient des poissons qui n'étaient pas arrivés à maturité, troublaient le frai, blessaient et déchiquetaient de bons poissons, les rendant ainsi impropres à la consommation ; ils inondaient le marché de produits de mauvaise qualité et cassaient les prix...

J'avais déjà entendu ces conversations si souvent que j'aurais pu fournir questions et réponses. Tout était beaucoup mieux autrefois, dans leur jeunesse, ou avant les Hollandais ; ou ailleurs ; ou avec quelqu'un d'autre à la barre. Les temps modernes ne valaient rien ; rien n'allait plus de nos jours, pas même la qualité des matières premières, que ce fût pour fabriquer des filets ou des casiers à homards. Jadis, j'avais écouté avec sympathie ; jadis, je dépendais autant de chaque pêche que les Firth ou ces gens-là. À présent, Magnus n'était plus là et j'avais besoin de parler à sa fille.

Avec impatience, je tournai les talons, quittai le Neptune et poursuivis mon chemin vers les Trois Serpents, ainsi nommés à cause des trois ammonites sur l'enseigne fixée dehors au mur. N'y trouvant pas Bella, j'allai à côté, à l'Étoile. Dans la salle aux poutres noires et aux murs jaunis se trouvaient de vieux tonneaux, des crachoirs et de la sciure. Il y régnait l'odeur d'un vieux voilier, ce qui, malgré la crasse, expliquait sans doute pourquoi j'avais toujours bien aimé cet endroit.

Cependant, ce n'était pas un des lieux de prédilection de Bella, et je fus étonnée d'entendre sa voix et son rire dans l'une des arrière-salles. En passant la tête, j'eus la surprise de la voir perchée sur les genoux d'un marin jeune et musclé. Ce n'était pas un gars du coin, je le compris à ses vêtements et à son accent. Un Hollandais, certainement. Aussitôt, cela me rappela les contacts de Magnus avec les contrebandiers. Cet homme était-il l'un d'eux ? Sûrement pas, me dis-je à la réflexion, Bella ne serait pas si bête. Malgré tout, son comportement me parut choquant, pour la simple raison qu'il lui ressemblait si peu. Ses longs cheveux étaient lâchés sur ses épaules et elle avait la gorge si largement dénudée qu'on lui voyait la naissance des seins. Peut-être avait-elle trop bu ? J'avais beau l'avoir déjà vue ivre, je ne l'avais jamais vue encourager ainsi un homme ni accepter de telles libertés. Elle se laissait caresser sans protester, et quand il écrasa sa bouche sur la sienne, elle ne le repoussa pas. Heureusement qu'ils s'étaient installés dans un coin sombre, sinon le patron les aurait jetés dehors. Je m'approchai de leur table et demandai non sans gêne :

« Je peux m'asseoir, Bella ? Il faut que je te parle. »

Lorsqu'elle me reconnut, une lueur de culpabilité apparut dans ses beaux yeux bruns, suivie par un éclair soupçonneux et incrédule, tandis qu'elle donnait une claque sur les mains baladeuses du marin. « Alors, qu'est-ce qui se passe donc, fit-elle sans aménité, pour que tu viennes ici toute seule après tout ce temps ? Où est ton chéri ?

— Parti, dis-je brutalement, en prenant une chaise de l'autre côté de la table. Enfin, j'ai appris ce qui est arrivé à ton père. Je voulais juste te présenter mes condoléances.

— Ah oui ? Et pourquoi ? Tu ne l'as jamais porté dans ton cœur, fit-elle, la bouche pincée.

— Toi non plus, si j'ai bonne mémoire. (Je soutins son regard et laissai la remarque prendre tout son sens dans le silence qui suivit.) Ce que je voulais dire, c'est que je suis désolée de sa mort. Ce ne doit pas être commode pour vous.

— Ah, ma foi – elle détourna le regard –, on se débrouille.

— Ce n'est pas ce que m'a dit Jack Louvain. Isa m'a pris mon travail sous prétexte, d'après ce que j'ai compris, qu'elle en a plus besoin que moi maintenant qu'elle est rentrée pour subvenir aux besoins de la famille...

— Attends un peu, là ! s'exclama Bella en assénant son poing sur la table. C'est moi qui subviens aux besoins de la famille, tu devrais le savoir ! Et d'après ce que j'ai entendu dire, c'est toi qui as laissé Jack en rade !

— Absolument pas !

— Mais toi, pas me laisser, hein ! dit le Hollandais en riant. (Il força Bella à se rasseoir et lui planta un baiser dans le cou.) On a fait marché tous les deux, oui ?

— Oui, plus tard ! s'emporta-t-elle en repoussant les mains qui l'agrippaient comme des tentacules, afin d'essayer de continuer la conversation avec moi.

— Plus tard, moi retourner à mon bateau. Le marché, insista-t-il, c'est maintenant. On y va maintenant, oui ? »

Il était beau, ce jeune homme, avec un air sain et une lueur de malice dans ses yeux bleu pâle, pourtant Bella lui jeta un regard de dégoût.

« Bon, d'accord, dit-elle d'une voix lasse, en avalant son petit verre de gin et en se levant de table. (Elle se tourna vers moi et m'adressa un bref regard d'excuse.) Écoute, il faut que je parte avec celui-ci. Je le lui ai promis et tu sais comment ils sont. Je n'en ai pas pour longtemps. Tu veux bien m'attendre ?

— Oui, mais où ? fis-je avec quelque hésitation. Sur la jetée ? »

Je me levai pour les suivre, et le jeune Hollandais, sûrement plus par jeu qu'autre chose, me jeta un bras autour de la taille et m'attira vers lui.

« Alors, Bella, je peux l'avoir aussi, ton amie ? »

Il riait, mais Bella le tira de l'autre côté.

« Elle est au-dessus de tes moyens ! » lança-t-elle d'une voix un peu acide.

Ce ne fut qu'en les voyant tourner dans la ruelle de la Jetée et grimper les marches menant au Cragg que je compris ce qu'était leur marché, et ce qui allait se passer entre eux. Quand la vérité se fit jour dans mon esprit, je fus consternée par ma lenteur d'esprit et furieuse. Furieuse contre moi-même de ne pas avoir saisi tout de suite ; contre Bella, de s'abaisser ainsi, et aussi de m'avoir incluse dans la même catégorie qu'elle. J'étais vexée, parce que j'étais différente. Bram et moi étions différents ; nous avions partagé quelque chose...

Et quoi donc ? Je me posai la question à moi-même, mais j'entendis la voix de Bella prononcer la réponse. Qu'avions-nous partagé de si exceptionnel ? Il était parti quand il en avait eu assez, lui aussi. À quoi bon dire que l'argent n'entrait pas en ligne de compte, puisqu'il m'en avait laissé, de l'argent – et une grosse somme – pour se donner bonne conscience. J'avais été utilisée et payée au même titre que Bella allait l'être dans la demi-heure qui suivrait. Dans mon cas, la différence tenait au temps que nous avions passé ensemble, Bram et moi, et à rien d'autre sans doute.

Je m'efforçais d'être dure et blasée, comme Bella ; malgré tout, ces réflexions me blessèrent. Je découvris bien vite que j'avais beau stigmatiser ma sottise par toutes sortes de reproches, cela ne changeait rien à l'affaire. Je me dis que je le détestais ; cependant je souffrais de ma solitude et aurais voulu être avec lui, entendre sa voix, joyeuse lorsqu'il me saluait en me retrouvant, ou douce et chantante dans les instants d'abandon. Le crépuscule même m'était insupportable tant il me rappelait nos promenades, et je me demandais si je pourrais un jour regarder la falaise est sans espérer l'y voir en train de m'attendre. Partout, les choses étaient à leur place habituelle, et pourtant elles étaient différentes. Si j'avais eu des yeux neufs pour montrer la ville à Bram, découvrant à cette occasion une fierté et des connaissances que j'ignorais jusqu'alors posséder, tout avait encore changé depuis son départ. L'éclat vibrant avait disparu, ne laissant derrière lui qu'une coquille vide, une illusion d'optique, un décor fatigué pour des acteurs qui jouaient une pièce différente.

Quelques estivants se promenaient le long du port, en majorité des hommes. D'autres marchaient sur la jetée en regardant évoluer les bateaux de pêche à l'horizon, et deux ou trois bateaux à voile qui, ancrés près de la bouée à cloche, attendaient d'entrer au port avec la marée. On voyait le groupe habituel de vieillards au bout du quai de la rive est, qui refaisaient le monde, et des femmes et des jeunes filles postées sur la Batterie. Pour la plupart elles bavardaient, tricotaient chaussettes ou chandails et profitaient de la belle soirée jusqu'au retour des maris ou des frères. Or, pour la première fois, cette scène conviviale me parut rien moins qu'innocente. Je notai celles qui, au bord du groupe, causaient peut-être, mais dont les yeux suivaient tous les hommes qui passaient. Elles prenaient des poses provocantes, faisaient saillir une hanche, montraient leur gorge et leurs chevilles, dans l'espoir de retenir l'intérêt le plus fugace. Parmi elles, je reconnus deux filles qui logeaient près du studio de Jack et posaient régulièrement pour un autre photographe. Tandis que je les observais, elles abordèrent deux jeunes gens élégants qui revenaient manifestement vers la ville.

Il n'y avait rien de nouveau à cela ; je connaissais beaucoup de filles qui essayaient de convaincre les messieurs de se laisser photographier au bout de la jetée, et qui allaient ensuite prendre un verre avec eux dans l'une des tavernes du coin. Seulement, jusqu'à présent, cela m'avait paru un amusement anodin, une façon de faire dépenser de l'argent aux visiteurs. Je m'en étais toujours abstenue, préférant de beaucoup un petit pourboire à des remarques grivoises et à des privautés. À ma connaissance, Bella partageait mes vues, et nous nous étions moquées des autres filles en les traitant d'idiotes, sans jamais penser – du moins en ce qui me concernait – que les transactions pouvaient ne pas s'arrêter là.

Cela se produisait, bien sûr, avec une régularité monotone. Le fait de le savoir changeait tout. Je pensai à Bella, en butte à des attentions qui devaient lui rappeler son père, qui l'aurait sûrement tuée s'il avait su qu'elle allait avec un autre homme. Or, par accident ou à la suite d'une provocation, c'était elle qui l'avait tué. Du coup – ô ironie du sort – (et le sort vous avait de ces ironies...) elle couchait à présent avec des hommes pour de l'argent, afin de subvenir aux besoins de la famille, alors qu'avant, pour que la paix y règne, elle couchait avec son père.

Entre-temps, Isa m'avait pris mon travail.

Si j'avais pu échanger les jumelles, persuader Jack de prendre Bella et installer Isa aux Trois Serpents comme une sorte de commodité offerte au public – pourvu qu'on arrive à lui écarter les genoux au levier, à celle-là –, j'aurais peut-être été moins malheureuse ce soir-là. Au lieu de quoi, j'attendis Bella jusqu'à ce qu'il fasse presque nuit et, ne la voyant pas venir, je rentrai seule à Newholm, pour retrouver le cottage vide.

Le lendemain matin, je retournai en ville, cette fois pour porter mon chèque à la banque. Je n'avais pas l'intention de le transformer en liquide, mais de le mettre de côté pour le jour où j'en aurais besoin. Ne sachant pas grand-chose des banques et des banquiers, je me rendis chez Chapman, dans Low Lane. J'avais entendu dire qu'ils étaient quakers et d'une honnêteté scrupuleuse ; de plus, Jack Louvain était client chez eux et je ne l'avais jamais entendu se plaindre.

Néanmoins, ce fut une épreuve pour mes nerfs. Sans aucune

expérience préalable, mes idées sur la façon de déposer un chèque étaient des plus floues. En pénétrant dans cet intérieur feutré, avec des employés perchés sur de hauts tabourets, je ne fus pas fâchée d'avoir revêtu une jupe et un corsage neufs, qui me donnaient, au moins en apparence, une certaine assurance. Un employé vint au guichet et m'examina par-dessus son pince-nez. Il me salua et me demanda ce qu'il y avait pour mon service ; je lui tendis donc le chèque et dis que je souhaitais ouvrir un compte.

Il me parut regarder le chèque plus longtemps qu'il n'était nécessaire, et je crus qu'il était surpris ou qu'il s'interrogeait, bien que l'expérience m'ait appris depuis que les employés et les caissiers de banque sont rarement surpris par l'argent, quelque forme qu'il revête. Ce qui l'étonnait, c'était peut-être cette nouvelle cliente, une jeune femme qui tripotait nerveusement ses gants et son panier à provisions. Il m'informa que je devais d'abord ouvrir un compte avant que la banque puisse accepter le chèque, et que je ne pourrais pas retirer d'argent tant que mon chèque ne serait pas compensé.

« Compensé ?

— Tant qu'il n'aura pas été établi que le signataire a une provision suffisante sur son compte à la... (Non sans ostentation, trouvai-je, il regarda de nouveau le chèque.)... à la banque Coutts. »

Je sentis le rouge me monter aux joues. L'idée ne m'avait pas effleurée. Et si le geste libéral de Bram ne correspondait pas à sa situation réelle ? D'après ce qu'avait dit Irving, cela semblait dans l'ordre des choses possibles. Quelle idiote je faisais ! J'avalai avec peine ma salive et dis d'une voix étouffée : « Je comprends. » Je n'avais qu'une envie, reprendre mon chèque et m'enfuir. Mais c'était hors de question : l'employé tenait entre ses doigts mon chèque de cent livres, et était bien décidé à le garder de son côté du guichet. Et, plus inquiétant, il voulait me présenter au directeur adjoint qui, me dit-il, noterait tous les détails nécessaires à l'ouverture de ce nouveau compte.

J'avais envie de dire *À quoi bon, si le chèque est sans valeur ?* Avec à l'esprit cette pensée qui minait encore ma confiance, je dus me soumettre à une procédure qui à mon sens ne rimait à rien pour ouvrir ce compte et payer l'opération en espèces sonnantes par-dessus le marché. Le directeur adjoint, Mr Richardson, un homme au regard bienveillant et à la voix douce, me posa à propos de cette somme d'argent un nombre de questions qui me parut considérable, non pas sur la façon dont elle était arrivée entre mes mains, mais sur ce que j'avais l'intention d'en faire une fois le chèque encaissé. Il était dommage de laisser dormir une somme aussi importante, et il suggéra que je pourrais peut-être en investir une partie pour qu'elle rapporte.

J'hésitai ; j'aurais aimé lui donner une réponse positive ; je n'étais hélas pas suffisamment sûre de moi. Il attendit, puis me suggéra gentiment d'y réfléchir quelque temps, et de revenir en discuter avec lui. Je saisis la perche avec reconnaissance. Ce ne fut qu'en me reconduisant à la porte qu'il fit un commentaire sur mon nom et me demanda si j'étais une parente de feu Damaris Sterne, de la baie de Robin-des-Bois.

Soulagée de voir mon épreuve toucher à sa fin, je répondis aussitôt :

« Oui, c'était ma grand-mère.

— C'est bien ce que je pensais, me dit-il en souriant. Je me souviens de vous petite fille quand vous veniez voir ma mère, qui habitait les Hauts de la Rampe. Elle s'appelait Rachel Sterne avant son mariage. Vous vous souvenez d'elle ? »

Je me figeai. L'espace d'un instant, je revis clairement la vieille tante Rachel, avec sa robe noire brillante et son bonnet compliqué en dentelle blanche, qui agitait une canne pour donner des ordres à ses domestiques qu'elle régentait depuis son fauteuil d'infirme près du feu. C'était un dragon qui me terrifiait ; j'avais du mal à concevoir que cet homme entre deux âges, à la voix douce, pût être son fils.

Ma surprise dut se voir car il ajouta :

« Ma mère a beaucoup souffert, mais elle a toujours apprécié les visites de votre grand-mère. »

Ce qui me surprit également. J'imaginais difficilement qu'elle pût apprécier quoi que ce fût, et encore moins les visites d'une parente pauvre. Je le remerciai néanmoins. Puis je pensai à l'oncle Thaddeus et je fus alarmée à l'idée qu'il puisse avoir connaissance de ma démarche.

Mon nouvel ami – je devrais plutôt dire ma nouvelle connaissance – devait avoir l'habitude de lire sur le visage de ses clients. Je n'eus pas le temps de formuler ma crainte qu'il m'assurait déjà de la discrétion de la banque, et d'une confidentialité analogue à celle des medecins ou des juristes. En retraversant le seuil de la banque pour sortir dans Low Lane, je me sentais beaucoup plus légère et confiante. Ce ne fut que plus tard, en repassant l'entretien dans ma tête pour la deuxième ou la troisième fois, que je me mis à considérer sérieusement l'hypothèse que le chèque pût être sans valeur.

Ce soir-là, au lit, je me reprochai mon inquiétude, me disant qu'il était impossible de perdre quelque chose qu'on n'avait jamais possédé ; mais l'idée des cent livres, et plus encore la possibilité d'investir cette somme, m'excitait. Si je ne pouvais avoir la sécurité du mariage ni la protection d'un homme qui m'aimait (il me semblait alors que j'avais compromis ces deux perspectives), je devais sérieusement songer à assurer mes arrières. L'argent était en soi une forme de protection ; c'était aussi une échappatoire et le moyen d'atteindre d'autres objectifs. Je m'endormis en faisant des projets, tous plus grandioses les uns que les autres, qui reposaient sur l'assise que me conférait ce cadeau d'adieux inattendu et son éventuelle multiplication. Cela m'empêchait de penser à la provenance de cet argent ainsi qu'à l'homme qui me l'avait donné.

Toutefois, à la lumière claire du matin, il me parut plus sensé d'orienter mes efforts vers la recherche d'un travail temporaire. Les marins de Cornouailles commençaient à arriver sur de grands lougres à deux mâts, comme chaque été, un peu avant les bateaux de Peterhead, pour pêcher dans les grands bancs de harengs qui trouvaient à se nourrir non loin de la côte. De la fin de juin jusqu'au début d'octobre, les bateaux écossais et cornouaillais jetaient l'ancre près de la terre pendant la journée et pêchaient la nuit, et l'on voyait danser çà et là à l'horizon leurs lanternes qui brillaient dans l'obscurité comme des vers luisants. Ils étaient les bienvenus, non seulement parce qu'ils offraient un joli spectacle au large, mais aussi parce que, venant en nombre, ils fournissaient du travail aux gens du cru. Lorsqu'ils débarquaient le samedi, ils remplissaient le port ; les équipages s'approvisionnaient dans les magasins et étanchaient des soifs inextinguibles dans les tavernes des quais, faisaient leurs dévotions dans les églises de la ville et attiraient des pêcheuses d'Écosse ou du Northumberland pour s'occuper du poisson qu'ils attrapaient. Les filles suivaient les bancs de harengs qui descendaient sur la côte, et passaient l'été à travailler de port en port, prenant pension chez l'habitant. Sur leurs talons, en août, arrivaient les estivants réguliers qui séjournaient à Whitby pendant leurs vacances, des trains entiers de touristes venus pour la journée ainsi que des familles plus cossues qui s'installaient avec des armées de domestiques.

Les locations de vacances étaient très recherchées, et j'envisageais de prendre une ou deux personnes en pension, mais je ne voulais pas offenser Mrs Newbold en ne respectant pas le contrat d'occupation initial. Le moment était cependant bien choisi pour chercher un travail dans un hôtel, soit comme serveuse, soit comme femme de chambre. Je me préparai donc à faire à nouveau la tournée des hôtels et des pensions de famille de la falaise ouest. Cette fois, je trouvai sans mal une place dans l'un des petits hôtels où une femme de chambre était partie sans crier gare. Je ne tardai pas à découvrir pourquoi : la gouvernante était un tyran, à peine plus courtoise avec les clients qu'avec le personnel. Mais j'avais connu pire, et mes semaines de repos et de nourriture saine m'avaient constitué une réserve d'énergie et de diplomatie.

J'avais l'impression que cette femme au visage revêche était ravie d'avoir sous ses ordres de jeunes et jolies filles auxquelles elle assignait des tâches serviles, car elle s'ingéniait à rendre le travail plus difficile que de raison. Néanmoins, si les journées étaient longues et les règles mesquines, les courbatures avaient au moins ceci de bon qu'elles détournaient mes pensées de mes cruelles peines de cœur. Et l'avantage supplémentaire de ces horaires très lourds était que, en général, à mon retour chez moi à la fin de la journée, j'étais trop épuisée pour penser. Je m'écroulais dans mon lit vers le coucher du soleil pour me lever juste après cinq heures, de façon à être au travail à six heures, lorsque commençait la série des tâches matinales, le nettoyage, le rangement et les lits. Il fallait faire le ménage de toutes les chambres du haut, sans compter les couloirs, les salles de bains et les toilettes. Les après-midi étaient consacrés à trier, raccommoder et repasser le linge. J'étais libre à cinq heures de l'après-midi et gagnais dix shillings par semaine, petit déjeuner et déjeuner compris. Quant au dîner, je le prenais chez moi.

Le principal, c'était que je n'avais pas besoin de toucher au chèque de Bram, qui fut encaissé, Dieu merci, au bout de dix jours. Toutes les idées qui m'étaient venues pendant l'hiver, alors que je n'avais pas d'argent, étaient soudain réalisables, mais je n'avais pas le courage de les mettre à exécution pour le moment. Lorsque Mr Richardson me demanda ce que je comptais faire, je lui dis que je n'étais pas encore prête, que j'avais besoin de réfléchir et de calculer. Il m'approuva et me donna quelques idées pour nourrir ma réflexion. Bien entendu, celles qui me plaisaient le plus avaient trait au commerce maritime.

22

Un matin, je m'éveillai vers quatre heures et demie dans une chambre baignée de lumière, avec la tête claire et l'esprit vif, mais le cœur qui battait à tout rompre : je venais de prendre conscience que mes plans risquaient fort de ne pas aboutir. Si je n'avais pensé à rien tous ces temps-ci, j'aurais néanmoins dû me rendre compte que je n'avais pas eu ma visite mensuelle, qui aurait dû survenir au moins une semaine avant le départ de Bram.

Je m'efforçai de ne pas céder à la panique et me dis que le choc de son départ – sans compter tout le reste – était bien suffisant pour perturber le cycle le plus régulier, ce qu'avait rarement été le mien ces temps derniers. Au cours de l'hiver précédent, le froid et la faim avaient eu des incidences fâcheuses dans ce domaine, et je n'avais rien vu venir pendant trois mois. Quand mes règles avaient enfin fait leur apparition, on eût dit une crue de printemps après la fonte des neiges et par pleine lune. Je n'avais pas osé quitter la maison de toute une semaine. Ignorant ma relation avec Bram, je me dis que le régime opposé – une nourriture trop riche et beaucoup de repos – devait produire un effet analogue et qu'il était inutile de m'inquiéter. Malgré tout, elle était bien là, cette angoisse, tapie au fond de mon esprit ; elle colorait la moindre de mes actions et minait chacun de mes projets.

J'attendais dans la perplexité et pensais sans en être sûre avoir deux ou trois semaines de retard. À l'hôtel, je montais et descendais les escaliers et travaillais avec un acharnement tel qu'il me valut une ébauche de sourire approbateur de la part de la gouvernante. Hélas, rien n'y fit. Folle d'inquiétude, et répugnant à me confier à qui que ce soit d'autre, je venais de décider de me mettre en quête de Bella lorsqu'elle apparut un soir au cottage.

Elle s'excusa pour le rendez-vous manqué de la jetée comme s'il datait de la veille, puis se plaignit de ce que le cottage était trop bien caché, car elle avait perdu beaucoup de temps à le trouver. Elle paraissait décidée à tout critiquer, mais je voyais bien qu'elle était impressionnée, surtout lorsque je lui proposai d'aller s'asseoir dans le jardin, où je servis des parts de gâteau et des verres de limonade sur un petit plateau. Je me demandais pourquoi elle était venue et ce qu'elle voulait. J'en fus pour ma curiosité, car elle dit seulement qu'elle avait éprouvé le besoin de sortir de chez elle et qu'elle en avait par-dessus la tête des pubs de la ville. Par-dessus la tête des hommes, par-dessus la tête de l'alcool, me dis-je en moi-même, car je lui trouvai très mauvaise mine, même dans la lumière douce du crépuscule. À son regard fiévreux, je vis qu'elle manquait de sommeil et souffrait d'épuisement nerveux ; j'eus le sentiment qu'elle n'avait pas pris de repos depuis longtemps. En dépit de tous mes soucis, j'avais envie de la réconforter, de lui offrir ma sympathie, de lui demander par quelle aberration elle allait avec des hommes, elle qui les avait en horreur. Malgré mon grand désir de me confier à elle, je ne réussis qu'à lui poser des questions d'une banalité à pleurer et à faire des réflexions parfaitement insignifiantes. Je m'étais promis d'être muette au sujet de la mort de son père et me rendis compte que je ne parvenais pas à en parler.

Finalement, à force de m'entendre lui poser des questions banales, Bella m'interrogea au sujet de Bram, et avant même de m'en rendre compte je me pris à lui dire que je croyais être enceinte de lui.

Il y eut un silence horrifié, pendant lequel elle resta bouche bée à me regarder fixement ; puis ce fut une explosion de rage et de reproches, dignes d'une mère outragée. Quelques instants plus tard, elle m'avait prise dans ses bras, m'embrassait et me disait qu'elle regrettait. Il y avait beaucoup de choses qu'elle devait regretter, me dis-je, mais moi aussi.

« Tu pourrais essayer de boire un quart de gin avec un bain

très chaud, dit-elle en me jetant un regard dubitatif. Il paraît que ça marche, si tu n'en es qu'au tout début. Entre-temps, j'irai en toucher deux mots à Nan Mills – elle t'arrangera ça, ne t'inquiète pas.

— Oui, mais comment ? » demandai-je d'une voix méfiante.

Nan Mills, qui habitait en haut du Cragg, était la sage-femme du coin ; elle était connue pour ses remèdes à base de plantes, destinés à soigner les maladies féminines. Seulement on lui attribuait aussi d'autres activités plus douteuses, dont on ne parlait qu'à voix basse et en général derrière des portes closes.

« Non, pas comme ça ! protesta Bella comme si elle avait lu en moi. Je pensais à sa potion spéciale. Infecte, ajouta-t-elle en frissonnant. Cela dit, ça te déménagerait une armée ! Je le sais, je l'ai prise. Et plus d'une fois, alors ne me regarde pas avec ces yeux ronds. »

Non seulement je devais avoir l'air d'une sotte, mais j'avais vraiment l'impression d'en être une. J'apprenais sur Bella des choses que j'ignorais, et dont elle n'avait jamais rien dit. À ceci près qu'avec la vie qu'elle menait j'aurais peut-être dû m'en douter. Je me demandai si l'horreur de son expérience récente avait fait basculer tout le reste dans la catégorie des fautes vénielles, si bien que plus rien ne semblait réellement grave, pas même le racolage dans les pubs de la ville. Et j'aurais eu mille autres questions à lui poser. Mes pensées se bousculaient et je redoutais presque d'ouvrir la bouche, de peur de dire ce qu'il ne fallait pas.

Pour ne pas m'aventurer en terrain miné, je demandai des nouvelles de la famille, et elle me dit que les garçons continuaient à pêcher mais que, tout seuls, ils avaient plus de mal, et elle se demandait comment ils s'en tireraient en hiver. Ou même, s'ils s'en tireraient. Douglas, l'aîné, parlait de s'engager sur un bateau transportant du bois de coupe ou du charbon, ou peut-être même de se trouver une place sur l'un des nouveaux bateaux à vapeur qui naviguaient à l'embouchure de la Tees. Ce qu'il voulait, c'était partir, ainsi que son frère. Elle les comprenait et moi aussi. Ils ne pouvaient pas avoir une vie plus dure que celle qu'ils avaient connue avec Magnus Firth. L'indépendance à laquelle il s'était cramponné et dont il avait agité la perspective devant les garçons comme une carotte n'était qu'un mythe, car les avantages qu'ils auraient à posséder leur propre barque de pêche ne pesaient pas très lourd face à la précarité de l'existence à laquelle ils seraient voués, d'autant que sans leur père leurs chances de survie seraient encore plus faibles.

Lorsque le nom de Magnus fut prononcé, il y eut un court silence. Je ne pouvais plus éviter le sujet. Mal à l'aise, je toussotai et demandai :

« Puisqu'on parle de ton père, Bella, dis-moi, qu'est-ce qui s'est passé cette nuit-là ? »

Elle se raidit, puis détourna son regard vers le large et les voiles, grandes et petites, qui se détachaient sur la mer, entre nous et l'horizon. Elle haussa les épaules et répondit :

« Tu sais, comme je l'ai dit à l'enquête, il avait rendez-vous à Saltwick, pour des histoires de contrebande sans doute, tu le connaissais. Et puis il y a eu un orage. Il a dû être surpris et de deux choses l'une, ou il est sorti du chemin et il est tombé, ou bien un bout de la falaise s'est effondré. Si tu y réfléchis, c'est la seule explication... »

Tout cela était parfaitement plausible.

« Et on a fouillé les falaises ?

— Oui, mais comme je l'ai dit à la police quand on m'a demandé s'il avait des ennemis, il n'avait que ça. On aurait dû plutôt me demander s'il avait des amis... »

Le silence retomba. J'aurais aimé qu'elle se confie à moi et me dise la vérité. Pour lui faciliter les choses, je lui demandai si la police avait soupçonné une malveillance quelconque, si, malgré le verdict, la mort de Magnus avait été autre chose qu'un accident.

Elle se tourna vers moi et ses lèvres esquissèrent un sourire qui n'était guère qu'une grimace.

« Non, Damsy, je ne crois pas. »

Je fus tentée un court instant d'ajouter : « Alors, tu as eu de la chance, non ? » Pourtant, alors même que les mots se formaient sur mes lèvres, ils s'y figèrent : elle ne voulait rien me dire, et si elle savait que je savais, ne risquait-elle pas de me considérer comme une menace ? Bien que cette pensée fût très déplaisante, je gardai le silence.

Le lendemain, qui était le jour où j'avais mon après-midi libre, Bella m'apporta du gin. Je fis chauffer l'eau et préparai le bain avec elle. Pendant au moins deux heures, je marinai et transpirai à grosses gouttes tandis que Bella veillait à ce que l'eau reste brûlante tout en me faisant avaler le gin. Lorsque je fus rouge comme un homard cuit et aussi pleurnicharde que la cousine Martha dans ses mauvais jours, elle me laissa sortir, complètement flageolante, et regagner mon lit tant bien que mal. Je dormis dans un état comateux où je vis tournoyer les lampes et les fenêtres, et je me souviens d'avoir vomi douloureusement plusieurs fois. Bella demeura toute la nuit avec moi et je sentis vaguement qu'elle était allongée à mon côté, mais ce fut tout. Le traitement n'eut d'autre effet qu'une monstrueuse gueule de bois le lendemain matin. Je passai presque toute la journée dans les cabinets du jardin.

Quand je fus remise après cet épisode peu glorieux, je me mis enfin à réfléchir avec plus de lucidité. Si je portais effectivement l'enfant de Bram – et cette pensée menaçante comme une épée de Damoclès se mettait à éclipser toute autre préoccupation –, il était temps de songer à l'avenir. Les assurances de Bella concernant le gin ou les potions à base de plantes me paraissaient aussi peu fiables que les méthodes préventives qu'elle préconisait et qui s'étaient révélées inefficaces. Je comprenais peu à peu que les conseils des autres ne remplacent pas le bon sens et qu'il y avait bien longtemps que je ne me servais plus du mien.

Je cessai de me cramponner à de fallacieux espoirs et me trouvai face à des perspectives plutôt sombres. Abandonnée, avec un enfant à charge, j'avais toujours la solution de repli de retourner chez les Firth où je prendrais l'habitude d'accompagner Bella dans des endroits comme le Neptune ou les Trois Serpents, tandis qu'elle racolerait des clients. Si cette perspective me fit reculer, celle de confier mon enfant à une femme comme la cousine Martha, qui lui administrerait une dose de gin au moindre pleur, me sembla infiniment pire et je renonçai aussitôt à cette idée. Le mieux à faire, c'était de remiser mon orgueil et de m'en remettre à la générosité de Bram, en espérant qu'il voudrait bien continuer à subvenir à mes besoins.

C'était un coup de dés. Cependant les alternatives comportaient encore plus de risques. Une annonce précipitée ne me parut pas de mise. Je lui écrivis donc au Lyceum, selon sa consigne. Non pour l'informer de mon état, mais pour le remercier du chèque, et l'assurer qu'il était sagement investi à la banque. Comme il avait toujours dit qu'il prenait ses vacances en août, je me permettais de lui demander s'il pouvait me consacrer une journée ou deux pour discuter de la situation. C'était important, précisai-je, et j'avais besoin d'une réponse rapide. Un simple oui ou non me suffirait.

Juillet passa, et j'avais beau me hâter de rentrer chez moi chaque soir, aucune lettre ne m'y attendait. Je me dis que, bien sûr, il devait être très occupé. Je demandais même à Mrs Newbold quand je la rencontrais si des lettres pour moi avaient été distribuées à la ferme. C'était risqué, car elle me regardait déjà d'un œil soupçonneux. À la fin du mois, elle commença à me rappeler que le loyer n'était plus payé que pour quatre semaines, et lorsque je lui répondis de toute ma hauteur que je continuerais à le payer, pourvu qu'elle veuille bien m'en dire le montant, elle me rétorqua que c'était avec le monsieur de Londres qu'elle s'était entendue. Que, s'il avait encore besoin du cottage pour un mois ou plus, ce serait envisageable, mais que les propriétaires ne seraient pas contents s'ils découvraient qu'elle avait sous-loué leur maison à une fille qui n'était qu'une pas grand-chose.

Piquée au vif, je lui lançai :

« C'est ce que nous verrons ! »

Le visage rouge de honte et de rage, je battis en retraite vers le cottage pour écrire une autre lettre à Bram, celle-ci sans fioritures ; je lui dis que j'avais besoin de son accord pour continuer à louer le cottage. Une semaine plus tard, jetant aux orties toute réserve, je lui révélai la vérité en peu de mots. J'attendais un enfant de lui et je ne savais pas que faire. Pouvait-il me contacter d'urgence ?

Je me sentais découragée. Plus d'un an s'était écoulé depuis que j'avais claqué la porte de l'oncle Thaddeus, et, au lieu de s'améliorer, ma situation était bien pire qu'alors. J'étais enceinte ; j'avais un emploi précaire et craignais de me retrouver bientôt à la rue. Je fus envahie d'un sentiment de dégoût. J'avais honte de ma sottise et de mon aveuglement. J'en arrivais à soupçonner que l'oncle Thaddeus avait raison, et moi tort. Si j'avais eu l'humilité requise, j'aurais pu aller le voir et lui présenter mes excuses ; j'aurais même pu implorer son aide. Seulement voilà, j'étais à la fois trop fière et trop honteuse pour entreprendre pareille démarche ; et, surtout, je le croyais capable de trouver un moyen de me punir conçu tout exprès pour briser ma volonté. Réduite aux abois, j'allai voir Bella qui, à son tour, alla voir Nan Mills.

Ce fut la pire erreur que j'ai jamais commise. Ce faillit être la dernière, mais la peur et l'imprudence avaient fini par avoir raison de mon discernement. Avant de me rendre chez elle, toutefois, j'allai à la banque, dans Low Lane, afin de discuter d'investissements avec Mr Richardson. Je profitai de ma visite pour parler de la difficulté que je rencontrais pour continuer à louer le cottage et lui laissai entendre que l'agent des propriétaires avait du mal à accepter l'idée qu'une jeune femme puisse être une locataire responsable, et que la personne qui s'était portée garante pour moi n'était plus en position de le faire. Je n'avais pas à l'époque l'intention de jouer le rôle d'une faible femme sans défense et incomprise, mais c'est l'impression que je devais néanmoins donner. Je ne pus m'empêcher de remarquer qu'aussitôt Mr Richardson me manifesta sa sollicitude et se disposa à me venir en aide. Avant la fin de notre entretien, il avait noté tous les détails et pris des dispositions pour que le loyer du mois suivant fût payé sur mon compte.

« De toute façon, il faudra que je trouve un autre toit d'ici à la fin du mois de septembre, lui dis-je, et un autre travail. Celui que j'ai maintenant n'est que temporaire.

— Et que faites-vous en ce moment, chère mademoiselle ? »

J'évoquai les demoiselles Sterne de Fylingthorpe et expliquai que j'avais reçu une formation de femme de chambre, et que j'avais travaillé comme telle jusqu'à ce que la dernière maladie de ma grand-mère m'ait rappelée à la Baie. Depuis cette époque, une suite de hasards heureux et malheureux m'avaient conduite à mon emploi actuel à l'hôtel, où j'occupais les fonctions d'assistante auprès de la gouvernante. Ces prétentions étaient un peu excessives et je prenais des risques en affirmant cela, car il aurait pu vérifier ; mais j'avais le sentiment qu'il m'estimait trop pour faire une chose pareille. Il me fut inutile de feindre l'émotion quand je lui dis tout de go que je pensais que l'heure était venue pour moi de quitter Whitby et de prendre un nouveau départ ailleurs.

Mais j'avais des projets d'avenir, lui dis-je, et, en ce qui concernait mes cent livres, j'avais l'intention de les placer sans plus attendre dans quelque chose qui me rapporterait gros. En entendant cela, Mr Richardon haussa les sourcils et me demanda si je me rendais compte des risques encourus ; il m'aurait plutôt conseillé de commencer modestement et de faire fructifier mon capital jusqu'à ce que je puisse me permettre de perdre un peu. Je l'interrompis en lui annonçant avec un petit sourire que je voulais investir tout mon argent dans le commerce maritime.

J'étais prête à répartir les risques sur deux ou trois propriétaires de la région qui cherchaient toujours des investisseurs décidés à prendre des parts dans les cargaisons de la Baltique et de la mer du Nord, et je souhaitais que l'un des bateaux fût la *Lillian*. Était-ce par sentimentalité, était-ce par superstition – ou simplement par souci de contrebalancer ce que je prenais pour de la témérité –, en tout cas j'éprouvais le besoin de me cramponner à quelque chose, et l'image la plus rassurante pour moi était celle de Jonathan Markway, à bord de son « vaisseau bien battant ».

« C'est un risque, je le sais, mais est-il si fou que cela à cette époque de l'année ? De toute façon, ajoutai-je avec coquetterie en rassemblant mes affaires pour partir, nous venons d'une longue lignée de risque-tout, à la Baie, vous ne trouvez pas ? Mon père et mon grand-père ont risqué leur vie et ils ont perdu. Là, il ne s'agit que d'argent, après tout... »

Sur cette fanfaronnade, je sortis. J'étais très émue, et mon cœur battait si fort que je crus qu'il allait exploser. Dehors, il faisait bon, et le pont était noir de gens de la ville et d'estivants qui avaient tous une bonne raison de traverser pour aller de l'autre côté du port. Des dames avec des parasols côtoyaient des pêcheuses écossaises avec des fichus sur la tête et des tabliers graisseux ; de jeunes élégants vêtus de blazers circulaient en contournant les couples âgés et les infirmes en fauteuils de promenade. Marins, constructeurs de navires et officiels du port vaquaient à leurs affaires cet après-midi-là sans prêter la moindre attention à la jeune audacieuse qui marchait à côté d'eux et qui s'était persuadée que les intérêts en jeu étaient assez élevés pour qu'elle mise tout ce qu'elle avait contre un avenir affranchi de la honte et de la pauvreté.

Comme je pensais à Jonathan en traversant la ville, je sursautai en apercevant dans une vitrine le reflet d'un jeune homme. Il lui ressemblait tellement que je m'arrêtai net et restai là quelques instants, partagée entre l'appréhension et une bouffée de désirs irréalistes. Lorsqu'il se déplaça, révélant ainsi son visage, je vis que la ressemblance avec Jonathan était très lointaine, et tenait à la jeunesse, à des cheveux bruns et bouclés et à une peau bronzée, caractéristiques communes chez les pêcheurs de Cornouailles.

Ancrés devant le port, les lougres cornouaillais se balançaient dans la chaleur de l'après-midi. En les regardant, je me surpris à regretter de ne pouvoir inverser les aiguilles du temps. Le travail de Jonathan, que j'avais considéré au départ comme un handicap, m'apparaissait désormais sous un tout autre jour. Je pouvais même voir les avantages que présentait un mariage avec un tel homme. J'aurais donné n'importe quoi pour repartir de zéro et je me demandai où il était, s'il pensait encore à moi et, ce qui me tordit le cœur, ce qu'il eût pensé en sachant quelle vie j'avais menée pendant ces derniers mois et l'état où je me trouvais en conséquence.

À contrecœur, je regagnai le cottage. Je savais qu'il fallait que je mange, mais il n'y avait pas de feu dans la maison et en allumer un était trop de tracas. Je me contentai de couper un morceau de fromage et beurrai une tartine, étanchant ma soif avec un verre d'eau. Pourquoi Bram n'avait-il pas répondu à mes lettres ? Il avait tant écrit qu'il pouvait bien me consacrer quelques lignes, non ? Ces questions résonnaient dans ma tête comme le fracas d'un marteau de forgeron tandis que je regardais son bureau, sa chaise et la vue qu'il avait de sa fenêtre. Aucune des réponses ne me paraissait convaincante. Même si les lettres que je lui avait adressées s'étaient perdues, je me disais que, s'il m'aimait, il m'aurait écrit malgré tout, ne fût-ce que pour me demander ce qu'était ma vie sans lui.

C'était toujours à ce stade que l'émotion submergeait la logique et que j'avais du mal à contrôler mon chagrin. Je jure que si j'avais reçu le moindre signe que je comptais encore pour lui, que sans doute il continuait à se soucier de ce qui m'arrivait, je n'aurais pas donné suite à ce que je m'apprêtais à faire. Mais, sans aucune nouvelle de lui, je n'avais pas le choix. Seule, je n'avais déjà pas une existence facile ; alors avec un jeune enfant, mise au ban de la société et sans protection, je n'irai pas loin, même avec les cent livres. Lorsqu'elles seraient épuisées, je ne voyais guère d'autre solution que l'hospice, et j'étais trop fière pour m'y résoudre. Au coucher du soleil, je réunis quelques effets que l'on m'avait demandé d'apporter, ainsi qu'une somme d'argent, et je partis pour le Cragg. Bella m'attendait en haut de la ruelle de la Falaise, à quelques pas de l'endroit où j'avais échangé mon premier baiser avec Bram, il y avait déjà tant de mois, et nous nous dirigeâmes vers la maison de Nan Mills. Elle n'était pas loin, mais, sitôt en vue de la rue, nous nous arrêtâmes pour boire quelques gorgées à la bouteille qu'elle avait emportée. Le gin était fort, avec un goût huileux et parfumé qui me rendit nauséeuse, probablement autant à cause de mon appréhension que des souvenirs récents qu'il évoquait, et il me fallut un effort de volonté pour ne pas le recracher. La deuxième gorgée passa mieux que la première ; quant à la troisième, elle ne produisit qu'un frisson, qui se prolongea quand nous arrivâmes devant la porte de Nan Mills.

La maison, comme tant d'autres au Cragg, était haute et étroite, frileusement adossée à la falaise et prise dans un ensemble d'autres murs et d'autres toits. Cependant, elle réussissait à évoquer solitude et mystère dans cet enchevêtrement de masures, d'ateliers et de garnis. Comme lors de ma précédente visite, je fus frappée par la propreté de la maison dans cet environnement généralement pauvre et souvent fort mal entretenu. Même l'extérieur avait été récemment blanchi à la chaux, ce qui, par la chaleur de cette soirée d'été, donnait une impression de fraîcheur bleutée, et faisait ressortir les pots de fleurs et d'herbes rangés sur les rebords des fenêtres. L'intérieur, lui, me faisait penser à la maison de ma grand-mère à la Baie, avec son sol dallé et bien frotté, ses tables de bois blanc et ses rangées d'assiettes et d'ustensiles en étain disposées sur les étagères en bois peint de la cuisine. Il était difficile d'imaginer que des activités illégales puissent s'y dérouler.

Bien que la soirée fût chaude, un petit feu brûlait et une bouilloire fumait doucement sur la plaque. Avec son bonnet et son tablier blancs, Nan Mills me rappelait la nounou qui s'occupait des enfants dans la maison de ma première place, et je me demandai si c'était ainsi qu'elle avait débuté, et si c'était pour cela qu'on l'appelait « Nan[1] ». En tout cas, si elle cherchait à avoir l'air efficace grâce à cet uniforme, c'était réussi, et son apparence inspirait beaucoup plus confiance que le sourire éméché d'une cousine Martha, avec ses airs de souillon débraillée.

L'avant-veille, elle s'était montrée assez aimable lorsqu'il avait été simplement question de m'interroger et de se livrer à un bref examen qui avait confirmé mes craintes ; toutefois, son ton avait changé une fois qu'elle eut compris ce que je voulais. Elle m'avait formellement assuré que l'opération était très simple, mais qu'il fallait impérativement observer la plus grande discrétion. Si elle acceptait de s'occuper de moi, je devais lui jurer de ne l'impliquer sous aucun prétexte. En disant cela, elle s'était adressée à Bella autant qu'à moi. Cette fois-ci, dès que la porte fut refermée, elle me demanda d'un ton revêche si j'avais apporté l'argent. Ce que j'avais fait, et, quand je vidai ma bourse, le monceau de pièces représentait trois semaines de gages. Je soupçonnai Nan Mills d'exiger de ses clientes autant qu'elles pouvaient payer à son sens, et je me félicitai de n'avoir pas soufflé mot du chèque à Bella.

Elle prit l'une des lampes et nous fit signe de la suivre dans l'escalier en colimaçon à l'étage au-dessus, où une petite pièce aveugle était protégée des regards indiscrets par d'épais rideaux. Il s'y trouvait une longue table, telle qu'on eût pu en voir dans n'importe quelle cuisine digne de ce nom ; dessus étaient posées

1. *Nan*, diminutif de *Nanny* : bonne d'enfants, nounou. *(N.d.T.)*

plusieurs couches de journaux et, à côté, il y avait une chaise de bois et une table de toilette.

À ma grande surprise, car je m'attendais à m'étendre sur un lit, Nan me demanda de m'installer sur la table et de m'y allonger, les genoux repliés. Elle retroussa mes jupes et plaça sous moi une grosse liasse de journaux avant de se tourner pour se laver les mains. Elle me dit de bien écarter les genoux et, me voyant hésiter, s'impatienta. « Allez, on ne va pas y passer la nuit. » Je sentis ses mains ouvrir largement mes genoux, et placer mes chevilles à sa convenance, puis remonter. À mon grand embarras et à ma grande gêne, elle plaça une main sur mon abdomen et introduisit l'autre à l'intérieur, pour explorer et palper avec des doigts dépourvus d'égards pour la tendresse de ces parties. Sur cette table implacable, je me sentais nue et vulnérable, troussée comme une oie de Noël livrée à la poigne de fer d'un cuisinier. Bella était assise, tête baissée, et se rongeait les ongles, préférant de toute évidence ne pas regarder, et comme je la comprenais. Je m'efforçai de ne pas broncher et me mordis la lèvre, redoutant ce que je sentais sans le voir. Cela me sembla inepte de m'entendre dire de me détendre, mais lorsque Nan retira enfin sa main je poussai un soupir de soulagement, pensant, ignorante que j'étais, que l'opération était terminée. Mais, en me voyant bouger, Nan me cloua sur place avec un rire sec. « Eh non, ma fille, on n'a pas encore commencé. »

D'un tiroir de la table de toilette, elle retira un petit paquet de cuir qu'elle défit. Mon cœur bondit de terreur en voyant des ciseaux, un couteau fin et de longs instruments de métal qui ressemblaient à des piques à brochettes ou à des crochets souples. Bella secoua la tête et attrapa la bouteille de gin. Cette fois-ci, je la lui arrachai presque des mains, pris une grande lampée, puis une autre. L'idée d'une gueule de bois nauséeuse me paraissait infiniment préférable à l'épreuve qui m'attendait.

La peur ne fit qu'aggraver les choses. Ainsi que les menaces de Nan. Elle me fit très clairement comprendre que pour lui permettre de pratiquer l'opération sans dommage, je ne devais surtout pas bouger. Il fallait qu'elle trouve le col de la matrice et qu'elle introduise une sonde pour transpercer la membrane ; elle ne voulait pas me transpercer moi par erreur, si j'avais la sottise de bouger au mauvais moment.

Bella reposa le gin et me prit la main. Je lui en sus un gré infini, car je tremblais si fort que je me mis à redouter qu'une crispation soudaine ne cause ma mort. Nan disposa mes genoux comme elle l'entendait, puis réintroduisit sa main, tout en me répétant de pousser au lieu de me contracter. L'instant d'après, je sentis quelque chose me lacérer au plus profond de moi, quelque chose de pointu et de coupant à la fois, qui provoqua un spasme involontaire de tous mes muscles. Bella me serrait la main de toutes ses forces et je poussai une plainte. Mais c'était fini, la main sortait, et mes chairs dilatées et meurtries reprirent miraculeusement leur forme.

Gisant sur cette table dans une stupeur vague due au gin et à un soulagement qui me faisait tourner la tête, j'avais le visage inondé de larmes et entendis sans les comprendre les instructions que Nan me prodigua. Puis elle reprit ses instruments et quitta la pièce.

Bella m'aida à me relever et m'essuya le visage.

« Il faut redescendre, elle veut t'administrer un remède. »

Je gémis à cette perspective, mais la force de protester me manquait. J'avais les jambes en coton et je me dis qu'elles allaient s'enrouler l'une autour de l'autre ; néanmoins, avec l'aide de Bella, je réussis à descendre l'escalier. Nan versait un liquide brûlant dans une tasse et je pensai avec délices à une tasse de thé. Il s'agissait, hélas, d'une tisane, un breuvage épicé et un peu amer à base de gingembre et de feuilles de framboisier, qui, selon elle, devait stimuler l'utérus. Je devais en boire trois fois par jour pendant une semaine, et m'attendre à avoir une hémorragie.

Hébétée, prise de vertiges, j'agrippai le paquet et me retrouvai avec Bella dans la rue sombre. Elle passa son bras autour de mes épaules et me proposa d'aller chez elle en attendant de me sentir mieux, mais je craignais que ce ne fût pire et n'avais aucune envie de supporter les cris et le bruit des enfants, ni les regards inquisiteurs d'Isa. Il me fallait du calme, du silence, un minimum d'ordre et de propreté et, surtout, ce lit que je considérais désormais comme le mien.

L'air de la nuit me fit du bien, et nous réussîmes malgré tout à rentrer à Newholm d'une traite et dans des délais raisonnables. Bella insista pour rester avec moi cette nuit-là, ce dont je lui fus reconnaissante : j'avais commencé à saigner et nous n'étions pas plus rassurées l'une que l'autre, ne sachant à quoi nous attendre. Le lendemain, je me sentais faible et malade. Je décidai cependant d'aller travailler comme d'habitude ; la gouvernante avait été favorablement impressionnée par ma diligence ces temps derniers, et elle fit preuve d'une certaine tolérance devant mes malaises. Je dis que c'était quelque chose que j'avais mangé, ce qui me donnait une excuse pour me rendre au petit coin, où je pouvais au moins m'asseoir quelques minutes. En milieu d'après-midi, si j'avais arrêté de saigner, j'éprouvais tout de même de vives douleurs dans le ventre et les reins, et fus prise d'étourdissements. L'une des autres filles me prit ma part de repassage et me fit asseoir dans la lingerie. Peu après cela, je m'écroulai sur le sol, évanouie.

La gouvernante fut mécontente de ce contretemps ; toutefois, après avoir maugréé contre la funeste habitude de prendre ses aises et agité de sévères mises en garde, elle me donna finalement la permission de rentrer chez moi. À ce stade, j'étais trop malade pour me soucier de quoi que ce soit. Pendant un moment, je restai assise sur un banc public de la falaise ouest, me demandant si je devais passer chercher Bella qui était rentrée chez elle ce matin ou continuer mon chemin vers Newholm. Ce qui, malgré la distance, me parut plus facile et certainement plus simple, pourvu que je parvienne à mettre un pied devant l'autre. Comment je réussis à faire ces quatre kilomètres, je ne le saurai jamais. Toujours est-il qu'après de nombreux arrêts en chemin je me retrouvai, titubante, dans l'allée puis dans le cottage.

Je me souviens d'avoir été dans la souillarde remplir le pot à eau à la pompe. Il était trop lourd et je ne parvins pas à le soulever, ce qui me désespéra, car je me rendis compte que j'avais la fièvre et qu'il fallait que je boive beaucoup. Mon corps entier était douloureux, mes oreilles bourdonnaient, et tout ce que je voulais, c'était m'étendre et fermer les yeux ; mais il me fallait cette eau. J'en bus un peu, en renversai, puis traversai la cuisine en vacillant, le pot à eau à la main. Arrivée dans la chambre, tremblant comme une feuille, je me déshabillais, lorsque je fus soudain saisie de douleurs atroces : d'abord des nausées, puis des coliques d'une violence inouïe. Je me traînai jusqu'aux cabinets où je m'assis, secouée de spasmes affreux, hoquetant et gémissant, persuadée que j'allais mourir.

Et sans Bella, je serais morte. Peut-être pas à ce moment-là, et certainement pas à cause des seules douleurs, mais je n'aurais pas survécu à la fièvre qui leur succéda sans ses soins constants. Bien que je n'aie qu'un souvenir très flou des jours suivants, je sais que Bella arriva au cottage environ une heure après moi. Elle s'était inquiétée toute la journée et, après m'avoir attendue près de l'hôtel à l'heure où je devais normalement sortir, elle avait finalement pris son courage à deux mains et était allée frapper à la porte des fournisseurs pour demander après moi. Quand l'une des filles de cuisine lui eut raconté ce qui s'était passé, elle était partie pour Newholm et avait fait presque tout le chemin en courant.

Je dois la vie aux soins qu'elle me prodigua : elle me lava, me mit au lit et me soigna parfaitement, avec un dévouement constant pendant des journées entières où je délirai. Durant plusieurs jours, la fièvre ne me lâcha pas. Ce n'étaient que des rêves d'eau et de chute, de blessures sanglantes, doigts accusateurs, serpents qui sifflaient et visions érotiques qui se transformaient en cauchemars où se mêlaient viols, empalements et revenants. Au milieu de ces souffrances qui m'entraînaient dans un désert parcheminé subsistaient quelques îlots de lucidité où je reconnaissais le visage inquiet et creusé de Bella qui, penchée sur moi, me donnait à boire à la cuillère ou essuyait mon front ou ma poitrine trempés de sueur. Après quoi, je retombais dans la somnolence, terrifiée à la vue des créatures qui m'entouraient, de leurs visages pâles couverts d'algues et de leurs yeux aveugles, ou des démons tout de noir vêtus qui, armés de fourche, me repoussaient dans les flammes.

Mais ce n'était pas le diable qui me tenait dans ses griffes, ni même Henry Irving, sous son jour le plus menaçant. J'étais en réalité en proie à la fièvre puerpérale, qui avait ôté la vie à ma mère et faillit me ravir la mienne.

23

Ce fut mon dernier été à Whitby. Avec le recul, certains moments se détachent nettement, des moments qui n'ont rien à voir avec Bram, hormis que cet été-là tout était lié à lui ; et pourtant, quand je repense à tout cela aujourd'hui, même notre relation me paraît comme l'écho de quelque chose dont l'origine remonte à avant ma naissance.

Je me souviens d'avoir regardé du pont les poissonnières sur le quai, dont les couteaux et les poissons étincelaient sous le soleil devant leurs grands baquets pleins de harengs argentés qu'elles vidaient et rangeaient si vite qu'on ne pouvait même pas suivre le mouvement de leurs mains. C'était un plaisir de les regarder, pleines d'entrain et d'assurance, avec leurs tricots de laine de couleurs vives à manches courtes, leurs bras et leurs visages bronzés. Leurs voix portaient sur l'eau, et leur accent écossais me rappelait ma mère ; la nostalgie et la solitude me nouaient alors la gorge, encore amplifiées par la perte de Bram. Mon besoin d'être réconfortée et rassérénée était tel que je me demandai si cette jeune femme qui avait été ma mère aurait compris l'angoisse où me mettait ma situation ou si elle m'aurait condamnée pour la sottise qui l'avait provoquée.

J'espérais qu'elle m'aurait comprise. Après tout, elle était tombée amoureuse de mon père qui, comme Bram, appartenait à une classe différente de la sienne, une classe où l'on avait du bien, de l'éducation, et l'habitude d'une aisance et d'une facilité sans commune mesure avec la pauvreté qu'elle avait connue enfant. En apparence, en tout cas. Les réalités étaient peut-être plus proches que l'un et l'autre ne souhaitaient l'admettre, mais même dans les familles où l'argent était rare et les revenus lourdement grevés, on conservait envers et contre tout sa fierté et ses bonnes manières, et les conventions sociales étaient scrupuleusement respectées. C'était assurément le cas de grand-mère. J'imaginais mon père jeune homme, brûlant de se révolter, de jeter aux orties les règles et les contraintes familiales, surtout après la fin d'un long et rude apprentissage en mer. Il avait rencontré une belle jeune fille, en était tombé amoureux et, tel un chevalier du Moyen Âge, avait décidé de l'arracher à une vie de dur labeur et de pauvreté, quoi que son entourage à lui puisse en dire.

Il devait avoir rencontré de l'opposition, encore que, si son caractère était comme le mien, ce fût le meilleur moyen de le renforcer sur ses positions. Je m'étais toujours dit que les interdits étaient faits pour être transgressés et les conventions bravées, et c'est pourquoi j'éprouvais une telle sympathie pour mes jeunes parents rebelles que j'avais envie d'imiter. Du moins, je le croyais à l'époque. Maintenant, toutes ces années plus tard, je me demande si cela ne venait pas tout simplement de ma solitude et de mes manques, de mon désir de me rapprocher de mes parents en imitant leurs expériences, leurs comportements et leur façon de vivre.

J'étais jeune et je ne voyais pas les pièges. Sur un coup de tête, j'étais allée partager la vie des Firth ; sur un autre, je m'étais jetée dans les bras d'un homme marié, de vingt ans mon aîné. Bien sûr, j'étais éblouie, amoureuse et complètement fascinée ; aujourd'hui je vois bien que je cherchais aussi l'amour d'un père, que je voulais connaître la douceur d'être gâtée et choyée, le confort et la protection que seul un homme plus âgé était susceptible de fournir. Je faisais une plus grande confiance à Bram à cause de sa personnalité et de son caractère. Sa trahison n'en avait été que plus douloureuse.

Rétrospectivement, il me paraît toujours étrange d'avoir failli mourir comme ma mère. D'aucuns diront que c'était chose banale chez les femmes en âge de procréer, et qu'il n'y avait rien de très curieux dans cet épisode, sinon ma guérison. Il n'en reste pas moins que cette expérience m'affecta profondément ; j'en gardai un sentiment de vulnérabilité intense, et la conviction que je n'avais plus de temps à perdre avec des choses qui n'en valaient pas la peine.

Je savais que j'avais eu de la chance de survivre à cette fièvre. Dans le cas de ma mère, la naissance d'un enfant mort-né si tôt après la mort de mon père en mer devait lui avoir ôté l'envie de lutter ; mais, là encore, peut-être avait-il juste manqué à son chevet une infirmière aussi résolue et compétente que Bella. Ce qui était en soi extraordinaire. Bien que Bella eût passé la moitié de sa vie à veiller sur sa mère pendant et après ses grossesses, ou à soigner ses frères et sœurs quand ils avaient la rougeole ou la coqueluche petits, ou que, plus vieux, ils s'étaient blessés avec des hameçons et des couteaux, jamais je n'avais pensé à elle comme à une infirmière. Elle avait fait tant de choses par nécessité et à contrecœur que je n'aurais pas cru pouvoir être l'objet d'un dévouement si spontané de sa part. Nous avions été amies, c'est vrai, et très proches à certains égards ; je suis cependant persuadée aujourd'hui qu'il y avait derrière ses actions une motivation beaucoup plus complexe, beaucoup plus en tout cas que je n'étais capable de le percevoir à l'époque.

Ensuite, lorsque je fus assez bien pour comprendre que je n'étais pas passée loin de la mort, quoique encore extrêmement faible et effrayée, je constatai qu'elle me remerciait sans cesse de guérir, de m'en tirer et, en fin de compte, tout simplement de vivre. Je ne vis pas alors ce qui me semble évident maintenant, à savoir que j'étais la vie qu'elle avait sauvée, la dette acquittée pour la vie qu'elle avait prise. Je crus que ma survie était importante pour elle, pour son avenir. Que Dieu me pardonne, je crus qu'elle cherchait à tisser entre nous des liens étroits, et cela m'effraya. Les choses avaient changé du tout au tout depuis la mort de Magnus : Isa était revenue et assumait l'essentiel des responsabilités, les garçons projetaient de quitter la maison, et Bella n'avait plus à monter la garde et à s'interposer entre son père et le reste de la famille. Elle était déchargée de ses responsabilités et plus libre qu'elle ne l'avait jamais été. Hélas, elle était incapable de penser à long terme et d'avoir des projets d'avenir. Je crus donc qu'elle comptait sur moi pour lui donner un nouveau rôle à jouer.

Je m'étais dit parfois qu'il serait peut-être plus facile de mourir, mais avec le rétablissement vint l'euphorie, ainsi qu'un désir de liberté. J'avais survécu, j'étais consciente de ma chance et profondément reconnaissante à Bella de ce qu'elle avait fait pour moi ; je ne pouvais pour autant me résoudre à envisager l'avenir avec elle à mes côtés. Je l'aurais voulu et j'essayai, mais j'admets que ma liberté comptait plus que tout. Aussi étais-je accablée par le poids du remords en même temps que de la gratitude, et je me demandais comment m'acquitter de ma dette.

Il me fallut prendre une décision beaucoup plus vite que je n'aurais pu l'imaginer : Mr Richardson m'écrivit de la banque pour me dire qu'une des lointaines parentes de son père, une veuve de la Baie qui était aussi sa cliente, s'était renseignée auprès de lui pour savoir s'il connaissait quelqu'un pour remplacer sa dame de compagnie. Celle qu'elle avait en ce moment allait la quitter pour se marier, et Mrs Addison souhaitait une jeune fille de la Baie, car elle trouvait que c'était toujours pour elle comme une bouffée d'air de sa ville natale. Elle vieillissait et voulait avoir chez elle une jeune personne gaie et bien portante, dotée de préférence d'un minimum de bon sens. Mr Richardson disait qu'à son avis je correspondais tout à fait aux désirs de sa cliente et que, si je voulais bien aller le voir, nous pourrions discuter de la situation plus à loisir.

Cela se passait quinze jours après ma maladie et Bella s'occupait toujours de moi car j'étais encore convalescente.

Certes, elle retournait chez elle régulièrement et y passait souvent la nuit, mais le plus clair de son temps elle était avec moi et dans l'ensemble, à en juger par sa mine et ses propos, jamais elle ne m'avait paru aller aussi bien depuis que je la connaissais. Je ne pouvais pas la payer car il me restait fort peu d'argent, et ce peu, je le consacrais à la nourriture ; en revanche, je lui fis cadeau d'accessoires dont elle avait pris envie : un joli châle que Bram m'avait donné, des boutons de nacre et un col en dentelle, un bonnet qui lui allait bien. Lorsqu'elle me demanda comment j'avais les moyens de rester au cottage, je lui expliquai que le loyer avait été payé par Bram, qui m'avait laissé un peu d'argent avant de rentrer à Londres. Je ne lui avais pas parlé de Mr Richardson ni de la banque, si bien que quand sa lettre me parvint je me trouvai dans l'embarras.

J'aurais aimé partager ma joie avec elle, car ce travail était exactement ce que j'avais toujours cherché. Pour moi, c'était une issue, une occasion d'aller de l'avant et une raison de quitter Whitby et tous les problèmes qui s'y rattachaient. Pendant que j'étais dans le jardin, la lettre à la main, à réfléchir à la situation, Bella me tournait autour, impatiente de savoir ce dont il retournait. À la fin, je lui dis une partie de la vérité, à savoir que

Mr Richardson était un parent et que je lui avais demandé de me donner des références.

« Tu veux partir ?

— Ma foi, je ne peux pas rester, tu le sais bien. Le loyer n'est plus payé pour longtemps, et il faudra que je trouve un travail quelconque, et un toit. Ce n'est pas idéal, je sais, mais pour l'instant il vaut mieux que je prenne un emploi où je serai nourrie et logée. »

En entendant cela, elle eut la mine abattue d'un enfant à qui l'on enlève son seul jouet. J'avoue en avoir été irritée, car elle savait que nos jours au cottage étaient comptés. Était-ce l'effet de la maladie, toujours est-il que je m'énervais facilement à l'époque, et je lui dis avec humeur :

« Tu devrais en faire autant. Tu as toujours dit que tu aimerais travailler dans les cuisines d'une grande maison, et c'est l'occasion rêvée. Pourquoi ne pas tenter ta chance ?

— Oui, peut-être », répondit-elle, sur la défensive.

À son expression, je vis qu'elle n'en ferait rien. Et je compris aussi que je l'avais blessée.

Le lendemain, nous descendîmes à Whitby avec la charrette du voiturier de Newholm, ce qui était une nouveauté pour l'une comme pour l'autre. Pendant que j'allais voir Mr Richardson, Bella fit les courses en ville. Nous étions convenues de nous retrouver une heure plus tard à côté de la gare pour repartir par le même moyen. Je ne m'attendais pas du tout à ce qui suivit. Bella réussit à anéantir ma joie et à saper mon amour-propre : elle me tendit le panier de courses et m'annonça froidement qu'elle rentrait chez elle : maintenant, je pouvais me débrouiller toute seule, elle le voyait bien, tandis que sa mère, à qui elle venait de rendre visite, la suppliait de revenir.

« De toute façon, il faut que je rentre, dit-elle. Ils ne peuvent pas se passer de moi et Isa les fait tourner en bourrique. »

J'étais stupéfaite, mais je ne mis pas une seconde sa parole en doute. À bien y réfléchir, même, il était étonnant qu'elle ait pu s'absenter si longtemps du Cragg. Depuis des années, la cousine Martha se reposait sur Bella, l'exploitait, se confiait à elle et se faisait choyer par une fille qui lui passait toutes ses faiblesses. Si Bella avait parfois la dent dure, elle avait le cœur tendre et se laissait manipuler. Sa jumelle, Isa, derrière ses airs de sainte nitouche, était une vraie teigne. Elle ne risquait pas de choyer qui que ce soit, et surtout pas sa mère. C'était précisément pour cela qu'à mon avis mieux valait que ce fût Isa qui ait la charge de la maisonnée, et je trouvais que Bella aurait mieux fait de se tenir à l'écart.

« N'y va pas, lui dis-je instamment. Tu le regretteras et tu le sais bien. »

À quelques mètres de la gare se trouvait une agence de placement pour gens de maison à laquelle j'avais eu l'intention de m'adresser et, dans mon impatience, je pris le bras de Bella et la poussai vers l'entrée.

« Vas-y maintenant, et vois ce qu'ils ont à te proposer. Les filles intelligentes ont de l'avenir. Tu pourrais devenir cuisinière d'ici quelques années... »

Elle s'obstina dans son refus.

« Non, maman a besoin de moi », dit-elle.

J'avais le sentiment qu'elle se raidissait contre moi et mes suggestions, et j'aurais voulu la secouer ; or elle s'était butée. J'étais contrariée car, une fois de plus, notre amitié chancelait, et toujours pour les mêmes raisons. Je voulais tenter ma chance, prendre des risques, tandis qu'elle trouvait de bonnes excuses pour refuser de mettre le nez hors de chez elle.

Il me fut pénible de retourner seule à Newholm. La compagnie de Bella me manquait, et je savais qu'il me faudrait bientôt prendre congé non seulement d'elle, mais aussi du cottage que j'avais partagé avec Bram. À ma grande surprise, j'avais du chagrin de partir. Néanmoins, pensant aux perspectives qui s'ouvraient à moi, je m'efforçai de reprendre des forces, mangeai davantage et allongeai progressivement ma promenade quotidienne.

Dès que je fus capable de faire l'aller et retour, je me rendis à Whitby pour voir Bella, non sans appréhension, compte tenu de la façon dont nous nous étions séparées. Toutefois, elle allait bien, et la maison du Cragg était semblable à elle-même, à ceci près qu'elle avait l'air sensiblement plus gaie. Quand j'osai formuler ma remarque, j'appris qu'à l'inverse de ce que j'avais imaginé la raison n'avait rien de spirituel et venait de ce que les carreaux avaient été nettoyés pour la première fois depuis des années. Je me pris à glousser et, lorsque Bella voulut savoir à quoi j'avais attribué ce changement, je lui dis que je l'avais cru lié à son père ; cela déclencha une crise d'hilarité qui dégénéra en hoquets incontrôlables. Pourtant, ni la disparition de Magnus ni la terreur qu'il faisait régner de son vivant n'avaient rien de drôle ; malgré tout, notre rire libéra quelque chose, son fantôme, peut-être, et nous permit de nous séparer bonnes amies.

Pour Mr Richardson, j'étais miss Sterne et le resterais toujours, mais je me dis que ma nouvelle patronne préférerait peut-être m'appeler plus familièrement, et le moment me parut bien choisi pour prendre une initiative à laquelle je songeais depuis un certain temps. C'est pourquoi, en quittant Whitby pour Hull, je décidai de changer de prénom. Damaris était passé de mode et me rappelait de surcroît trop de souvenirs tristes. Mon nouveau moi prenait un nouveau départ, se tournait vers l'avenir, et je voulais un nom qui exprime cette idée, un nom à la fois court et au goût du jour.

« Marie » me sembla parfaitement adapté : ce prénom était très proche du mien et de plus il me plaisait. Et à Mrs Addison aussi. Elle me fit un aimable commentaire là-dessus lors de notre première rencontre, et l'utilisa toujours par la suite. Je n'eus aucune difficulté à m'y habituer, pas plus que je n'en eus avec Mrs Addison. Jamais je n'avais rencontré une vieille dame aussi charmante et aussi gaie, et le temps que je passai chez elle compte parmi les périodes les plus heureuses de ma vie, dépourvue de toute complication fâcheuse.

Je trouvai les autres domestiques aussi agréables à leur manière que la maîtresse de céans. La maison était vaste, bien équipée et en plein cœur de la ville. Le défunt maître, le capitaine Addison, avait commencé sa carrière comme officier de marine, était devenu propriétaire de plusieurs vaisseaux qui se livraient au commerce avec les ports baltes, et avait terminé sa carrière comme actionnaire majoritaire dans une nouvelle compagnie de navigation en expansion. À sa mort, environ dix ans auparavant, il avait laissé à ses héritiers une affaire familiale florissante et un actif considérable.

Il y avait quatre fils, que Mrs Addison appelait ses « garçons », alors qu'ils étaient d'âge mûr. Elle les adorait et présidait les réunions de famille lors des anniversaires et pour Noël, telle une matriarche despotique et bienveillante. En retour eux aussi l'adoraient et la laissaient jouer ce rôle, et tout le monde y trouvait son compte. Elle me traitait davantage comme une fille que comme une compagne payée, et m'aida à parfaire mon éducation. Dans la maison se trouvait une bibliothèque très conséquente que je pouvais utiliser pendant mes heures de loisir, et une collection de cartes, marines notamment, qui me fascinait. Mrs Addison était ravie de voir cette pièce encore servir et m'y rejoignait souvent. Ce premier hiver, devant la cheminée de la bibliothèque, nous eûmes des conversations passionnantes où elle me raconta ses voyages de jeunesse et la façon dont son mari et elle s'étaient mis à se consacrer au commerce maritime. La vie avait été dure, mais ils avaient travaillé avec diligence et avaient eu de la chance dans un domaine qui comportait une grande part de hasard. Cela nous conduisit à parler de mes parents, et à imaginer ce qui se serait passé si mon père avait eu une durée de vie normale.

Mrs Addison comprenait les sentiments contradictoires que

m'inspiraient les navires et la mer, et elle réussit à me persuader que, si j'avais voyagé autant qu'elle, j'aurais été moins craintive.

« Assurément, la mer a un pouvoir destructeur, et nul être sensé ne peut totalement oublier sa peur devant elle. Cependant, lorsque l'on a été confronté à ce pouvoir, lorsque l'on s'est trouvé sur le pont d'un navire au milieu d'une tempête, cerné de tous côtés par le danger, et que l'on a vu comment un petit bateau descend avec une vague et monte sur la crête de la suivante, comment le capitaine exploite toutes les ressources de son intelligence et de son habileté pour que son navire continue à avancer face au vent, alors, ma petite fille, ajouta-t-elle avec un bon sourire, on commence à comprendre les compétences qui sont en jeu et, par voie de conséquence, à constater qu'en règle générale la plupart des navires s'en tirent. Ce n'est pas toujours le diable qui gagne ! »

Il était difficile de ne pas aimer Mrs Addison, et, en comparaison de tout ce que j'avais fait jusqu'alors, m'occuper d'elle était une sinécure. Dans cette atmosphère, le souvenir de Bram s'estompa un peu et mes blessures de cœur se cicatrisèrent doucement. En tant que Marie Sterne, j'avais peu de besoins, peu de soucis, et mes repas assurés. Je ne tardai pas à reprendre le poids que j'avais perdu pendant ma maladie, et mon corps mince s'épanouit peu à peu. Au bout d'un an, j'avais du mal à me reconnaître, tandis que Mrs Addison me répétait que j'étais devenue très jolie et insistait pour m'offrir des tenues qui me mettaient à mon avantage.

J'avais aussi de la chance par ailleurs. Mr Richardson avait tempéré avec bon sens les instructions que je lui avais données, et les résultats étaient satisfaisants pour nous deux. Nous avions principalement investi dans l'exportation de charbon et de fonte brute, l'importation de bois de Russie et des pays scandinaves, ainsi que de liège d'Espagne et de grain des ports de la mer Noire : des matériaux de base, qui n'avaient rien d'excitant mais qui rapportaient bien et étaient parfois relevés par des chargements additionnels de denrées de luxe : café, tabac et soies de Constantinople, statuaire antique du Pirée et de Tarente, fourrures et pierres précieuses de Saint-Pétersbourg.

Si ma nouvelle existence reléguait Bram à l'arrière-plan, elle m'évoquait souvent Jonathan. À force de parler de mer et de navires, à force d'étudier le commerce maritime, je pensais beaucoup à lui. Quand je réfléchissais à mes investissements, je me demandais où il était, ce qu'il devenait. Sans doute travaillait-il toujours pour les mêmes patrons de Whitby ? Mais, après une saison de résultats médiocres du « vaisseau bien battant », Mr Richardson me persuada de renoncer à m'obstiner, car il y avait de bien meilleures perspectives de profit. Peu après, le brigantin fut vendu, ce qui m'attrista. Pour moi, la *Lillian* était toujours associée à Jonathan, à l'époque où je le voyais en haut de sa maison de Southgate, penché sur ses livres ou sur une carte marine, ou encore le regard fixé sur les bateaux amarrés au banc de la Cloche.

Je préférais éviter de me dire qu'il m'avait cherchée comme il me l'avait assuré, qu'il avait parlé aux voisins et posé des questions. Je savais que Bella avait tenu sa langue, car elle m'avait promis de ne donner mon adresse à personne, surtout pas à Jack Louvain et encore moins à Jonathan, mais, assurément, beaucoup d'autres se seraient fait un plaisir de colporter des ragots sur « le monsieur de Londres ». Jack aurait même pu dire son nom s'il l'avait voulu.

Durant longtemps, j'eus honte à l'idée que Jonathan risquait d'entendre parler de cette histoire. Ce qui me dérangeait, ce n'était pas tant qu'il apprenne que j'avais habité avec Bram au cottage, même si j'avais commis une faute ; c'était surtout la façon dont les autres interpréteraient mes actes et les enjoliveraient en les racontant. En apprenant cela, Jonathan aurait le désagréable sentiment d'avoir été dupé par une dévergondée qui ne valait de toute évidence pas mieux que l'affirmait

Mrs Markway, à moins qu'elle ne fût encore bien au-dessous de la vérité. Cette idée me faisait horreur.

Au cours de ce premier hiver tout particulièrement, j'avais la quasi-certitude qu'il était à Whitby et la conscience me pesait. Parfois, tard le soir, j'imaginais avec terreur que Mr Richardson découvrait la vérité et, sous le choc, annonçait à Mrs Addison qu'elle hébergeait une femme perdue dont la place était dans la maison de correction la plus proche. Mais de ce qui put se passer à Whitby, rien ne transpira à Hull. La vie continua comme avant, et mes inquiétudes les plus vives finirent par s'estomper.

Il me vint plus d'une fois à l'idée que le navire de Jonathan pourrait relâcher à Hull et que je risquais de me trouver nez à nez avec lui dans la rue ; toutefois, cette éventualité paraissait assez lointaine et je ne me tracassais pas trop à ce sujet. Tant mieux, au demeurant, car à quelques minutes à pied de la maison les bassins de la ville abritaient quantité de navires dont les mâts dépassaient les plus hautes bâtisses et dont le beaupré saillait fièrement. Lorsque je faisais des courses pour Mrs Addison, je m'attardais quelques minutes de plus que nécessaire car je prenais le temps de deviner les cargaisons et de comprendre les conversations qui se tenaient à tue-tête d'un quai à l'autre.

Kingston-upon-Hull était un port animé, cosmopolite, à deux visages : la ville médiévale sur le fleuve Hull, avec ses ruelles étroites et ses maisons décrépites à colombages, et une ville moderne et cossue aux larges artères et aux bâtiments imposants qui donnaient sur le Humber, cet estuaire au courant rapide. C'était un comptoir où transitaient les marchandises des zones industrielles de l'intérieur expédiées vers le reste du monde, et les matériaux bruts en provenance de l'étranger. J'y vécus durant trois ans et m'y plus d'emblée. L'atmosphère du port, l'impression d'activité et de confiance entreprenante qui s'en dégageait me stimulaient. J'étais également fascinée par les détails quotidiens de l'affaire de famille des Addison.

Les deux plus jeunes fils étaient établis à Londres tandis que les deux aînés dirigeaient les navires au départ de Hull et venaient déjeuner deux à trois fois par semaine chez leur mère. Je ne soufflais mot et écoutais. Par ailleurs, je lisais tout ce qui me tombait sous la main concernant le commerce intérieur, extérieur et intermédiaire, les accords avec les colonies et les puissances étrangères, le transport de marchandises, les connaissements, les tarifs de transport et les contrats d'affrètement. À ma façon, et à mon insu de surcroît, je devins fort bien informée. Pendant ce temps-là, mes petits investissements grossissaient régulièrement.

Au début, on s'amusa de me voir m'intéresser à de tels sujets. À l'exception de Mrs Addison, soit dit à son crédit : elle avait été élevée à la Baie et savait que les femmes y étaient réputées pour leur sagacité. Elle entreprit donc de me former. Sans doute voulait-elle prouver à ses fils que ses récits légendaires pouvaient encore se vérifier à une époque où les hommes riches et influents voulaient des épouses oisives et frivoles. Quant à moi, j'étais bien décidée à honorer sa confiance.

J'avais le sentiment que, bien qu'elle se fût retirée des affaires depuis des années, elle eût été capable de diriger seule l'essentiel de l'entreprise familiale. Elle avait gardé ses contacts parmi d'anciens collègues du capitaine Addison qui étaient restés ses amis, et elle avait toujours de nombreuses visites lors de ses jours de réception, notamment celles de messieurs en retraite, ce qui avait pour elle un délicieux parfum de scandale. Ce fut à l'une de ses soirées un peu plus officielles que je rencontrai Henry Lindsey, l'une des relations d'affaires des frères Addison. Si je remarquai les regards intéressés qu'il jetait dans ma direction, je dois dire qu'il n'était pas le seul.

Après les premiers mois, lorsque je fus un peu remise de mes épreuves de Whitby, je me rendis compte que je plaisais aux hommes d'un certain âge ; mais comme la plupart d'entre eux étaient mariés, et que je ne tenais pas du tout à répondre à leurs assiduités, je ne leur accordai aucune attention. Toutefois, avec le temps, je pris confiance en moi et commençai à user de leur entregent et de leurs informations au mieux de mes intérêts. J'étais toujours discrète et réservée, afin que personne ne puisse m'accuser de jouer les coquettes ou de faire des avances ; ni surtout d'être à l'écoute de leurs informations. Ce qui était cependant le cas. Je prenais des initiatives, mon pécule s'arrondissait et je voulais que cela continue. Je tenais à être autonome et à ne plus jamais me trouver en position de dépendance.

Henry Lindsey était moins naïf que les autres et aussi beaucoup plus observateur. Comme il n'avait jamais sous-estimé les femmes, il ne fut pas long à comprendre mes motivations et, au début, il crut que les Addison m'utilisaient comme une sorte d'espionne. Bien décidé à avoir le fin mot de l'histoire, il rechercha ma compagnie lors de plusieurs visites consécutives qui finirent par le convaincre que, si je m'intéressais aux cargaisons et aux tarifs d'expédition, c'était à des fins strictement personnelles. Paradoxalement, je crois que cela lui plut. En tout cas, cela l'amusa. Ma résistance à d'autres égards l'intrigua et il se prit au jeu. Après tout, il était un parti tout à fait avantageux : veuf, sans enfants, il n'avait guère plus de quarante ans. Je crois qu'il voulait m'impressionner avec ses attentions et qu'il éprouva une blessure d'amour-propre en constatant qu'elles me laissaient de marbre.

Puis, du jour au lendemain on ne le vit plus et, à ma grande surprise, je constatai que nos joutes intellectuelles me manquaient et que les autres visiteurs ne lui arrivaient pas à la cheville. Il avait pour sa part un certain panache qui me plaisait. Nos conversations m'avaient appris qu'il était originaire de King's Lynn dans le Norfolk et que ses liens avec Hull se renforçaient, ce qui expliquait ses relations avec les Addison. Cependant, l'essentiel de ses activités se situait à Londres, où il était courtier au Baltic Exchange, la Bourse du commerce étranger des houilles, des bois, des huiles et des céréales. Si la seule idée de Londres me faisait toujours tressaillir d'inquiétude, du moins le courtage était-il un domaine où je commençais à avoir quelques lumières.

Plusieurs semaines s'écoulèrent avant qu'il ne reparaisse dans le salon de Mrs Addison. Visiblement, il était ravi de me revoir. J'étais quant à moi assez contente pour abandonner ma réserve habituelle. Je me dis qu'il serait grossier de l'ignorer et lui tins compagnie quelque temps ce soir-là. Je découvris que sa forme d'intelligence me plaisait, même quand nous ne croisions pas le fer. Il avait de l'esprit et un naturel agréable, et si rien dans ses traits, son teint ou ses cheveux n'était particulièrement remarquable, il ne manquait pas de charme. Assurément, il n'avait rien de commun avec Bram, mais c'était tout à son avantage.

J'appréciais Henry Lindsey, je l'admirais, j'aimais sa compagnie et, je l'avoue, j'étais flattée par l'intérêt et l'assiduité qu'il me témoignait lorsqu'il venait présenter ses hommages à Mrs Addison. Pendant un an, je le vis peut-être une à deux fois par mois, et jamais il ne manqua de me demander pour me taquiner comment se portaient mes soixante-quatrièmes. C'était ainsi qu'il faisait allusion aux parts de cargaisons que Mr Richardson achetait et vendait pour moi. Je répondais toujours qu'elles se portaient fort bien, ce qui était en général le cas, sur ce il se tapotait le bout du nez et menaçait de m'enlever aux Addison.

« Vous savez, ma chère petite, c'est que je crois qu'il ne plaisante pas ! » me dit un jour la vieille Mrs Addison lorsqu'il fut parti.

Et elle ne se trompait pas. Quand le printemps arriva, Henry Lindsey entreprit de me courtiser d'une façon désuète et charmante qui lui gagna aussitôt la faveur de Mrs Addison et me donna l'impression d'être à la fois appréciée et respectée. À Pâques, il vint presque chaque jour pendant deux semaines, m'apportant des primevères et des violettes précoces, des boîtes parfumées de loukoums, de temps à autre un journal, ou le dernier roman à la mode ; enfin, en manière d'allusion plaisante à mes passions maritimes, un exemplaire ancien du *Manuel pratique du navigateur* de Nathaniel Bowditch, qu'il avait réussi à dénicher. Je connaissais son sens de l'humour, mais cette preuve supplémentaire me toucha plus que toute autre chose. Et j'avoue qu'il était excitant de me voir courtiser de cette façon-là, de savoir que j'avais un prétendant, et des plus respectables au demeurant. C'était un excellent parti, bien meilleur que ce que pouvait attendre une jeune femme dans ma position. Ce soir-là, en montant me coucher avec Nathaniel Bowditch sous le bras, je ne pus m'empêcher d'imaginer la joie de ma grand-mère, si elle avait su tout cela.

Henry me donna son premier baiser un après-midi dans la bibliothèque. Malgré la tendresse du moment, je pris conscience de désirs plus ardents à l'arrière-plan. Et non seulement chez lui. Je me sentis répondre à la chaleur de son étreinte et mon corps épousa le sien. Lorsque je m'en rendis compte, la confusion m'envahit. Je reculai en rougissant, et il fut charmé par ce qu'il prit pour de la pudeur virginale, ce qui ne fit qu'ajouter à mon embarras.

J'étais troublée. Après les épreuves affectives et physiques endurées à Whitby, j'avais eu la sensation qu'il ne restait plus en moi d'autre désir que celui de survivre. Mes appétits sexuels étaient étiolés au point que je les avais cru disparus ; quant à l'amour, je ne voulais plus en entendre parler. Mes rêves de jeune fille sur les hommes avaient été détruits. J'avais cessé d'attendre amour et tendresse, à plus forte raison une cour romantique avec mariage à la clé. Aussi ce qui se passait avec Henry me surprenait-il au plus haut point.

Le lendemain soir, il me dit qu'il devrait repartir à Londres dans quelques jours, et qu'il ne pourrait me revoir pendant quelque temps. Je fus un peu soulagée, car, tout en attendant l'étape suivante, j'éprouvais le besoin de m'habituer à l'idée. Malgré tout, ma déception fut grande. Le temps en sa compagnie avait été fort agréable, et je savais qu'il allait me manquer. Quelques instants plus tard, il me prit la main et me dit qu'il avait quelque chose à me demander, quelque chose d'important, et qu'il espérait que je lui répondrais avant son départ. La stratégie n'avait rien d'original, et je devinais la question qu'il s'apprêtait à me poser. Je fus néanmoins bouleversée : je me pris à rougir et à bafouiller comme une gamine, comme si de sa demande dépendait tout mon bonheur. Mais, en réalité, je n'étais pas sûre de moi, et l'idée de ce qui arriverait s'il apprenait ce qui s'était passé avec Bram me terrifiait.

J'acceptai cependant, comme de bien entendu. Je n'avais pas le choix. Au moins, Mrs Addison fut sincèrement ravie, et elle s'absorba dans les préparatifs, affairée comme une mère poule. Je la déçus en insistant pour que mon mariage soit discret : elle aurait volontiers invité cent personnes et payé l'addition, alors qu'en réalité il y avait si peu de gens à convier de part et d'autre qu'il semblait déplacé de faire une grande fête. Néanmoins, j'écrivis à Bella, à Mr Richardson et, sur les instances de Mrs Addison, j'adressai un mot à mon grand-oncle Thaddeus, surtout pour lui apprendre qu'en fin de compte j'avais évité la perdition, bien qu'on eût pu croire le contraire à une époque.

S'il fut surpris, je le fus plus encore lorsqu'il me proposa de venir pour me conduire à l'autel. Il me dit que j'étais toujours la petite-fille de son frère, que je portais le nom de ma grand-mère, quel que fût celui que j'utilisais à présent, et qu'il ne me ferait pas l'insulte – pas plus qu'aux Sterne de la Baie – de laisser croire que je n'avais pas de famille. En lisant cette déclaration, je fus infiniment touchée ; et plus encore quand je le vis arriver, toujours impeccablement mis et ressemblant plus que jamais à un oiseau de proie.

« J'ai été content d'avoir de tes nouvelles, m'avoua-t-il en me prenant la main entre les siennes. Il était temps... (Il recula et ses yeux bleus pénétrants enregistrèrent mon apparence.) Tu as mûri, dit-il d'un ton catégorique, et tu as l'air en pleine santé,

Dieu soit loué. Cela me fait plaisir. Il y a eu une époque où je me suis inquiété... »

Il n'en dit pas davantage. Cela n'était pas nécessaire. En croisant son regard, je revis le corps de Magnus Firth sur la plage, et l'enquête à la Maison des morts. Il m'y avait probablement vue, tout en me laissant croire que j'étais passée inaperçue. Sans doute était-il aussi au courant de ma relation avec Bram. En me rappelant toutes mes erreurs et toutes mes fautes, j'avais du mal à croire que mes péchés m'avaient été pardonnés ; pourtant, le chef de la famille Sterne était là, prêt à m'accompagner à l'autel afin que je prenne pour époux Mr Henry Lindsey, courtier maritime et membre du Baltic Exchange de Londres. Je fus un moment muette d'épouvante à l'idée que, peut-être, il allait tout dévoiler ; je me ravisai cependant en me disant que ma réussite l'avait probablement impressionné, et cela dissipa ma peur.

Je me mariai pendant l'été 1890, qui fut l'année où Bram retourna finalement à Whitby. Quelles que fussent ses raisons, je tentai de ne pas me poser de questions. Je n'y étais pas et, de toute façon, il ne vint pas seul, mais accompagné de sa femme et de son fils de neuf ans. Et il séjourna à Whitby au mois d'août, avec tous les artistes et écrivains qui faisaient alors la célébrité de la ville. George Du Maurier fit même un dessin humoristique de la famille Stoker, que je vis dans *Punch* au retour de notre voyage de noces dans la région des lacs. Je fus piquée au vif en reconnaissant la maison et les jardins qui formaient le cadre de ce dessin finement observé, et naturellement je reconnus Bram aussitôt. J'ai conservé le magazine. On y voit Bram penché en avant dans un fauteuil en osier, avec ses longues jambes allongées et son chapeau mou qui lui protège le visage du soleil, et il observe son fils ; la barbe elle-même est dessinée à la perfection. Le petit garçon, Noël, en costume marin, essaie d'attirer l'attention de sa mère, qui lit un livre et n'a pas envie d'être dérangée.

« *Les petits garçons*, dit Florence, la mine sévère, *ça se regarde, mais ça ne doit pas s'entendre.*

— *Oui, maman*, répond le pauvre enfant, *mais vous, vous ne me regardez même pas...* »

24

Un mariage réussi repose en général sur des compromis et – surtout pour la femme – sur une bonne adaptation de son idéal romanesque à la réalité. Mon idéal romanesque ayant été sérieusement mis à mal à Whitby, je me dis que cette fois je suivais ma tête et non mon cœur, et que si je n'étais pas amoureuse en me mariant, du moins avais-je l'avantage de ne pas avoir trop d'illusions. Celles qui subsistaient furent la source de bien des ennuis.

Dieu merci, la question de ma virginité ne se posa jamais. Je m'étais fort tracassée à ce sujet avant le mariage, mais Henry ne manifesta aucune curiosité à propos de mon passé et je n'eus jamais d'explications à fournir. Pour ma nuit de noces, j'étais aussi nerveuse et craintive qu'une épouse vierge. Hormis quelques baisers et de chastes étreintes, Henry et moi étions étrangers l'un à l'autre. Si je le désirais, j'avais depuis longtemps perdu l'enthousiasme innocent qui m'avait poussée vers Bram. Henry était différent : moins hésitant, plus expérimenté, et il n'y avait pas chez lui cette étrange combinaison d'ardeur et d'émotion qui provoquait chez Bram des réactions si passionnées. Il n'avait ni la sensualité de Bram, ni surtout sa perversité, qui donnait toujours à nos rencontres le piment du danger.

Mais si Henry était prévisible, il était aussi plein d'égards. Il n'avait aucun désir de me blesser, bien au contraire ; et s'il ne réussit pas à enfiévrer mes sens, du moins régna-t-il dans le lit conjugal une satisfaction que Bram et Florence nous eussent enviée. Nos premiers temps à Londres ne furent, hélas, pas aussi harmonieux dans tous les domaines, et nécessitèrent un certain nombre d'ajustements.

Henry avait déjà été marié et sa maison avait été meublée par sa première épouse, ce qui me donnait l'impression d'être une visiteuse ou une domestique dont la maîtresse est absente. Je n'étais sûre ni de mes prérogatives ni de mes obligations. Henry trouvait mes sentiments difficiles à comprendre et prenait mon désir de changement pour une critique de la défunte. Il était meurtri, moi aussi ; et comme pendant les deux années précédentes la maison avait été tenue, fort bien au demeurant, par une gouvernante très compétente, les choses n'en étaient que plus malaisées encore. Je n'avais rien à faire. Il croyait que cela m'enchanterait, mais mon éducation m'avait donné d'autres ambitions, parmi lesquelles ne figurait pas celle de devenir une femme oisive.

Je m'ennuyais et j'avais beau m'entendre dire que je serais très occupée une fois mère de famille, cela ne suffisait nullement à étancher ma soif d'activité. Aussi, bien que j'eusse des nausées à cette seule idée, je craignais qu'un jour la curiosité ne me pousse vers le Lyceum, et qu'une rencontre avec Bram, même fortuite, n'engendre des conséquences fâcheuses. Je redoutais moins les étreintes passionnées que les disputes furieuses, sachant que mon sentiment d'avoir été victime d'une injustice risquait de me pousser à la violence. En cinq ans, j'avais pardonné fort peu de choses à Bram, et surtout pas d'avoir laissé mes lettres sans réponse. Et je ne pouvais oublier le fait que lorsque Irving levait le petit doigt, Bram accourait. Je vouais donc à l'acteur une haine obstinée. Je ne pensais pas pouvoir supporter de le revoir, même sur une scène.

J'avais besoin de distractions. Tout en opérant de menus changements dans la maison, je priais Henry de m'autoriser à me livrer à des activités plus excitantes, voire de mettre à profit mes connaissances financières fraîchement acquises. Cela revenait finalement à demander à travailler, ce qui était inconcevable dans sa logique. Je me rendis compte sans tarder qu'il ne tolérait que je m'intéresse au monde du commerce maritime que dans la mesure où c'était une aimable excentricité ; cela fut pour moi un rude coup, car j'étais très fière de mes compétences. J'avais eu la vanité de croire que Henry m'avait épousée pour mon intelligence autant que pour ma beauté et ma santé apparente.

Lors d'une discussion animée, j'eus l'audace de le lui dire, ce qui provoqua une réaction très vive de sa part. Il me lança qu'entre autres raisons il m'avait choisie pour que je lui donne de beaux enfants, mais que, comme nous étions mariés depuis près d'un an, sur ce point-là aussi il s'attendait à être déçu. L'accusation me suffoqua. Je me sentis méprisée à cause de mon incapacité et en fus amèrement meurtrie ; d'autant plus que mon sentiment d'impuissance se doublait de culpabilité, comme si je l'avais trompé en compromettant ma santé avant même de le rencontrer. Je commençais à craindre que Nan Mills ou la fièvre que j'avais eue après son intervention n'aient définitivement compromis mes chances d'avoir des enfants.

J'aurais pu facilement me laisser glisser dans la mélancolie ou m'apitoyer sur mon sort, et je succombai quelque temps à la tentation, mais la colère et l'amour-propre me sauvèrent. À mon insu, j'avais épousé Henry Lindsey à la faveur d'apparences trompeuses ; or, en un sens, lui aussi m'avait trompée, et nous étions peut-être quittes. Nous nous étions tous les deux mariés égoïstement, chacun étant persuadé que l'autre lui donnerait ce qu'il attendait en priorité de la vie, et nous tombions tous deux de haut. Henry et moi étions très différents. Il avait un tempérament ordonné, précis, méthodique, et ses journées étaient réglées dès l'aurore. Ses pendules qui, au début, m'avaient fascinée me rendirent bientôt folle avec leur tic-tac et leur carillon tant elles symbolisaient sa vie, alors que j'avais vécu presque vingt de mes vingt-quatre ans avec le soleil pour toute horloge.

Comparée à lui, je devais paraître insouciante, imprévisible, amoureuse du plaisir. Je me disais souvent qu'il avait tout lieu d'être satisfait, puisque je correspondais au modèle de la jeune épouse frivole, ce qui provoquait l'envie des hommes de son âge. Cela m'irritait car je n'aimais guère cette image, qui était le fruit de notre différence d'âge et constituait un obstacle à surmonter. Henry s'obstinait à me traiter en enfant et semblait ne pas comprendre – ou ne voulait pas comprendre – que si j'appréciais sa sollicitude et sa protection, je n'avais pas besoin qu'il pense à ma place. Cela, j'en étais parfaitement capable moi-même. Au cours des mois passés auprès de Mrs Addison, je m'étais aperçue que certains sujets, jusque-là hors de ma portée, me devenaient accessibles. À l'école, j'avais été bonne en calcul et je savais faire des comptes simples. Grâce à cela, j'avais découvert un nouveau monde qui excitait ma curiosité et m'enchantait. Avec mes cent livres, j'avais ouvert la porte du monde du risque et des investissements, et sans y connaître grand-chose je m'y étais aventurée avec enthousiasme. Inévitablement, j'avais essuyé quelques pertes ; cependant, grâce à des conseils avisés, j'avais eu de bons résultats à une époque où beaucoup d'autres, plus expérimentés que moi, mordaient la poussière. Les années quatre-vingt et le début des années quatre-vingt-dix n'étaient pas une période faste pour l'industrie, ni, par voie de conséquence, pour le commerce maritime, mais j'avais suivi mes instincts et eu de la chance ; même les parts que je considérais moi-même comme « sentimentales » m'avaient valu de bons profits. Investies à cause de

Jonathan, elles m'avaient presque toutes rapporté, et je continuais à espérer que lui aussi avait prospéré. La compétence et l'expérience étaient souvent indispensables et toujours souhaitables, mais quand il s'agissait de la mer, il ne fallait pas oublier que le hasard, en tout point imprévisible, entrait en ligne de compte.

J'avais écouté Mr Richardson et je savais que, s'il prodiguait ses conseils avec la plus grande modestie, il avait un cœur de marin sous son écorce de banquier et flairait le tour que prendrait la journée en traversant chaque matin le pont du port de Whitby. Bref, je lui faisais confiance et, avec le temps, il en vint également à se fier à mon instinct. À nous deux, nous formions une bonne équipe et, en moins de cinq ans, les cent livres de Bram s'étaient multipliées bien au-delà de mes espérances. Quoique l'on ne pût jamais rien prévoir de façon absolue, je savais qu'en cas de besoin, dans un délai de quatre à six semaines, j'aurais pu réunir de sept cents à mille livres sterling environ.

En ce qui concernait Bram, une chose me réjouissait malgré tout, d'autant que c'était un pied de nez pour Irving : il écrivait, et bien. Son premier grand roman était paru à l'époque où Henry et moi nous étions mariés, et j'avais eu en ma possession un exemplaire de *La Passe du serpent* plus d'un an avant de me résoudre à le lire. Paradoxalement, le livre me rendit Bram infiniment proche, bien plus encore que s'il avait été dans la pièce avec moi. En lisant ses mots, son histoire d'un jeune Anglais fortuné qui voyageait dans l'ouest de l'Irlande, j'avais presque l'impression de me trouver dans sa tête, de connaître ses pensées, de ressentir ses émotions ; surtout à propos de la jeune fille. Nous n'avions rien en commun, hormis l'âge et la situation sociale ; je ne pus toutefois m'empêcher d'établir des parallèles entre nous, tout comme entre Bram et le héros. En tout état de cause, il avait écrit un excellent récit à suspense, riche en mystère, où l'atmosphère de la vie en Irlande était si bien rendue que je ne pus m'empêcher de repenser aux histoires qu'il racontait lorsque nous étions ensemble, pas seulement celles qui avaient trait à sa mère, mais celles qui concernaient les voyages qu'il avait faits dans sa jeunesse avec les magistrats irlandais. Parfois, j'entendais presque sa voix, avec cette intonation chantante qui s'accentuait toujours quand il parlait de l'Irlande. Fréquemment, lorsque j'étais seule, j'avais en lisant le sentiment d'extraire sa substance de la page et de l'absorber dans mon esprit. C'était troublant, pour ne pas dire plus. Et je me demandais si, lors de l'été 1890, il était allé à Whitby dans l'espoir de me retrouver et de me parler de son livre et de son succès.

De toute façon, il était trop tard, et ce depuis longtemps. Je lui souhaitais sincèrement de réussir, ne fût-ce que pour justifier la foi que j'avais dans son talent d'écrivain. Le destin avait tracé pour moi d'autres chemins et m'avait en un sens rapprochée des Sterne et de l'avenir qu'ils eussent souhaité pour moi. Mais sans le chèque de Bram, je n'aurais sans doute jamais rencontré Mr Richardson ni les Addison ; et sans eux, comment aurais-je rencontré Henry ?

Le simple fait de réfléchir à toutes ces coïncidences prouve à quel point j'étais malheureuse et frustrée à l'époque. Et à quel point Bram occupait mes pensées. Son chèque avait changé ma vie, c'était certain, et par voie de conséquence j'étais en train de devenir par moi-même une femme riche. Je préférais toutefois chasser de mon esprit l'idée que c'était probablement l'argent d'Irving qui avait permis ce cadeau, et j'avais tendance à occulter aussi les efforts que j'avais déployés pour que mon capital fructifie. À cette période inquiète et troublée de ma vie, je ne pensais que trop souvent à ce qui aurait pu être, et à remettre sérieusement en question la richesse autant que l'oisiveté.

Lors d'un voyage dans le Nord, pendant que Henry s'occupait d'affaires avec les fils Addison, je rendis visite à mon ancienne patronne. Elle sentit aussitôt mon malaise et ne fut pas longue à me tirer les vers du nez. Après avoir passé une ou deux heures avec elle, je me sentis plus intelligente et plus confiante. Comme elle me le dit, le « legs » dont j'avais été la bénéficiaire aurait pu facilement être gaspillé, or non seulement j'avais manifesté du discernement en suivant pour le placer les conseils avisés de Mr Richardson, mais de plus j'avais travaillé d'arrache-pied pour apprendre les principes des investissements et, grâce à cela, j'avais fait fortune. Je n'avais pas à me sentir indigne de mon mari ; au contraire, me dit-elle, c'était lui qui devait être fier de moi. Quant aux enfants, c'était l'affaire des Pouvoirs d'en haut, et il fallait que je cesse de me tracasser à ce sujet et que je me préoccupe d'autre chose. Ils viendraient à leur heure.

Dans mon for intérieur, je n'en étais pas si sûre. Néanmoins, j'appréciai ses conseils, ses commentaires et, surtout, le simple fait qu'elle eût confiance en moi. Cela me donna la force de parler à Henry d'un projet que je caressais depuis un certain temps. Lorsqu'il rentra, je pris mon courage à deux mains et lui annonçai que je souhaitais m'en aller quelque temps, non par esprit de rébellion, mais parce que je voulais ainsi élargir le champ de mon expérience. Lui, il avait voyagé dans sa jeunesse, tandis que c'était à peine si j'avais traversé l'Angleterre du nord au sud. J'avais de l'argent, et j'étais prête à me payer ce voyage, s'il voulait bien m'autoriser à partir en compagnie d'une femme de chambre, ou même d'un domestique supplémentaire pour assurer notre protection. Mes propositions le laissèrent pantois, et j'avoue qu'elles m'effrayèrent aussi moi-même. Cependant, alors que je m'attendais à une réaction de colère et d'indignation, après réflexion, il accepta. À une seule condition : celle de m'accompagner. Il pensait pouvoir s'arranger avec ses collègues du Baltic Exchange, pourvu qu'il ne s'absente pas plus de trois mois, et leur confier ses affaires courantes.

Je fus transportée de joie.

L'idée d'un long voyage m'avait été inspirée par mes investissements autant que par mes conversations avec Mrs Addison. J'avais, à maintes reprises, acheté un soixante-quatrième de cargaison en partance de la Tyne à destination de Tallinn, ou de Taganrog vers la Tess, et j'avais envie de voir par moi-même comment se déroulaient les opérations dans la réalité. Les vieux navires charbonniers de Whitby continuaient à faire la navette sur la côte et à traverser la mer du Nord, et de nombreux navires céréaliers revenaient à la voile, la cale pleine, de Méditerranée. C'était avec eux que j'avais envie de voyager. Je sentais que l'heure était venue pour moi d'affronter mes peurs d'enfant. J'essayai d'expliquer cela au pauvre Henry, qui fut consterné. Il insista pour me convaincre d'emprunter un moyen de navigation plus moderne, l'un des nouveaux paquebots à vapeur, et non un vieux rafiot susceptible de couler corps et biens lors de la première tempête que nous aurions à affronter.

Sa réaction me consterna tout autant, car elle donnait à entendre que nous embarquions des cargaisons sur des navires qui n'étaient plus en état de tenir la mer, et il dut retirer sa remarque. En fin de compte, il trouva un compromis et retint des places au début du mois de mai sur un bateau à voiles, certes amariné mais de construction récente, qui partait de la Tyne à destination de Saint-Pétersbourg. Toutes les démarches furent faites par l'intermédiaire des Addison. Le navire avait un jeune capitaine qui voyageait souvent avec sa femme. Pour cette traversée, il ne l'emmena pas et nous laissa sa cabine. Bien qu'elle fût sans doute la plus grande et la plus confortable, nous y étions fort à l'étroit. Malgré cela, nous nous installâmes au mieux sur la *Bonny Lass*, qui appareilla avec la marée peu après minuit.

Partagée entre l'excitation et l'inquiétude, je fermai à peine l'œil la première nuit. À mesure que le bercement doux du fleuve laissait la place aux mouvements plus tumultueux de la pleine mer, je redoutais d'avoir le pied bien peu marin. Au matin, cependant, mon mal au cœur avait disparu et, avec un ciel dégagé devant nous et une jolie brise d'arrière, le petit brick volait sur les vagues. Je ne me départis jamais d'une légère appréhension, mais à partir de ce moment-là je tombai amoureuse de la mer, des bateaux et de cette impression de ne faire qu'un avec les éléments. En voyant les marins prendre des ris ou larguer les voiles, en entendant les haubans claquer dans le vent, je compris enfin ce qui avait séduit les hommes de ma famille dès le début.

Emportée par un élan de sympathie, je pensai plus particulièrement à Jonathan Markway : que devenait-il, avait-il déjà obtenu son brevet de capitaine et le commandement qui lui tenait tant à cœur ? Je l'espérais : il le méritait. Et en regardant le commandant et son second, je me pris à regretter, assez sottement, qu'il ne fût pas à bord de ce navire, car nous aurions pu parler. En admirant la vigilance, l'habileté et l'expérience de ces hommes, j'avais le sentiment de l'admirer, lui, et de le comprendre.

Henry et moi passions le plus clair de notre temps soit à nous reposer dans la cabine, soit à arpenter le petit pont arrière en essayant de ne pas gêner l'équipage. Mais j'étais trop intriguée par la vie à bord pour me soucier des inconforts ou des petits désagréments.

Le temps fut Dieu merci favorable, avec des vents d'ouest qui nous firent avancer à bonne allure, et fort peu de pluie. Henry, lui, n'était guère enthousiaste et n'avait pas non plus le pied très marin. Il était exaspéré par la poussière de charbon qui volait partout malgré les efforts de l'équipage, et fut particulièrement contrarié lorsque ses gants gris perle furent abîmés, bien que je lui eusse recommandé de porter du noir. Pour ma part, j'étais absolument ravie et m'amusais même de mes propres agacements. Comparés à ceux que j'avais déjà éprouvés, notamment du temps où j'habitais chez les Firth, ils étaient minimes.

Je me souvenais fort bien de cette époque où le sable et les écailles de poisson collaient partout, de la vieille masure qui empestait la fumée, les amorces et les coquilles de moule. Si j'avais depuis des années évité de manger du poisson, je dus m'y résoudre à bord du bateau. On nous servait pour dîner de la morue fraîche attrapée sur des lignes de fond et cuite au four avec des pommes de terre et des haricots, des tourtes de poisson, ainsi que des harengs, marinés ou fumés, puisés dans la réserve. Pour varier le menu, le cuisinier préparait parfois du cervelas fumé avec des haricots, et nous avions en général des œufs au petit déjeuner. Ce qui, comme Henry s'en plaignit plus d'une fois, n'était que le début de nos privations gastronomiques. Mais en dépit de la nourriture – ou même à cause d'elle –, cette traversée de la mer du Nord et du Skagerrak me revigora. Je trouvai excitant de voguer sur ces mers bleues et froides par une belle matinée de mai, de voir les hautes montagnes de Scandinavie, les petites îles et les fjords profonds d'où nos lointains ancêtres étaient partis avec leurs drakkars à tête de dragon pour venir attaquer et piller les rivages plus cléments de l'Angleterre.

Il y avait un élément romanesque dans ce lointain passé que ce voyage stimulant faisait renaître. Les drakkars avaient effectué d'innombrables raids sur nos côtes, leurs occupants avaient détruit la première abbaye de Whitby, brûlé les maisons environnantes et leurs habitants avant d'être séduits par la richesse des terres, de prendre pour épouses les femmes du lieu et de préparer ainsi la paix. Ces pensées me rappelaient la Baie et mon grand-oncle Thaddeus, sa fascination pour les invasions vikings remontant à plus de mille ans, pour le dialecte et les contes populaires qui étaient une survivance de ce passé, et pour les vieilles croyances qui commençaient à céder le pas au monde moderne.

Cette traversée de la Baltique jusqu'à Saint-Pétersbourg ne représentait que la première partie de notre voyage, et si Henry fut heureux de mettre le pied sur la terre ferme, je m'en réjouis beaucoup moins, car je trouvai les proportions de la cité russe par trop monumentales. Les bâtiments étaient d'une beauté à couper le souffle, mais énormes, les rues aussi vastes qu'un village entier de chez nous, et le système de canaux sur lequel était bâtie la ville me parut l'œuvre d'un géant. Cela m'était incompréhensible, car les gens avaient une taille normale ; or, d'après Henry, c'était ainsi que Pierre le Grand avait entendu donner au reste de l'Europe la preuve de sa richesse et de son pouvoir ; et il ne fallait pas non plus oublier que la capitale occidentale de la Russie était à l'image du continent immense qui s'étendait au-delà de l'Oural.

Cette idée me glaça, et je fus soulagée que, en préparant notre itinéraire de la Baltique à la mer Noire, devant les deux chemins qui s'offraient à nous, nous n'ayons pas choisi celui qui passait par la Russie, de Saint-Pétersbourg à Moscou et de Moscou à la Crimée. Il avait l'air simple, mais lorsqu'on étudiait la carte on se rendait compte que les distances étaient immenses et qu'aucune montagne ni aucune grande ville ne venait en rompre la monotonie. Nous avions préféré rester sur notre navire afin d'effectuer le court voyage jusqu'à Narva, où il prendrait une cargaison de bois pour le voyage de retour. Là, nous empruntâmes la route de terre à travers les grandes forêts qui fournissaient la matière première pour nous rendre au port ancien de Tallinn, chargé pour moi d'une signification toute particulière. Avec Henry, j'escaladai les hauteurs de la vieille ville bâtie sur le rocher et regardai la baie abritée en contrebas, au-delà de laquelle s'étendait le vaste golfe de Finlande. Quelque part au large, sous cette étendue, grise, gisait l'épave du *Merlin*, qui avait sombré lors d'une violente tempête de printemps alors que je n'étais qu'une enfant. Dans les débris se trouvaient les os de mon père, de mon grand-père et de sept membres de l'équipage.

Henry prit les renseignements pour moi, et de cela je lui serai éternellement reconnaissante. Il découvrit la zone où avait coulé le *Merlin* : un dédale de hauts-fonds rocheux qui n'était pas sans évoquer le Scaur de Whitby, et sur lequel s'étaient échoués de nombreux autres bateaux. On ne pouvait y accéder par terre et, avant d'appareiller pour Stettin, j'achetai une couronne de fleurs que je jetai dans les vagues à l'endroit du naufrage. Elle flotta comme une bouée, ce qui me sembla aussitôt d'une ironie cruelle. Je me mis à pleurer et me dis que j'aurais dû m'abstenir.

Henry comprit ma réaction et me laissa pleurer. Debout sur le pont arrière, agrippés aux enfléchures, nous vîmes la guirlande disparaître au loin, tandis que nous parlions d'amour et de mort, de ma famille et de la sienne, et même un peu de sa première femme, ce qui, si bizarre que cela puisse paraître, apaisa mon chagrin.

À Stettin, nous débarquâmes à nouveau pour commencer par voie de terre la première partie de notre voyage en Europe. Je l'évoque ici non pas seulement parce qu'il survint à un moment important de ma vie, mais à cause de multiples coïncidences étranges dont je ne pris conscience que plus tard. Lorsque Henry et moi montâmes dans le train qui devait nous conduire à Berlin, puis vers le sud, avec un détour par les cités historiques de Dresde, Prague et Vienne, Bram était sans que je le sache en train de travailler activement à un roman qui avait Whitby pour origine. Pendant qu'il décrivait le voyage de Jonathan Harker à travers l'Europe au début du mois de mai, j'effectuais ce même voyage avec Henry. À la fin du mois, nous descendions le Danube à partir de Vienne, en passant par Bratislava, que l'on appelle la Porte des Carpates, et en empruntant un steamer pour traverser les deux villes jumelles de Buda et de Pest. Toutefois, au lieu de traverser la plaine hongroise, comme Bram le fait faire à Harker, et de monter dans les Carpates à Bistrita, nous poursuivîmes vers le sud *via* Belgrade.

Cette ville, enjeu de tant de conflits, avait un certain charme délabré, surtout la citadelle, avec ses dômes et ses minarets, ses ruelles étroites et ses bazars orientaux, perchée sur un piton qui domine la ville. La ville basse était moins ancienne et plus européenne, mais, vus de l'asile sûr de notre bateau, ses bâtiments évoquaient irrésistiblement le camp dépenaillé d'une armée en train d'assiéger l'étrangère détestée retranchée en haut. On s'était battu durant des siècles pour Belgrade, et il était facile de voir pourquoi. De l'est, la cité était placée de telle sorte qu'elle constituait la clé de la Hongrie au nord, et, pour protéger leur empire, les Autrichiens avaient combattu longtemps et d'arrache-pied pour repousser les Turcs, et leur victoire ne remontait qu'à vingt-cinq ans. Depuis, la ville était devenue la capitale d'un État indépendant, la Serbie, mais l'hostilité et la tension qui y régnaient étaient si palpables que nous ne fûmes pas fâchés d'en repartir.

En lisant les guides, j'eus la surprise de tomber sur le nom de Dracula. Le cruel prince valaque dont Bram avait noté l'histoire à Whitby semblait être un héros local, et cela me fit une curieuse impression d'entendre résonner ces échos si loin de mon pays. Les pics neigeux et rêveurs des Alpes de Transylvanie se dressaient au-dessus de nous, et le cours majestueux du Danube, étranglé par un étroit défilé sinueux, formait des cataractes violentes sur quatre-vingts kilomètres. Elles se terminaient à Orsova, en Roumanie, à un endroit nommé les Portes de Fer, une région sauvage et ventée. Le fleuve étant en crue, nous fûmes contraints de quitter notre vapeur et de prendre une voiture pour poursuivre le voyage. Quelques années plus tard, en lisant la description que fait Bram du voyage de Harker dans les montagnes, ces journées me revinrent en mémoire et je frissonnai en constatant les ressemblances surprenantes avec le nôtre. Nous aussi étions nerveux et inquiets, car nous dépendions du bon vouloir des montagnards revêches et empruntions des routes qui ne méritaient même pas le nom de pistes. Nous quittâmes ces lieux inquiétants non sans soulagement et laissâmes derrière nous les fortifications des Portes de Fer. Ensuite, entre les Carpates au nord et la chaîne des Balkans au sud, la vallée s'élargit pour se transformer en une plaine marécageuse et fertile.

Aussitôt la température s'adoucit et, à mesure que nous allions vers le sud, nous vîmes de vastes étendues de blé vert pâle onduler sous le vent. Cela me réconforta de contempler une récolte familière, d'être sortie du cœur oppressant de l'Europe continentale et de me diriger vers la mer et des horizons ouverts. Nous n'étions plus aussi dépaysés. Cette impression se confirmait à chaque kilomètre, et nous nous sentions tous deux plus rassurés. Henry avait été très silencieux ; quant à moi, j'avais le sentiment d'avoir échappé à un danger sans nom. Mais, à la perspective de retrouver bientôt la mer, même si elle était moins vaste que celle à laquelle nous étions accoutumés, nous étions excités comme des enfants à qui l'on a promis une excursion sur la côte.

J'éprouvais quant à moi un sentiment de satisfaction à avoir voyagé avec une cargaison, à en avoir vu une autre sur pied dans les grandes forêts du nord de l'Europe, et une troisième – le blé – en train de mûrir sous nos yeux tandis que nous nous éloignions sur le bateau qui nous faisait traverser le vaste delta où le Danube se perd dans la mer Noire. Le fleuve décrivait des méandres dans les terres à blé et continuait à s'élargir, s'étalant sur deux puis trois kilomètres, et se mettait à ressembler à une mer parsemée d'îles, et sillonnée de bateaux de toutes sortes, des simples felouques et bateaux de pêche aux yachts et aux vapeurs les plus modernes.

À Galati, Henry et moi prîmes un autre bateau pour aller à Odessa et en Crimée. Nous voulions tous deux voir Sébastopol avant de rentrer et, après nous être mis en rapport avec l'agent des Addison, nous nous embarquâmes à Taganrog à bord d'un navire céréalier à destination de l'Angleterre. Dans les ports russes, Henry fut horrifié de voir des femmes faire le gros du travail manuel, jusqu'à ce que je lui rappelle d'un ton acerbe que, chez nous aussi, les femmes abattaient un travail épuisant tant sur le carreau des mines que dans les fermes et les usines, et que personne n'y trouvait rien à redire. Il comprit le bien-fondé de mon argument et reconnut que j'avais raison. Mais, à la vérité, j'imagine qu'il ne savait pas grand-chose de ce genre d'existence. Je lui parlais rarement des Firth et jamais des conditions dans lesquelles j'avais vécu et travaillé.

Notre voyage avait à tout le moins élargi notre horizon. Henry dit souvent qu'il avait été hautement pédagogique, un peu comme la lecture du *Voyage du pèlerin*[1]. Cependant, à notre arrivée à Constantinople, son endurance commençait à s'émousser. Il parvint à me persuader d'abandonner les cargos en faveur d'un logement plus conventionnel, et nous descendîmes quelques jours dans un hôtel pour visiter la ville avant de prendre un vapeur qui nous emmènerait au Pirée. Après toutes nos privations – et nous en avions subi un certain nombre au cours des six dernières semaines –, il était agréable d'avoir nos aises, notamment une bonne nourriture et une salle de bains. Henry, qui avait été parfaitement stoïque jusque-là, se montra soudain détendu et joyeux. Il me savait un tel gré de lui avoir permis de retrouver son confort qu'il eût été prêt à me donner la lune si je la lui avais demandée. Or je ne voulais qu'une chose : qu'il me laisse travailler pour lui, ce qui était peut-être un objectif encore plus difficile à atteindre. Mais même à cela il était prêt à consentir. Nous étions donc tous deux extrêmement heureux, et nos expériences communes nous avaient rapprochés ; aussi, peu pressés de mettre un terme à ces moments privilégiés, nous nous accordâmes encore un mois pour rentrer.

Henry pouvait avoir cru que je ne travaillerais pas longtemps et que mes velléités seraient interrompues soit par une grossesse, soit par l'ennui. Mais j'étais si contente de moi, si heureuse de toutes les épreuves surmontées et de tout ce que nous avions accompli, que j'avais peine à croire que quelque chose pût amoindrir mon bonheur et encore moins le compromettre. Nous nous étions mis d'accord sur l'endroit où je travaillerais, les heures que j'y consacrerais et la nature de mes activités et, chaque matin, nous allions au bureau de Henry dans la City.

1. *The Pilgrim's Progress from this World to that which is to Come* (1678) : allégorie religieuse de John Bunyan. (*N.d.T.)*

L'essentiel de son travail s'effectuait ailleurs, soit à la Bourse du commerce étranger, soit dans les auberges et les cafés avoisinants où il rencontrait d'autres courtiers et agents. Le plus éprouvant pour moi, c'était le fait que la City fût un lieu si exclusivement masculin ; et si les pubs n'étaient pas des clubs totalement fermés aux femmes, les hommes qui les fréquentaient aimaient pourtant à le croire. Déjà, mon apparence les choquait, bien que je fusse vêtue sobrement de gris ou de noir, et la première semaine je ressentis un tel malaise que, si j'avais été moins déterminée, j'aurais certainement renoncé. Je me répétais que travailler sur le marché aux poissons était bien pire, qu'une femme qui avait voyagé sur un navire charbonnier de Whitby et traversé toute l'Europe orientale n'avait rien à craindre d'hommes civilisés dans une ville anglaise. Mais certains d'entre eux se montraient excessivement hostiles. Lorsque je pénétrais dans un de ces pubs, j'étais soit la cible de regards appuyés, soit délibérément ignorée ; quant aux hommes auxquels j'étais présentée, ou bien ils pontifiaient, ou bien ils ne tenaient aucun compte de moi, ou bien ils restaient muets, ou encore se levaient et s'en allaient sous le premier prétexte venu. Au début, Henry en conçut de la gêne lui aussi, cependant, nous avions conclu un pacte à Constantinople, et il tenait à ce que nous le respections l'un et l'autre.

Il y eut pour Henry un ou deux épisodes pénibles, où des hommes qu'il considérait comme des amis passèrent près de lui sans le saluer, mais en fin de compte la situation se stabilisa et ma présence fut admise comme l'une des petites bizarreries de Leadenhall Street[1]. Bien entendu, je n'avais pas accès au Baltic Exchange, car je n'en faisais pas partie. Toutefois, je pouvais me livrer à la plupart des autres transactions concernant l'achat et la vente, les bateaux, nouveaux et anciens, l'espace de chargement et les cargaisons. Si les Addison furent étonnés de me voir au

1. Rue du quartier des affaires. *(N.d.T.)*

nombre de leurs employés du bureau de Londres, la vieille Mrs Addison, elle, fut enchantée. Elle écrivit à Henry une lettre enthousiaste où elle le complimentait de son discernement et de son esprit aventureux, ce qui amena sur les lèvres du destinataire un sourire mi-figue mi-raisin. Cependant, à mesure que je me familiarisais avec mon travail, il se rasséréna, et quand je donnai enfin ma pleine mesure je crois qu'il commença à être fier de moi. Au début, ses compliments manquaient un peu de chaleur, mais ils étaient sincères, et cela représentait pour moi la satisfaction suprême. J'avais prouvé ma valeur à ses yeux. À partir de là, je pouvais la prouver à ceux de ses contemporains.

Ce fut alors que je reçus la première lettre d'Isa Firth.

25

Intriguée par l'écriture, beaucoup plus nette que celle de Bella, qui était un griffonnage informe, et beaucoup moins élégante que celle de Mr Richardson, je me demandai qui d'autre pouvait bien m'écrire de Whitby. L'enveloppe contenait une seule feuille de papier à lettres, pliée autour d'une photographie non encadrée. Au premier coup d'œil, je reconnus le couple au centre du cliché, l'homme et la femme nus en train de faire l'amour dans les rochers. La première demi-seconde de choc passée, je compris même quand et où il avait été pris.

Je le glissai immédiatement dans l'enveloppe, comme si en cachant une preuve je pouvais l'oblitérer. Dieu merci, je déjeunais seule ce matin-là, mais malgré cela il fallut un certain temps avant que ma panique se dissipe. Je n'osai lire le mot ni ressortir la photographie pour l'examiner, craignant que quelqu'un n'entre dans la pièce. Comme une criminelle, je montai en catimini pour être seule, après avoir pris une loupe dans le bureau. Même sans le secours du verre grossissant je reconnus très nettement mon visage éclairé par le soleil levant. La tête rejetée en arrière, les bras enlaçant étroitement mon amant, les jambes étreignant ses reins nus, je paraissais l'encourager à de plus vives ardeurs, ce qui était peut-être le cas d'ailleurs. À la loupe cependant, les détails se voyaient plus distinctement : nos vêtements sur les rochers, les restes d'un pique-nique, l'écume de la marée montante, tout cela suggérait d'autres appétits, d'autres épanchements. Ce que l'on ne voyait pas, car il avait la tête tournée, c'était le visage de l'homme qui me donnait si manifestement du plaisir, mais son dos, saisi en cet instant dans la lumière basse et révélatrice, était si magnifiquement dessiné de la tête aux pieds que l'on eût cru voir bouger ses muscles.

C'était une photographie d'une choquante beauté, et si bonne qu'elle aurait pu être posée. Sauf que je savais qu'elle était absolument spontanée, volée, et que Jack Louvain avait dû attendre à l'affût pendant des heures dans les rochers de la baie de Saltwick avant de déclencher l'obturateur...

Je dus me précipiter vers le lavabo pour vomir ma stupeur et mon dégoût. Il me fallut un certain temps avant de m'arrêter de trembler, avant d'être sûre que la nausée était passée. Je m'épongeai le visage avec l'eau du broc et m'assis près de la fenêtre pour lire la missive.

Alors qu'Isa Firth et moi n'avions jamais rien eu d'important à nous dire, sa lettre de chantage était prolixe. Elle devait avoir pris un immense plaisir à communiquer des informations qui me seraient pénibles, et cette jouissance se dégageait des mots mêmes.

Le ton et le contenu de la lettre étaient révoltants. Isa assénait un coup après l'autre si bien qu'à la fin je ne savais plus que faire ni que penser. Jack Louvain était mort. J'eus du mal à assimiler la nouvelle, qui s'ajoutait au choc de la photographie, et dus relire les détails à plusieurs reprises. Il avait eu un mauvais accident sur les falaises à Upgang pendant l'été : il avait glissé et s'était cassé la jambe. Celle-ci ne s'était pas bien remise et avait dû être amputée ; la blessure ne s'était pas cicatrisée et la gangrène s'y était installée. Malgré plusieurs opérations et un séjour prolongé à l'hôpital, Jack était mort un mois plus tôt.

Apparemment, à son décès, Isa tenait sa maison depuis quelque temps déjà et travaillait aussi au studio. C'était en rangeant ses affaires qu'elle avait trouvé des clichés fort intéressants que Jack paraissait ne pas avoir publiés. Comme j'étais très liée avec lui, elle pensait que je serais heureuse d'acheter cette photographie de moi et de contribuer ainsi à faire vivre son souvenir.

Ma première réaction fut que les souffrances et la mort d'un voyeur étaient bien méritées. Puis vinrent l'incrédulité et la conviction que rien de cela n'était vrai, hormis le désir malveillant qu'avait Isa Firth de fouiner et de fouiller afin de remuer le passé et de me gâcher la vie. Enfin le chagrin d'avoir perdu un vieil ami m'envahit ; Jack était trop jeune pour disparaître, il ne pouvait pas être mort, il...

Mais si, il ne pouvait en être autrement, Isa n'aurait pas inventé cette histoire, elle ne pouvait pas fabriquer cela de toutes pièces, c'était trop facile à vérifier. En tout cas, vraie ou non, la mort de Jack était inséparable des faits, et Isa avait bel et bien mis la main sur des clichés ou une plaque photographique de Bram et moi en train de faire l'amour un matin à l'aube dans la baie de Saltwick pendant ce fameux été de 1886. Je ne pus m'empêcher de me demander si elle connaissait l'identité de mon partenaire, ou si elle était en possession d'autres photographies montrant son visage, car il eût été une victime de choix pour un chantage. Je frémis à cette idée et l'envie me vint de me précipiter au Lyceum. J'étais si violemment secouée que j'éprouvais le besoin d'avoir le soutien de quelqu'un qui pourrait me conseiller en s'abstenant de me juger au nom de la morale.

La tentation fut très forte, mais un malin hasard voulut que Henry revînt de bonne heure à la maison ce matin-là. Un accident survenu sur la voie ferrée principale juste à la sortie de la gare de King's Cross compromettait pour une durée indéterminée le trafic ferroviaire, aussi avait-il télégraphié aux Addison pour remettre son voyage à Hull. Il m'aimait et avait confiance en moi ; de surcroît, il avait risqué sa réputation professionnelle pour satisfaire mon désir de travailler dans son domaine. Je ne pouvais en aucune façon trahir sa confiance, surtout pas en reprenant contact avec Bram. Il me faudrait régler seule mon problème.

Dans cette première lettre contenant la photographie, Isa n'avait mentionné aucune somme particulière ; elle s'était bornée à dire qu'elle apprécierait une réponse de ma part indiquant que je comprenais le sens de sa lettre et étais disposée à envoyer une contribution charitable pour que l'on érige une stèle à la mémoire de Jack Louvain. À la lire, on eût dit qu'il s'agissait d'un reliquaire – et probablement était-ce ainsi qu'elle le concevait –, un objet à nettoyer, à polir, et devant lequel on viendrait s'incliner. Quelque chose qui donnerait un centre à une vie aussi vide que la sienne. Je l'imaginai même agenouillée sur un petit prie-Dieu devant lequel était accroché le portrait de Jack Louvain.

Cette idée était répugnante. Chaque fois que je pensais à la photographie – je n'avais même pas besoin de la regarder –, je me prenais à haïr avec une violence que je n'aurais pas crue possible. Je souhaitais qu'un malheur brutal frappe Isa, qu'elle ait la tête fracassée par le crochet d'un treuil, qu'elle soit écrasée par la chute d'un chargement de bois, ou renversée et piétinée par un cheval de trait qui se serait emballé.

Malgré ces mauvaises pensées, j'écrivis une réponse assez

courtoise en disant que je comprenais fort bien la situation et en demandant combien elle attendait. Dans sa réponse, elle mentionna la somme de cinquante livres, ce qui était exorbitant. Je répondis en exigeant sèchement le négatif ainsi que tous tirages en sa possession. Dans la lettre suivante, Isa baissa le masque et menaça d'envoyer un double de la photo à mon mari si je ne lui adressais pas l'argent avant la fin du mois.

Je connaissais trop Isa pour douter de sa parole. De toute façon, l'argent n'était pas son seul motif ; l'envie, la méchanceté et le désir de me nuire entraient aussi en ligne de compte. Bella avait dû lui parler de mon mariage avec un homme riche, et sans doute en avait-elle conçu une énorme rancœur, d'autant que sa passion pour Jack n'avait pas été payée de retour. Avait-il laissé un testament ? Et si oui, qui avait hérité de ses photographies ? Après tout, elles faisaient partie de son affaire, mais si son accident et sa mort avaient été pour Isa la pire des tragédies, elle avait dû considérer la découverte de ces photos comme une aubaine inespérée. Je me demandais combien de clichés compromettants elle avait dénichés et s'ils avaient tous été pris le même jour.

À une certaine époque, j'aurais juré que Jack Louvain était incapable d'agir ainsi. Toutefois, la lettre d'Isa avait ébranlé toutes mes certitudes et j'étais prête à croire n'importe quoi. Je n'avais plus aucune confiance en personne. Au lieu d'envoyer l'argent par la poste, j'aurais préféré aller à Whitby et tordre le cou à Isa pour lui soutirer la vérité. Or, le travail pour lequel je m'étais si fort battue rendait mon absence impossible. Henry était à Hull pour quelques jours, ce qui me laissait au moins le temps de reprendre mes esprits. Il commençait néanmoins à se reposer sur moi, à m'utiliser et, en conséquence, les affaires reprenaient après notre voyage de l'été précédent. J'avais voulu relever le défi et mes prières étaient exaucées ; je ne pouvais tout abandonner sur un coup de tête. Et donc, malgré tous mes regrets, je sortis de mon compte la somme demandée en billets de cinq livres et envoyai l'enveloppe à la nouvelle adresse d'Isa.

Le lendemain, j'écrivis à Bella une lettre bavarde, apparemment sans motif particulier, lui demandant des nouvelles car je n'en avais aucune de Whitby depuis un certain temps ; en même temps, j'envoyai un mot à Mr Richardson pour lui demander de me prendre un abonnement d'un an à la *Gazette de Whitby*. J'aurais dû y songer plus tôt, car cela m'aurait donné une version officielle de l'actualité locale, et fourni assez d'informations pour me permettre de lire entre les lignes. Si durant quelques années le passé avait relâché sa prise sur moi, il revenait me poursuivre de plus belle. Il fallait que je sache ce qui se passait à Whitby, et ce par le plus grand nombre de sources possible.

Après cela, Bella m'écrivit de temps en temps, surtout parce que j'entretenais cette correspondance, ne voulant pas qu'elle s'interrompe à nouveau. J'appris que Lizzie et sa sœur cadette Meggie, qui n'avait guère que sept ou huit ans à l'époque où j'habitais chez eux, étaient toutes deux placées comme domestiques, que les deux fils aînés gagnaient bien leur vie comme marins et que seuls Davey et le petit Magnus restaient à la maison. D'après Bella, Davey était le plus intelligent de la famille. Comme il voulait entrer dans la compagnie des chemins de fer, on comptait le laisser à l'école jusqu'à ses quatorze ans. Le petit Magnus était plein de bonne volonté, mais assez lent ; il semblait inutile de l'envoyer à l'école alors qu'il détestait y aller. Si leur mère appréciait toujours son petit verre de gin, elle allait beaucoup mieux maintenant que presque tous les enfants étaient partis et qu'elle avait des locataires qui étaient une source de rapport. Surtout qu'à présent Isa habitait seule. En fin de compte, elle s'était bien débrouillée avec ce que lui avait laissé Mr Louvain...

Bella parlait rarement d'elle, et pendant longtemps j'imaginai qu'elle continuait à aider sa mère à la maison. À ceci près qu'elle avait vingt-sept ans et qu'à cet âge la plupart des femmes étaient mariées et avaient des enfants, et que celles d'entre elles qui faisaient partie de la communauté des pêcheurs de Whitby ne se contentaient pas de les élever, mais en plus s'occupaient d'accrocher les appâts aux lignes de fond et de vendre le poisson. En me rappelant combien j'avais travaillé dur lors de l'hiver chez les Firth pour gagner des sommes dérisoires, je me demandai comment Bella pouvait subvenir à ses besoins. Ce ne fut qu'au printemps suivant, en lisant la *Gazette*, que je découvris la vérité.

Dans les comptes rendus habituels du tribunal concernant les voies de fait, le tapage et l'ivresse, je lus que Bella avait été inculpée pour racolage sur la route de la Jetée, ivresse et inconduite, ainsi qu'injures à l'agent qui l'avait arrêtée. Je fus consternée. L'incident, banal, était relaté dans un entrefilet. Il n'en demeurait pas moins que, les faits ayant été établis, Bella fut condamnée à une amende et à huit jours de prison, bien que ce fût la première fois qu'elle comparaissait devant le tribunal. Et comme elle ne pouvait pas payer l'amende, elle écopa de huit jours de prison supplémentaires.

Horrifiée, j'essayai de calculer combien de temps s'était écoulé depuis qu'elle avait comparu devant les magistrats, et si elle était encore en train de purger sa peine. J'écrivis aussitôt à Mr Richardson en lui demandant de se renseigner et de payer l'amende pour Bella s'il lui restait plus d'une journée à passer en prison. Je ne sais ce qu'il dut penser. En guise d'explication, je me bornai à dire qu'elle avait autrefois été très bonne pour moi et que je ne pouvais supporter l'idée qu'elle soit en prison et dans le besoin. C'était une litote, mais je disais néanmoins la vérité.

Il apparut qu'il était trop tard pour payer l'amende : Bella fut libérée au moment où Mr Richardson prenait ses renseignements. Néanmoins, cet incident marqua un tournant dans nos relations, car je commençai à surveiller Bella de loin comme une mère surveille un enfant attardé : avec les bras grands ouverts, en priant pour qu'il fasse preuve de deux sous de bon sens, mais en s'inquiétant malgré tout. La conduite de Bella me semblait manquer de logique. Je comprenais pourquoi une fille ainsi maltraitée par son père avait du mal à accorder la moindre confiance aux hommes, ou quelque foi à l'état de mariage ; je comprenais même qu'elle puisse préférer la compagnie des femmes et leur amour. J'étais cependant encore trop naïve pour comprendre que quelqu'un qui détestait les contacts sexuels puisse les accepter contre de l'argent. Surtout quand cet argent pouvait se gagner par d'autres moyens.

J'aurais aimé tourner la page sur mon passé, m'en affranchir et vivre complètement dans le présent avec Henry et notre affaire de courtage à Londres ; or je ne pouvais que constater l'intrusion de Whitby dans mon existence. Je dus m'occuper de plus en plus d'affaires basées là-bas ; en un sens, cela n'était pas désagréable, hormis le fait que j'étais obligée de penser à un lieu que j'aurais préféré oublier. J'en vins à attendre les lettres d'Isa deux à trois fois par an. J'avais beau ne pas être surprise, elles produisaient toujours chez moi la même révulsion et la même rage.

Et pourtant, je dois confesser que j'éprouvais aussi une certaine satisfaction perverse. Peut-être Isa devint-elle ma haire et ma discipline, une forme de pénitence pour ma liaison avec Bram. Sans doute ma culpabilité à cet égard aurait-elle pu s'atténuer au fil des années, sauf en ce qui concernait mon incapacité à avoir des enfants. Or j'étais consciente de souffrir moins que Henry de cet état de choses, et cela rendait mes remords et mes regrets plus complexes. C'était à ses yeux que les enfants avaient une importance capitale ; j'étais pour ma part simplement contrariée de ne pouvoir assurer leur venue.

D'une façon détournée, si cette transaction me répugnait, le fait de payer Isa me soulageait. De même, en surveillant Bella de loin, je me dégageais d'une autre forme de culpabilité. Je voyais les deux sœurs comme les deux faces d'une même pièce, qui regardaient chacune dans une direction opposée sans se rendre compte de la présence de l'autre. Si elles s'étaient un peu rapprochées après la mort de Magnus, il était manifeste qu'après la condamnation de Bella pour racolage tout semblant d'affection avait cessé. Isa était dissimulée et hypocrite, et si prompte à blâmer qu'elle en eût remontré à un puritain, à ce point que je me demandais si Bella n'avait pas fait exprès de s'enivrer et d'aborder des agents de police en partie pour humilier sa sœur.

En dehors de mes occupations et préoccupations liées à Whitby, la vie que je menais avec Henry pendant dix ans fut à la fois stimulante et satisfaisante. La tristesse ou les regrets furent pour la plupart absorbés par les affaires qui, à mesure que passait la dernière décennie du siècle, prirent une extension considérable. Après les premières années, il ne fut plus question d'enfants entre nous, et Henry sembla accepter de me voir m'intéresser en premier lieu à des choses extérieures à la maison, au mouvement des cargaisons et au commerce. Nous travaillions dur l'un et l'autre, et je profitais de toutes les occasions de voyager pour affaires, soit en train pour me rendre à Hull, soit par bateau pour traverser la mer du Nord. Il m'accompagnait parfois, mais le plus souvent je voyageais seule. Habitant Hampstead, je me languissais des fraîches brises marines et de l'agitation incessante des docks ; je m'efforçai de convaincre Henry de déménager ; en vain, il préférait vivre sur cette colline qui dominait Londres et voir la lande.

Il m'arrivait de songer à Bram, et je lui enviais la maison dont il m'avait parlé, avec ses fenêtres donnant sur la Tamise. Mais vivre à Chelsea aurait impliqué une proximité par trop dangereuse et j'étais soulagée que les goûts de mon mari en matière de divertissements aillent plutôt vers l'opérette et la comédie légère que vers le genre de grand drame que présentait Irving au Lyceum. Chaque fois que nous nous aventurions dans l'univers du théâtre, j'avais fortement conscience d'être sur le terrain de Bram, dans un monde de premières et d'ovations, de soupers fins au champagne et d'amis aristocratiques. Par comparaison, Whitby et tout ce que nous avions partagé dix ans auparavant paraissaient fort insignifiants.

Au cours de l'été 1895, je pensai beaucoup à Bram car il était rare que l'on ne parle pas de lui et de ses amis dans la presse. Oscar Wilde, l'ancien soupirant de Florence, fut condamné pour outrage aux bonnes mœurs et envoyé en prison, pendant que la même semaine les productions dramatiques d'Irving, pour ne pas parler de ses largesses, lui valurent un titre de chevalier. Il fut le premier acteur à recevoir ce type de distinction, mais cela ne me réjouit nullement, bien entendu. En fait, j'éprouvais du mépris pour Irving et de la compassion pour Wilde, ce qui prouvait sans doute mon esprit de contradiction ; aussi gardai-je mes opinions pour moi-même. Je me demandai néanmoins ce que Bram pensait de la situation. J'avais le sentiment que l'un avait dû son élévation à la vénération générale et à une importance excessive accordée à la dignité et à l'art dramatique, tandis que l'autre avait été traîné plus bas que terre parce qu'il avait eu l'audace de se moquer de la morale et des mœurs communes.

Et Florence ? Et la malheureuse épouse de Wilde, qu'en pensaient-elles ?

Tout cela paraissait toutefois se dérouler très loin du monde où j'évoluais avec Henry, et ces soucis n'étaient pas les miens. Je ne pensai plus guère à Bram pendant quelque temps, jusqu'à ce que j'aie franchi le cap des trente ans. Alors, il se manifesta de nouveau. L'ironie du sort voulut que ce fût à un moment où j'avais un agréable sentiment de maturité et de maîtrise. Les affaires prospéraient de façon tangible, et je savais que ce n'était pas là qu'une tendance de surface ; je devais cela en grande partie à mes efforts, car j'avais suivi une intuition qui m'avait rarement trahie. J'étais contente de moi, peut-être même non sans un brin de suffisance. Si j'avais eu des détracteurs, je savais que j'avais aussi des admirateurs et pas seulement sur le plan professionnel. Je voyais s'attarder sur moi beaucoup de regards qui me disaient que j'étais encore désirable, malgré les tenues fort strictes que je portais au bureau. Mes vêtements de semaine amenaient souvent un sourire amusé sur les lèvres de Henry, qui disait que j'avais l'air d'une redoutable maîtresse d'école avec mes robes marron et grises. J'avoue que je les aimais bien. Elles mettaient en valeur ma silhouette et mon visage, mais plus encore ma chevelure flamboyante. Cependant, par égard pour Henry, à la maison je portais les cheveux dénoués et des robes en soie pastel, ce qu'il préférait. Je m'habillais ainsi pour lui, et si mes efforts n'avaient pas toujours l'effet désiré, je me disais que c'était parce qu'il travaillait trop ; moi aussi, d'ailleurs. Nous avions besoin de vacances.

Un samedi matin, au début de l'été quatre-vingt-dix-sept, il faisait un beau soleil qui promettait de durer et donnait envie de partir en vacances. J'entrai dans ma librairie favorite, dans Heath Street, et remarquai que le vendeur déballait un paquet. Avec leur couverture jaune, les livres attirèrent mon attention. J'allais m'enquérir à leur sujet quand je vis le nom de l'auteur écrit en rouge : *Bram Stoker*. J'éprouvai un choc. Il m'arrivait de tomber sur son nom dans un magazine ou un journal, et j'avais alors le sentiment d'être mise de force en sa présence. Ni le temps ni l'éloignement ne faisaient rien à la chose. Ce jour-là, je tendis des doigts tremblants pour saisir un livre, le retournai et lus le titre : *Dracula*.

Avant même de savoir quel en était le contenu, je frissonnai.

Une fois le livre emballé, je le rangeai discrètement à la maison, en attendant que Henry s'absente pour deux jours. Je voulais être seule lorsque je me mettrais à le lire. Une semaine plus tard, l'occasion souhaitée se présenta. C'était le début du mois de juin, et onze ans exactement s'étaient écoulés depuis l'été que nous avions passé ensemble, Bram et moi. Il faisait aussi chaud à Londres que cette année-là, mais l'air était beaucoup moins pur. Le bruit des sabots ferrés et des roues, la puanteur des chevaux, des étables, des cabinets et de la fumée

– le goût soufré de l'air, le ciel jaune au-dessus de Hampstead –, tout cela se combina pour que Henry me presse de me reposer et de l'accompagner à King's Lynn où l'appelaient des affaires de famille urgentes. J'avais de bonnes raisons de refuser, car diverses transactions attendaient d'être réglées à Leadenhall Street, mais la chaleur était telle que je faillis regretter d'être restée.

Après être rentrée du bureau ce soir-là, je pris un bain, passai une robe d'intérieur légère et demandai qu'on me monte mon dîner sur un plateau. C'était une habitude à laquelle je sacrifiais souvent en l'absence de Henry. J'aimais me détendre seule et m'étais aménagé à l'arrière de la maison une vaste pièce aux proportions agréables que j'avais meublée confortablement à mon goût. Elle s'agrémentait de hautes fenêtres, et d'un balcon qui donnait sur un jardin clos, avec des arbres, un verger protégeant des regards, et de longs rideaux de mousseline que la brise du soir soulevait légèrement.

Dès que j'eus ouvert le livre, je fus captivée et accompagnai dans sa traversée de l'Europe le jeune avocat Jonathan Harker, m'émerveillant de ce nom, voyant même le visage du jeune Jonathan Markway dans la description qui m'était faite : je mangeais des nourritures exotiques avec lui, j'entendais des voix étranges, je voyais les villes médiévales fortifiées et le vaste paysage oppressant. Quand il montait dans la diligence à Bistrita, j'étais avec lui, ballottée par monts et par vaux, et j'entendais la musique de la nuit : les hurlements du vent et ceux des loups. Mon cœur bondissait dans ma poitrine : je savais ce dont il parlait. Mais l'auteur m'emmenait plus loin, j'entendais sa voix qui me chuchotait des choses à l'oreille – mon oreille, celle de nul autre –, faisant surgir de l'ombre des images avec ses mots, et monter mes appréhensions en attendant l'arrivée de l'hôte de Jonathan et l'inquiétant accueil qu'il risquait d'avoir. Il me glaça le sang et me procura des frissons dans le dos lorsqu'il m'amena jusqu'au seuil du château, et me mit face à face avec le comte Dracula.

Les frissons s'assortissaient toutefois d'une étrange fascination. Malgré la fierté qu'il avait de son passé aristocratique, le comte était si attentif et prévenant, il manifestait une innocence si enfantine dans son désir de tout savoir sur l'Angleterre que le lecteur se sentait attiré par lui, tout en s'interrogeant sur ses motivations. Ensuite, cependant, à mesure que devenait plus flagrant l'emprisonnement solitaire de Jonathan dans le château, et plus sinistre encore l'existence nocturne du comte, le malaise se transformait en sueurs froides. C'était une créature de cauchemar que cet homme qui s'enveloppait dans une cape pour ramper comme un lézard et descendre *la tête en bas* les murailles massives du château, vision horrible plus vraie que nature qui laissait son jeune invité pantois et perdu dans des spéculations fébriles sur la nature de l'être qui le tenait prisonnier.

Pour tenter d'en avoir le cœur net, le jeune homme explorait les lieux et avait la sottise, malgré les conseils du comte, de s'endormir sur un divan au clair de lune, pour se réveiller un peu plus tard entouré de trois jeunes femmes voluptueuses, deux brunes et une blonde, qui semblaient nourrir à son endroit d'amoureux desseins. Elles le regardaient, le provoquaient avec des rires de coquettes ; l'une s'agenouillait près de lui tandis qu'il faisait semblant de dormir et se penchait sur son corps allongé pour le contempler, soupirer et lécher par avance ses lèvres rouges et humides d'impatience en savourant le baiser qu'elle allait lui donner. Il y avait dans cette description un érotisme si troublant que la lecture de cette scène m'échauffa à mon insu. Je retenais mon souffle, horrifiée, au supplice ; et pourtant, à mesure qu'elles s'approchaient, ces bouches rouges entrouvertes, je souhaitais presque que ces femmes parviennent à leur fin. Au moment où leurs désirs allaient être assouvis, l'apparition du comte qui les renvoyait, son cri, « Cet homme m'appartient », furent pour moi à la fois un soulagement et une déception, comme si l'aboutissement ultime des plaisirs défendus venait d'être refusé.

Cette scène était assez effroyable, mais au-delà de la lecture j'y trouvai quelque chose d'autre, quelque chose qui s'apparentait à une reconnaissance. Dans cet instant d'extase langoureuse, le jeune homme – Jonathan dans le livre, Bram dans mon interprétation – attendait la jouissance qu'allait lui dispenser une belle femme. Prêt à s'abandonner à elle, consentant, il voyait son plaisir interrompu alors même qu'il allait être assouvi, interdit par le mystérieux comte qui renvoyait les trois femmes et affirmait que l'homme lui appartenait. Il le reprenait pour l'enfermer en lieu sûr et lui parlait même d'amour...

Je trouvais cela troublant. Malgré tout, je continuai à lire toute la soirée, insensible à tout, sauf au besoin d'allumer les lampes le moment venu. Une brise soudaine agitant les rideaux quand vint la nuit me fit sursauter, et un grand papillon de nuit qui vint tourner autour de la pièce en se cognant partout me terrifia. Quelque temps après, lorsque ma bonne vint frapper doucement à ma porte avec sa chandelle, j'eus encore un sursaut de terreur, mais sans pouvoir abandonner le livre. À la différence de cette pauvre sotte de Lucy – notre Lucy de la tombe sur la falaise ! –, je vérifiai que les portes et fenêtres étaient bien fermées avant de me mettre au lit, et tirai les lourds rideaux d'hiver pour me protéger du clair de lune.

Les scènes du cimetière à Hampstead étaient des évocations extraordinairement vives et me rappelaient les nuits que Bram et moi avions passées ensemble à Whitby. À cette différence près que la description qu'il faisait de la mort et de la décomposition leur donnait un caractère beaucoup plus effrayant.

Je ne fréquentais plus les lieux de sépulture et n'étais jamais allée au cimetière du quartier ; on eût dit toutefois que la situation de la tombe de Lucy avait été choisie délibérément, comme s'il savait que j'habitais non loin de là. J'étais glacée d'effroi, tant par les souvenirs que son roman évoquait que par le sujet du livre. Tout semblait si proche : il m'émouvait cependant même qu'il me faisait frissonner, à cause des mots utilisés et des images évoquées.

Je fus au supplice en lisant la scène où l'on transperce d'un pieu la pauvre Lucy, et me demandai qui avait servi de modèle à cette fille légère, frivole, incapable de choisir entre ses nombreux prétendants et qui en paie fort cher les conséquences. Était-ce Florence, avec tous ses admirateurs ? Était-ce elle, la coquette qui affolait Bram, celle qu'il aurait vraiment voulu frapper jusqu'à l'anéantir ? L'autre jeune fille, son amie Mina, était un personnage différent, beaucoup plus complexe. En tant que représentante de la Féminité nouvelle, elle aurait dû à mon sens rencontrer mon approbation ; mais elle était trop bonne pour être convaincante et ressemblait davantage à une figure idéale de la mère-sœur-épouse, pure, raisonnable et foncièrement bonne. Distinctement intouchable pourtant. La seule fois où j'éprouvai quelque sympathie pour Mina, où je m'assimilai à elle, ce fut lors de l'épisode où, après son mariage avec Jonathan Harker, le comte revient et boit son sang pendant que son mari dort à côté d'elle ; il se nourrit d'elle et, de surcroît, plaque le visage de Mina contre sa poitrine et la force à avaler son sang à lui. Cette scène était réelle, choquante aussi. Elle m'évoquait des souvenirs.

Dans ma chambre, il faisait bon, mais je continuai à frissonner sous mon châle, et je n'éteignis pas la lampe avant de m'être assurée que le soleil était levé.

La virtuosité du roman et son éclat me donnèrent envie d'écrire aussitôt à Bram. Il avait décrit Whitby avec une telle exactitude que j'éprouvais une vive nostalgie pour le lieu, pour l'époque où nous y avions été heureux ensemble, et même, douloureusement, pour lui. Assurément, il n'eût pas aussi bien écrit s'il ne s'était souvenu de tout cela avec tendresse, et cette idée faillit me perdre. Il fallut que je me rappelle à mon tour que plus d'une décennie s'était écoulée depuis cet été vécu ensemble à Whitby, que Bram s'était servi de moi et m'avait mal traitée, avant d'obéir aux ordres d'Irving et de regagner Londres. Depuis cette époque, nous étions devenus deux êtres différents, menant des vies différentes. Malgré tout, je dus me forcer pour me rendre au bureau ce jour-là, me plonger dans le travail et m'entourer de gens afin de résister ainsi à la tentation.

J'éprouvais le besoin de faire le bilan de tous les avantages dont je jouissais, de me rappeler toutes les bonnes choses que Henry et moi partagions : tout cela était trop précieux pour qu'on le compromette à cause d'un roman, si extraordinaire fût-il. Mais parmi les questions qui m'assaillaient l'esprit, l'une d'elles revenait sans cesse, qui avait trait à Jonathan : pourquoi Bram avait-il utilisé ce nom ? Et même le nom de famille, car Harker était si proche de Markway que je soupçonnais ce choix de ne pas être fortuit. À ma connaissance, ils ne s'étaient jamais rencontrés ; or, il y avait tant de points communs dans la description physique qu'elle me laissait rêveuse, au même titre que la tombe de Lucy, située à Hampstead. Il y avait trop de coïncidences ; on eût presque cru qu'il essayait de me dire quelque chose. Ou assouvissait-il par publication interposée un fantasme né à Whitby onze ans auparavant, à partir d'un jeune homme qu'il n'avait jamais rencontré, de naufrages, de contes populaires, de livres étranges et d'histoires tissées autour d'une tombe sur la falaise ?

Je relus *Dracula* et, grâce à cette seconde lecture, je remarquai davantage les thèmes sexuels. Je fus extrêmement troublée par ces échos venus du passé : lèvres rouges, dents blanches, baisers, sang et sensualité, excitation mêlée de peur. Ce qui me troubla le plus, ce fut la notion de possession liée à l'échange du sang. Pas seulement à la fin du livre, dans la scène chargée d'érotisme malsain entre le comte et Mina, mais beaucoup plus tôt, avec les transfusions opérées par Van Helsing lorsqu'il tente de sauver la vie de Lucy et que les hommes qui l'ont courtisée au début sont invités à défiler pour lui donner leur sang. Ces passages me choquèrent car je les trouvai impudiques, comme si Bram avait permis à chacun de ces hommes de posséder Lucy moralement et sexuellement. Ma réaction n'était peut-être pas conforme à celle du lecteur idéal, cependant je ne pouvais m'empêcher de me rappeler la conviction de Bram, selon laquelle le mélange des sangs créait un lien autrement plus fort que le mariage et faisait de deux êtres un seul d'une manière éternelle et indissoluble.

Comme jadis à Whitby, j'eus le sentiment que sur la page écrite se réalisaient des désirs et des fantasmes. Le comte, en abandonnant l'apparence chenue de la vieillesse pour prendre celle d'un homme plus jeune, m'évoquait fortement Irving. Je devinais sa présence à l'arrière-plan, comme celle d'Irving ce fameux jour au cottage, lorsque je l'avais vu se mouvoir dans l'ombre derrière Bram. La vérité se dissimulait derrière des voiles et s'enveloppait d'ombres, mais Bram avait brossé le portrait puissant et implacable d'un personnage courtois et menaçant à la fois. Irving l'aurait joué à la perfection.

Finalement, une fois que j'eus pris quelque recul par rapport au choc ressenti à cette idée, je me demandai si Bram avait projeté d'adapter le roman pour la scène et de confier le rôle du vampire à Irving. Dans ce cas, cela supposait que le livre était plein d'une ironie subtile, et je me réjouissais de penser que Bram en était conscient, qu'il en avait joué et prenait sur le papier une forme de revanche contre celui qui l'avait tant exploité.

En tout cas, cette seconde lecture me fit percevoir des éléments encore plus troublants que la première, mais comme ils relevaient davantage de l'intellect que de l'affectivité, il était plus facile d'en contrôler les effets. En fin de compte, je n'écrivis pas. Je m'efforçai de garder mon sang-froid et me mis en quête de critiques. Je me sentais désemparée, vulnérable, très inquiète à l'idée de ce que je risquais de trouver, et me demandais en tremblant ce que devait éprouver Bram en attendant de lire les réactions des professionnels face à son livre. Que penserait le public ? Verrait-il la même chose que moi, ou avais-je une perception plus exacerbée à cause de ce que Bram et moi avions été l'un pour l'autre et de la connaissance que j'avais de lui ?

Les commentaires que je lus étaient dans l'ensemble favorables, mais beaucoup trop lisses pour que leurs auteurs aient perçu les implications sous-jacentes de l'ouvrage. Aucun ne manifestait cependant l'enthousiasme que le roman méritait à mon sens, et j'eus peine à réfréner mon indignation.

Henry, que ses penchants naturels portaient plutôt vers l'histoire, les voyages ou les récits d'exploration, fut très déconcerté par ce qu'il appelait ma nouvelle lubie. Bien qu'il n'aimât guère les romans, il avait tenu à savoir ce qui avait captivé mon attention dans celui-ci. Je ne pouvais lui révéler ce que je connaissais de l'arrière-plan du livre – et encore moins que j'en connaissais l'auteur –, aussi fus-je contrainte de lui laisser lire mon exemplaire et d'accepter son opinion sans protester ni poser trop de questions. Il trouva le livre original et apprécia les passages sur Whitby, mais il n'aima pas la façon de présenter l'histoire, qui à son sens ressemblait à une succession d'incidents grotesques qu'il eût trouvés totalement incroyables s'il n'avait entendu parler des meurtres de Whitechapel quelques années auparavant.

C'était là un nouvel éclairage alarmant auquel je n'avais pas songé. Ces meurtres avaient eu lieu environ deux ans avant notre mariage, et la presse populaire avait surnommé l'assassin, qui courait toujours, « Jack l'Éventreur ». Je me demandai alors si lui aussi avait joué un rôle dans l'élaboration du roman de Bram, si *Dracula* et le personnage du comte étaient une sorte d'explication fantastique à ces événements. Tant de rumeurs avaient circulé à l'époque. Je me demandai même si, avec toutes ses relations, Bram avait eu connaissance d'informations confidentielles sur ces meurtres survenus à Whitechapel en 1888.

26

La période qui suivit fut assez déroutante. Cet été-là, je commis quelques erreurs coûteuses que Henry dut endosser. Puis la vieille Mrs Addison mourut après une brève maladie, ce qui nous obligea à faire un triste voyage à Hull. Elle avait été bonne et généreuse, cette femme qui, à travers ses amis et sa famille, avait tant aimé la vie. Sa mort nous affecta beaucoup. De plus, pendant quelque temps, nous nous demandâmes si sa disparition ne risquait pas de modifier nos rapports avec les frères Addison. Il apparut bientôt que tout continuait comme par le passé. Toutefois, je ressentais vivement son absence. C'était une femme que j'avais aimée et respectée, qui avait accompli beaucoup de choses auxquelles j'aspirais. Je savais que je pouvais toujours compter sur elle pour m'encourager, et non pour m'offrir des lèvres pincées. Elle allait me manquer, je le pressentais.

Puis, juste avant Noël, j'appris que Bella s'était encore retrouvée devant les juges. Cette fois-là, en tant que récidiviste, elle n'eut pas d'amende, mais fut condamnée à quinze jours de prison ferme, et je fus impuissante à l'aider. Je l'imaginai dans une cellule froide le jour de Noël, en train de manger un maigre repas de prisonnière alors qu'à Hampstead Henry et moi nous régalions d'oie rôtie et de sauce aux pommes. Ou, plus exactement, l'oie rôtie était sur la table, mais j'étais trop soucieuse pour manger grand-chose et Henry, lui, était agacé par mon humeur, aussi ce jour de fête fut-il sans joie. La nouvelle année ne débuta pas très bien non plus. Le mauvais temps sur nos côtes provoqua une augmentation des coûts du commerce intérieur, tandis que des dépêches nous informant d'inondations et de naufrages ne faisaient qu'aggraver la morosité ambiante. À la mi-février, cependant, lorsque la situation commençait à s'améliorer du côté des cargaisons maritimes, un nouveau désastre dans lequel, heureusement, personne ne trouva la mort fut à la une des journaux. Un important incendie s'était déclaré en pleine nuit, à Southwark, sous les arches en brique du chemin de fer de Chatham et Douvres. C'était là que se trouvaient entreposés presque tous les décors utilisés au Lyceum ces vingt dernières années.

D'après l'un des journaux, le directeur commercial du théâtre, Mr Bram Stoker, était arrivé en toute hâte de son domicile de Chelsea après avoir été prévenu par la police. Il faisait un temps de chien, humide et froid, et, ce matin-là, Bear Lane offrait un spectacle de désolation et de chaos. L'étroite ruelle était obstruée par des voitures de pompiers qui dirigeaient toutes leur lance à incendie sur la fournaise sous les arcades, pour tenter d'enrayer les flammes qui menaçaient de gagner les maisons voisines ainsi que la ligne de chemin de fer au-dessus. Même à distance respectueuse, la chaleur était infernale. Malgré cela, Mr Bram Stoker avait voulu s'approcher et la police avait dû l'en empêcher.

Il déclara aux journalistes qu'il était sous le choc, car il était impossible d'évaluer l'étendue de la catastrophe. Oui, le théâtre était assuré en partie, mais le coût de ce qui avait été perdu était sans commune mesure avec le dommage réel, celui que représentaient le temps, le travail et le talent qui avaient été consacrés à la création de ces décors. Il y avait là ceux de quarante-quatre pièces, dont vingt-deux mises en scène à grand spectacle. Même si tous les peintres de décors d'Angleterre travaillaient un an d'affilée, ils ne pourraient tous les reconstituer. Quant à sir Henry Irving, ce qu'il avait perdu était encore plus grave, à savoir l'essentiel de son répertoire.

En lisant le compte rendu, je ne sus si je devais rire ou pleurer. Je me souvenais que bien des années auparavant Bram m'avait dit que les mises en scène à grand spectacle revenaient extrêmement cher et que, lorsqu'une pièce prenait fin après une longue série de représentations, on démontait les décors, mais on les gardait pour les réutiliser le cas échéant. Ainsi, les pièces à succès pouvaient toujours être remontées à très court terme et sans frais supplémentaires. Elles constituaient une partie très importante du fonds du théâtre. Son capital en quelque sorte. Sans elles, il était fini.

J'aurais dû me réjouir. Une partie de moi était prête à le faire, mais j'en fus incapable. Je pensais sans cesse à Bram et à la fin de son roman. Parce que j'avais assimilé Irving au comte, je me disais que la destruction de l'un était liée au coup mortel porté à l'autre. C'était une pensée des plus désagréables, et je m'interrogeai sur le caractère purement accidentel de cette catastrophe. Peut-être avait-elle été partiellement préméditée. Ce genre de soupçon ne favorisa guère mon sommeil et je me pris à lire et relire les articles comme si des secrets se cachaient dans le papier des journaux, à l'instar de l'encre invisible qui apparaît lorsqu'on la chauffe.

Je songeais avec inquiétude à ce qui allait arriver. J'étais sûre qu'Irving était ruiné financièrement et que sa carrière d'acteur était définitivement compromise. Dans ce cas, Bram se trouverait sans revenus réguliers. Tout en espérant que Florence s'était guérie de sa prodigalité, j'en doutais, et je me demandais si Bram pourrait gagner assez avec sa plume pour subvenir à leurs besoins. D'après certaines rumeurs, Irving était malade, des tournées étaient annulées, la compagnie de chemins de fer portait plainte et demandait des indemnités pour les dommages provoqués par l'incendie sur ses voies... Comme j'avais à cœur de connaître la suite des événements, je pris soins de m'informer et suivis de très près le destin du Lyceum pendant les mois qui suivirent. Cet été-là, le théâtre fut vendu à un consortium, ce qui sembla indiquer qu'Irving était effectivement en difficulté ; cependant, il continua à y jouer ; les mois passant, un an, puis deux, les tournées en province et aux États-Unis eurent lieu apparemment comme par le passé, et je supposai que le théâtre avait trouvé d'autres commanditaires et réussi à redresser la situation.

Durant l'automne 1899, mes propres soucis m'occupèrent pleinement. La guerre avait éclaté en Afrique du Sud, entraînant pour nous un surcroît de travail dont nous avions grand-peine à nous acquitter. Après tant d'années de dépression industrielle et agricole, où nous avions souvent eu du mal à trouver des chargements pour remplir l'espace disponible, avec la guerre, nous étions toujours en train de chercher désespérément des bateaux susceptibles de fournir un transport pour les énormes quantités d'hommes et de marchandises qui traversaient les océans.

Lorsque le siècle se termina et que le nouveau commença, nous ne le remarquâmes presque pas tant nous avions à faire. Financièrement, nos affaires se portaient bien, mais lorsque la guerre se termina en 1902 beaucoup de changements s'étaient produits. La vieille reine était morte et nous avions un nouveau roi qui n'était pas très jeune ; à cinquante-six ans, mon Henry avait beaucoup vieilli tandis que j'en avais à peine trente-cinq et que le succès et les épreuves surmontées m'avaient stimulée. J'avais le sentiment de ne pas avoir cessé de progresser, de réussir dans mes entreprises, et de savoir enfin ce que je faisais. Mon principal regret était de ne pouvoir ouvrir une brèche dans les défenses de la Bourse du commerce étranger. Le nom inscrit sur leurs registres était celui de Henry, aussi devais-je m'en remettre à lui. Il me passait une grande partie du travail, mais si je ne voyais aucune objection à cela, j'en voyais en revanche à ce que je considérais comme une régression dans notre couple. Nous avions fini, Henry et moi, par nous installer dans une routine sans surprise : lever, petit déjeuner, départ ensemble au bureau où nous vaquions chacun à nos affaires, déjeuner en commun, discussions des affaires à traiter, rédaction de comptes rendus, envoi de télégrammes et retour à la maison. Voilà quelle était notre vie. Je m'étais battue pour en arriver là. Si j'avais parfois quelques impatiences, j'estimais ne pas avoir le droit de me plaindre.

Les mots et les sentiments que l'on tait ont toutefois tendance à s'envenimer ou à mourir et, malgré mes efforts pour prétendre que rien n'avait changé, au fond de mon cœur j'étais solitaire et malheureuse. Mes journées avaient beau être bien remplies, j'éprouvais un sentiment d'inanité croissant que ni Henry ni la vie sociale que nous avions avec ses amis ne comblaient. Ils s'étaient habitués à mon flair en affaires et, à table, se comportaient avec moi un peu comme si j'étais un homme honoraire. Hélas, leurs épouses me regardaient toujours comme une curiosité ou, pis encore, avec soupçon, comme si mes intérêts étaient une feinte pour séduire le sexe opposé. Henry disait que c'était parce que j'étais encore trop jeune et trop jolie ; que si j'avais perdu ma beauté ou été affligée d'un visage chevalin, elles m'auraient beaucoup moins critiquée. À quoi je rétorquais que cela n'aurait rien changé, car on plaignait en général les femmes intelligentes et sans beauté, et que cela n'était pas plus enviable. La pitié ne favorisait guère l'amitié non plus.

En vérité, je n'avais guère d'affinités avec les épouses des amis de Henry, ni assez de loisirs. Les conversations des plus jeunes, quand elles ne parlaient pas de leurs enfants, tournaient exclusivement autour des soirées et de la dernière mode ; celles de mon âge parlaient de leur maison, de leurs domestiques et de la réussite de leur mari, tandis que les plus âgées se chuchotaient des confidences sur leurs maladies avec des airs de martyres. Aucun de ces sujets ne m'inspirait. J'aimais les vêtements, mais pas assez pour être une femme à la mode, et n'avais pas le temps de m'occuper d'une maison de campagne. Je n'avais pas d'enfants dont je pouvais m'enorgueillir ou me plaindre et n'avais pas encore, Dieu merci, atteint un âge où la santé eût été ma seule obsession. J'aurais aimé pouvoir exprimer mon enthousiasme pour la construction d'un nouveau bateau à vapeur dans les chantiers navals de la Tyne, l'excitation que je ressentais en voyant poser une quille, en regardant tous ces hommes travailler à une grande entreprise commune avec application, ardeur et compétence. J'aurais aimé raconter mon dernier voyage à Saint-Pétersbourg, et le malaise qui se percevait derrière la surface lisse et brillante. J'aurais aimé parler...

À quoi bon ? Henry lui-même ne comprenait plus mes enthousiasmes : nous n'avions plus en commun que le nom et les affaires. J'aurais voulu être honnête avec lui, dire que ce n'était pas seulement pour l'intérêt des affaires que j'allais à l'étranger, mais parce que j'avais besoin de partir ; qu'il était essentiel pour mon équilibre et mon identité de me débarrasser du sentiment d'oppression et d'asphyxie qu'engendraient parfois la maison et le travail. Peut-être en avait-il conscience malgré tout ; peut-être était-ce pour cela qu'il ne s'opposait jamais à mes voyages.

Au printemps, environ un an après la guerre d'Afrique du Sud, je mourais d'envie de quitter Londres. L'hiver avait été exceptionnellement froid et j'éprouvais un grand besoin de chaleur et de soleil. J'essayai de convaincre Henry de m'accompagner en Méditerranée, mais il préférait voir l'éclosion lente de l'été anglais et, de surcroît, il n'avait jamais beaucoup aimé la vie à bord d'un bateau. Cette fois-ci, il me poussa à partir me reposer seule et s'occupa de retenir mon passage, avec Alice ma femme de chambre, à bord d'un vapeur en partance pour l'Extrême-Orient. C'était l'un des plus gros cargos des Addison qui prenait aussi quelques passagers. Il devait relâcher à Gibraltar afin d'embarquer une nouvelle cargaison et reprendre du carburant, ainsi qu'à La Valette et à Port-Saïd, avant de poursuivre sa route vers Bombay. Je n'étais jamais allée en Égypte et, d'après les récits de voyages et d'explorations de Henry, ce pays paraissait assez différent des autres contrées méditerranéennes. De plus, à cette époque de l'année, j'étais sûre d'y trouver la chaleur et la couleur que je recherchais. Je demandai à Alice de mettre nos vêtements les plus légers dans nos bagages. Quant à notre retour, nous en réglerions les détails avec l'agent des Addison au Caire.

Quand elle voyageait avec moi, Alice remplissait les fonctions de dame de compagnie autant que de femme de chambre, et s'en acquittait en général à merveille. Nous nous entendions très bien, mais elle n'avait pas une passion pour les longs voyages, et souvent, quand la mer était mauvaise, elle ne sortait pas de sa cabine. Alors, c'était moi qui devenais la femme de chambre, m'assurant qu'elle avait tout ce qu'il lui fallait pendant que je passais mon temps sur le pont, à jouir d'une façon paradoxale des restes de ma peur et des sensations fortes que provoquait un combat avec le temps et les éléments. À présent, c'étaient les voyages qui m'attiraient, surtout les traversées, que je trouvais toniques. Le mouvement d'un navire, ce mouvement de tangage et de roulis, le soupir de l'étrave fendant les vagues et le cri des oiseaux de mer, tout cela me donnait un sentiment de mobilité et de liberté. Je ne me demandais plus pourquoi mes ancêtres avaient sillonné les océans ; à mes yeux, les vapeurs modernes eux-mêmes, qui n'avaient pourtant pas, tant s'en fallait, la beauté et le panache d'un bateau à voiles, étaient dotés d'un charme magique que rien ne pouvait égaler à terre.

En général, les gens préfèrent les paquebots, où tout est prévu pour le confort et le loisir. Or, depuis ma première traversée avec Henry, j'avais constaté que je préférais voir les choses sous l'angle professionnel en voyageant sur un cargo. Les conditions de vie étaient, certes, plus rudes, mais l'atmosphère était plus calme, moins formelle et, à mon goût du moins, beaucoup plus intéressante. De plus, les temps avaient changé et, à tout prendre, la nourriture y était meilleure. Les Addison étaient de bons patrons qui traitaient correctement leurs équipages et prévoyaient un budget convenable pour le ravitaillement. Cependant, lors de mes voyages passés, j'avais parfois pris l'initiative de faire mes commentaires après coup, car peu de gens en avaient l'occasion et la possibilité. Ils s'y étaient habitués, après mes nombreux voyages en mer du Nord et en Baltique ; mais j'imagine que ma présence était une source d'irritation pour les capitaines qui n'aimaient guère avoir de passagers à bord, même quelques-uns seulement. Et surtout pas une femme seule. J'essayais de ne pas m'en offusquer.

Nous eûmes de la chance pour notre voyage d'aller, car nous étions accompagnées de cinq autres personnes : deux officiers de l'armée des Indes, une dame d'un certain âge qui était allée voir son mari en permission et revenait avec sa fille célibataire, et un monsieur seul à la profession et à l'âge indéterminés, qui restait en général dans sa cabine. À part lui, nous prenions tous plaisir à la compagnie les uns des autres. Une fois que nous eûmes laissé la Manche derrière nous, le temps fut agréable et exceptionnellement calme pour un mois de mars, même pendant la traversée du golfe de Gascogne, à l'infini soulagement d'Alice. Mon seul grief, si l'on pouvait appeler cela un grief, était que les autres passagers accaparaient trop mon attention. Je m'intéressais tant à leur vie, à leurs relations – et même au manque de sociabilité du passager excentrique –, que ce fut à peine si j'eus le temps de remarquer le bateau, ou même ses officiers et l'équipage. Ce qui signifie sans doute qu'ils étaient tous excellents. Sinon cela ne m'eût pas échappé.

Du voyage de retour, naturellement, je me rappelle les moindres détails.

Alice et moi passâmes trois semaines en Égypte, avec le sentiment troublant d'être sorties de la réalité pour nous retrouver en pleine époque biblique. Les rues principales du Caire étaient un anachronisme moderne. La plupart des autres lieux paraissaient n'avoir pas changé depuis Moïse. J'avais vu des gravures du Sphinx et des pyramides, et même quelques photographies. Mais elles ne m'avaient pas préparée à la lumière étincelante et aux couleurs de la réalité. Ni aux odeurs, qui étaient parfois également entêtantes, ni à la poussière, qui s'insinuait partout.

À certains égards, les mosquées et les musées me rappelaient

Constantinople, et le voyage que j'avais fait avec Henry dix ans auparavant. Nous étions si proches, si heureux alors, comme deux amoureux en voyage de noces. Cela semblait remonter à une éternité, et j'éprouvai une grande tristesse, sachant que jamais je ne retrouverais la joie de ces instants. Pour chasser ces pensées par trop mélancoliques, j'entrepris de sillonner le pays en traînant partout la pauvre Alice : en voiture, à dos de chameau et d'âne dans le désert, et sur le Nil en felouque, tant et si bien qu'à la fin nous étions toutes deux épuisées, couvertes de taches de rousseur et plus que rassasiées de tombes, de temples et de textes hiéroglyphiques ; sans parler du nombre étonnant d'hommes qui se proposaient pour nous servir de guides personnels.

« De guides pour quoi, Madame, je vous demande un peu ? marmonnait Alice, qui avait toujours peur que nous ne soyons toutes deux victimes de la traite des Blanches. Pour nous conduire à la fumerie d'opium la plus proche, je parie ! »

Je riais, mais j'étais lasse de repousser ce genre d'attention, qu'on nous manifestait même lors des visites guidées. Malgré tous les agréments du voyage, j'étais prête à rentrer. Lorsque nous arrivâmes au Caire, on nous annonça que deux bateaux quittaient Bombay en même temps, et qu'un autre devait partir quinze jours plus tard. Il y avait des couchettes disponibles sur les trois. J'avais choisi le premier, le *Holderness*, car je le connaissais, ainsi que son capitaine, les ayant vus à Londres. Je me rendis donc aux bureaux de l'agent du Caire pour confirmer ma traversée et ne vérifiai que la date et l'heure de notre embarquement à Port-Saïd. Il ne me vint pas à l'idée de poser d'autres questions.

Le jour venu, lorsque nous nous présentâmes à l'embarquement, un jeune apprenti qui aidait à contrôler les marchandises en transpirant à grosses gouttes, avec son col dur et son gilet, était en service à la passerelle. Il demanda à un homme de l'équipage de porter nos bagages et nous escorta jusqu'à nos cabines au milieu du navire.

« Le capitaine vient juste de descendre à terre, madame, mais je suis sûr qu'il sera heureux de vous souhaiter la bienvenue à bord dès qu'il rentrera.

— Dites-lui que ce n'est pas pressé, lançai-je d'un ton dégagé. Je n'ai pas besoin d'une visite guidée. Je suis Mrs Lindsey et il sait que je connais déjà ce bateau. »

Le jeune homme parut hésiter, mais il se contenta de hocher la tête et repartit vaquer à ses occupations pendant qu'Alice et moi entreprenions de nous installer confortablement dans nos cabines, à peine plus grandes que des placards à balais. Comme tout le monde semblait occupé, et qu'Alice défaisait les bagages, j'allais saluer les autres passagers, une jeune femme qui voyageait en compagnie d'un homme beaucoup plus âgé, un médecin en congé qui rentrait chez lui. À la mine blafarde et aux gestes languissants de cette miss Fenton, je me dis qu'elle devait revenir des Indes pour raisons de santé. Elle était assise sous un abri sur le pont des embarcations et, par courtoisie, j'acceptai de m'asseoir à côté d'elle tandis que le docteur allait chercher une autre chaise.

Tout en affectant de nous intéresser aux activités du quai, nous échangeâmes les phrases polies qui permettent à des étrangers de s'observer et de se jauger. Les officiers du navire vérifiaient le chargement qui était hissé à bord, les marchands en bateau entouraient notre navire et criaient leurs marchandises : cageots de fruits, gâteaux au miel, tentures brodées, alors que sur le rivage des employés du port essayaient en vain de les disperser. C'était un kaléidoscope de couleurs et de bruits et, au milieu de tout cela, j'aperçus un homme en casquette et vareuse de toile qui portait sous le bras une liasse de papiers. Il était brun, bronzé, barbu, mais son allure m'était familière, surtout sa façon de se déplacer dans la foule et de monter la passerelle d'un pas léger pour se diriger vers nous.

« Ah, voilà notre fier capitaine..., dit miss Fenton.

— Mr Barlow ? Ce n'est sûrement pas...

— Non, non, Mr Barlow est tombé malade juste avant l'embarquement, et Mr Markway, qui était sur un autre navire, l'a remplacé. »

Avant même qu'elle prononce son nom, j'avais reconnu Jonathan.

« Markway, répétai-je, le souffle coupé. Bien sûr, j'avais oublié... »

Oublié son visage, son allure, et le plaisir que j'avais toujours eu à le voir. Il était plus âgé maintenant, naturellement, avec une carrure et une corpulence d'adulte, mais il avait gardé sa grâce d'adolescent. Malgré une barbe et des cheveux un peu plus longs et bouclés que ne l'exigeait une mise soignée, il était plus beau que jamais. Je ne parvenais pas à croire qu'il était là, devant mes yeux, en chair et en os, après toutes ces années, et qu'il était le capitaine du navire sur lequel nous allions voyager.

Si je fus quant à moi étonnée et interloquée, je craignis que sa réaction ne fût pire que la mienne. Il s'approchait, avançant à grandes enjambées vers ses passagers qui devisaient, tranquillement assis, avec l'intention manifeste de souhaiter la bienvenue à bord à cette femme dont on lui avait parlé, cette Mrs Lindsey – *une amie de longue date des propriétaires, alors surveillez vos manières* — dont il ne savait absolument pas qui elle était. Je m'obligeai à me lever afin de me payer d'audace et de l'arrêter avant qu'il ne s'approche davantage, espérant lui éviter ainsi de commettre un éventuel impair devant ces spectateurs désœuvrés et curieux.

Mes manières durent paraître extrêmement cavalières, car, avec un sourire forcé, je tendis la main, l'attirai vers la rambarde pour que les autres ne voient pas sa stupéfaction, et m'exclamai :

« Capitaine Markway ! En voilà une surprise ! Je m'attendais à voir Mr Barlow, mais miss Fenton vient de m'annoncer que le pauvre homme est tombé malade. Rien de sérieux, j'espère ?

C'est donc vous qui le remplacez ! Je me présente, Marie Lindsey. Je suis ravie de faire votre connaissance (je lui serrai vigoureusement la main en lui adressant un large sourire), et permettez-moi de vous dire que je suis ravie à la perspective de cette traversée ! »

Toute couleur disparut instantanément de son visage et, sous le choc, il devint d'une pâleur cireuse. Il me regarda avec une incrédulité mêlée d'horreur et des prunelles noires comme du jais. Si je réussis à garder le sourire en débitant un chapelet de banalités, c'est sûrement à mes années de transactions dans la City que je le devais, mais cela, Jonathan Markway l'ignorait.

« Madame Lindsey, articula-t-il enfin en m'adressant un petit salut très raide, excusez-moi de ne pas vous avoir accueillie à votre arrivée, et permettez-moi de vous souhaiter la bienvenue à bord du *Holderness* ! Nous ne pouvons malheureusement pas vous offrir le confort d'un paquebot – ajouta-t-il d'une voix un peu rauque, comme s'il venait de se rappeler une tirade prévue pour la circonstance –, et il faudra donc vous attendre à des aménagements assez rudimentaires. Nous ferons cependant de notre mieux pour vous assurer une agréable traversée.

— Je vous remercie », répondis-je avec sincérité, en essayant de croiser son regard et de lui faire passer un message infiniment plus tendre que ce discours de femme très sûre d'elle que je venais de débiter avec un peu trop d'aplomb. Mais il avait l'air bien décidé à éviter mon regard et, après avoir toussoté et repris son ton habituel, il s'excusa rapidement et disparut à l'intérieur du navire.

Miss Fenton fut offusquée, tant par mon exubérance que par la brusquerie de Jonathan. Même le Dr Graeme, qui avait observé la scène d'un air aimable, prit une mine dubitative. Je regagnai mon siège, accrochant un sourire à mes lèvres pour masquer la sensation de vide que j'éprouvais. Pendant un quart d'heure, j'écoutai la conversation de mes compagnons, hochai la tête, et laissai tomber quelques inepties, puis invoquai la chaleur pour aller m'allonger. Lorsque je repris mes esprits et mon bon sens, je craignis de m'être mise dans une situation intenable des deux côtés.

Si le *Holderness* avait été un paquebot, Jonathan aurait pu m'éviter facilement. En revanche, à bord d'un cargo, l'espace réservé au logement occupe un espace restreint au milieu du navire. Ici, il comprenait les six cabines des passagers et leur salon, la cabine du capitaine et celles des officiers, et au-dessus la timonerie et la chambre des cartes. Même si Jonathan ne prenait pas tous les repas avec nous, il venait en général une fois par jour dans le salon, et la plus élémentaire courtoisie voulait qu'il échangeât quelques mots avec chacun d'entre nous. Au cours des trois premiers jours, je fis de mon mieux pour me placer de façon que nous puissions nous parler en privé, mais dans un espace aussi confiné il y avait toujours quelqu'un à portée d'oreille, et il se borna à m'adresser un petit signe de tête à table pour montrer qu'il m'avait vue, sans toutefois m'adresser la parole. Nous aurions pu être des étrangers, à ceci près qu'il ne me regardait même pas.

La situation était désagréable, gênante même ; je la trouvais pénible et tous les raisonnements du monde ne faisaient rien à la chose. Malgré tout, en société, je m'efforçais de garder une façade égale, de sourire et de plaisanter. Je ne manifestais sans doute pas un aplomb aussi excessif que lors de notre rencontre, mais je me comportais avec plus d'audace et d'assurance que je n'en éprouvais. Alice ne fut pas dupe longtemps et, comme elle n'avait pas assisté à notre première confrontation, elle s'inquiéta au point de me demander ce qui me préoccupait. Elle rangeait mes vêtements pendant que je me brossais les cheveux avant d'aller me coucher ; le léger tangage du bateau évoquait le mouvement rassurant d'un berceau, ce qui, ajouté à sa sollicitude, faillit me délier la langue. Je m'obligeai à me fixer dans le miroir, à remarquer la ligne arrondie de mes épaules, mes seins plus lourds, et les petites rides que Henry appelait les rides du rire, au coin de mes yeux et de ma bouche. J'étais maintenant une femme mûre, responsable, et plus une jeune fille ; de surcroît, Alice était à mon service. Bien que ma sensibilité fût la proie du passé, je ne lui dis qu'une petite partie de la vérité, à savoir que le capitaine du navire et moi nous étions connus il y avait très longtemps à Whitby.

« Nous étions jeunes à l'époque. Il n'y a jamais eu entre nous de déclarations ni quoi que ce soit, mais je crois qu'il aurait aimé que je sois là, à l'attendre, à son retour.

— Et vous n'y étiez pas ? » demanda-t-elle.

Je dus alors expliquer qu'en son absence j'avais quitté Whitby pour aller travailler chez les Addison.

« Eh bien, dit-elle simplement, il n'avait qu'à venir vous voir s'il tenait tant à vous, Madame. Il ne devrait pas vous le faire payer maintenant comme cela, après toutes ces années. Ce ne sont pas des façons.

— Non, en effet. »

Je lui adressai un sourire neutre, faute de pouvoir lui dire le fond de ma pensée, à savoir que Jonathan ne m'avait pas pardonné d'avoir rejeté un avenir avec lui pour des avantages à court terme avec un homme beaucoup plus riche et âgé. En d'autre termes, pour m'être prostituée, car c'était ainsi qu'il avait dû interpréter ma liaison avec Bram. De cela je ne pouvais souffler mot à Alice.

Elle eut une question habile :

« Vous teniez à lui ?

— Pas assez, manifestement.

— C'est bien dommage. Il est vraiment beau...

— Il l'était sans doute à l'époque. Mais plus maintenant, rétorquai-je avec fermeté. Et au cas où vous l'auriez oublié, Alice, je suis mariée. »

Comme lui sûrement.

Plus tard, restée seule, je me demandai qui il pouvait avoir épousé et où il habitait ; s'il s'était établi à Whitby ou ailleurs. Et s'il était heureux.

27

Je remarquai plusieurs bricks et goélettes encalminés tandis que nous avancions à toute vapeur, et me pris à penser à Jack Louvain et à Bram, devant le studio de Whitby, en train de regarder les remorqueurs et de discuter les mérites respectifs de la voile et de la vapeur.

Ceux qui n'ont aucune expérience des difficultés qu'elle implique préféreront toujours la voile. Or, malgré la beauté des bateaux à voiles et le plaisir exaltant de filer à une allure dansante sur une mer d'été, l'intérieur des anciens voiliers, même des meilleurs, était humide et étriqué ; et les pires pouvaient tuer, comme en témoignaient les épaves sur les côtes de Grande-Bretagne. Les vapeurs étaient différents, peut-être moins beaux, mais plus sûrs. Ils risquaient moins de s'échouer sur un rivage sous le vent, faisaient route par tous les temps, et leur machine à vapeur fournissait de la chaleur, de l'eau et du combustible à la cuisine, ce qui augmentait le confort de la vie à bord. Si ceux qui remplissaient la chaudière avaient un travail rude, du moins pouvaient-ils espérer un repas chaud et une couchette au sec à la fin du quart, à la différence d'autrefois, où le mauvais temps signifiait des vêtements humides pendant des jours entiers et des repas de porridge froid et de biscuits de mer.

Cependant, tout en répertoriant dans mon esprit les avantages du progrès, je regrettais de ne pas avoir pris quelque vieux trois-mâts délabré pour aller à Oslo ou Copenhague, quitte à m'inquiéter sur mes chances d'arriver saine et sauve, plutôt que de devoir affronter trois semaines de gêne et de contrainte sous le soleil de la Méditerranée. Que faire, sinon les cent pas sur le long pont de l'avant, ou rester assise sous un abri de toile en compagnie de la capricieuse miss Fenton. Alice, qui ne l'aimait pas, avait choisi de s'abriter derrière son masque de « domestique stupide », rôle qu'elle jouait à la perfection le cas échéant ; toutefois, je me sentais obligée de me montrer sociable au moins une heure par jour. Ce sentiment d'obligation m'était d'autant plus pénible que j'étais persuadée que si miss Fenton avait eu le choix, elle eût évité ma compagnie sans hésiter.

Le Dr Graeme était d'un commerce assez agréable, et il avait un sens de l'humour à froid. J'avais l'impression qu'il m'était reconnaissant de le relever de ses devoirs au moins une partie du temps. Nous nous rencontrions souvent lors de nos promenades sur le pont, et il paraissait sincèrement intéressé par mes liens avec le commerce maritime et les Addison. Cela nous donnait un sujet de conversation autre que le temps et les Indes. Au début, je fus assez réticente, mais je compris qu'on attribuait l'attitude extrêmement réservée de Jonathan à mon égard à mon travail et à ma position sociale. J'en fus moins humiliée face à mes compagnons et je fus reconnaissante au Dr Graeme de cette interprétation.

Une fois éloignés du delta et de son atmosphère humide, nous trouvâmes de fortes brises de mer, et une routine s'installa à bord, qui convenait à tous et surtout aux officiers du bord. Ils semblaient pour la plupart plus heureux au large et, tandis que nous traversions la Méditerranée à allure constante pour remonter vers l'Angleterre, ils étaient toujours prêts à échanger des plaisanteries en passant ou à parler de leur famille. Mais, en moins d'une semaine, les brises se transformèrent en noroît assez violent, et avec l'air froid nous eûmes des grains très forts et une mer plus agitée qui obligea bientôt miss Fenton à demeurer dans sa cabine. La pauvre Alice succomba elle aussi sans tarder. Mais je dois reconnaître que, pour ma part, ce fut une amélioration dans tous les domaines : le temps s'accordait à mon humeur et je n'avais plus besoin de faire des politesses. Même le Dr Graeme parut comprendre, et lorsque nous nous croisions sur le pont nous ne nous adressions guère la parole.

Le lendemain, la température avait encore baissé, et une pluie battante ôtait toute couleur à la mer et au ciel. L'horizon ressemblait à celui des environs de Whitby en hiver et non à la Méditerranée toute bleue à laquelle je m'étais habituée. Peut-être cela évoqua-t-il des souvenirs semblables à Jonathan, car il m'adressa la parole ce matin-là au petit déjeuner, en descendant de la passerelle. J'étais venue plus tard que d'habitude car j'avais mal dormi, et j'étais seule à table.

En luttant contre le roulis, il prit sa place au bout de la longue table et déplia sa serviette. Je m'étais assise à la place d'Alice, presque à l'autre bout, et je n'étais pas fâchée qu'il y eût quatre places vides entre nous. Lorsque le steward eut pris sa commande d'œufs et de bacon, Jonathan annonça d'une voix bourrue, comme s'il pensait que cette information risquait de me contrarier :

« Au cas où cela vous intéresserait, madame Lindsey, nous allons longer la Sicile sur tribord pendant la journée. Naturellement, vous ne verrez pas grand-chose.

— Ah oui ? » répondis-je avec une politesse froide alors que mon cœur battait comme celui d'une écolière effrayée.

Je ne savais trop si j'étais irritée, gênée ou simplement contente qu'il m'adresse ainsi la parole et si je devais saisir cette occasion pour faire la conversation, ou bien finir mon café et m'en aller. À ce moment-là, le bateau fit une embardée un peu plus prononcée, et l'huilier passa devant moi comme une luge sur une pente raide. Je l'interceptai avant qu'il ne bascule pardessus le bord de la table et s'écrase au sol.

« Bien joué », fit mon compagnon avec un petit sourire, mais en évitant soigneusement tout contact lorsque je lui tendis l'objet. « À propos, le temps fraîchit, comme vous vous en apercevez sans doute, et je préférerais donc que vous vous absteniez d'aller sur le pont principal, car ce n'est pas très prudent.

— Je connais les dangers », rétorquai-je, peut-être un peu plus sèchement que je ne l'aurais voulu, car je trouvais son attitude insultante, d'autant qu'il savait pertinemment que quand j'étais jeune, j'avais affronté bien pire.

Ses yeux sombres croisèrent les miens, et sous les sourcils arqués je décelai une telle colère que je restai muette.

« Il n'empêche que, si vous sortez, je ne veux pas vous voir vous aventurer plus bas que le pont des embarcations, dit-il d'une voix contenue.

— Fort bien, répondis-je à contrecœur, je suivrai vos consignes. Puis-je vous demander si cette règle vaut aussi pour le Dr Graeme ?

— Elle vaut pour tous les passagers. »

Dans l'espace limité d'un navire où trop peu de choses mobilisent l'esprit, il peut être curieux de constater ce qui avive les susceptibilités. Plus tard ce matin-là, le docteur et moi étions penchés sur la rambarde du pont des embarcations, essayant de distinguer la Sicile à travers le rideau de mauvais temps, et nous tombâmes d'accord pour dire que le vent avait forci et que les creux des vagues se faisaient plus prononcés. J'avais un mal de tête sournois et mon compagnon commençait à avoir mal au cœur. Je plaisantai sur le fait que bientôt ce serait à moi de le soigner et, de fait, il s'alita avant le repas du soir, et je dus servir la soupe dans des tasses émaillées à trois malades gémissants.

Ce soir-là, en sortant de la cabine d'Alice, je sursautai en voyant apparaître inopinément une haute silhouette au bout de la coursive.

« Comment vont-ils ? demanda Jonathan.

— Ils sont très mal en point et ont une mine affreuse ; cela dit, aucun des trois n'a encore été malade.

— Eh bien, c'est déjà quelque chose. Et vous, madame Lindsey, comment vous sentez-vous ?

— Mieux à l'extérieur, répondis-je d'un ton acide, quand je peux respirer l'air pur et voir l'horizon.

— Je sais que je ne devrais pas être étonné, mais je dois reconnaître que je le suis quand même », dit-il avec un certain amusement.

Je m'arrêtai devant la porte du salon et me tournai pour le regarder.

« Cela ne devrait pas vous surprendre du tout, dis-je sans chercher à masquer mon reproche. Au cas où vous l'auriez oublié, Jonathan Markway, vous et moi venons du même endroit.

— Je ne l'ai pas oublié.

— Moi non plus. »

Il y avait encore une lueur de défi dans son regard quand il croisa le mien ; cependant sa colère semblait calmée. Pour la première fois, j'eus l'impression qu'il entrevoyait en moi la femme que j'étais à présent et non plus la fille qu'il se rappelait, et je m'en réjouis. Je m'apprêtais à prendre ma place habituelle à la table quand il me lança :

« Eh bien, si vous voulez monter sur la passerelle de commandement un moment, disons, à huit heures dix ou quinze, je crois que nous pourrons au moins vous offrir un spectacle différent. »

Je m'efforçai de retenir un sourire de satisfaction et acceptai d'un signe de tête. L'invitation n'avait rien d'exceptionnel, je le savais, car à ma connaissance le docteur était déjà allé à la timonerie à deux ou trois reprises, ainsi que miss Fenton avant notre arrivée, d'après ce que j'avais compris ; mais c'était la première fois qu'on m'y conviait et mon seul regret était l'heure. Le dîner était à six heures, et à huit heures il ferait nuit noire. Néanmoins, c'était un début.

Après dîner, je fis ma tournée des malades, m'acquittant à contrecœur, sauf auprès d'Alice, du genre de corvées que j'effectuais du temps où j'étais domestique. J'attendis d'être sûre que le précédent quart était terminé, que le second du navire était parti se coucher et avait été remplacé par le second lieutenant. J'avais mis des bottes hautes, un long chandail et une jupe-culotte pour être à l'aise. Je grimpai la passerelle en me cramponnant aux rambardes chemin faisant. Le vacarme de la mer était assourdissant et je ne fus pas fâchée d'arriver à l'abri des vitres de la timonerie. En haut, sur l'îlot de commande, la silhouette encapuchonnée de la vigie allait et venait pendant qu'à l'intérieur le timonier s'efforçait de garder la barre droite et que le capitaine et le second lieutenant scrutaient les ténèbres de part et d'autre.

Avant minuit, le premier quart était confié au cadet des officiers, mais à cause de son inexpérience le capitaine restait généralement dans les parages pour des raisons de sécurité.

« Et par gros temps, la nuit, quand nous sommes aussi près de la terre, je préfère ne guère bouger d'ici », avoua Jonathan à mi-voix.

Cette confession me fit penser qu'une autre brèche s'ouvrait dans sa cuirasse et me toucha. Debout à ses côtés sur cette passerelle, je fus extrêmement sensible à sa proximité. Au bout d'un moment, il reprit ses activités ordinaires, alla d'une fenêtre à l'autre, vérifia le cap avec le timonier, sortit pour inspecter la mer et jeta un regard circulaire de la proue à la poupe, puis rentra et reprit ses allées et venues. Je regardai dehors, moi aussi, mais ne vis rien, sinon d'énormes vagues blanches se creuser de part et d'autre de l'étrave et l'éclat phosphorescent de l'écume qui se brisait sur les ponts. Je sentis un pincement d'inquiétude familier et fermai quelques instants les yeux. En les ouvrant, je regardai en contrebas et compris pourquoi nous autres passagers avions été bannis du pont principal ; et, quand le bateau donna un coup de roulis plus sévère, je me rendis compte que le temps se gâtait sérieusement. On procéda dans le calme aux vérifications du cap et de la route, à peine audibles à cause des hurlements du vent et du bruit des machines. J'aperçus à bâbord, au moins trente secondes après tout le monde, une faible lumière vacillante, celle d'un autre vapeur qui faisait route vers l'est. Ce fut tout, et pourtant il y avait quelque chose de compulsif dans ce désir de chercher des signes de vie dans les ténèbres, surtout par une nuit comme celle-là. C'était comme observer le ciel pour voir des étoiles filantes, ou regarder dans le feu, quand la nuit s'avance et que les autres, les gens raisonnables, sont couchés.

Je pensais qu'il s'était écoulé une heure, peut-être davantage, mais lorsque la vigie descendit pour préparer des boissons chaudes, j'eus la surprise de constater qu'il était presque onze heures. J'avalai quelques gorgées prudentes de chocolat très sucré, et souris soudain en me rappelant un autre épisode, des années auparavant. Quand Jonathan s'arrêta à côté de moi, je lui décrivis ma première traversée avec Henry à bord d'un charbonnier de Whitby jusqu'à Saint-Péterbourg et Tallinn. Je lui parlai même très brièvement du *Merlin*.

« Je me souviens de l'importance que vous y attachiez », dit-il à mi-voix.

Dans l'obscurité, son regard resta brièvement fixé sur le mien. Puis il fronça les sourcils et s'écarta, et je me dis qu'il était sans doute temps de vérifier l'état de mes patients avant d'aller me coucher. Mais quand je me tournai pour prendre congé, Jonathan insista pour descendre voir comment se portaient les autres et s'assurer avec moi que tout était normal dans les trois cabines ; après quoi il me dit qu'il espérait que je serais capable de m'occuper des dames pendant la tempête, et que si le Dr Graeme se mettait à vomir il enverrait l'un des stewards l'assister.

« Vraiment, si je m'occupe d'Alice et de miss Fenton, cela ne me dérange nullement de soigner aussi le Dr Graeme...

— Peut-être, mais je suis sûr que la présence d'un steward

l'embarrassera beaucoup moins », insista Jonathan, qui sourit lorsqu'un coup de roulis inattendu nous rejeta tous deux contre la paroi de bois.

J'éprouvai une sensation extraordinaire, comme si je me trouvais sur un manège de foire, avec un corps tantôt lourd comme de l'argile, tantôt léger comme l'air, une sensation folle et grisante qui me transporta d'aise tout en m'effrayant mortellement. Nous nous tenions debout dans l'étroite coursive sur laquelle donnaient nos cabines et, comme je me tournais vers la porte de la mienne, une autre embardée violente faillit me faire perdre l'équilibre. Jonathan m'empoigna le bras et me cala contre son flanc, tandis que je partais d'un fou rire nerveux et impuissant.

« Attention, me prévint-il, ça se gâte.

— Je sais », répondis je en riant et tremblant des pieds à la tête.

Je me sentais ivre, déboussolée et presque sur le point de m'effondrer. Nous restâmes ainsi de précieuses secondes qui parurent s'éterniser, agrippés l'un à l'autre pendant que le bateau tanguait, roulait, et s'ingéniait à nous faire perdre l'équilibre. L'étreinte de Jonathan était ferme et, tant qu'il me tenait, tout était bien ; j'aurais voulu qu'il ne me lâche jamais. Mais lors de l'embardée suivante, il tendit la main vers ma porte, l'ouvrit et m'attira à l'intérieur avec lui. Dans cet espace étroit, il pouvait appuyer une épaule contre la couchette du haut tout en tenant la porte ouverte de l'autre main. Il me soutenait, et il y eut un long moment où nous nous balançâmes ensemble, tout proches, comme deux danseurs. Je sentis mes seins s'alourdir contre lui et ses muscles se contracter sous mon poids, puis soudain tout devint léger, il n'y eut plus que le frôlement délicat de son corps, la proximité de son visage, de ses lèvres entrouvertes, en attente.

« Damaris », chuchota-t-il, lâchant mon nom sur un soupir avide.

Après tant d'années, je n'avais plus l'habitude de m'entendre appeler ainsi : les sourcils froncés, je pris une inspiration et changeai de position. Brusquement, la tension fut différente, l'intimité s'était enfuie.

« Pardonnez-moi, dit-il en s'écartant. Quand vous vous coucherez, madame Lindsey, calez-vous bien, avec un oreiller ou une couverture. Et soyez très prudente, surtout entre les cabines. Les portes peuvent être fatales. (Un bref instant, il eut une mine blessée et indécise qui contrastait avec ses paroles. Je vis sa bouche se crisper et j'attendis la suite.) Vous m'excuserez, il faut que je retourne à la passerelle. »

Sur ces mots, il disparut.

J'eus la sensation de me dégonfler comme un ballon. J'en perdis le souffle, et mon impression d'insouciance s'évanouit également. Lâchant la couchette supérieure, je laissai le bateau me faire tomber sur celle du bas. Je faillis bientôt être éjectée au sol et suivis le conseil de Jonathan : je roulai une couverture sous le côté extérieur du matelas et m'étendis sur ma couchette tout habillée.

Je ne fermai pas l'œil et ne trouvai guère le repos car les mouvements du bateau étaient trop pénibles et, de toute façon, écartelée entre le désir frustré, la culpabilité, et rongée par le doute, je ne savais si Jonathan me désirait autant que moi je le désirais. Ou même s'il me désirait, d'ailleurs. Mon émoi était si fort que je percevais les battements de mon pouls et j'avais beau savoir que j'avais tort, que j'étais déloyale envers Henry, que je le trahissais et commettais une infidélité, je sentais bien que la bataille était inégale et que ma conscience serait incapable de résister. Cette première passe d'armes eut l'avantage de me distraire de la tempête, et j'en oubliai d'avoir peur. De temps à autre, je me rappelais mes obligations envers les malades – envers Alice j'éprouvais de la sollicitude, mais envers les deux autres je faisais seulement mon devoir de mauvaise grâce. Je passai la moitié de la nuit debout, à appliquer des compresses froides sur des fronts enfiévrés et à vider des seaux avant que le bateau ne les renverse sur le pont. Cela demandait un art consommé, car le sol de la salle de bains était glissant et il fallait bien viser quand on vidait le seau dans la cuvette, sinon un flot d'eau de mer pouvait en rejaillir. Cela m'empêcha néanmoins de penser à Jonathan Markway, alors même que mes frustrations secrètes s'exprimaient dans un langage coloré de poissarde que je n'avais pas utilisé depuis des années.

Peu avant l'aube, Alfred, le premier steward, arriva en renfort et, avec lui, je vins à bout du pire. Un moment, j'eus moi-même mal au cœur sous l'effet conjugué de la faim et de l'épuisement. Pour le petit déjeuner, je pris un bol de *kedgeree*[1] et du thé, après quoi je dormis quelques heures.

Malgré le temps, j'avais besoin d'air, mais, même sur le pont des embarcations, il était difficile de circuler. Je me bornai au secteur autour de la coupée, me cramponnant à la rambarde pour monter et descendre quelques marches, et, fouettée par le vent et l'écume, je m'étonnai de la violence déchaînée de la mer. La tempête et le mélange de peur et d'euphorie me rappelèrent ma première rencontre avec Bram ; puis la mémoire me conduisit vers des sentiers familiers et je me demandai si ce jour-là avait marqué ma rupture avec Jonathan. En dépit de tous les obstacles, notre attraction mutuelle aurait pu évoluer et se muer en attachement sérieux, j'en étais persuadée. Seulement, j'avais rencontré Bram à ce moment-là, ce qui avait modifié radicalement ma façon de voir. Et ma vie.

Une fois encore, j'accusai le destin, me demandant pourquoi j'avais rencontré un homme comme Bram et pourquoi je n'avais pu me contenter de me fixer à la Baie comme tous mes ancêtres, avec un époux marin comme Jonathan.

Cependant, j'avais lutté contre cette idée avant même de les avoir rencontrés l'un et l'autre, et je savais que mes sentiments

1. *Kedgeree* : plat traditionnel du petit déjeuner en Angleterre du Nord, à base de poisson, de riz, d'œufs durs et de crème. *(N.d.T.)*

pour Jonathan étaient ambigus dès le début à cause de la carrière qu'il avait embrassée. J'essayais de me raccrocher à ces pensées, qui durent céder devant un fait très simple : Jonathan m'avait toujours attirée physiquement. C'était ce désir qui me taraudait à présent. Devais-je y voir une sorte de punition pour mes erreurs passées ? J'étais si tourmentée que j'aurais donné cher pour qu'une diversion quelconque vînt m'occuper l'esprit.

J'aurais pu monter au poste de commandement, mais je n'y étais pas invitée, et de toute façon le souvenir des instants passés dans ma cabine me retenait. Au lieu de quoi je croisai Jonathan à plusieurs reprises dans des lieux qui ne se prêtaient guère à la conversation : entre deux portes entre les cabines et le salon, ou brièvement sur le pont. Je mourais d'envie de sentir à nouveau le soutien de ses bras, mais il garda ses distances et moi aussi, tandis que nous nous cramponnions, jointures blanchies, à des portions différentes de la rambarde. Il voulut savoir comment j'allais d'un ton qui paraissait empreint d'une authentique sollicitude, mais je me dis que ce devait être celui qu'il destinait aux passagères inquiètes, aussi je répondis que j'allais fort bien. Je trouvais qu'il avait l'air très fatigué. Il devait assurément penser la même chose de moi.

Enfin, au bout de quatre ou cinq jours, la tempête se calma. Si la mer restait grosse, le vent était tombé, et tout le monde put donc se permettre de se changer et de se reposer. Cet après-midi-là, alors que j'avais eu l'intention de m'étendre quelques instants seulement, je dormis du sommeil du juste. Lorsque je me réveillai au bout de trois heures, je me sentis bizarre et mal assurée et montai sur le pont pour prendre l'air. À ma grande stupéfaction, à la lueur du couchant, je vis des montagnes, des sommets nus couleur cannelle qui se dressaient entre la mer grise et le ciel bleu brumeux de la fin de l'après-midi. Ce spectacle était si beau, si inattendu, que des larmes de gratitude m'embuèrent les yeux. Sans me l'avouer, j'avais dû avoir peur tous ces jours-ci et ne pas oser croire que nous reverrions jamais la terre les uns ou les autres.

En entendant un bruit de pas, je clignai des yeux et pris une profonde inspiration. Jonathan apparut sur le pont et se pencha sur la rambarde.

« Les montagnes de l'Atlas, murmura-t-il avec un soupir de satisfaction. Il y a de quoi se réjouir du spectacle après ces derniers jours, non ? »

Ses sentiments étaient si exactement l'écho des miens que je faillis me départir du peu de maîtrise que je conservais encore.

« En effet », répondis-je en cherchant un mouchoir dans ma poche.

Je me mouchai plutôt bruyamment tout en m'efforçant de contrôler mes émotions, qui semblaient décidées à m'échapper.

Au bout d'un moment, il me demanda d'un ton hésitant :

« Je voulais boire quelque chose dans ma cabine avant le dîner... Accepteriez-vous de vous joindre à moi ? D'ici une demi-heure, si cela vous convient ? »

Surprise, je sentis mon cœur bondir si violemment que je faillis refuser, dire que c'était impossible, mais je m'entendis répondre que oui, ce serait parfait, que je m'apprêtais justement à rentrer me changer pour dîner. Un peu plus tard, dans l'intimité de ma cabine, j'étais au comble de l'agitation : je me battais avec mes cheveux, me poudrais le nez, tentais de trouver une robe qui ne fût ni tachée ni trop froissée. Puis, après avoir essayé au moins cinq ou six tenues dont aucune ne me plaisait, je fus saisie par l'appréhension, comme une gamine, à l'idée de ce qu'il pourrait dire ou des questions qu'il pourrait poser lorsque nous aurions enfin le loisir de parler.

Moi qui avais souhaité que se présente l'occasion de m'expliquer, j'en venais maintenant à la redouter. En montant le rejoindre, je revis brusquement la maison de Southgate et sa chambre, en haut de l'escalier.

La porte de sa cabine était entrouverte, bloquée avec un

crochet, et le rideau oscillait, suivant le mouvement du bateau. Pour couronner l'impression de retour en arrière, Jonathan était assis à son bureau, à écrire. Là se terminaient toutefois les ressemblances. Le visage qu'il tourna vers moi était celui d'un homme, barbu, lavé de frais comme en témoignaient les cheveux mouillés qui bouclaient sur sa nuque. Il avait passé une chemise propre, une cravate bleue flamboyante et son uniforme de toile froissée.

Avec un sourire chaleureux quoique timide, il m'offrit l'autre fauteuil qui, comme le sien, était arrimé au pont par une courte corde, et me demanda ce qu'il pouvait m'offrir. Il buvait du cognac, et je lui dis que je prendrais la même chose. Pendant qu'il m'en versait, j'examinai la pièce en quête de photographies. Je n'en vis qu'une, et pas très nette, sur laquelle figurait un petit groupe familial qui devait sans doute, je le craignis, être Jonathan, sa femme et trois jeunes enfants. Elle était fixée à la boiserie au-dessus de son bureau. Je me forçai à sourire et regardai ostensiblement le cliché, espérant qu'il m'éclairerait sur un point au moins. Quand il le remarqua, il détacha la photographie avec un sourire et me la tendit.

« Vous vous souvenez de mon frère, Dick ? Il a le magasin d'accastillage à présent. C'est lui, là, avec sa femme et ses enfants. La photo a été prise l'an dernier. »

Je sentis ma bouche se crisper.

« Il a l'air prospère, dis-je en examinant son expression assez satisfaite et les visages ingrats de sa femme et de ses enfants. Et fier de sa famille.

— En effet, répliqua Jonathan d'un ton sec. Dick pèse chaque chose, et il choisit bien.

— Il n'est pas aventureux alors ?

— Non. C'est un excellent homme, mais il n'a jamais pris un seul risque de sa vie. »

Nous échangeâmes un sourire de connivence. Nous étions

dans un espace restreint, bien que plusieurs fois plus grand que celui des cabines de passagers au-dessous. Je sentis mon courage revenir, d'autant que l'alcool revigorant commençait à faire son effet, et j'osai demander des nouvelles de ses parents. Sa mère était morte depuis des années ; quant à son père, il s'était remarié et habitait la Baie.

« Il s'y plaît. D'après lui, on se croirait en Cornouailles.

— Oui, je l'ai déjà entendu dire. (Je marquai une pause, juste assez longue pour que ma question semble spontanée.) Et vous, Jonathan, vous êtes marié ?

— Jamais trouvé le temps, dit-il en secouant la tête. Cela dit, j'ai un cottage à la Baie. »

La baie de Robin-des-Bois ! Les souvenirs qu'évoquait ce nom affluèrent, me réduisant au silence. Jonathan contempla un petit moment son verre, puis leva les yeux vers moi.

« Vous savez, depuis que vous êtes arrivée à mon bord, j'avais envie de vous parler, mais il m'a fallu quelques jours pour m'habituer à votre présence. Je suis désolé d'avoir pu vous paraître distant au début. »

Il s'interrompit pour se reverser du cognac ; je vis alors que ses mains tremblaient et qu'il n'était pas du tout sûr de lui. Aussitôt j'éprouvai une bouffée de sympathie, ainsi, je dois l'avouer, qu'une certaine joie triomphante en constatant que je pouvais le mettre mal à l'aise. Cela me donna une sensation de bien-être que jamais l'alcool n'aurait pu me fournir.

« C'est compréhensible, dis-je. À moi aussi il a fallu du temps. »

Il ne me laissa pas le loisir de devenir condescendante et me remercia d'avoir tenu bon et soigné les autres passagers au plus fort de la tempête. Je ne voulais ni être remerciée ni parler du temps, mais il ne se laissa pas interrompre.

« À propos de l'autre soir, dit-il, je crois vous devoir des excuses...

— Des excuses ? Pourquoi ?

— Mon Dieu, au cas où vous auriez cru... »

Il s'interrompit, la bouche plissée en une moue légèrement ironique. Puis, levant les yeux, il croisa mon regard interrogateur et dit sèchement :

« Je ne sais pas ce que vous avez cru, mais je vous en prie, essayez de vous mettre à ma place : je vous vois vous présenter sans crier gare, vous, une privilégiée, une femme influente dans le monde où j'évolue. Vous êtes à mon bord ! Je n'en reviens toujours pas d'ailleurs. Et vous, qu'avez-vous dû penser quand ce rustre, ce capitaine natif de Whitby, a essayé de profiter de votre frayeur et de la tempête pour vous faire des avances dans votre cabine ? Je n'en avais pas l'intention, ajouta-t-il, mais vous avez pu interpréter mon geste ainsi. Alors, si vous avez été furieuse ou offusquée, je n'en serai pas surpris.

— Oh, je vois, répondis-je sur un ton tout aussi sec, quand je pense que je croyais que vous vous préoccupiez de ma sécurité ! (Avant qu'il ait eu le temps de me répondre, je souris et levai mon verre.) Comment saviez-vous que j'avais peur ?

— Je le savais, voilà tout », répondit-il avec franchise, renonçant à jouer au plus fin.

À cet instant, je revis le jeune homme innocent qu'il était jadis et eus un pincement de nostalgie au cœur ; il m'adressa alors un sourire très spontané.

« Et si ce n'était pas le cas, alors, vous auriez dû avoir peur. Moi, j'ai eu peur. »

Je fus tentée de le croire, et la conscience du danger auquel nous avions échappé m'apparut clairement, comme dans l'après-midi. Il sembla déchiffrer d'emblée mon expression. Lorsque je tendis la main, il la prit dans la sienne, une main forte et habile, dont les doigts enlacèrent les miens. Pendant quelques secondes, nous nous regardâmes simplement ; puis il m'attira jusqu'à ce que nos deux mains se joignent, nos genoux se touchent, jusqu'à ce que, face à face, souffle à souffle, nous frissonnions d'être si proches.

« Comment osez-vous vous décrire comme un rustre de Whitby ? chuchotai-je, avalant ma salive avec peine.

— Parce que c'est ce que je suis.

— Dans ce cas, dis-je avec un rire tremblant, moi je suis encore une petite pêcheuse de Whitby mal dégrossie... »

Je sentis la chaleur de son soupir et ses lèvres effleurèrent brièvement les miennes. Mais le baiser fut à peine esquissé et il dit :

« Je l'aimais bien, vous savez, cette petite Damsy Sterne. J'ai toujours trouvé qu'elle avait du cran. Ce n'était pas non plus une fille à faire des promesses en l'air. Alors, pourquoi est-elle partie ? Pourquoi ne m'a-t-elle laissé aucun message ? »

Instinctivement, je reculai ; alors ses mains resserrèrent leur étreinte.

« Il faut que je le sache.

— On ne vous a rien dit à l'époque, Jonathan ? Les gens devaient pourtant ne demander que cela, de vous mettre au courant !

— On m'a raconté des tas de choses à l'époque. Ce n'est pas pour autant que je les ai crues.

— Vous auriez dû, dis-je âprement. Elles étaient sans doute vraies. »

Il secoua la tête et me lâcha une main pour prendre son verre.

« Cet homme, celui qui habitait Newholm, ou un autre village, est-ce lui que vous avez épousé ?

— Grand Dieu non ! Lui, il était déjà marié. Et ce n'était pas le seul obstacle.

— Avec ce genre d'homme, c'est fréquent, dit-il en buvant quelques gorgées. Vous l'aimiez ? »

Je hochai la tête car je craignais que ma voix ne me trahisse.

« Oui, malheureusement, je crois que je l'aimais. »

Il posa alors son verre, prit mon visage entre ses deux mains et m'embrassa très tendrement.

« Alors je m'en réjouis. Ce que je déplore, c'est qu'il vous ait abandonnée. »

28

Pâle comme un spectre, le Dr Graeme se joignit à nous pour dîner ce soir-là. Il fut la cible de quelques plaisanteries amicales, surtout de la part du chef mécanicien, qui avait à peu près le même âge que lui, mais il ne resta pas sans repartie. J'en fus soulagée, car, grâce à l'échange de facéties, on remarquerait moins l'air absent de Jonathan et ma gaieté plutôt forcée. Après dîner, j'hésitai à le rejoindre ; toutefois, comme Alice et miss Fenton passaient toutes deux une soirée tranquille à bavarder dans la cabine d'Alice en mangeant de la soupe avec des biscuits salés, je me dis que mes soins n'étaient plus requis.

En montant l'escalier pour gagner la cabine de Jonathan, j'avais peine à croire qu'en si peu de temps j'avais opéré un tel revirement. Je le désirais toujours, mais le fait de voir mes anciens soupçons confirmés me pesait sur la conscience, comme de savoir qu'il avait appris ma liaison avec Bram tant d'années auparavant et en avait été blessé. Pour atténuer l'importance de tout cela, il me dit que nous n'étions que des enfants à l'époque. Malgré tout, il n'avait rien oublié. Et moi non plus.

Les mots nous étaient venus plus aisément avant le dîner ; une fois le fil de la communication rompu, il nous fut difficile de reprendre une conversation qui ne soit pas anodine. Au-dessus du bureau, il y avait deux lampes à pétrole qui se balançaient au gré du mouvement du navire et jetaient sur les meubles d'acajou une lumière douce. Le steward apporta une cafetière de la cuisine et versa deux tasses, ainsi qu'un peu de cognac, et disparut dans les régions inférieures. Si, plus tôt, nous avions avalé notre dîner quelque peu nerveusement, à présent nous buvions notre café à petites gorgées prudentes, chacun observant l'autre à la dérobée, chacun attendant une ouverture qui n'avait pas l'air de vouloir venir.

J'avais conscience du plus petit mouvement, de chaque battement des cils épais et sombres sur la peau tannée. Jonathan avait des cernes sous les yeux et semblait aux prises avec un dilemme semblable au mien, qui, j'en étais sûre, tenait moins à l'enjeu moral de la situation qu'au conflit entre le passé et le présent, entre l'appréhension et le désir. Nous étions comme deux combattants sans armes qui tournent autour d'une piste et cherchent une forme d'assouvissement tout en redoutant la souffrance qu'elle pourrait engendrer. C'était insupportable. Je finis mon café et posai la tasse et le verre sur le bureau.

« Je pars, dis-je, d'une voix oppressée. Nous parlerons une autre fois peut-être.

— Non, je vous en prie. (Les sourcils froncés, il se leva et me toucha le bras légèrement d'abord, puis avec fermeté, et il me tourna vers lui et ferma la porte.) Je vous en prie, restez. »

Ce fut un autre moment décisif, où je savais que j'aurais dû respecter les convenances, autrement dit partir, dans son intérêt comme dans le mien. Mais, à son contact, la peur et les scrupules de conscience s'évanouirent, et la brûlure de sa bouche contre la mienne abolit tout hormis notre désir. Cramponnés l'un à l'autre, enivrés par le goût et le contact nous nous balancions, encadrés par les deux surfaces planes et stables du bureau et de la couchette. Ses doigts s'énervaient contre les petits boutons de mon corsage ; je les défis prestement pendant qu'il ôtait sa cravate et commençait à déboutonner sa chemise. Nous nous arrêtâmes un instant, haletants, conscients d'avoir franchi une frontière et conclu une sorte de pacte.

« Et là-haut... ? »

Je levai les yeux au plafond, où de temps à autre les planches grinçaient sous les pas des hommes de quart qui circulaient sur le pont, au-dessus de nous.

« J'ai dit au second lieutenant que j'allais me coucher, dit Jonathan avec un brusque sourire malicieux. Ne vous en faites pas, il m'appellera s'il a besoin de moi. »

Il dégrafa ma jupe et, lorsqu'elle tomba à mes pieds, me souleva pour me poser sur sa couchette. Elle était haut perchée et ressemblait à une boîte ; il y avait des placards au-dessus et au-dessous et des rideaux sur le côté ; elle n'avait pas la largeur d'un lit à deux places, mais était beaucoup plus spacieuse que la mienne. Il éteignit l'une des lampes, baissa l'autre et, ôtant le reste de ses vêtements, se glissa à côté de moi. Quelques instants, nous demeurâmes l'un contre l'autre, à nous embrasser et nous caresser, et à rire, doucement soulagés d'en être arrivés là. Puis il m'aida à finir de me déshabiller. Les mots étaient superflus. Près de lui, je me sentais désirable et intensément vivante ; quand il vint sur moi, je faillis crier de joie. Il le sentit et me regarda en me pénétrant, étouffa nos cris en écrasant sa bouche sur la mienne, puis s'écarta pour plonger en moi encore et encore. Enfin, quand il voulut se retirer, je l'en empêchai, tremblante de plaisir tandis qu'il jouissait au plus profond de moi.

Après quoi, il y eut entre nous un moment d'émotion suspendu entre le rire et les larmes, et ce fut une conspiration chuchotée de mots tendres et de baisers étouffés. Nichés dans les bras l'un de l'autre et bercés par la mer, protégés de la nuit par les rideaux à moitié tirés de ce curieux petit lit, nous avions la sensation d'être dorlotés dans la sécurité du ventre maternel. Je regardai Jonathan endormi ; dans la plénitude satisfaite du sommeil, il paraissait si jeune, avec sa barbe et ses cheveux brillants et la toison bouclée de sa poitrine. Il avait la peau lisse, les muscles fermes sous les doigts, et à mes yeux il ressemblait à un adolescent. Je dus me rappeler qu'il était plus âgé que moi, d'un an seulement, mais néanmoins mon aîné.

Je m'endormis et quand je m'éveillai je le vis penché sur moi, habillé de pied en cap.

« Tout va bien, me souffla-t-il, il n'est pas encore minuit. En me réveillant, je me suis dit qu'il valait mieux que j'aille aux nouvelles. Tout est normal. Et j'ai raflé une boisson chaude au passage. Du chocolat, malheureusement, pas du café. Tu en veux, ou tu préfères te rendormir ? »

Je me sentais parfaitement bien réveillée, aussi fraîche et dispose qu'après une excellente nuit de sommeil. Je ne parvenais pas à me rappeler quand j'avais éprouvé cette sensation pour la dernière fois. Je m'assis, enroulée dans les draps, et bus le chocolat chaud et sucré tandis que Jonathan notait les détails de la traversée. Inventant un élément pour le journal de bord, j'entonnai :

« Vent d'ouest, force trois, mer peu agitée. Apparition inexpliquée d'une passagère dans le lit du capitaine...

— Cheveux roux magnifiques, peau blanche et très jolie paire de seins, continua-t-il en souriant. Enquête à poursuivre... »

Je me mis à rire, mais il me fit signe de me taire en montrant le plafond du doigt.

« On ne va pas tarder à changer de quart, et le lieutenant est un peu plus observateur que notre tout jeune officier...

— Hum, alors, je ferais peut-être mieux de partir. »

Il s'arrêta aussitôt d'écrire.

« Il n'en est pas question. Ce n'est pas toutes les nuits que je réussis à mettre une jolie femme dans ma couchette, alors permets-moi d'en profiter ! »

Ce qu'il fit, et moi aussi, jusqu'à l'aube. Il s'habilla et descendit avec moi. Nous restâmes quelques minutes debout sur le pont des embarcations, à regarder le ciel pâlir à l'horizon, et la mer sombre prendre des teintes métalliques. Puis, sur un baiser, je le quittai. Il monta les marches de la passerelle tandis que je rentrais me coucher sur la pointe des pieds.

Pour les repas, rien ne changea : nous occupions les mêmes places, aux côtés du Dr Graeme et du chef mécanicien, avec, en face, les deux autres jeunes officiers ainsi qu'Alice et miss Fenton. Au cours des deux semaines qui suivirent, j'eus l'impression d'être reliée à Jonathan par d'invisibles cordes, que notre insouciance faisait danser. Si, en public, il me vouvoyait et m'appelait madame Lindsey, dans l'intimité il m'appelait Damsy, car il préférait ce prénom. Marie était pour les autres, disait-il, et je dus m'en accommoder. Pendant ce temps, nous faisions comme si personne d'autre ne pouvait savoir ce qui se passait entre nous, mais ce devait être un secret de polichinelle. Alfred, le steward qui s'occupait de la cabine du capitaine, m'adressait un clin d'œil quand son regard croisait le mien, et tout le monde avait la discrétion de ne rien voir. Je suppose que sur un paquebot ce genre de choses devait se produire régulièrement, et peut-être existait-il une loi implicite entre les membres de l'équipage, à savoir qu'à terre on n'en soufflait mot. Là encore, peut-être ce genre d'épisode était-il oublié sitôt le navire quitté.

Alice soutenait que miss Fenton ne se douta jamais de rien, pour la simple raison qu'elle ne s'intéressait qu'à elle-même. Au début, je m'inquiétai de ce qu'Alice pourrait penser – certes, pas assez pour renoncer –, mais je finis par me rendre compte qu'elle se faisait beaucoup plus de souci que moi en songeant à ce qui se passerait quand nous arriverions à Londres.

Je ne voulais pas y penser, moi, et je fis de mon mieux pour me comporter comme la fameuse autruche, alors que pendant les derniers jours du voyage Jonathan s'assombrissait de plus en plus. Nous approchions de l'île d'Ouessant et de la Manche quand, un après-midi dans sa cabine, n'en pouvant plus, il me dit :

« Damsy, ma chérie, j'ai toujours mesuré mon attachement aux autres femmes en le comparant à ce que j'éprouvais pour toi il y a tant d'années. Non que je me sois imaginé être encore amoureux de toi, mais je me rappelais ce que je ressentais, dans les bons et les mauvais moments. J'ai connu des femmes depuis, aucune très bien d'ailleurs, car je n'en avais guère le temps. Pourtant, jamais je n'ai retrouvé cette sensation. Honnêtement, j'avais fini par croire que l'amour faisait partie d'une illusion de jeunesse, que c'était une de ces expériences qui ne se renouvellent jamais. J'avais cessé de le chercher. Et puis brusquement, pendant un voyage de Bombay à Londres, voilà que tu reviens dans ma vie.

« Quand je t'ai vue sur le pont ce jour-là, quand je t'ai reconnue, j'ai eu l'impression de recevoir un coup en pleine poitrine. J'étais tellement bouleversé que je n'en revenais pas. Je ne parvenais pas à savoir comment réconcilier le passé et le présent. Et puis, quand j'ai commencé à t'accepter telle que tu étais devenue, je me suis rendu compte que l'ancienne attirance était toujours là, encore plus profonde et plus forte qu'avant. Et depuis, ajouta-t-il d'une voix ardente, tu as dû comprendre à quel point je t'aime. Cela, tu le sais ?

— Oui, je crois, fis-je dans un souffle.

— Alors, qu'est-ce que je vais faire ? Maintenant que je t'ai retrouvée, que va-t-il se passer ? Tu t'attends à ce que je reste à l'écart quand ton mari montera sur le bateau pour te chercher ? À ce que je te serre la main et que je te dise *Au revoir, madame Lindsey, j'ai été très heureux de vous rencontrer* ? C'est cela que tu attends de moi ? »

Si je fus blessée par son amertume, je ne pouvais rien pour l'adoucir. Je ne cessais de lui rappeler que j'étais mariée, d'expliquer mes rapports avec Henry, mon travail comme courtier maritime et propriétaire de parts de bateaux, mais il ne semblait pas comprendre la dette que j'avais envers Henry, ni l'impossibilité où je me trouvais d'envisager de le quitter.

« Et toi, as-tu pensé à ce qu'implique ta profession ? demandai-je un peu plus tard, alors que le soleil baissait sur la mer à l'ouest. T'attends-tu à ce que je quitte mon mari, et un travail qui a été toute ma vie, pour rester des mois d'affilée à attendre en me tournant les pouces que tu rentres à la maison ? J'en suis incapable. »

Pendant les derniers jours, j'avais essayé d'imaginer cette vie, tout en sachant que je ne pourrais m'y résoudre, même pour conserver ce que nous partagions en ce moment.

« Et si nous faisions un compromis ? proposai-je d'une voix douce. Nous pourrions nous retrouver quand tu débarques ou que tu es en permission. Ou même quand ton bateau relâche sur le continent, à Hambourg ou à Ostende. Nous pourrions passer quelques jours ensemble. Henry n'en saurait rien.

— Grands dieux, Damaris, c'est de ton mari qu'il s'agit ! Comment peux-tu envisager une vie de mensonges et de faux-semblants ? Et la vérité ? Et l'honneur ? Ils ne comptent donc plus pour toi ? »

Je voulais lui dire que la vie se tissait de façon complexe, qu'elle était une tapisserie de compromis. Cependant, il n'était pas d'humeur à admettre mon pragmatisme. Le temps filait et j'aurais tant voulu qu'il accepte ma proposition ; mais il en était incapable. Quand nous entrâmes dans les eaux de la Manche, la navigation devint plus dense et il fut trop occupé pour avoir avec moi de longues conversations. Ce ne fut qu'une fois l'ancre jetée dans l'estuaire de la Tamise, et avant l'arrivée du pilote, que l'occasion de parler se présenta de nouveau.

Le crépuscule tombait. La journée avait été très douce et calme, et une brise se levait, mystérieuse, sur les bancs de vase, tandis que les lumières des autres bateaux se reflétaient sur l'eau comme des lanternes. La scène avait une beauté mélancolique qui me rappelait les tableaux de Whistler, et par association, plus tard, ces tableaux en vinrent à évoquer pour moi cette soirée-là, avec sa charge de nostalgie.

Le lendemain, le plus dur de la crise serait passé, je le savais. Henry m'attendrait au port, dans le bassin, et, indépendamment de ce qui aurait été décidé, je devrais rentrer avec lui pour trouver soit une façon de lui expliquer ce qui m'était arrivé au retour d'Égypte, soit une manière de vivre avec mes souvenirs. J'étais tombée amoureuse de Jonathan, et lui de moi. C'était en quelque sorte le prix à payer, et l'idée de ne jamais le revoir m'était insupportable. Or, celle d'abandonner mon travail et de vivre seule des mois d'affilée me l'était tout autant. Pour moi, la seule solution possible était le compromis, ce qui signifiait tromper Henry, et Jonathan était trop orgueilleux pour l'accepter.

Il sortit sur le pont et je le suivis en silence sur toute la longueur du navire. En revenant, il me dit :

« J'ai presque trente-sept ans, Damaris, et je navigue depuis que j'en ai quatorze. Depuis quelque temps déjà, je me dis qu'il est temps que je m'arrête, que je prenne un travail de commissaire maritime quelque part, que je m'établisse et que je fonde un foyer avant qu'il ne soit trop tard... Il y a cette solution, tu sais. Nous n'avons pas besoin d'habiter Londres, nous avons le choix entre beaucoup d'autres villes... »

Il poursuivit, me démontrant les possibilités d'une vie de famille partagée, pendant que je m'efforçais de maîtriser mes émotions. C'était un rêve impossible, issu de ces semaines à bord, et une partie de moi mourait d'envie d'y répondre, et de poursuivre l'illusion. Mais, en même temps, j'étais mécontente, agacée qu'il ne voie pas les réalités. Redoutant que ma voix ne me trahisse, je n'osai rien dire, et il interpréta mon silence comme de la réprobation. Avant d'atteindre l'escalier menant au pont des embarcations, il chuchota d'une voix douloureuse :

« Tu n'as donc pas pensé à ce qui risque d'arriver ? Nous avons fait l'amour presque chaque nuit, parfois plusieurs fois, avec un abandon absolu et sans songer aux conséquences. Et si tu t'aperçois que tu es enceinte de moi ? »

Il m'observait étroitement. Je ne pus masquer ma réaction et, me voyant broncher et détourner le visage, il comprit qu'il avait touché un point sensible.

« Qu'est-ce qu'il y a ? me demanda-t-il en me serrant le bras. Qu'est-ce que j'ai dit ?

— J'espérais que tu l'aurais compris de toi-même, soufflai-je ne m'appuyant contre la balustrade. Je ne voulais pas être forcée de te donner des explications. Je ne peux pas avoir d'enfants. »

Jusqu'à cet instant, mon incapacité ne m'avait jamais réellement tracassée, et je la considérais à tout prendre comme un avantage, car elle m'avait permis de suivre un autre itinéraire par voie de conséquence. Mais, à présent, curieusement, j'en ressentais toute la désolation. Je ne sais pas pourquoi. Peut-être parce que, sachant que j'étais amoureuse de lui, je voulais lui sembler parfaite, normale, fût-ce passagèrement. En admettant cette incapacité – sans pour autant en évoquer la cause –, je me sentis brutalement infirme, indigne d'être une femme, indigne de sa tendresse. Et cela vint se mettre entre nous comme rien d'autre n'eût pu le faire. Cela résolut tout et la décision se prit d'elle-même : à ma grande honte, je l'utilisai comme prétexte pour mettre fin à notre relation.

Je lui dis que, maintenant que je savais ce qu'il attendait vraiment de moi, je me sentirais toujours coupable de ne pas pouvoir le lui donner. Qu'il n'y avait aucune raison que je quitte Henry, absolument aucune, puisque cela ne rendrait personne heureux et lui moins que nous encore. Il ne méritait pas cela.

Je me faisais horreur. Jonathan parut stupéfait et accablé de douleur, posa des bribes de questions, se détourna en maudissant le destin qui m'avait une première fois dérobée à lui quand il m'aimait et avait eu la cruauté de me remettre sur son chemin pour m'enlever une autre fois.

« Eh bien, dit-il en désespoir de cause, va pour les rendez-vous clandestins. Dis-moi quand et où, et nous nous retrouverons. Je t'aime trop pour te perdre à nouveau... »

Hélas, il était trop tard pour se mettre d'accord. Je suggérai que nous laissions passer un peu de temps, dans l'immédiat en tout cas. Pour réfléchir. C'était préférable. « Laisse-moi une adresse, ajoutai-je, et je t'écrirai. Tu peux me joindre à mon bureau de la City. »

Là-dessus arriva le pilote, qui mit un terme à toute possibilité de conversation.

Le navire accosta au petit matin, peu après l'aube. J'avais espéré qu'Alice et moi pourrions débarquer avant que Henry monte à bord, mais nous ne pûmes descendre tant que toutes les formalités administratives n'étaient pas remplies, et, hélas, lorsqu'elles se terminèrent enfin, Henry et l'agent des Addison franchissaient déjà la passerelle.

Je redoutais une rencontre dans la cabine de Jonathan. Pour l'éviter, je créai une diversion à propos des bagages, prétendant ne pouvoir retrouver l'une de mes petites malles, ce qui expliquait dans une certaine mesure ma nervosité, et permit d'occuper Henry et Alice, qui se livrèrent à des recherches infructueuses. Ce ne fut que lorsque j'aperçus Jonathan sur le pont avec son second que je « retrouvai » brusquement ma malle sous la couchette inférieure de ma cabine. Alors, soulagée, j'étreignis mon mari, m'excusai de mon étourderie et manifestai la plus grande hâte de descendre.

Henry, plus pimpant que jamais en redingote gris perle, prit son haut-de-forme et sa canne, me considéra d'un œil interrogateur et déclara qu'il devait d'abord présenter ses civilités au capitaine. Alice me regarda, pinça les lèvres et baissa les yeux comme nous nous mettions en devoir de le suivre. Elle descendit la passerelle en compagnie du Dr Graeme et de miss Fenton alors que nous allions rejoindre l'agent sur le pont. J'aurais donné cher pour les suivre. Au lieu de quoi, j'accompagnai les deux hommes et m'approchai de Jonathan qui, penché sur une écoutille, parlait à l'un des matelots en contrebas. Bien qu'il sût que nous étions là, il ne leva les yeux qu'au dernier moment. Il avait le regard éteint, un pli amer aux lèvres, et chaque geste, par sa lenteur, manifestait sa réticence. Il portait son uniforme bleu marine, mais avait les mains très sales, couvertes d'huile ou de cire après avoir manipulé une des toiles goudronnées posées à côté. Il avait dû le faire exprès car après les présentations il put se contenter de saluer mon mari sans lui serrer la main.

Ils avaient la même taille et la même charpente. L'espace d'un instant, je vis une ressemblance entre eux et me demandai avec une brusque surprise si c'était elle qui m'avait attirée chez Henry au début. Après avoir exprimé ses remerciements, mon mari écouta avec les sourcils levés et un sourire de plus en plus large la façon dont Jonathan décrivit les soins que j'avais dispensés aux malades en pleine tempête. Il lui répondit avec son habituel mélange de charme et de courtoisie formelle, puis se tourna vers moi pour me dire de prendre congé. Cela ne lui ressemblait guère ; mais le pire, c'est que, telle une bonne petite épouse dépourvue de toute initiative, je m'exécutai tandis que Jonathan, debout, écoutait comme s'il assistait à un enterrement, les mains derrière le dos, l'œil fixé sur le pont.

Je ne m'attendais pas qu'il réponde, cependant il réussit à grimacer un sourire et à dire :

« J'ai été très heureux de vous avoir à bord, madame Lindsey. J'espère que nous nous reverrons un jour. »

Lorsqu'il nous escorta jusqu'à la passerelle, je crus m'effondrer sous le poids de la culpabilité et des regrets. Je réussis à traverser le pont avec les autres, et à descendre sur le quai. Henry m'aida à monter dans le fiacre. Alice vérifia que tous nos bagages étaient bien rangés dans la voiture, qui s'ébranla en direction de la maison dans la circulation dense du matin à Londres, les roues crissant sur les pavés ronds.

Je me sentais physiquement blessée, comme si ma chair avait été déchirée lors de cette séparation. Dans les semaines qui suivirent, il m'arriva à plusieurs reprises de pleurer toutes les larmes de mon cœur dans le secret de ma chambre. Alice me fut d'un grand secours pendant cette période. Malgré tout, il fallait que je réussisse à dominer mon sentiment de solitude et mes remords et que, pour Henry, je trouve l'énergie de faire la conversation, à la maison comme au bureau. J'avais du mal à travailler et invoquais en guise d'excuse qu'après une absence de dix semaines je trouvais difficile de me concentrer ; mais à la maison, lorsque Henry me prenait dans ses bras, il était difficile d'expliquer ma tristesse.

« Je croyais que ton voyage sous des climats plus ensoleillés devait te distraire et non t'abattre de cette façon, me reprocha-t-il doucement un soir. Qu'est-ce qui ne va pas, hmm ? Tu ne peux vraiment pas me le dire ? »

Et quand je m'excusai de mon humeur et prétendis ne pas savoir ce que j'avais, il me dit tristement :

« Eh bien, ma chérie, si tu en découvres la cause, sache que je suis toujours là. »

Un jour où nous nous occupions de l'assurance d'un bateau perdu au large de Héligoland, il me demanda de lui raconter la tempête en Méditerranée ; une autre fois, lorsque le *Holderness* vint à être mentionné dans la conversation, il prit soin de me dire que le bateau avait retrouvé son ancien capitaine, Barlow, qui était remis de sa maladie. Il ne précisa cependant pas où était allé Jonathan, et j'eus l'impression qu'il s'attendait que je le lui demande ; et aussi qu'il se doutait de la nature de ma tristesse et cherchait soit une confirmation, soit une infirmation. Peut-être même essayait-il d'être gentil. Quoi qu'il en soit, je n'osai pas poser la question. Pour lui comme pour moi, je devais sauvegarder les apparences si je voulais parvenir à dominer mes sentiments.

Je ne pensais pas vraiment avoir des nouvelles de Jonathan,

tout en brûlant d'en recevoir. C'était une sottise, mais j'espérais malgré tout qu'il me préviendrait de son prochain passage à Londres, et irait jusqu'à me proposer de nous retrouver pour déjeuner, ou pour dîner, ou pour nous promener ensemble. Rien ne vint. Même s'il voulait me voir, il se connaissait sans doute trop bien pour user de tels subterfuges, et avait un sens de l'honneur trop vif pour me faire l'amour dans des conditions pareilles. Et si j'étais prête à me tromper moi-même pour le seul plaisir de le voir, je savais désormais que je ne pourrais pas tromper Henry.

Pendant quelque temps, je ne fus guère sociable et ne vis personne, sauf dans le cadre du travail et en compagnie de mon mari, et je pris soin d'éviter les bateaux et les docks. J'étais contente d'être très occupée et de devoir me rendre au bureau, car rester à la maison à écouter le tic-tac des pendules m'aurait rendue folle. Il me fallut tout l'été pour mettre au pas mes sentiments. Quand vint Noël, penser à Jonathan ne provoquait plus chez moi de réactions de deuil ou de culpabilité ; je me disais que cette histoire n'aurait pu s'incarner. Lorsque son souvenir me venait à l'esprit, je m'efforçais d'être cynique et me disais qu'il appartenait à un autre temps, à une autre existence ; que nous avions vécu une aventure de vacances brève et intense, voilà tout, et que s'il n'était pas capable de voir cela sous cet angle...

L'intensité était justement ce que je ne parvenais pas à oublier.

En comparaison, ma vie avec Henry était terne et prévisible. Mais je savais que j'avais eu de la chance d'épouser cet homme-là, plus de chance peut-être que je n'étais en droit d'en espérer. Durant toute cette période difficile, il demeura inlassablement courtois et gentil, organisant de charmantes petites surprises pour me faire plaisir : excursions à la campagne, dimanches aux courses, promenades sur les Downs[1]. Je me sentis donc obligée

1. Collines au sud de Londres. *(N.d.T.)*

de m'armer de courage et de bonne humeur en retour. Cela ne réussissait pas toujours, mais ce n'était pas faute d'essayer.

Au cours de cette dernière année, nous parvînmes à une entente où nous trouvions l'un et l'autre notre compte. Et s'il m'arrivait de serrer Henry dans mes bras parce que je voyais une certaine ressemblance éphémère avec Jonathan, il n'y avait pas de mal à cela. J'éprouvai une seule fois de l'amertume : lorsque je reçus une missive d'Isa Firth. Chaque fois, je me disais que j'irais à Whitby un jour pour régler mes comptes avec elle. Je savais néanmoins que je devrais m'armer de courage et choisir un moment opportun. Or, les deux conditions n'étaient jamais remplies en même temps.

Après cette brève période de satisfaction, l'hiver qui suivit fut très préoccupant. En automne, Henry parut beaucoup plus fatigué qu'il n'aurait dû l'être normalement, et une toux persistante qui durait depuis avant Noël se transforma en bronchite après le nouvel an. Il fut obligé de garder le lit pendant plus d'un mois, et de rester à la maison pendant six semaines encore. Nous plaisantions, disant qu'il tirait au flanc, que c'était la pire époque de l'année et que jamais il n'avait aimé se déplacer en hiver, pas même pour se rendre à la City. Sa maladie l'affaiblissait, et au cours de ces quelques mois il vieillit à vue d'œil. Son médecin ne tint aucun compte de mes inquiétudes et se déclara satisfait de l'évolution de son état. Tout le monde semblait s'attendre à son rétablissement et, avec la venue du printemps et d'un temps plus clément, je crus qu'il irait bientôt mieux. Vers le milieu du mois d'avril, il y eut une amélioration qui lui permit de s'occuper dans le jardin, et il commença même à parler d'un voyage en Cornouailles en juin. Le jour de sa mort, il alla faire une petite promenade sur la lande de Hampstead en compagnie d'un vieil ami. Hélas, l'effort s'avéra trop violent. Il eut une crise cardiaque en revenant et mourut avant que je rentre à la maison.

Au cours des mois qui suivirent, je ne pensais qu'à lui et à rien d'autre. Pas même à sa mort, mais à son absence, et au travail qui avait tant compté pour nous deux. En premier lieu, je me reprochai d'avoir été au bureau et non auprès de lui quand il avait eu besoin de moi ; pourtant, je n'avais pas vraiment eu le choix. Pendant sa maladie, c'était moi qui assumais les responsabilités du bureau, tout comme lui l'avait fait en mon absence. D'une certaine façon, le travail était notre enfant. Il nous avait rapprochés et nous avait gardés l'un près de l'autre ; je ne pouvais pas l'abandonner. Pour Henry, il fallait que je trouve un moyen de continuer.

Et il fallait que je trouve un homme qui aurait suffisamment d'expérience pour remplacer Henry Lindsey au Baltic Exchange, un homme qui serait disposé à travailler avec moi, et qui m'accepterait aussi comme associée principale. L'un des premiers commis joua provisoirement le rôle de mandataire. Si j'eus un instant l'idée folle de demander à Jonathan, j'y renonçai aussitôt car il était extrêmement déplaisant d'imaginer que je pourrais l'inviter à prendre la place de Henry. Je songeai même à mon frère Jamie, mais depuis dix ans il habitait Fremantle, où il possédait un chantier naval prospère. De plus, il était marié, avait des enfants et son pays, maintenant, c'était l'Australie.

Finalement, au terme de longues discussions, je m'associai avec les deux plus jeunes frères Addison. Le contrat était avantageux pour les deux parties : en fait, ils devenaient mes apprentis, et fournissaient les noms nécessaires à la poursuite des affaires en échange de mon expérience et des contacts de Henry. Ned et Bob étaient cousins ; ils étaient âgés respectivement de vingt-trois et vingt-cinq ans, et ils avaient été destinés dès l'enfance au commerce maritime. L'aîné avait même passé quelque temps en mer, et l'un et l'autre éprouvaient un grand respect pour les redoutables grands-parents qui avaient fondé leur affaire, ainsi que pour Henry et moi, qui depuis des années gravitions dans les mêmes secteurs. Cela me réconforta de constater que j'étais en quelque sorte devenue une figure de référence dans la famille Addison et que, quand je commençai à travailler avec les deux jeunes gens, je m'acquittais en réalité des bontés de leur grand-mère envers moi. Elle avait été mon amie et mon guide ; mon inspiratrice aussi, et je ne perdais jamais une occasion de rappeler à ses petits-fils quelle femme extraordinaire elle avait été.

Le sentiment de continuité contribua dans une certaine mesure à me débarrasser du sentiment que je n'avais pas été une bonne épouse. Si je n'avais pas donné à Henry les enfants qu'il avait souhaités, je transmettais son savoir et ses compétences à ces jeunes gens, qui à leur tour adapteraient l'affaire au siècle nouveau.

Cela prit du temps et des efforts, mais c'était précisément ce qu'il me fallait. Quand Ned et Bob vinrent s'installer à Hampstead à la fin de l'été, ils eurent tôt fait de transformer la demeure triste et plutôt morne, et d'y introduire la lumière, le rire et la musique. Je me prenais à souhaiter que Henry fût encore là ; il connaissait ces garçons depuis leur enfance et aurait apprécié leur compagnie d'adultes. Et j'aimais à croire qu'il eût approuvé mes décisions.

Ces jeunes gens furent très bons pour moi. Bien décidés à ne pas me laisser broyer du noir, ils m'emmenèrent même chez eux pour les fêtes, afin que je participe aux célébrations familiales dont je gardais un si agréable souvenir. Toutefois l'année suivante, tandis que nous trinquions pour célébrer le premier anniversaire de notre collaboration, je me rendis fort bien compte que notre élan initial s'était tempéré et avait évolué vers la stabilité, à défaut de l'esprit d'aventure. Sur le plan des affaires, les cousins avaient mûri, ils savaient ce qu'ils faisaient comme courtiers et prenaient leur style propre ; ils avaient même leur appartement à St. John's Wood et n'avaient plus besoin de « Tatie » pour leur apprendre les ficelles. Autrement dit, ma présence n'était plus indispensable et je pouvais me permettre de souffler un peu – ou de m'arrêter si besoin était. Lorsque peu à peu j'en pris conscience, je ne sus trop si je devais me réjouir ou me désoler ; mais, au bout d'un jour ou deux, je compris que je m'étais acquittée de ma dette et que je n'avais plus rien à prouver.

Pour la première fois de ma vie, j'étais libre de tous liens, et c'était une sensation enivrante. Je ne savais par où commencer, et encore moins ce que j'avais vraiment envie de faire à long terme. Les garçons me suggérèrent de prendre d'abord des vacances, et d'aller voir mon frère et sa famille en Australie, ce que j'acceptai. En principe du moins. Je ne leur parlai pas du premier point à l'ordre du jour pour moi, qui était de retrouver Jonathan. Notre séparation avait été beaucoup trop abrupte ; notre liaison ne s'était pas terminée, elle avait été interrompue, et à présent j'éprouvais le besoin de conclure convenablement cette histoire puisque j'avais les mains libres. Je voulais confesser mes péchés et faire amende honorable au besoin, mais avant tout je voulais le voir, et mes émotions me sollicitaient trop vivement pour être ignorées.

Cependant, je n'étais pas sûre qu'il voudrait me rencontrer. Trois ans et demi s'étaient écoulés, et il avait eu amplement le temps de changer, j'étais bien placée pour le savoir...

J'écrivis confidentiellement aux bureaux de la compagnie à Hull pour m'enquérir du nom et du port d'attache du bateau sur lequel il naviguait. Je reçus une réponse qui, si elle ne me surprit guère, me consterna. Jonathan avait quitté la compagnie Addison l'année précédente et travaillait désormais pour une autre, basée à Singapour, et qui exportait des marchandises de là-bas. Après de multiples tentatives, j'écrivis une lettre décrivant ma situation actuelle, sur un ton que j'espérais chaleureux et amical, et la postai à une adresse d'où on la lui ferait suivre. Combien de temps faudrait-il pour que sa réponse me parvienne ? Au moins trois mois, et je me préparai à attendre avec l'inquiétude au cœur.

En invoquant l'excuse que je partirais pour l'Australie au printemps, je continuai à travailler à temps partiel au bureau. Malgré cela, l'attente de la réponse de Jonathan me rendit le temps lourd à supporter. À mesure que s'écoulaient les semaines et qu'approchait Noël, je me demandai s'il était encore parti ailleurs, si ma lettre lui courait vainement après dans les mers de Chine ou si elle croupissait au fond d'un casier dans quelque bureau humide et confiné de Singapour. Je me demandai même si je pouvais risquer de prendre des renseignements à Whitby, par l'intermédiaire de Mr Richardson, quand me parvint la nouvelle de la mort de Bella. Au début, je refusai d'y croire et me dis que ce devait être le fruit d'une erreur, ou d'une plaisanterie cruelle. Mais, quand les faits s'imposèrent, j'en fus profondément meurtrie. J'étais furieuse que personne n'ait jugé bon de m'avertir qu'elle était malade. Et comme nous avions le même âge, sa mort me bouleversa profondément. Elle me rappela ma mortelle condition, juste au moment où je prenais conscience du passage des ans.

Le coup suivant ne tarda pas. Mr Richardson m'écrivit à nouveau, cette fois-ci pour m'informer que Thaddeus Sterne était mort paisiblement pendant son sommeil, à quelques jours de son quatre-vingt-dixième anniversaire. Le chagrin me submergea alors. J'en éprouvai surtout pour Bella, pour la brièveté de sa vie et toutes les épreuves qu'elle avait eues ; mais la mort de l'oncle Thaddeus m'attristait aussi, car elle me faisait toucher du doigt le caractère transitoire des choses de ce monde. En dépit de tout le mépris que j'avais ressenti dans ma jeunesse, les objectifs que je visais à atteindre ces derniers temps étaient les siens et, depuis mon mariage, un certain respect s'était installé entre nous. Avec son décès, il ne restait plus une seule personnalité marquante chez les Sterne, et je savais que je n'avais d'autre choix que de me rendre à Whitby toutes affaires cessantes.

Une fois ma décision prise, je télégraphiai à Mr Richardson

de réunir les fonds nécessaires pour assurer à Bella des funérailles décentes. Si je laissais cela aux bons soins de la cousine Martha, je craignais qu'elle ne se contente d'une tombe pour indigent, et n'arrose son chagrin avec quelques petits verres de gin. Je ne pouvais supporter cette idée.

De plus, j'espérais me renseigner discrètement sur Jonathan, mais cela ne me soulagea pas pour autant. Tout au long de ces années, je m'étais dit que, le moment venu, j'irais à Whitby régler mes comptes moi-même ; or, quels que fussent mes sentiments à cet égard, il semblait enfin arrivé. Il faudrait que je m'occupe d'Isa Firth, ce qui faisait remonter en moi de la peur et du dégoût. Toutefois, je commençais à soupçonner que dans cette affaire de photographies, c'était la peur qui dominait depuis le début. Malgré tout mon aplomb apparent, j'avais préféré payer plutôt que d'affronter ce que représentaient ces photographies. Maintenant, tout se passait comme si Whitby, fatigué d'attendre, m'avait convoquée.

29

Je n'avais pas imaginé que le voyage pût être aussi pénible. Le mauvais temps, la lenteur du convoi, les émotions qui s'intensifiaient à mesure que le train montait vers le nord à son allure d'escargot, tout cela se combinait pour accroître mes appréhensions. Je croyais m'être débarrassée depuis une éternité de mes craintes superstitieuses mais, à chaque kilomètre qui me rapprochait de Whitby, j'étais de plus en plus convaincue que jamais deux sans trois et que les deux morts de Whitby en annonçaient fatalement un troisième. Qui serait le suivant ? Une peur sournoise pour Jonathan me taraudait l'esprit et, lorsque je descendis du train à York, j'étais à mille lieues de m'attendre au choc de la rencontre avec Bram.

Le temps et la maladie avaient peut-être fait leur œuvre ; cependant, quand j'entendis sa voix, je le reconnus tout de suite. Et lui aussi me reconnut. Quand nos regards se croisèrent, j'eus la sensation presque terrifiante que le temps s'inversait et que je le remontais. C'était comme si je rencontrais ma fortune, mon destin, ma Faucheuse, sous les traits d'un ancien amant. Si je ne l'avais aussi éperdument aimé toutes ces années auparavant, cela eût été sans importance, mais j'avais peur de ce que pouvait signifier cette rencontre. Qu'était-il venu me faire ? Que pouvait-il vouloir de plus ?

Je ne crois pas qu'il prenait la mesure de mon émoi. Il ne se doutait guère des ravages qu'il avait provoqués, aussi ne pouvait-il déceler les signes des émotions violentes et contradictoires qui m'assaillaient face à lui devant le rideau de neige. Pour certains, le passé aurait pu être enterré une fois pour toutes, alors que chez moi des livres, un chantage et un ventre stérile l'avaient maintenu en vie.

Pendant le dîner, je m'efforçai de réconcilier l'homme qui se trouvait devant moi et l'image que j'avais gardée dans mon esprit. Si je fermais les yeux en écoutant sa voix, je pouvais presque sentir sa séduction agir, tant à travers le souvenir que par les sentiments qu'il exprimait. Mais en le regardant, je me sentais aussi désorientée qu'au début. Comment pouvait-il être aussi vieux ? Dans ma mémoire, il n'avait pas plus de quarante ans, l'âge que devait avoir maintenant Jonathan.

Je finis par lui parler de Henry et de sa mort ; quelque chose toutefois – un reste de crainte superstitieuse sans doute – m'empêcha d'évoquer Jonathan. Je gardai son nom pour moi, même si, à mesure que la nuit avançait, j'étais contente d'avoir l'occasion de parler de Bella, d'Isa et de Jack Louvain. Bram parut sincèrement désolé en apprenant l'accident de Jack et sa mort au terme de souffrances prolongées, sans toutefois comprendre, visiblement, pourquoi j'étais si tendue et cassante. Du moins tant que je n'eus pas parlé des photographies. Ce que je fis beaucoup plus tard, après minuit, lorsque l'hôtel fut devenu silencieux et que dans la bibliothèque il n'y eut presque plus que nous dans un coin.

Des braises s'écroulèrent dans la grille ; je tendis le bras pour me resservir du café.

« Que cela ait été la volonté de Jack ou non, dis-je, Isa Firth semble avoir hérité de l'essentiel de son travail, notamment de plaques de photographies... disons inhabituelles. »

Je levai les yeux, rencontrai son regard perplexe et ajoutai avec concision :

« Des photos de toi et moi... ensemble... à la baie de Saltwick.

— Ensemble ?

— Nus, soufflai-je avec force, en regardant ses yeux s'écarquiller et la consternation se peindre sur son visage. À l'aube. En train de faire l'amour. »

Il inspira nerveusement :

« Mais comment ? Comment a-t-il pu...

— Oh, Bram, je t'en prie ! Qu'est-ce que tu crois ? »

À cause des quelques personnes encore assises à l'autre bout de la pièce, je fis un effort pour baisser la voix.

« Je ne sais pas. Il guettait sur les falaises, ou même au nez Noir. La lumière était certainement suffisante, et l'éloignement ne posait pas de problème. Au studio, je suppose qu'il a coupé le paysage et agrandi les personnages...

— Ce que je veux dire, c'est comment a-t-il pu moralement ? interrompit mon compagnon. C'était un ami, que diable ! Comment justifier le fait de prendre pareilles photographies ?

— Très facilement, j'imagine. De la même façon que tu as justifié celui de m'abandonner. »

Il y eut un long moment de silence.

« Voyons, c'est toi qui as rompu. Tu as dit que tu ne voulais plus jamais me revoir. Et je t'ai crue, ajouta-t-il d'une voix chargée d'émotion, quoi que tu en dises aujourd'hui. »

Ce n'était pas faux, mais ces paroles allaient si fort à l'encontre de la logique des événements que j'eus le sentiment qu'il commettait encore une injustice envers moi. J'étais absolument furieuse et avais envie de hurler. Au lieu de quoi, je déclarai :

« Quoi qu'il en soit, Isa Firth me fait chanter depuis des années à cause de toi. Estime-toi heureux qu'elle n'ait jamais pu trouver ton nom ni ton adresse ! »

Même à la faible lueur du feu, je vis sa pâleur soudaine, et une bouffée de satisfaction m'envahit, qui calma ma rage, comme si on avait incisé l'abcès. Malgré toute ma rancœur, je n'étais pas mécontente qu'il fût là. C'était un soulagement de pouvoir prononcer ces paroles et partager mon inquiétude. À ma grande surprise, il parut comprendre et, tendant la main pour attraper sa canne, il dit :

« Prenons nos manteaux et sortons. Je crois que nous avons tous deux besoin d'air. »

Le vent était tombé, mais sous le clair de lune bleuté les voies gelées évoquaient davantage l'Europe orientale que l'Angleterre. Hormis les employés des chemins de fer tout emmitouflés qui se hâtaient de s'acquitter de leur travail, les quais étaient déserts et, tout en marchant, je me demandai combien de temps nous allions l'un et l'autre supporter le froid. La voie principale était dégagée dans les deux sens, mais des ouvriers, le visage protégé par des écharpes et des casquettes, maniaient encore la pelle. Ils s'écartèrent à l'approche d'un chasse-neige qui arrivait en haletant, suivi d'une vieille locomotive-tender encrassée de suie et couverte de traînées blanches qui évoquaient de façon incongrue les rubans blancs d'une voiture de mariée.

« Pourquoi n'as-tu jamais cherché à me joindre ? demanda-t-il tandis que nous allions et venions ensemble sur le quai. J'aurais pu t'aider.

— Pourquoi n'as-tu pas répondu à mes lettres ? rétorquai-je, cassante. Je t'ai écrit plusieurs fois de Whitby.

— Quand cela ? Je n'ai jamais rien reçu.

— Quand j'avais besoin d'aide, voyons. Comme tu me l'avais dit. »

Il s'arrêta, se tourna vers moi pour scruter mon visage, l'air perplexe.

« Je n'ai eu aucune nouvelle de toi. Bien sûr, j'ai su que tu avais encaissé le chèque parce qu'il a été présenté à ma banque, ajouta-t-il d'un ton acerbe. J'en ai déduit que tu allais bien. À part cela, pas un mot. »

L'indignation flamba en moi, sans toutefois me réchauffer assez pour que j'oublie le vent glacial.

« Alors, qu'est-il advenu de ces trois lettres ? Je les ai adressées au théâtre, comme tu m'avais dit de le faire. La première pour te remercier du chèque, la deuxième pour te parler du cottage, et la dernière... »

Je m'interrompis : les mots se bloquèrent dans ma gorge, menaçant de m'étouffer. C'était insupportable. Il tendit les mains vers moi, alors je me mis à battre des poings contre sa poitrine. Je finis par articuler d'une voix rauque :

« La dernière était pour te dire que j'attendais un enfant de toi ! »

Il me regarda avec une incrédulité qui se transforma en consternation. Je sentais des larmes chaudes ruisseler sur mes joues, et j'avais l'impression qu'elles creusaient des sillons dans mon visage. Nous restâmes figés un long moment. Quand j'essuyai mes larmes, il tendit la main vers moi, bouleversé.

« Mon Dieu, mon Dieu – je n'ai jamais rien su – pourquoi ? J'ai imaginé – j'ai imaginé mille choses – que tu me détestais, que tu me méprisais – oh, Damaris, quel gâchis ! »

J'aurais voulu me dégager, mais il avait resserré son étreinte et, avec une exclamation étouffée, il m'attira vers lui. Nous demeurâmes ainsi embrassés pendant un temps qui parut très long. Enfin il reprit d'un ton plus calme : « Que s'est-il passé ? Dis-moi, qu'est-il arrivé à l'enfant ? »

Je secouai la tête, incapable de répondre. Je me couvris le visage des mains et son étreinte se fit plus douce, tandis qu'il murmurait des paroles de réconfort qui semblaient aussi indispensables pour lui que pour moi. J'étais heureuse qu'il me tienne dans ses bras, j'en avais besoin tout en continuant à avoir envie de le frapper, de lui faire mal pour qu'il ait une idée de la douleur qui m'avait poursuivie au cours de toutes ces années. Le pire, c'était que je la sentais sur mes talons, même en cet instant, et d'un geste brusque je me dégageai pour m'arracher à ses questions et à sa compassion.

« Si tu avais été là, Bram, grinçai-je, si tu avais été disposé à être à mes côtés, même en secret, tout aurait pu être différent. Mais tu as ignoré mes lettres ! Tu m'avais dit que tu m'aimais, alors qu'au bout du compte c'était un mensonge – tu m'as menti sur tout –, tu te servais de moi, voilà tout. Quand Irving est arrivé, tu es parti, c'est à peine si tu as hésité ! C'est cela que je n'ai pu te pardonner, ta hâte à t'enfuir. »

Ignorant ses protestations, je m'éloignai à grands pas, sans me soucier des badauds ni du spectacle que j'offrais. Et même cette gare pleine d'échos, qui ressemblait à une caverne arctique, était un cadre tristement approprié à ce déferlement d'émotions. Telle la vapeur qui s'échappait de l'une de ces grandes machines circulant sur les voies, la douleur semblait se dilater et prendre du volume au point d'emplir tout l'espace, et à mesure qu'elle s'épanchait on entendait résonner de plus en plus fort des gémissements, des toux et des cris de souffrance. Finalement, ce vacarme me poussa à avancer jusqu'à ce que j'atteigne l'extrémité du quai, où je m'arrêtai, le souffle court. Le vent qui agitait mes jupes et mes écharpes me rappelait Whitby, Bella et l'hiver sur les falaises. Je n'avais qu'une envie, me retrouver là-bas, seule, pour pleurer et panser mes plaies dans cet air vif et salé. Je n'avais qu'une envie, reprendre contact avec le passé et me réconcilier avec lui, et je maudissais le gel et la neige qui m'immobilisaient ici.

Lorsque Bram me rejoignit, j'étais plus calme, bouleversée plutôt que furieuse, et trop épuisée pour protester lorsqu'il me prit le bras et m'éloigna de cet endroit glacial. À l'abri d'un kiosque à tabac, il passa un bras autour de mes épaules, l'air très ému, et dit d'une voix rauque :

« Je crois que je devine ce qui s'est passé, mais j'ai besoin que tu me le dises toi-même. Tu étais seule, enceinte, alors tu... »

Il s'arrêta, secoua la tête, aussi réticent que moi à prononcer le mot.

« Oui, dis-je d'une voix lasse. Je me suis fait avorter et j'ai failli mourir. C'est Bella qui m'a sauvé la vie. »

Tandis que les souvenirs me submergeaient, il me serra contre lui. Enfin, il articula avec peine :

« Que te dire ? Tout ce que je peux faire, c'est implorer ton pardon. Je n'ai rien su de tout cela, et j'en suis honteux. J'aurais dû être au courant, je l'aurais sans doute appris si seulement je t'avais écrit... Tu ne sais pas combien de fois j'ai commencé à t'écrire, pour finalement détruire la lettre. Il y avait tant de choses à expliquer, et tant à dire par ailleurs qu'en fin de compte il semblait plus sage de laisser dormir les choses... Mais cela n'explique pas le mystère de tes lettres, ajouta-t-il d'une voix troublée, et à cela je ne vois qu'une explication.

— Irving.

— Oui, Irving, répéta-t-il avec une brusque amertume. Ellen disait toujours qu'il était totalement dénué de scrupules et elle avait raison. Je comprends maintenant pourquoi il était si acharné au travail pendant ces premières semaines après mon retour. Il était là le matin avant tout le monde. J'ai cru qu'il tenait absolument à ce que tout fonctionne bien, comme avant, alors que ce qu'il voulait, c'était s'assurer que je ne recevais aucune communication de ta part ! »

Cela sonnait si vrai que je fus accablée : tous deux, nous avions été victimes de la duplicité d'Irving. J'en avais voulu à Bram de se comporter sans honneur vis-à-vis de moi ; quant à lui, il avait fait confiance à un homme qui paraissait n'avoir aucun sens de l'honneur. Ce qu'il voulait, il le prenait et utilisait son grand talent pour tout excuser. À cause de lui, à cause de son égocentrisme monstrueux, une vie avait été interdite et une autre avait failli être anéantie ; et Bram et moi avions été effectivement tenus éloignés l'un de l'autre jusqu'à ce que le temps prenne le relais. C'était déjà très grave, mais en songeant à mon mariage avec Henry, et à son désir d'avoir des enfants, je tremblai de rage impuissante. Irving était mort, pourtant de là où il était il avait réussi à gâcher ma vie. Henry et moi aurions pu être tellement plus heureux si seulement...

J'eus l'impression diffuse que de l'autre côté de la tombe il se moquait de moi.

Transis et frissonnants, nous regagnâmes l'hôtel et le coin du feu pour nous réchauffer grâce à du café et de l'alcool. Partagée entre le chagrin et la colère, entre la rage et la douleur, je fulminais devant l'injustice criante de cette histoire. Je la revécus tout entière. J'avais cessé de m'étonner de la coïncidence de cette rencontre avec Bram à ce moment critique, et rien de ce qu'il pouvait me dire sur Irving n'était susceptible de me surprendre. Pas même le sort des lettres. À cet égard, Bram et moi avions été abusés. Si l'affaire s'était bornée à cela, après toutes ces années, nous aurions pu tirer un trait. Seulement, elle avait eu bien d'autres conséquences et non des moindres. Irving avait réussi à tout pervertir, et je brûlais du désir de me venger de lui. Comme c'était impossible, j'épanchai mon amertume sur Bram.

Cependant, malgré ma propre souffrance, je voyais qu'il était blessé lui aussi. Notre conversation se poursuivit tard dans la nuit. Vers deux heures, aspirant au silence et au repos, je regagnai ma chambre. Je me serais installée dans le fauteuil si

Alice ne s'était réveillée et n'avait insisté pour me donner sa place. La chaleur du lit me fut d'un grand réconfort, mais il me fallut longtemps pour sombrer dans l'oubli du sommeil.

30

J'avais imaginé qu'il partirait par le premier train et m'étais persuadée que je serais ravie d'être débarrassée de lui ; mais, quand je descendis et que je le vis qui m'attendait, une bouffée de gratitude m'envahit contre toute attente. Nous étions tous deux fatigués ; dans la lumière du petit matin, il avait la mine grise et lasse et sa voix était encore plus grave et rocailleuse. On nous fit asseoir à une table dans la salle bondée où l'on servait le petit déjeuner. Alors il me dit :

« J'ai réfléchi, j'aimerais aller à Whitby avec toi, si tu veux bien. »

Stupéfaite, je le fixai un instant avant de répondre. Il était au milieu d'une tournée de rencontres où il présentait sa récente biographie d'Irving et je savais que le succès du livre était important pour lui, pour des raisons financières plus que toutes autres.

« Et tes conférences ?

— Après toutes ces années, Irving peut attendre, dit-il d'un ton bourru. Toi et moi avons laissé pas mal de choses en suspens à Whitby, Damaris. Je ne pensais pas qu'il y en avait autant. Je crois que le temps est venu de les régler, non ? »

Je fus surprise qu'il leur attache de l'importance et le lui dis. Je fus encore plus surprise par le regard blessé qu'il me lança aussitôt et qui m'emplit de remords. Je lui fis donc des excuses qu'il eut la délicatesse d'écarter d'un revers de main.

Dieu merci, Alice était depuis assez longtemps à mon service pour ne s'étonner de rien, mais je me demandai ce qu'elle pensa quand Bram se chargea de nos bagages, appela des porteurs et nous trouva des places dans un train bondé. Il s'assura que j'étais confortablement installée et prit un siège en face de moi. Le soleil brillait, il faisait bon dans notre compartiment, et il ne tarda pas à s'assoupir, bercé par le balancement régulier du train. J'en fis autant. Il me sembla que quelques secondes seulement s'étaient écoulées lorsque la lumière intermittente du soleil entre les arbres me réveilla. Les vastes landes enneigées étaient derrière nous, et nous traversions déjà l'étroite vallée de l'Esk, dont la voie longeait le cours rapide.

Le train s'arrêta à Sleights, où il y avait de grosses congères de part et d'autre des voies, puis ce fut la ligne droite qui descendait sur Ruswarp. Soudain, je me pris à penser à *Carmilla*, au fantôme du père Dindonnard, au diable qui hantait le moulin du Coq, là-haut. Des histoires et des contes populaires d'un temps révolu, peut-être, mais mes souvenirs étaient bien vivants. Je croisai le regard pensif de Bram et me redressai. Je me tournai vers Alice et lui dis de guetter l'endroit où le viaduc de la voie ferrée de Scarborough enjambait l'Esk, car à ce moment-là elle verrait apparaître Whitby.

Une fois que nous fûmes arrivés et sur le point de quitter la gare, un spectacle plus impressionnant m'arrêta. Encadrée par la grande arche de la sortie, une forêt hivernale de mâts se dressait entre nous et la ville. Peut-être était-elle moins dense que dans mon enfance mais, telle quelle, sa vue me réchauffa le cœur. Au-delà, on distinguait à peine le profil gris bleuté de la falaise est, voilée par la brume enfumée qui flottait sur la ville, tandis que la vieille église paroissiale se tapissait toujours au ras de la colline, surplombée par les ruines squelettiques de l'abbaye.

Je sentis la main de Bram me serrer doucement le coude ;

toutefois, je tenais à ne pas me laisser envahir par l'émotion. En triant les bagages, j'eus bien du mal à lui expliquer que si je descendais au Royal, sur la falaise ouest, c'était plus par amour-propre que par nostalgie. C'était pourtant vrai, car j'avais réservé de Londres, pour le seul plaisir de me dire que je pouvais me permettre cet hôtel. Ailleurs, je n'eusse accordé aucune importance à ce genre de choses. En revanche, ici, avoir une suite à l'hôtel Royal, c'était un peu comme faire un pied de nez enfantin aux fantômes du passé.

Quand Bram eut gagné sa chambre et Alice défait les bagages, j'ouvris la fenêtre qui donnait sur un étroit balcon et laissai mon regard courir sur le port. Même ici, il y avait de la neige sur les hauteurs, mais la marée était basse et les mâts et les espars étaient tous à l'oblique, et la rivière, tel un serpent luisant, dessinait ses méandres entre des bancs de boue de chaque côté. De mon balcon, je respirais les odeurs familières de poisson, d'algues, et celle de la fumée qui sortait des cheminées du Cragg. J'entendais les cris des mouettes et le vacarme des charrettes roulant sur les galets qui pavaient les quais et, l'espace d'un instant, je me revis descendre le quai Sainte-Anne avec un panier de poissons, et m'arrêter au studio pour parler à Jack...

Allons, ce n'était pas le moment de se laisser aller à une nostalgie trompeuse. Je serrai les dents et fermai la fenêtre en essayant de me préparer à affronter des réalités plus désagréables. La cérémonie prévue pour Bella devait avoir lieu à deux heures, et je voulais d'abord aller voir la cousine Martha. Juste avant de quitter Londres, j'avais reçu une lettre d'elle me remerciant d'avoir proposé de payer l'enterrement, et expliquant que quelqu'un d'autre avait insisté pour le faire et que, compte tenu de la situation, elle s'était sentie obligée d'accepter.

Je me demandais de quelle situation elle voulait parler. Bella s'était-elle trouvé un riche protecteur ces dernières années, surtout depuis qu'elle avait abandonné la prostitution pour un travail plus respectable ? Peut-être qu'aux yeux de certains il laissait à désirer à cet égard, mais aux miens il semblait parfaitement convenir à Bella : elle posait pour un groupe d'artistes, ce qui me paraissait idéal pour quelqu'un comme elle. Bella pouvait être très belle et avait toujours su se mettre en valeur, bien qu'elle n'eût pas une once de vanité. Si je me la rappelais telle qu'elle était à l'époque de notre jeunesse, je n'avais aucun mal à imaginer un artiste tombant amoureux d'elle ; à ceci près qu'il était plus difficile d'imaginer Bella prenant plaisir à une telle adoration. Dans son intérêt, j'espérais qu'il s'agissait d'un homme bon, compréhensif, et que j'aurais le plaisir de le rencontrer plus tard.

Jamais je n'aurais cru avoir du mal à retrouver la maison des Firth mais, lorsque j'eus laissé derrière moi la ruelle de la Jetée, je me sentis brusquement désorientée devant le labyrinthe de cours et de venelles du Cragg. Je me trompai en tournant et dus revenir sur mes pas. En vingt ans, il y avait eu des changements : le dernier étage d'une des maisons avait été démoli, tandis qu'une autre avait été agrandie, ce qui avait modifié un coin de rue. Je finis tout de même par retrouver mon chemin. La vieille maison avait l'air plus décrépite que jamais, comme si elle était en train de devenir poussière et de se confondre avec celles qui l'entouraient, et j'hésitai avant de frapper.

Une jeune femme vint m'ouvrir, une jolie brune dont la ressemblance avec Bella me prit au dépourvu. Elle ne me reconnut pas, et j'éprouvai un instant quelque embarras à expliquer qui j'étais. Sur ces entrefaites, la cousine Martha apparut et m'invita à entrer. Elle avait beaucoup grossi depuis toutes ces années, et perdu quelques dents, mais elle s'était coiffée avec soin et avait mis une robe noire très propre. Elle me conduisit dans la maison comme une noble dame recevant des invités dans son manoir médiéval. Le feu était allumé, le chuchotis de la bouilloire accueillant, et quelqu'un avait fait le ménage dans la cuisine et nettoyé la cheminée. Comme elle m'avançait un fauteuil, je remarquai une bouteille et un verre sur le manteau de la cheminée. Pourtant, elle semblait à jeun. Quant à la jeune femme qu'elle me présenta comme étant Meggie, elle se contenta d'observer la scène en silence de sa place près de la fenêtre.

« Je suppose que tu es venue voir cette pauvre Bella », dit Martha d'une voix émue, levant les yeux au ciel pendant qu'elle se laissait tomber dans un fauteuil qui craquait. « Dieu ait son âme, elle a souffert le martyre à la fin, tu sais. Maigre comme un clou et jaune comme un citron. Tu ne l'aurais pas reconnue ces dernières semaines. (Elle essuya une larme du coin de son tablier, renifla bruyamment et s'éclaircit la voix.) Mais Nan Mills a bien travaillé, je dois le reconnaître. Elle l'a arrangée quand elle lui a fait sa toilette. C'est une brave femme, notre Nan.

— Nan Mills ? dis-je d'une voix faible. (Je ne m'étais pas attendue à recevoir de plein fouet une bouffée glaciale du passé.) Je connais ce nom. Je croyais qu'elle était morte depuis longtemps.

— Oh, elle n'est pas si vieille. Soixante, soixante-cinq ans peut-être. Elle est toujours là pour ceux qui arrivent. Et pour ceux qui partent aussi, le moment venu... Ça sera sûrement moi la prochaine à passer, dit la cousine Martha d'un ton morose. (Elle tendit machinalement le bras vers la tablette, puis se rendit compte de son geste et le rectifia en direction de la théière.) Enfin, notre pauvre Bella est dans la grande chambre, si tu veux monter. J'aurai refait du thé quand tu redescendras.

— Oui, je te remercie, fis-je d'un ton hésitant.

— Allons, Damaris, c'est plutôt à nous de te remercier, et on t'a bien de la reconnaissance, pas vrai, Meggie ? C'était gentil de ta part de proposer de payer l'enterrement, et si on n'avait pas eu les amis de Bella, on aurait été bien contents d'accepter. Mais, comme ça s'est trouvé, on n'en a pas eu besoin, ils voulaient tous participer, surtout miss Gwyneth, la dame à qui Bella tenait la maison. Enfin, poursuivit Martha, dont le discours me laissait perplexe, pour cet après-midi tout est prévu. Le service religieux est à la chapelle du nouveau cimetière, et il y aura un buffet à l'Étoile, dans la pièce du fond, pour ceux qui voudront venir.

— C'est très gentil », dis-je.

Je n'osai trop m'enquérir de l'identité de ces autres amis, surtout de miss Gwyneth, celle qui m'intriguait le plus. Était-ce elle, l'amant que j'avais imaginé ? Finalement, pas un homme, j'aurais dû m'en douter, mais une femme capable d'aimer Bella, de la chérir et de la comprendre. Je toussotai et finis par demander :

« Bella posait, non ? Pour un groupe de peintres ?

— Oui, oui. Comme je le disais, elle s'était fait de bons amis les dernières années. Ils l'estimaient tous beaucoup. Elle pouvait rester des heures sans bouger, notre Bella, tu sais. Jamais elle ne se plaignait. Et ils ont réussi de jolis portraits d'elle. Il y en a qui te feraient pleurer. (En se levant lourdement de son fauteuil, la cousine Martha prit un coin de son tablier pour essuyer ses larmes.) Tiens, regarde-moi ça », dit-elle en attrapant un petit dessin au fusain, dans un sous-verre.

Il représentait une femme qui regardait par la fenêtre, pensive. C'était une étude en clair-obscur, et je vis tout de suite qu'il s'agissait de Bella tant la ressemblance était nette et le trait sensible et juste.

« C'est très réussi, dis-je à mi-voix.

— C'est miss Gwyneth qui me l'a donné. Ah, tu sais, elle tenait beaucoup à Bella. Quand elle est tombée malade, ça lui a brisé le cœur, à miss Gwyneth... Elle aurait voulu la soigner, mais Bella a refusé tout net. Elle a tenu à venir mourir à la maison... »

Des larmes me brouillèrent la vue, et je me rendis compte avec chagrin de tout ce que j'ignorais de Bella, même si je me réjouissais de savoir que, les derniers temps, elle avait mené une vie plus heureuse.

« J'avais beaucoup d'estime pour elle moi aussi. C'était une bonne amie. Et une bonne fille.

— Ah, ça, c'est bien vrai, dit Martha d'une voix bourrue. Pas comme certaines... »

Pas comme certaines, répétai-je mentalement, pensant à Isa. Sur une invitation de la cousine Martha, je montai. Sottement, et malgré son avertissement, je croyais voir l'amie de ma jeunesse vêtue comme une princesse de conte de fées, une jolie fille aux joues rouges, avec des lèvres roses et pleines, des cheveux bruns et brillants, attendant que le baiser d'un amant la délivre de son sommeil enchanté. Et, d'une certaine façon, ce fut presque cela que je trouvai en remarquant au mur une toile non encadrée, un portrait à l'huile d'une femme, éclatant de vie et de couleurs. C'était un portrait peint avec amour, je le vis aussitôt ; un portrait à la gloire de toute la générosité et la tendresse dont Bella était capable, un portrait grâce auquel son esprit continuerait à vivre.

Je remerciai en silence la personne qui l'avait peint, qui avait songé à le placer là, car le corps qui reposait à côté n'avait plus grand-chose qui pût rappeler la jeunesse et la beauté de Bella. Je pleurai en regardant son corps et son visage ravagés dans le cercueil, comprenant que le cancer dont elle était morte avait dû la faire souffrir atrocement. Et par là même, faire souffrir encore davantage sa mère qui avait dû s'efforcer d'adoucir des affres trop horribles pour qu'on pût les supporter longtemps. Il m'apparut que la cousine Martha avait payé lourdement pour les fautes qu'elle avait pu commettre dans le passé et, pour la première fois, je ne lui reprochai pas son goût pour le gin ; je me demandai même si j'avais le droit de la juger.

Elle m'avait proposé de monter au cimetière en voiture avec les femmes de la famille, mais je déclinai son offre, dans l'éventualité peu probable où Isa eût été présente. Or elle ne vint pas. En arrivant, je remarquai un groupe de personnes dont les tenues de deuil contrastaient avec les noirs rouilleux et les coupes démodées de celles qu'arboraient les amis et voisins de le cousine

Martha. Les pêcheurs et les ciseleurs de jais portaient rarement de la soie ou des jupes à traîne en velours noir. Il y avait trois hommes et deux femmes, dont l'une paraissait visiblement plus bouleversée que les autres et qui attira tout de suite mon attention. Était-ce miss Gwyneth ? Elle pouvait avoir mon âge, ou un peu plus, avec un long visage mince et sensible, et des yeux gonflés d'avoir trop pleuré. C'était un visage marqué de rides, un visage qui semblait avoir livré de rudes batailles avec la vie ; un visage dont j'espérais qu'il avait regardé Bella avec amour.

Au court d'un sermon qui, Dieu merci, fut bref, le pasteur réussit à exprimer, dans cette chapelle du cimetière, ce qu'il y avait eu de meilleur chez Bella et à taire le reste. Je sentais que mon détachement m'abandonnait, mais, lorsqu'il fit allusion à la disparition tragique du père vingt ans auparavant, je faillis perdre tout sang-froid. Je me mis à trembler en me rappelant tout ce que cette pauvre Bella avait subi, la façon dont elle s'était vengée, et les années de punition qu'elle s'était infligé. Je me rendis compte alors que, malgré mes promesses et mes bonnes intentions, j'étais demeurée à l'écart parce que je n'avais pas compris ses souffrances et que je ne pouvais rien faire pour les adoucir.

Au prix d'un énorme effort, je repris mes esprits en quittant la chapelle pour suivre le cortège funèbre. Douglas escortait sa mère, et un jeune homme qui pouvait être Davey se tenait entre Lizzie et Meggie, qui étaient devenues toutes deux de très jolies jeunes femmes. Un autre frère, fort brun et trapu, qui devait être le jeune Magnus, se mit à marcher en traînant les pieds à côté de moi, ce qui m'embarrassa fort. Il avait les yeux rouges, comme s'il avait pleuré, et frissonnait tandis que nous sortions de l'église derrière le pasteur. Le vent glacé qui soufflait sur la pente nue de Helredale nous cingla sans merci l'un et l'autre.

Soutenue par l'autre femme, plus jeune, et l'un des hommes, miss Gwyneth se tenait près de nous, tandis que la cousine Martha pleurait contre l'épaule de son fils aîné. Le cercueil fut descendu dans la terre et chacun jeta à son tour une poignée de terre en geste d'adieux. Je pensai à l'oncle Thaddeus et à ses légendes populaires, et priai pour qu'enfin Bella trouve la paix et le pardon.

« Repose en paix, Bella, dis-je avec ferveur dans un souffle, et surtout, ne reviens pas... »

Il y avait assez de voisins du Cragg et des environs pour offrir leur réconfort à la cousine Martha et aux siens. Je restai à l'Étoile le temps de prendre un verre de porto pour me remettre de mes émotions, et de me présenter au petit groupe des amis de Bella, avec lesquels je bavardai quelques instants. Ce que je perçus confirma mes suppositions premières. Je ne saurais dire si miss Gwyneth sentit ma sympathie, apprécia ma sincérité ou même si elle comprit qui j'étais, mais elle me parut sensible et bonne, et réagit avec chaleur quand je parlai de son portrait de Bella. Quand je lui demandai si elle l'avait donné à ma cousine, elle secoua aussitôt la tête.

« Non, je l'ai seulement prêté. Je ne pourrais pas m'en séparer. Je voulais simplement que les gens se souviennent de Bella comme elle était ; dans la vie, pas dans la mort... »

Je serrai la main de miss Gwyneth et pris congé.

En rentrant à l'hôtel, je serrai les dents pour lutter contre le désir que j'avais d'appeler mille et une malédiction sur la tête d'Isa Firth. Si, pour ma part, j'étais soulagée qu'elle ne fût pas venue à l'enterrement, elle aurait néanmoins dû y être. Avoir ignoré la mort de sa sœur jumelle était impardonnable. Et elle ne pouvait pas invoquer l'ignorance : d'après tous les membres de la famille, elle avait été prévenue. Ils m'avaient aussi parlé de la boutique, précisant qu'Isa leur avait tourné le dos après que le photographe était mort en lui laissant l'essentiel de son argent.

« C'est qu'avec ses manières guindées et sa petite boutique bien propre elle avait honte de nous, avait dit Lizzie non sans amertume. Elle vend des bonbons et des souvenirs pour les touristes, tu sais : des morceaux de jais ciselés, des presse-papiers en fossiles, ce genre de choses. Et quelques cartes postales illustrées. Du commerce saisonnier, surtout, mais elle a l'air de s'en tirer. Dieu sait comment, parce qu'elle ne doit pas avoir de gros bénéfices. »

Je la connaissais, l'existence de cette boutique, et je me doutais depuis des années que le fonds à la mémoire de Jack Louvain était mythique et que mes contributions trimestrielles aidaient en réalité à maintenir à flot le commerce d'Isa Firth.

Enfin, l'heure des règlements de comptes sonnerait sans tarder. J'avais dans mes bagages à l'hôtel un paquet des lettres d'Isa et les photographies que j'avais gardées exprès pour une occasion comme celle-ci. Avec la mort de Henry, j'aurais pu arrêter de subir son chantage, mais elle n'était pas au courant, et je voulais profiter de l'occasion pour lui signifier que je n'avais plus aucun scrupule à montrer ses lettres à la police. Je voulais lui faire peur, et plutôt deux fois qu'une.

« Peut-être voulait-elle simplement te blesser, hasarda Bram plus tard dans la journée, en prenant le thé avec moi dans mon salon. Peut-être y prenait-elle plaisir. Il y a des gens comme ça, tu sais. Même si elle savait qui j'étais – ce qui n'est pas exclu –, peut-être a-t-elle eu peur d'entreprendre une démarche auprès de moi. Avec mes relations, ça lui aura semblé une initiative trop hasardeuse, tandis que toi, elle te connaissait et pouvait prévoir tes réactions. C'était un risque calculé, tu comprends. Toi, tu préférais payer plutôt que de t'exposer à un scandale, mais moi, j'aurais fort bien pu lui envoyer la police... »

Cette possibilité ne m'était pas venue à l'esprit. À mes yeux, ce qui motivait Isa Firth, c'était l'argent et le statut social, l'un ouvrant accès à l'autre. Et j'avais beau savoir qu'elle était rancunière et qu'elle me détestait, jamais je n'aurais imaginé qu'elle pût utiliser le chantage pour des raisons pareilles.

« Pour te faire souffrir, insista Bram, et exercer un pouvoir sur toi. Voilà peut-être quelles étaient ses motivations premières. Il faut que tu envisages qu'elle n'avait pas nécessairement besoin de cet argent.

— Un petit supplément est toujours le bienvenu, non ?, glissai-je avec aigreur.

— Oh, bien sûr. Mais je veux seulement te rappeler que si Jack Louvain lui a laissé assez d'argent pour s'établir dans le commerce, et suffisamment de plaques pour qu'elle reproduise ses photographies, alors peut-être n'avait-elle pas besoin de ce qu'elle te soutirait.

— Peut-être pas », dis-je d'un ton pensif, glacée à l'idée d'une pareille méchanceté. Peut-être étais-je sa seule victime, en fin de compte. J'avais parfois imaginé qu'elle escroquait des hommes et des femmes dans tout Whitby. Surtout des femmes. Comme d'habitude, l'idée me donna la nausée. Pour la combattre, je me levai vivement. « Quoi qu'il en soit, je compte bien en avoir le cœur net, annonçai-je.

— Et moi, je compte bien t'accompagner. »

Je m'apprêtais à refuser lorsqu'il sortit sa montre de son gousset pour la consulter et se tourna vers la fenêtre.

« Écoute, dit-il, j'ai une idée. Il ne va pas tarder à faire nuit, ce qui est bien pratique. Si nous le mettions au point, ton projet ? »

31

Des guirlandes de brouillard épaisses comme un voile de veuve se formaient sur la mer, et les mouettes venaient se poser en glapissant dans leurs nids sur le toit des maisons. La fumée s'élevait en spirales paisibles dans l'air gelé et formait comme une brume violette en hauteur tandis qu'en bas, dans la ville, la lueur des becs de gaz cernait les contours des rues et du port. Des rais de lumière plus vive venant des phares doraient l'extrémité de chaque jetée, attirant comme des mouches les barques qui rentraient des lieux de pêche. Elles glissaient sur les flots calmes et arrivaient à bonne vitesse entre les deux môles, chaque homme souquant ferme dans sa hâte d'échapper aux griffes glacées de la brume.

Celle-ci montait alors que nous descendions la route de la Jetée. Tout à loisir, accoudés à la balustrade du port, nous regardâmes les belles prises qu'on ramenait, avant de suivre les barques de pêche qui remontaient le port jusqu'au pont. Pour tuer le temps, l'envie nous prit d'aller regarder la devanture de l'ancien studio de Jack Louvain, quai Sainte Anne ; mais c'était à présent une quincaillerie et il n'aurait pas pu avoir un aspect plus différent. Je ne sus si je devais m'en réjouir ou le regretter, et Bram eut l'air aussi perplexe que moi.

Il se détourna, soupira et, sans y penser, je lui pressai le bras. Mais quand il se mit à me tapoter la main, je la retirai, un peu alarmée par la facilité avec laquelle nous retrouvions notre complicité et l'agrément de notre familiarité ancienne. Lorsque nous étions ensemble et que nous parlions, j'avais l'impression que des pans entiers du passé commençaient à se détacher de moi, pour m'apercevoir ensuite qu'ils avaient disparu sans laisser de trace. C'était inquiétant, et il fallait que je me force à tenir bon, à ne pas les lâcher ; je m'y était cramponnée durant des années et, sans eux, je risquais de me noyer.

Le brouillard montait maintenant de la mer en grandes nappes glacées, et il obscurcissait tout. En traversant le pont, nous ne voyions plus grand-chose. J'étais contente de constater que les rues de Whitby n'avaient guère changé pendant mon absence et que je savais presque à une porte près où était la boutique d'Isa, dans la longue rue étroite qui desservait les bassins et les chantiers maritimes de la rive est. En plein cœur de Southgate, elle occupait le rez-de-chaussée d'une maison où il y avait peut-être deux étages d'habitations séparées au-dessus du magasin. Cette disposition des lieux n'était pas rare à Whitby, où des bâtisses à plusieurs étages se dressaient sur les deux rives et les falaises ; mais bon nombre d'entre elles étaient assez délabrées, et les propriétaires d'un étage n'avaient pas l'obligation de veiller au bon état de ceux du dessus. La maison d'Isa avait un aspect très quelconque, mais assez respectable d'après ce que je pouvais voir, car je n'arrivais pas à distinguer très nettement le port ni la rue du Pont.

Je la trouvai mal située, encadrée comme elle l'était par de hauts bâtiments de tous côtés, et me demandai pourquoi elle n'avait pas plutôt acheté un magasin dans un lieu plus commerçant. Elle aurait sûrement pu s'offrir quelque chose de plus proche de l'escalier montant à l'église, et qui aurait été susceptible d'attirer davantage d'estivants. Il y avait quand même une devanture et une petite porte d'accès à la boutique ; dans une cour attenante, je remarquai une autre porte au rez-de-chaussée, qui devait être celle de son appartement. Bram accepta d'attendre dehors que je l'appelle. Je ne voulais pas qu'Isa prenne la fuite dès qu'elle nous apercevrait et file par la cour, puis par le quai.

Je regardai la devanture. Derrière les gros bocaux de verre emplis de bonbons à la menthe et à l'anis, j'apercevais la lueur tremblotante d'une lampe à gaz, mais pas de clients, et aucun signe d'Isa. Le bruit de la porte d'entrée la ferait certainement venir : je ne concevais pas qu'elle pût avoir une employée.

Je pris une grande inspiration, saisis la poignée d'une main ferme et poussai la porte. J'avais beau m'y attendre, le tintement de la clochette me fit sursauter. Je vis un petit comptoir, une balance, des bijoux de jais ciselé sur une étagère, des cartes postales représentant des scènes locales et des photographies de...

Elle apparut devant moi comme par magie, sortant d'une porte ou d'une encoignure dissimulée derrière le comptoir. En me tournant, je fus saisie une seconde par la ressemblance qu'elle avait avec Bella dans son cercueil. Elle n'était pas jaune, mais grise. Grise de la tête aux pieds, car la couleur des cheveux, de la peau et de la robe n'était relevée que par un châle noir et un bonnet plissé de veuve. Elle avait l'air d'une vieille femme, alors que nous avions le même âge. Je me demandai même un moment s'il s'agissait bien d'Isa Firth, mais je vis qu'elle éprouvait un choc en me reconnaissant. Chaque muscle se relâcha : elle resta bouche bée et ses yeux s'écarquillèrent. Elle dut se cramponner au comptoir. Comme si une porte se fermait, elle se raidit aussitôt et redevint elle-même, offrant un visage où le soupçon s'inscrivait dans chaque ride mesquine.

« Qu'est-ce que tu veux ?

— Ah, tu peux être sûre que je ne viens pas t'acheter des bonbons, Isa. (J'ôtai mes gants en prenant mon temps.) Quelques cartes postales, des souvenirs de Whitby, peut-être... ou alors des photographies ? »

Elle avait de l'aplomb, indéniablement. Elle inclina la tête avec une mine impudente en direction de l'assortiment :

« C'est tout ce que j'ai à vendre.

— Et les autres ? Les photographies dont tu te sers pour ton chantage ? »

Ses yeux se rétrécirent.

« Je ne vois pas de quoi tu parles.

— Dommage, dis-je d'une voix douce en la regardant reculer imperceptiblement vers le rideau cachant la sortie derrière le comptoir. Parce que je suis venue te faire une proposition. »

Elle avait voulu se sauver, mais elle hésita en entendant cela.

« Quel genre de proposition ? »

Sans me presser, je tendis la main vers l'un des petits accessoires de jais, un phare si lisse et si parfait que c'était un plaisir de le tenir dans sa main. Je le tournai de tous les côtés à la lumière de la flamme qui vacillait derrière le comptoir et me penchai comme pour mieux le voir. Saisissant le poignet d'Isa, j'appelai Bram avant qu'elle ait eu le temps de se dégager.

Il arriva tout de suite et se glissa de l'autre côté du comptoir, dévoilant la sortie cachée par la portière. Voyant qu'il bloquait l'issue de toute sa stature, Isa cessa de se débattre. Je la lâchai et fermai à clé la porte de la boutique, retournant le carton OUVERT de façon qu'il indique FERMÉ. Puis, suivie de Bram, j'escortai Isa vers l'arrière-boutique.

Il y avait deux pièces : une cuisine avec les dépendances habituelles, et une pièce plus grande, qui faisait à la fois office de chambre et de réserve. Un vieux secrétaire en chêne me parut familier, car je l'avais vu au studio, ainsi qu'une série d'étagères compartimentées en casiers. Le système d'archivage de Jack Louvain, par ordre alphabétique, contenait toujours des photographies. Je tendis la main pour en saisir une poignée que je me mis à feuilleter : c'étaient surtout des vues de la région récemment réimprimées en cartes postales, dont quelques-unes représentaient des pêcheurs que Jack avait pris tandis qu'ils réparaient leurs casiers à crabes, ou des filles en train de ramasser des appâts sur le Scaur à marée basse. Je reconnus Lizzie parmi celles-ci, ce qui m'arrêta, puis je vis une superbe photographie de Bella avec une ligne de fond enroulée et portée en équilibre dans un panier sur la tête. Elle était magnifique là-dessus, fière, le menton haut, les épaules rejetées en arrière, la poitrine généreuse, la taille cambrée, une main levée pour maintenir le panier, l'autre sur la hanche. Bella telle que je me la rappelais. Mon cœur se serra douloureusement et je rangeai rapidement la photographie dans le panier couvert que j'avais apporté. Il fallut que je me morde les doigts pour reprendre mes esprits, me souvenir de ce qui m'avait amenée ici et me rendre compte que je ne disposais que de très peu de temps.

Je me tournai vers le secrétaire. Fermé.

« Les clés, dis-je d'un ton sec. Ouvre-moi ça. »

Assise à la table de la cuisine, Isa refusa. Elle dit qu'elle allait appeler la police et nous faire inculper pour vol. Sans ménagement, je passai devant Bram et mis mon visage tout près de celui d'Isa :

« Ne me parle pas de la police, tu veux, sifflai-je. Parce que j'ai assez de preuves écrites de ta main pour que tu restes en prison les dix prochaines années ! Donne-moi les clés ! »

Elle eut l'air effrayée et glissa la main sous son tablier pour les prendre. Puis sa bouche se tordit en un sourire mauvais :

« Qu'est-ce qu'il dira, ton mari, quand il verra cette belle photo de toi, hein ? »

Elle regardait Bram, et je compris qu'elle ne savait pas que Henry était mort et qu'elle prenait Bram pour l'homme que j'avais épousé seize ans auparavant. Je l'aurais volontiers giflée. Je me contentai de lui arracher le trousseau.

« Il sera impressionné », dis-je d'un ton caustique.

J'essayai toutes les clés susceptibles de convenir à cette serrure ; avec la troisième, je sentis s'ouvrir le pêne. Devant moi se déployaient plusieurs étages de tiroirs peu profonds, avec une série de compartiments verticaux en dessous. Mon cœur se serra quand je vis les dizaines de planches de verre qui y étaient rangées, dont chacune devrait être examinée avant que nous puissions quitter les lieux. Et les tiroirs étaient fermés à clé.

« Eh bien, dis-je d'une voix oppressée, nous allons en avoir pour un certain temps, à ce qu'on dirait. Tiens-toi tranquille, Isa, parce que je ne plaisantais pas en parlant de la police. Crois-moi, je serais ravie de la voir arriver. »

Cela aurait pu mettre Bram dans l'embarras, mais je ne voulus pas m'en soucier. C'était lui qui avait tenu à m'accompagner et qui avait modifié mon plan, et il fallait en poursuivre l'exécution tambour battant. Je me mis en devoir d'ouvrir chaque tiroir et cherchai patiemment la clé correspondant à chacun, puis examinai leur contenu. Comme je m'y attendais, ils renfermaient quantité de vieux clichés qui n'étaient pas montés, et pas tous différents ; souvent, ils étaient en plusieurs exemplaires. J'en reconnus même vaguement certains, car ils appartenaient à une série que Jack avait faite lorsque je travaillais pour lui et je tremblai rétrospectivement à l'idée de la tentation que représentait pour moi à l'époque l'argent d'une séance de pose.

La vaste majorité d'entre eux avaient été pris au studio, ce que je constatai avec soulagement. Presque tous étaient, à un degré ou à un autre, compromettants : jeunes femmes plus ou moins dénudées, certaines presque nues, dans les poses de tableaux célèbres ; et sur une série entière figuraient aussi des hommes. Ces derniers étaient en général habillés, et les photographies représentaient les tentatives de séduction auxquelles ils se livraient sur diverses jeunes femmes. C'étaient ces photographies-là que je trouvais les plus déplaisantes, encore qu'elles fussent assez convenues. D'autres, sur lesquelles figuraient des femmes armées de canne devant des hommes en position défensive, me semblèrent tout bonnement ridicules. Ce qui me choqua, par exemple, ce fut de reconnaître certains visages, assez nombreux du reste, et qui ne venaient pas tous des quartiers pauvres de la ville.

Tout en me demandant à quelle échelle Isa pratiquait ses chantages, je fus quelque peu rassurée par le fait que tous ces clichés étaient posés. Une série avait été prise à l'extérieur, mais même ceux-là manquaient de naturel, car les sujets savaient manifestement qu'ils étaient photographiés et étaient consentants. Seuls ceux où Bram et moi figurions avaient été pris à la dérobée ; il n'y en avait que trois, tous du même jour au même endroit.

Ils m'étaient si familiers que c'est à peine si je leur prêtai attention. Je cherchais autre chose, qui pourrait justifier mes pires craintes, à savoir que Jack Louvain nous avait suivis pour nous photographier à notre insu chaque fois que nous étions ensemble. Ne trouvant rien, j'éprouvai un tel soulagement que je sentis mes jambes se dérober sous moi. Avec des mains tremblantes, je remis toutes les photographies en vrac dans un tiroir que j'emportai à la cuisine. Je le posai devant la cheminée et regardai un moment Isa d'un œil furieux et écœuré, avant de les jeter au feu une par une sans un mot. Du geste, je lui fis signe de finir et, ignorant le regard interrogateur de Bram, je retournai dans la chambre, et sortis une première poignée de négatifs sur verre que je laissai délibérément tomber sur le sol.

En entendant le bruit, tous deux se levèrent d'un bond, et je ne sais lequel paraissait le plus horrifié.

« Je sais, répondis-je d'un ton sec à Bram qui protestait, mais il n'y a pas le choix.

— Damaris, tu vas attirer les curieux, les gens vont se demander ce qui se passe. Mets ces plaques dans le panier, je le porterai et nous irons tout jeter.

— Il y en a trop !

— Alors, trouve une boîte, mais fais ce que je te dis. »

Il se tourna vers Isa qui nous fixait d'un œil mauvais, passa devant elle et entreprit de brûler le contenu du tiroir. Si elle avait été capable de verser des larmes, je crois qu'elle aurait pleuré en se voyant ainsi dépossédée de son pouvoir. Mais la haine qu'elle me vouait était plus forte encore que son dépit. En l'occurrence, les mains et le visage agités de spasmes horribles, elle me regarda verser le contenu d'une boîte en bois sur son lit et commencer à sortir les planches en verre du placard et à les empiler.

« Tu n'as pas le droit, cracha-t-elle enfin. C'est du vol, tu le sais, ça ? Ces plaques, ce ne sont pas toutes des rebuts. Il y en a qui sont parmi ce que Jack a fait de mieux, et que j'ai réussi à mettre de côté quand ses parents sont venus tout vendre.

— Ah, je vois. Moi, je vole, tandis que toi, tu sauves des œuvres pour la postérité. Et le chantage, Isa ? Et les modèles de Jack ? Ces gens qui ont posé pour lui, ceux que je reconnais encore aujourd'hui ? Ne me dis pas que tu ne leur as pas adressé un petit mot aussi, quand tu t'es trouvée à court d'argent ?

— Je n'ai pas fait ça *que* pour l'argent, dit-elle sur un ton plaintif et amer. Il fallait que je leur montre qu'ils devaient compter avec moi, non ? Mais ça, tu ne peux pas comprendre, hein ? Tu as toujours eu tout ce que tu voulais. Même Jack. Même Jack, répéta-t-elle en me crachant son nom à la figure, ne comprenait pas. Même lui, il croyait que tu étais quelqu'un...

— Et moi aussi, je croyais qu'il était quelqu'un, rétorquai-je avec rage, jusqu'au jour où j'ai vu ces... ces photos qu'il avait prises. Jusqu'à ce jour où j'ai reçu ta lettre. Là, je me suis rendu compte qu'il n'était qu'un vulgaire voyeur... !

— Je t'interdis de dire ça ! Toi, tu n'étais qu'une putain ! siffla-t-elle. Comme Bella, cette Marie-couche-toi-là qui allait avec n'importe qui, alors que moi, MOI... (Dans sa fureur, elle bégayait et postillonnait, incapable d'exprimer ses sentiments.)... moi, je me suis toujours bien conduite, jamais je n'ai laissé un homme me toucher, même pas mon père. Pourtant, crois-moi, il a essayé, le vieux salaud, et plutôt deux fois qu'une. Mais c'est cette chère Bella qui s'est mise à la tâche – oh, oui, elle y a pris goût. Et lui, il en était entiché, c'était elle, sa fille préférée, pas moi. Sa petite mignonne. Il ne pouvait plus se passer d'elle, le vieux dégoûtant. »

Je la giflai à toute volée, sans réfléchir, et mon geste nous surprit tous les trois.

« Elle est morte, alors je t'en prie ! grinçai-je. On l'a enterrée aujourd'hui ! »

Dressée comme un ange vengeur devant elle, j'avais la bouche sèche tant le chagrin et l'indignation m'étouffaient. Ce fut Bram, debout derrière elle, qui trouva les mots que je brûlais de dire.

« Je ne crois pas que les choses se soient passées ainsi, intervint-il d'une voix calme. Ce qu'a fait Bella à l'époque, même si elle a eu tort, c'était pour vous protéger tous.

— Qu'est-ce que vous en savez ? ricana-t-elle. Pour qui vous prenez-vous, hein ? Vous accompagnez celle-ci, et vous croyez que vous avez le droit de tout détruire dans ma vie ? Tout ça parce que vous avez épousé cette garce de Damaris Sterne...

— Je ne l'ai pas épousée, coupa-t-il. J'étais déjà marié. Vous vous trompez du tout au tout, vous savez. Je suis l'homme avec qui elle a vécu pendant l'été 86. J'ai vu ramener sur le rivage le corps de votre père à la Baie... »

Il s'interrompit un moment et je redoutai ce qu'il allait ajouter. Je lui lançai une prière silencieuse. *Non, je t'en prie, ne mets pas ça sur le tapis maintenant !* Mais il se borna à dire :

« L'homme de la photographie, c'est moi. (En voyant l'expression ahurie d'Isa, il ajouta :) Oui, je sais, j'ai quelque peu changé depuis, mais dites-moi, poursuivit-il sur le même ton implacablement égal, pourquoi n'avez-vous pas essayé de me faire chanter ? Vous deviez savoir qui j'étais. Jack a dû vous le dire, non ?

— Oh, bien sûr que je savais qui vous étiez, dit-elle d'un ton péremptoire ; une célébrité à Londres, sans doute ; mais à Whitby, vous n'existez pas, et pour moi, encore moins. »

En entendant cela, Bram secoua la tête et se retourna vers moi en dernier recours, mais je ne pus que confirmer d'un signe ce qu'il soupçonnait depuis le début, à savoir qu'Isa Firth s'intéressait davantage au pouvoir qu'à l'argent et s'était servie des photographies de Jack comme instruments de torture plus que comme source de revenus commode. Mais même alors...

« Qui d'autre as-tu fait chanter, Isa ? Des gens de Whitby ? Des gens que tu détestais autant que moi ? Qui ? Allez, grinçai-je, dis-moi qui ils sont avant que je ne commence à chercher leurs adresses. Je suis tellement furieuse que j'aimerais bien tout casser ici. Et je me moque de qui risque de m'entendre et de venir voir ce qui se passe. Je me ferai un plaisir de dire à tout le monde quelle citoyenne intègre tu es. J'ai même encore une meilleure idée : si tu ne me dis pas qui sont ces gens, je passe un entrefilet dans la *Gazette* pour annoncer que l'époque du chantage est révolue.

— Tu n'oserais pas ! »

Mais, malgré toute sa crânerie, elle était dévorée par l'inquiétude. Quand Bram confirma que je mettrais mes menaces à exécution sans me soucier des conséquences, elle parut sur le point de s'effondrer. Elle me bouscula pour aller jusqu'au secrétaire, faisant crisser le verre sous ses bottines, et plongea la main dans l'un des petits tiroirs. Elle me tendit avec des doigts qui tremblaient un petit livre de comptes où se trouvait une liste de noms et d'adresses.

« Voilà, siffla-t-elle. Prends-le et va-t'en ! »

Je le feuilletai puis le mis dans ma poche. Plus tard, j'écrirai à chacune des victimes une lettre rassurante mais anonyme pour dire qu'Isa Firth s'était retirée. J'étais partagée, car j'aurais aimé la traîner devant les tribunaux ; mais du coup je m'exposais moi aussi – et beaucoup d'autres – à une humiliation. Il faudrait donc que je me contente du plaisir trouble de la destruction.

En hâte, je rassemblai les plaques de verre restantes tandis que Bram s'occupait des photographies et les glissait dans mon panier. Avec mon aide, il souleva la boîte, la mit sur la table et arrangea les plaques du mieux qu'il put. Je vérifiai le secrétaire et fis un dernier tour d'inspection dans la pièce du fond. Je vérifiai même la cuisine, n'y trouvant que les maigres provisions d'une femme seule qui se nourrissait mal. Avec le sentiment d'avoir fait œuvre de justice, je traversai la boutique derrière Bram et sortis. Je tremblais si fort que je crus que mes jambes allaient se dérober sous moi avant d'avoir parcouru dix mètres. Jamais je n'avais été aussi heureuse de voir un brouillard dense et enveloppant.

32

Au lieu de rentrer à l'hôtel, il nous parut préférable d'aller au Cheval blanc, où nous avions dîné lors ce cette fameuse première soirée. Après avoir fait le chemin en chancelant sous notre charge, nous ne fûmes pas fâchés de nous asseoir pour reprendre nos esprits. Bram avala son whisky presque d'une traite, et, si je bus mon cognac plus lentement, ce fut avec la même avidité. La boîte et le panier étaient posés entre nous sur la banquette, et nous regardions autour de nous au lieu de nous regarder l'un l'autre ; l'endroit avait été modifié ; le bois naturel de jadis avait cédé la place à du bois verni et à des miroirs élaborés, mais nous déplorions ce changement. Je crois que nous trouvions tous deux plus facile de nous en tenir à des banalités plutôt que de parler de ce qui venait de se passer.

Bram vida son verre, prit ma main sous la table et la pressa.

« Je t'en ai causé, des ennuis ! » souffla-t-il en désignant la boîte entre nous.

Je hochai la tête et dis avec un sourire contraint :

« En très peu de temps, tu as complètement changé ma vie. (Sentant l'émotion m'envahir, je pris une grande inspiration.) Ce sont surtout les répercussions qui ont été pénibles, tu sais, dis-je en tapotant la boîte. Ceci n'en représente qu'une entre autres. »

Son regard était trop insistant et la pression de sa main sur la mienne trop affectueuse pour que je les accepte dans un lieu public.

« Rentrons à l'hôtel, dis-je instamment. Là, au moins, je pourrai boire tout mon saoul et donner libre cours à mes sentiments sans témoins. »

Un petit rire ronronnant lui échappa et il partit en quête d'une voiture. Dans le brouillard qui tourbillonnait, le trajet sembla interminable, mais au moins n'avions-nous pas à porter la boîte.

Quant à savoir comment disposer de son contenu, le problème restait entier ; toutefois, l'inspiration vint un peu plus tard, tandis que nous traversions le hall de l'hôtel. En passant devant l'entrée de la salle à manger, je me remémorai ma tentative infructueuse pour me faire engager aux cuisines du Royal. En même temps que ce souvenir surgit l'image de l'entrée de service derrière l'hôtel, avec sa rangée de poubelles, une pour les cendres, une pour les ordures et une pour les reliefs de repas. Une fois cassées, les plaques de verre pourraient être versées dans une poubelle à moitié pleine de cendres sans que personne s'en aperçoive.

Cette idée me rasséréna aussitôt. Je posai la boîte devant la cheminée de ma chambre, enfilai mes gants, ôtai une chaussure et me mis en devoir d'écraser les plaques avec le talon, par deux à la fois, sur le carrelage du foyer. Peu m'importait de savoir quelles photographies je détruisais, artistiques ou pornographiques. J'avais le sentiment d'effacer des années d'angoisse, des années qui avaient rendu mon mariage caduc et flétri mon existence.

Bientôt, je sanglotais nerveusement, mais je n'abandonnais pas. La moitié de la boîte devait être réduite en morceaux lorsque Bram arriva et me tira en arrière.

« Je t'en prie, Damaris, arrête. Tu vas te rendre malade si tu continues... »

Cela lui valut de ma part une remarque acerbe mais, j'eus beau me débattre, il me tint fermement jusqu'à ce que je fusse calmée. Ensuite, après avoir méthodiquement cassé chaque plaque en quatre ou cinq morceaux, et vérifié que tout avait bien disparu dans la poubelle, il dit non sans satisfaction :

« Eh bien, espérons que nous en avons vu le bout. »

Il nous versa un autre verre et je secouai la tête, perplexe : « Pourquoi a-t-il fait cela, Bram ?

— Quoi donc ? Pourquoi a-t-il pris des photos licencieuses ? Tu sais, ce genre de choses se vend toujours très bien, et tu peux dire que Jack a mis son talent au service d'un sujet très galvaudé...

— Non, dis-je avec impatience, ce sont des autres que je parle. Celles de nous deux ensemble. Pourquoi les a-t-il gardées ? C'est là la question qui m'a tourmentée pendant toutes ces années. J'avais toujours pris Jack pour un honnête homme, et c'est cela qui me paraît tellement bizarre. Cela, et ce qu'il a pu trouver à Isa Firth. Il l'aimait bien, Dieu sait pourquoi, quand elle était jeune, alors qu'il ne pouvait pas souffrir Bella. Quant à moi, je ne lui plaisais pas particulièrement ; du reste, pendant tout le temps où j'ai travaillé pour lui, il n'a jamais eu le moindre geste. Alors, je ne comprends pas pourquoi il a pris ces photos, ni pourquoi il les a gardées...

— Ni moi non plus », répondit-il avec une grimace.

Mais, en y réfléchissant, je me dis qu'il connaissait peut-être une autre facette de Jack Louvain, une que je ne soupçonnais pas. Aussi, au bout d'un moment, je me mis à penser tout fort pour essayer de lui tirer les vers du nez. Je dis que j'avais toujours eu du mal à comprendre Jack. Il n'avait pas été amoureux d'Isa Firth et, à mon avis, la seule chose qui lui importait, c'était son métier : observer les autres, les photographier, rendre compte de la façon dont ils se tenaient, se comportaient, et de leur apparence. S'il était amoureux de quelque chose, c'était des photographies qu'il prenait, des images saisies sur verre et sur papier, images de personnes et de lieux vus d'une certaine distance.

« Tu comprends, il pouvait revenir pour les regarder quand il voulait. (Je m'interrompis et vis que Bram hochait la tête, sans me regarder, approuvant ce que je venais de dire.) Comme ces images de nous deux, poursuivis-je d'une voix soudain entrecoupée. Elles étaient trop bonnes pour qu'il les détruise. Je ne crois pas qu'il ait jamais songé à ce qui pourrait advenir d'elles après sa mort...

— Non, je ne crois pas, en effet. »

J'attendis que Bram tourne la tête et me regarde. Quand nos

yeux se croisèrent, je compris. C'était l'évidence même. Pourquoi n'avais-je rien vu plus tôt ? Mais, en cet instant, j'eus la sensation que mes poumons étaient vides et je suffoquai.

« C'était toi, n'est-ce pas, demandai-je lorsque je retrouvai mon souffle. S'il a gardé ces photographies, c'est parce qu'il y avait toi... »

Il eut un mouvement presque imperceptible de la tête, puis s'écarta brusquement et alla se mettre près de la fenêtre, pour allumer un cigare, en me tournant le dos.

Nous étions gênés l'un et l'autre. Cette révélation éclairait tout d'un jour si différent que je ne savais guère que penser ni où commencer. Je finis par reprendre la parole afin de rompre le silence.

« Cette dernière soirée avant qu'Irving n'arrive, dis-je d'une voix fiévreuse, faisant volte-face pour le regarder, tu es resté dehors pendant des heures, seul. Je croyais que tu étais parti te promener sur la lande et j'étais morte d'inquiétude. Mais quand tu es rentré, tu m'as dit que tu avais rencontré Jack et que tu étais allé boire avec lui...

— Oui. Oui, c'est vrai. »

Je m'arrêtai, sentant la tension s'installer entre nous.

« Que s'est-il passé ?

— Rien, répondit-il précipitamment. Enfin rien de très important. »

En boitillant, il se mit à arpenter la pièce, et je le suivis des yeux, souhaitant de toutes mes forces qu'il me dise la vérité.

« Nous avons bu quelques verres, et mangé quelque chose, après quoi nous sommes retournés au studio avec une bouteille de whisky. D'après mes souvenirs, nous avons beaucoup bu. Il m'a montré certaines de ses dernières photographies, et quelques-unes de ses photos coquines. Mais je crois que c'était une sorte d'entrée en matière à ce qu'il voulait me confier, à savoir que les femmes lui plaisaient moins que les hommes.

« Ce n'était pas une surprise totale, admit Bram en toussotant, bien que j'aie été étonné, et extrêmement gêné, de découvrir que je l'attirais. J'étais ivre, naturellement, et lui aussi, ce qui a un peu amorti le choc, mais malgré tout... »

Il haussa les épaules comme pour se débarrasser de souvenirs désagréables.

« Et toi, il te plaisait ? » demandai-je.

Je vis que la question augmentait encore son embarras.

« Ma foi, je l'aimais bien, j'ai toujours trouvé Jack sympathique, tu le sais. (Il s'interrompit, puis ajouta rapidement :) Pour être tout à fait honnête, je crois avoir éprouvé une certaine attirance, mais sur le moment je n'en ai pas eu conscience. Encore que je doive admettre que cette nuit-là, entre la curiosité et la tentation, j'ai failli oublier ma réserve. Failli seulement. À la fin, le bons sens l'a emporté. À moins que ce ne soit la lâcheté ? ajouta-t-il avec une ironie amère. Je me le suis souvent demandé. Toujours est-il que je suis parti. »

Il tira de grosses bouffées de son cigare sans cesser d'arpenter la pièce, et finit par ajouter :

« Cette soirée m'avait laissé dans d'étranges dispositions. Je me souviens d'avoir été absolument furieux et frustré, parce que je pensais avoir trouvé une vie simple à Whitby, or elle se révélait incroyablement compliquée. Tout semblait se liguer contre moi, poursuivit-il avec un sourire sans joie, même mes propres inclinations. Tous les habituels garde-fous s'effondraient. Je m'étais surpris à réagir au charme de Jack, ce qui ne me ressemblait absolument pas. Et ce jour-là avec toi, j'étais... allé trop loin. Je ne comprenais pas ce qui m'arrivait. C'était très inquiétant. J'avais besoin de m'assurer que je n'étais pas en train de perdre la raison... À ceci près que je ne maîtrisais plus rien, à commencer par moi-même. Et quand je suis rentré au cottage, je... enfin, poursuivit-il sur un ton de désespoir, il est inutile d'entrer dans les détails, tu sais ce que j'ai fait. Et je savais que jamais je n'aurais dû le faire. »

Nos yeux se croisèrent un instant, et en dépit de ma propre

angoisse je perçus sa honte et sa détresse. Je savais que, comme moi, il avait passé longtemps, à l'époque, à essayer de s'expliquer sa conduite et qu'il n'y était pas entièrement parvenu.

« Tout ce que je peux dire, reprit-il, c'est que j'étais amoureux de toi, Damaris, follement amoureux, et en même temps fou d'inquiétude, parce que je savais que cela ne pouvait pas durer. Je n'avais aucune intention de te faire du mal, Dieu sait que je ne voulais qu'une chose, t'aimer. Mais je... je ne sais ni comment ni où tout s'est dégradé...

— J'ai eu l'impression que tu me haïssais, articulai-je avec difficulté. Que tu m'en voulais de quelque chose, de ne pas te donner assez, ou de ne pas être telle que tu l'aurais souhaité...

— C'est l'impression que je t'ai donnée ? »

Il s'interrompit, fronça les sourcils, puis s'approcha de moi. Avec un soupir, il tendit la main timidement, effleura mes cheveux, ma joue, mon épaule, le regard empli de sollicitude et d'affection.

« Ce n'était pas du tout cela, Damaris, crois-moi... »

Raidie par le refus, j'avais la gorge sèche ; je parvins cependant à articuler :

« J'ai toujours cru, après, que tu m'avais utilisée comme substitut.

— De quoi ?

— D'Irving. »

Stupéfait, il secoua la tête.

« Non, non, Damaris ! Tu te trompes. Je comprends pourquoi tu as pu le penser, mais crois-moi, ce n'est pas du tout le cas. Jack Louvain aurait peut-être pu jouer ce rôle... pas toi. Tu ne remplaçais rien ni personne. Je t'aimais, je te désirais, tu me satisfaisais. Tu me donnais la liberté que j'avais toujours cherchée... »

Il s'interrompit, la respiration oppressée.

« Mais ? demandai-je d'un ton cassant.

— Mais je commençais à avoir peur de ce que je serais

capable d'en faire, déclara-t-il. Plus tu me donnais, et plus je voulais. J'avais l'impression d'être insatiable. Je voulais te posséder corps et âme. Cela m'effrayait.

— Moi aussi. »

Même après toutes ces années, les souvenirs me donnaient la chair de poule. Je frissonnai et il se tourna vers moi aussitôt avec un mouvement de supplication muette. Je sentis qu'il avait besoin de ma chaleur comme moi de la sienne et, malgré tout, j'ouvris instinctivement les bras. Il me serra contre lui.

« C'était comme s'il y avait en moi quelque chose de détraqué, quelque chose de maléfique et de pervers qui te détruirait si je restais, dit-il d'une voix que l'émotion rendait rauque. Je n'étais pas sûr que cela ne me détruirait pas aussi, mais je savais qu'il fallait que je parte. Quand tu m'as dit que tu ne voulais plus jamais me revoir, j'en ai été presque soulagé... »

Émue par ses remords, je me rendis compte, ce qui ne laissa pas de me perturber, que je n'avais pas envie de quitter ses bras. Une sensation de confort et de familiarité me poussait à m'y blottir, comme si maintenant il était capable de me défendre contre tous les maux du passé et disposé à le faire. Comme si nous pouvions à nouveau partager le meilleur.

Depuis si longtemps personne ne m'avait touchée et, surtout, personne ne m'avait tenue dans ses bras avec tendresse. À contrecœur, je m'écartai de lui et me forçai à penser à l'affaire qui nous occupait. Le sang battait furieusement dans ma gorge, mais puisque nous avions entrepris de dévider le fil, je voulais aller jusqu'au bout. Après ce qu'il m'avait dit de Jack Louvain, il fallait que je sache si le désir sexuel entrait en ligne de compte dans ce qu'il avait éprouvé pour Irving.

Ma voix me parut manquer de naturel, mais Bram m'écouta jusqu'au bout, parfaitement immobile, et garda les yeux fermés pendant ce qui me sembla un très long temps. Je crus que j'étais allée trop loin, qu'il ne me répondrait pas, qu'il prendrait congé sous un prétexte quelconque. Mais non. Il leva son verre, but quelques gorgées puis le reposa en disant :

« Tu sais, Damaris, il faut comprendre qu'Irving et moi avons travaillé en collaboration étroite pendant plus de vingt-cinq ans. L'amitié change. Les sentiments aussi. Au cours de toutes ces années, il y a souvent eu de l'hostilité entre nous, autant que de l'affection, et s'il y a eu des périodes où je l'ai adoré, il y en a eu d'autres, je le jure, où je l'ai cordialement détesté. »

Mais je ne pouvais me contenter d'en rester là et insistai :

« Oui, je te crois, mais votre relation ne se bornait pas à cela. Dis-moi la vérité, Bram. À l'époque dont nous parlons, est-ce qu'il t'a fait des avances ? Sexuelles, j'entends. »

Il commença par secouer la tête avec une certaine exaspération et se passa les doigts dans les cheveux. Puis soudain, il laissa tomber :

« Oh là là, Damaris, bien sûr que oui. Mais durant très longtemps, je n'ai rien vu. »

Il s'interrompit et poussa un long soupir qui dut lui permettre de soulager sa tension. Quelques instants plus tard, il ajouta d'une voix lasse et résignée :

« L'ennui, c'est que même quand je m'en suis aperçu, j'ai continué à douter. Je me suis dit que c'était moi qui m'imaginais des choses, que c'était l'effet combiné de la fatigue et du dépit, ou que je me laissais entraîner par ma propre imagination débridée. Il m'a fallu beaucoup de temps pour me rendre compte que tous ses regards, ses gestes, ses effleurements étaient délibérés, et qu'il était parfaitement conscient de ce qu'il faisait. Il utilisait son charme pour manipuler les autres, hommes ou femmes. Mais il agissait de telle sorte que cela semblait innocent, involontaire, attachant. On n'était jamais sûr, vois-tu... »

Il décrivit Irving dans les premiers temps, avant que le succès ne le change : jeune, beau, doté d'une intelligence étonnante en même temps que d'un talent prodigieux, ainsi que du charme qui devait fasciner plus tard des salles entières en Angleterre comme à l'étranger. Dès leur première rencontre, les deux hommes avaient paru se comprendre ; pour sa part, Bram avait eu l'impression de rencontrer l'âme sœur, tout en ayant du mal à concevoir qu'un homme aussi éblouissant et aussi doué pût le choisir comme ami. En fait, c'étaient ses talents personnels qui intéressaient Irving, son énergie et ses dons d'organisation qui devaient l'aider dans la grande aventure du Lyceum. Mais, à cette époque, Bram était beaucoup trop inexpérimenté pour en être conscient, et la proposition d'Irving avait provoqué chez lui une reconnaissance éperdue à un moment où il se disait que sa vie s'enlisait dans l'inertie et la routine.

C'était alors que Mrs Stoker avait utilisé le mot « obnubilé » pour décrire l'état d'esprit de son fils ; elle avait senti le pouvoir d'Irving sans bien en comprendre les raisons, et craignait pour Bram. Bien que la situation fût exactement celle qu'il désirait, et qu'il ne pût espérer mieux, Bram reconnut avoir éprouvé des inquiétudes, et qu'elles avaient surtout eu trait à Irving.

« J'étais certain que nous pouvions faire de grandes choses, mais je me demandais à quel prix. Un peu comme Faust, quand il s'interroge, confessa-t-il non sans ironie. Je crois que je craignais de perdre mon âme. »

Je me souvins de l'impact qu'avait eu Irving sur moi, et frissonnai.

« Et tu l'as perdue ? demandai-je.

— J'espère que non, dit-il en secouant la tête. Je crois avoir payé avec des choses plus immédiates : ma tranquillité d'esprit, mon ménage, les talents que je pouvais avoir, et toi. »

Bram tendit la main pour prendre son verre, soupira et fit tourner le whisky un moment avant de boire.

« Jamais je n'ai pu lui pardonner les cruautés mesquines qu'il s'est permises pendant que nous donnions *Faust*. Il était toujours affecté par un rôle, et j'essayais donc de ne pas y prêter attention. Mais là, il est presque parvenu à tout détruire. Il a abusé de son pouvoir, il a fait tout ce qu'il pouvait pour humilier ceux d'entre nous qui étaient avec lui depuis le début. Il s'est conduit de façon abominable avec Ellen, qui était amoureuse de lui depuis des années ; quant à moi, ma foi, on aurait dit qu'il voulait provoquer toutes mes émotions pour le simple plaisir de me voir souffrir. Et il a réussi : l'amour, la haine, la jalousie, toute la gamme des sentiments. J'ai cru devenir fou.

« Bien sûr, il jouait Méphistophélès, et je savais que c'était dans le rôle, mais il est allé trop loin, beaucoup trop loin. Je le voyais faire le joli cœur avec ses admiratrices, ouvertement, parfois en m'observant du coin de l'œil pour s'assurer que je l'avais vu. Et quand je m'énervais et que je me contrôlais avec le plus grand mal, il s'approchait de moi, me glissait un bras autour des épaules et jouait le rôle de l'ami affectionné qu'il avait toujours été. Alors, il chuchotait quelque chose, une remarque grivoise, et se moquait de ma réaction qui, je le reconnais, n'était pas toujours à la hauteur. J'étais trop sérieux, tu comprends, trop tendu, trop obsédé par sa cruauté et les réactions qu'elle provoquait chez moi.

« Je me sentais idiot et furieux, totalement impuissant. Je mangeais mal, je dormais mal, je me disputais sans arrêt avec Florence... Entre la maison et le théâtre, j'avais l'impression de vivre dans une tragédie shakespearienne ! reconnut-il avec une amertume teintée d'humour. Je me creusais la tête pour trouver des solutions : vivre de ma plume, me retirer en Écosse ou dans le sud-ouest du pays, le plus loin possible d'Irving et du théâtre. Quand il a été question de préparer la tournée en province, j'ai sauté sur l'occasion... »

Ces détails me rappelèrent la nervosité qui était la sienne lors de notre première rencontre. C'était alors qu'il était venu à Whitby et qu'il était monté sur les falaises pour y affronter les éléments, et qu'il était parti avec le sentiment que je l'avais guéri de ses vapeurs en l'obligeant à se plonger un moment dans la vraie vie.

Mais la guérison n'avait été que très temporaire. À Londres, si la pièce avait été un succès, l'hiver avait vu sa relation avec Irving se détériorer, et il était revenu à Whitby à la première occasion. En parlant avec lui, je revis très clairement la séquence d'événements : la tension du surmenage, les tourments infligés par Irving, l'absence de sympathie de Florence, le manque de repos et une accumulation complexe de ressentiments, de rage et d'épuisement. À l'époque, je m'étais moquée de son désir d'évasion, mais ce que vivait Bram ressemblait à un cauchemar ; et après son départ, sa peur d'être retrouvé était authentique.

« Aujourd'hui, cela semble un peu fou que j'aie pu avoir aussi peur. Mais c'est une réalité. Je savais que, une fois mon refuge découvert par Irving, je devrais à nouveau l'affronter, et je ne pouvais supporter cette idée. Du coup, je me sentais aux abois et je me cramponnais à toi plus désespérément que jamais. Tu étais ma planche de salut, Damaris. Je voulais faire partie de toi et je voulais que tu fasses toi aussi partie de moi. Alors seulement je serais assez fort pour le vaincre. Parce que je savais que, dès que je le verrais, tout recommencerait.

— Et c'est ce qui s'est passé ? » demandai-je au bout de quelques instants.

Il marqua une pause encore plus longue, puis secoua la tête.

« Non, dit-il d'un ton un peu surpris. Pas vraiment. Toutes ces émotions rebelles s'étaient plus ou moins dissipées. Irving m'émouvait toujours, j'admirais son talent, mais, comme par miracle, quand nous nous sommes trouvés face à face, j'ai vu qui il était et ce qu'il était. Je n'étais plus ébloui. »

Je connaissais ces symptômes.

« Tu n'étais plus amoureux de lui.

— Non, c'est de toi que j'étais amoureux. Cela explique tout. »

33

Il se faisait tard et nous n'avions pas encore dîné. Nous n'avions ni l'un ni l'autre envie d'affronter les contraintes d'un lieu public, aussi nous parut-il préférable de consulter le menu et de demander que l'on nous serve un repas léger dans ma suite. Après, je me sentis plus calme, plus détendue et, lorsque les garçons apportèrent le café et débarrassèrent la table, je me dis que c'était tout de même étrange que Bram et moi puissions partager des secrets aussi intimes après toutes ces années. Au début, c'était le hasard qui nous avait réunis. Il avait suscité des passions dont il aurait mieux valu qu'elles ne naissent jamais, car leurs conséquences avaient hanté nos vies jusqu'à présent. En repensant aux deux derniers jours, je me dis que la façon dont nous avions été à nouveau mis en présence témoignait d'une sorte de prédestination.

D'anciens abcès avaient mûri et avaient été finalement incisés. Et certaines vérités manifestes avaient enfin été mises au jour. J'étais contente qu'Irving n'ait pas gagné la bataille et possédé l'âme de Bram, même si à l'époque sa victoire m'avait semblé claire. Et je dois avouer aussi que j'avais assez de vanité pour me réjouir que Bram eût oublié si peu de choses de cette période, qui était restée gravée aussi profondément dans son esprit que dans le mien.

En vérité, j'étais même contente qu'il m'eût confié ses regrets à propos de son travail d'écriture, qui pendant des années avait souffert des pressions conjuguées de Florence et d'Irving. Il avait toujours dû terminer ses manuscrits à la hâte ; or, il avait le sentiment que, s'il avait pu leur consacrer toute son attention, les histoires auraient été mieux finies, les personnages plus fouillés et les révisions plus minutieuses. Malgré cela, les livres avaient eu du succès, peut-être pas assez pour l'enrichir, mais suffisamment en tout cas pour prouver qu'Irving se trompait, ce que je trouvais particulièrement satisfaisant.

« Dis-moi, qu'a-t-il pensé de *Dracula* ? demandai-je sournoisement. J'ai vérifié : cela ne signifie pas seulement "Fils de Dragon", hein, mais aussi "Fils du Diable". Alors, de là à Méphistophélès... ! Tu crois qu'il a vu l'analogie ? »

Bram poussa un petit grognement de surprise et dit :

« Ah, tu sais, je suis ravi que tu l'aies lu, encore que je doute que lui, il l'ait fait. »

Je le regardai, ahurie et incrédule : que son meilleur ami ait pu ignorer une œuvre aussi puissante ! Pourtant, Bram, qui avait écrit le premier jet d'une adaptation théâtrale pour protéger les droits de son roman, soutint que lorsqu'il l'avait donnée à lire à Irving, celui-ci y avait à peine jeté un coup d'œil avant de refuser tout net d'envisager de monter la pièce.

« C'est très dommage, soupira Bram, et c'est l'une des rares fois où il s'est trompé sur un rôle. Quand je pense aux autres personnages mystérieux qu'il a incarnés, je trouve que Dracula aurait été parfait... Tu aurais dû voir Irving interpréter le capitaine du Vaisseau fantôme : ses yeux rougeoyaient comme des charbons ardents. Hallucinant ! Je me demande comment il s'y prenait. (Et avec un sourire gourmand il ajouta :) Imagine ce qu'il aurait fait du Comte !

— Mmm, oui, j'imagine ! répondis-je d'un ton peut-être un peu trop appuyé. C'était un rôle sur mesure. Pourquoi l'a-t-il refusé ? Il ne te l'a jamais dit ? »

Bram pinça les lèvres et, avec un geste de dénégation, se renversa sur le dossier de son fauteuil.

« J'imagine qu'il l'a trouvé trop marginal et trop peu prestigieux pour lui. Jamais il n'a expliqué son refus, en dehors de son commentaire retentissant à la fin de la première lecture. "Consternant !" a-t-il lancé ; après quoi, l'affaire était close. Je me suis dit ensuite que sa réflexion s'appliquait à l'adaptation, trop hâtive, et non à l'intrigue ; mais, venant de lui, c'était le genre de remarque qui ne me surprenait plus. Tout ce qui n'était pas centré sur lui ne méritait jamais la moindre louange de sa part. »

Je pris ma respiration et lançai :

« Eh bien, c'est dommage qu'il ne se soit pas reconnu ! À moins que, justement, ce n'ait été une façon de te damer le pion ? »

Bram secoua la tête. D'après lui, c'était douteux, et de toute façon, le personnage n'était pas au départ un portrait d'Irving. La description du Comte s'appuyait sur des hommes beaucoup plus âgés, de grandes figures marquantes comme Tennyson et Walt Whitman, le poète américain. Mon oncle lui-même avait été inclus dans ces premières ébauches.

« Ensuite, cependant, à cause du thème central qui est naturellement la lutte pour le pouvoir, j'ai commencé à comprendre que le Comte et Irving avaient beaucoup plus qu'une ressemblance fugitive. Et à cause de l'insatiable appétit de savoir d'Irving, de sa capacité à se concentrer et à *absorber*, ce pour quoi il avait un talent incroyable, je suis devenu très conscient de leurs similarités. C'est alors que j'ai songé aux possibilités d'adaptation pour la scène, voilà... (Avec un haussement d'épaules, Bram s'interrompit pour allumer un cigare.)... mais comme il ne m'a jamais rien dit sur le livre, j'ai cru qu'il ne l'avait pas lu. Tu crois qu'il l'a fait et qu'il s'est vexé ?

— Pas nécessairement. Peut-être a-t-il été simplement troublé. Tu ne l'as pas été, toi, quand tu as écrit ce livre ?

— Pendant que je l'écrivais, non. »

Il réfléchit en fumant son cigare, nous entourant tous deux de nuages odorants. Il s'excusa et s'éloigna pour se mettre près de la fenêtre. Devinant en lui une tension cachée, je me levai lentement. Quelques instants plus tard, tandis que je le surveillais à la dérobée par l'intermédiaire du miroir au-dessus de la cheminée, je fus étonnée de ne plus le voir. Alarmée, je me retournai aussitôt, pour constater qu'il avait ouvert la fenêtre et était sorti sur le balcon. Vêtu de sombre, il se confondait avec la nuit.

Quand je le rejoignis, il regardait vers la falaise est, perdue dans le brouillard.

« Voilà où tout a commencé, dit-il à mi-voix. Là-haut, au coucher du soleil, quand je t'attendais sur la tombe de Lucy. Tu te souviens des histoires que nous nous racontions, des intrigues que nous imaginions ? Elles ont en quelque sorte fourni le décor et le cadre de ce qui devait suivre.

« Tu te souviens que j'avais cette idée d'un aristocrate d'Europe de l'Est, issu d'une très ancienne lignée, qui revenait en Angleterre comme vampire à notre époque ? Je me demandais comment il survivrait dans notre monde moderne. Mais je ne voulais pas développer ce thème, car dans le contexte une histoire concernant un vampire ne me semblait pas très originale – il y avait trop de précédents excellents – et, assurément, le monde moderne était trop frelaté pour qu'une créature telle que ce personnage y survive longtemps. Seulement voilà, avec les meurtres de Jack l'Éventreur, tout a changé. Quelqu'un – un être mystérieux – a commis les crimes les plus atroces que ce pays ait jamais connus et est resté impuni. Comment ?

« Hall Caine et moi avons eu là-dessus des discussions sans fin. Toutes sortes de personnes ont été interrogées. Caine connaissait même quelqu'un qui avait été brièvement écroué. Cela dit, la police n'avait aucune preuve permettant de lier qui que ce fût aux assassinats. C'était plus qu'étrange, c'était inquiétant. Toutes sortes de rumeurs circulaient à Londres à ce moment-là, y compris des absurdités selon lesquelles des membres de la famille royale étaient impliqués. Alors, en l'absence de rime et de raison, j'ai cru pouvoir élaborer toutes sortes de théories extravagantes autour de ces macabres événements. Brusquement, mon idée d'un vampire répandant la terreur et la destruction à notre époque, dans la ville la plus peuplée et la plus évoluée du monde, ne paraissait plus inepte. Elle devenait possible, crédible, effrayante.

« À partir de là, j'ai compris que l'histoire devait être écrite, et qu'il fallait y inclure non seulement les éléments spécifiques à Whitby, mais tous ceux qui l'avaient inspirée : la monstrueuse tempête du jour de notre rencontre, les naufrages, le navire russe, le grand chien noir, et surtout Lucy et les amis que nous lui avions inventés...

— Tandis que le personnage central, murmurai-je, développant l'histoire à sa place, était fondé sur cet aristocrate du Moyen Âge dont tu avais trouvé le nom dans le vieux grimoire, et dont tu as transformé le caractère sanguinaire en soif de sang au sens littéral...

— Oui, en effet, souffla-t-il en se tournant vers moi, c'est exactement ainsi que cela s'est passé... »

Je détournai le regard en frissonnant. L'œil fixe, je ne voyais plus qu'une brume éblouissante de particules dans le brouillard, bien que le froid semblât resserrer son étreinte autour de nous. Je tirai Bram par le bras pour le faire rentrer, et les écheveaux de brouillard qui lui collaient aux épaules comme une cape suivirent. J'eus alors la vision du Comte entrant dans la chambre de Lucy pour la séduire et la mener jusqu'à une extase mortelle. Je ne pus maîtriser mes tremblements et fermai la fenêtre, dont je remis les rideaux en place pour essayer de me débarrasser de cette image, mais j'eus l'impression que quelque chose était entré dans la pièce avec nous.

Bram me passa un châle en cachemire autour des épaules, s'excusa de son manque d'égards, et me conduisit auprès de la cheminée pour que je me réchauffe.

« Tu m'as demandé si l'écriture de ce livre m'avait troublé. Ce qui est curieux, tu sais, c'est que j'ai gardé cette histoire en moi pendant des années, et que tant qu'elle est restée dans ma tête tout allait très bien. J'avais écrit quatre livres, dont trois avaient été publiés, et cette réussite à elle seule avait constitué un changement considérable dans mon existence. L'écriture me permettait de supporter tout le reste, tu comprends ? Comme si elle réunissait les morceaux disparates de mon existence, résolvait mes conflits internes à propos de mon identité, de ma nature et de ce que je m'efforçais en permanence de devenir. À travers l'écriture, je pouvais être moi-même, sans avoir à fournir d'excuses, de justifications, sans tenir compte de qui que ce soit d'autre. J'avais conscience d'être satisfait et comblé, sans doute pour la première fois de ma vie.

« Mais le plus important peut-être, c'est que cela me permettait de mieux m'y prendre avec Irving et dans mon travail, qui était de gérer le théâtre. Or le Lyceum faisait des bénéfices : Irving accumulait les succès et, pour couronner ses désirs, il a été anobli. Toute la profession a eu le sentiment d'avoir changé de statut du jour au lendemain, comme si les gueux et vagabonds d'hier étaient devenus les aristocrates d'aujourd'hui. Nous étions tous extrêmement fiers.

« Ce fut une semaine de folie, ajouta Bram. Sais-tu que mon frère Thornley a lui aussi été anobli ? Naturellement, l'honneur a rejailli sur toute la famille ; pour ma part, cependant, entre l'excitation du palais et le désespoir que j'ai éprouvé en voyant condamner ce pauvre Oscar Wilde, je me suis senti épuisé et n'ai plus eu qu'une envie : partir. Florence a eu le même réaction. Moi, j'aurais souhaité venir à Whitby pour écrire, mais elle n'a jamais voulu en entendre parler, alors nous sommes allés en Écosse. C'est là que j'ai commencé à rassembler les notes et les idées que j'avais en tête depuis près de dix ans et que je me suis mis à rédiger.

« Ce livre n'a pas été facile à écrire : il m'a pris beaucoup plus de temps que les autres et, curieusement, je sentais qu'il me vidait de toute mon énergie. Avant, j'écrivais en vacances et je trouvais cela tonique. Or je ne sais pas pourquoi, cette fois-là, le travail m'épuisait et j'avais l'impression que je n'en viendrais jamais à bout. En fait, il m'a fallu plus d'un an pour terminer le manuscrit, et jamais je n'ai été aussi content de mettre un point final à quelque chose.

« Lorsque le livre est sorti, j'ai été déçu. La couverture ne correspondait pas à ce que j'aurais voulu et les critiques ont été tièdes, malgré tout le mal que je m'étais donné. Après, cela a été le début d'une série noire : pendant tout l'été, il y a eu une suite de petits désagréments qui sont rapidement devenus plus sérieux. Cet automne-là, Irving a fait une mauvaise chute et s'est gravement abîmé le genou. Cela s'est passé juste après la première de *Richard III* et, pour la première fois de sa carrière, il n'a pas pu monter sur scène. Nous avons même dû fermer le théâtre pendant trois semaines, en pleine saison, ce qui nous a coûté une fortune et causé un énorme préjudice. Le préjudice le plus grave, toutefois, a été celui qu'a subi l'amour-propre d'Irving : il s'est rendu compte alors qu'il n'était pas invulnérable, et en a été très secoué. Après quoi, son petit chien a été tué dans un incident avec la trappe, et tout le monde a été très affecté. Mais la pire catastrophe a été l'incendie des magasins de décors du Lyceum...

— J'ai lu des articles à ce sujet. On en a parlé dans tous les journaux. »

Bram hocha la tête et dit sèchement :

« Cet incendie nous a coûté dans les cinquante mille livres, alors que nous n'étions pas complètement assurés. J'avais pris de gros risques durant des années en payant des primes qui nous couvraient à hauteur de dix mille livres seulement, car Irving ne voulait pas entendre parler d'une augmentation des frais. Après le fiasco de *Richard III*, il a insisté pour que nous divisions le chiffre par deux. Cela faisait des années que nous avions nos entrepôts sous les arches du chemin de fer et jamais il n'aurait imaginé qu'il pouvait arriver quoi que ce soit. En théorie, il avait raison, à un détail près : un malheur est arrivé, Dieu sait pourquoi. L'incendie a été monstrueux, la chaleur féroce, et jamais la cause n'a été découverte. Les arches ont été brûlées sur une épaisseur de trois briques, et les pierres de couronnement ont été réduites en cendres...

— Oui, je m'en souviens », murmurai-je, troublée de nouveau, et soudain honteuse de me rappeler mes soupçons passés.

À l'époque, j'avais cru un moment que Bram avait pu avoir quelque responsabilité dans cet incendie. Mais en sa présence, en regardant son visage, je compris que c'était totalement exclu.

« C'était un spectacle affreux, Damaris. Je le revois encore. Et depuis, je ne cesse de me poser des questions... (Avec un hochement de tête désespéré, il poursuivit.) Irving était comme un homme qui voit toute sa famille éliminée sous ses yeux. Le choc a failli le tuer.

— C'est toi qui as vu les décors brûler, pas lui, dis-je d'une voix douce, car je comprenais à quel point il se sentait impliqué, lui pour qui le Lyceum avait eu une importance aussi grande que pour Irving. Et ta vie aussi dépendait du théâtre. »

La main qui tenait la mienne la broya presque.

« J'avais songé à me retirer, tu te rends compte ? Il faut dire que j'étais las des réceptions incessantes, des folles dépenses, et de l'impossibilité où je me trouvais de les contrôler. Vers la fin, j'avais l'impression de me tuer à la tâche en essayant de freiner Irving, de réduire les frais, d'avoir des comptes en équilibre. J'étais épuisé. En fait, la semaine de l'incendie, un autre de mes romans était publié – un ancien, et pas l'un des plus réussis, c'est vrai, mais, si je voulais me libérer, j'avais besoin de cet argent. Malgré tout, pendant que j'étais encore en pourparlers avec les compagnies d'assurances et que je me battais pour éviter un procès, Irving est tombé malade : pneumonie et pleurésie. Il a été alité deux mois. Alors, dit-il en poussant un profond soupir, il a fallu que je mette mes grands projets en veilleuse.

— Tu es donc resté, murmurai-je avec sympathie percevant la déception qu'il avait dû éprouver. Comment as-tu réussi à tenir ?

— Tu n'es pas au courant ? fit-il en levant les yeux vers moi. Irving a vendu le Lyceum. Sans m'en informer. »

Je le regardai, effarée de la duplicité qu'impliquait pareille transaction. Certes, je n'avais jamais eu la moindre confiance en Irving – rejoignant en cela Florence et Charlotte Stoker –, mais Bram l'avait aimé, ce qui rendait la trahison beaucoup plus grave. Je voulus savoir pourquoi, et ce qui se cachait derrière cette perfidie. Bram me dit que le sujet était devenu tabou et que l'affaire n'avait jamais été expliquée de façon satisfaisante. Le marché avait été conclu pendant qu'Irving était malade et se faisait manifestement du souci quant aux finances du théâtre. Comme par hasard, la vente avait été fixée au moment précis où Bram devait s'embarquer pour New York. Irving ne voulait surtout pas qu'on sache qu'il avait vendu à un consortium, en tout cas pas avant que l'opération soit conclue. Or, c'était un contrat léonin, qui ne tenait aucun compte du fait que le Lyceum était encore en pleine activité. Bram aurait pu obtenir des conditions beaucoup plus avantageuses si Irving l'avait consulté et lui avait laissé entrevoir ce dont il retournait.

D'après lui, la seule explication d'une pareille folie, c'était qu'Irving avait pu se croire mourant. À mes yeux, cela ne constituait pas une excuse. Bram, Ellen et toute la troupe auraient dû faire leurs bagages et laisser le vieux tyran tout seul. Ils n'auraient eu aucun mal à trouver du travail, et cela aurait pu être une bonne leçon pour Irving. Mais Bram secoua la tête. Ils savaient tous qu'Irving était condamné à terme et que, de toute façon, la mort se chargerait bientôt de régler ses affaires.

« Il avait besoin de ses amis autour de lui ; à la fin de sa vie, c'est de fidélité qu'il avait besoin, pas de trahison.

— Pourtant, lui, il t'avait trahi », lui rappelai-je doucement.

Il secoua la tête comme en signe de dénégation, puis dit d'une voix étranglée :

« Je sais. Mais il fallait que je reste jusqu'au bout. Je lui devais ça. Parce qu'à cause du livre, d'une certaine manière, j'ai eu le sentiment d'avoir contribué à sa perte. »

Je protestai mollement et dis qu'il dramatisait ; au fond de moi, je comprenais, parce que je l'avais perçue moi aussi, cette relation entre Irving et la destruction du Comte. Quand Bram évoqua l'enchaînement des événements, je sentis un frisson me hérisser le dos. Les désastres s'étaient succédé, tant et si bien que leur accumulation avait paru être autre chose qu'une simple série de coïncidences malheureuses. Bram avait commencé à regarder derrière lui lorsqu'il rentrait le soir et sentait son cœur battre la chamade au moindre risque de menace ou d'accident. On eût dit qu'Irving et lui devaient maintenant payer au prix fort leurs succès passés. Que des prêteurs invisibles réclamaient leur dû.

Il poursuivit, manifestement mal à l'aise, et avoua qu'il était hanté par le souvenir de ces événements et se sentait coupable aussi parce qu'il avait éprouvé du dépit en voyant le succès transformer son ami en despote. Il avait même parfois souhaité qu'un malheur serve de leçon bien méritée à Irving, et que les choses aillent mal pour qu'il voie où étaient ses vrais amis ; pour lui prouver que lui, Bram, serait encore à ses côtés même dans l'adversité.

« Mais les choses ne se passent jamais comme on le souhaite, évidemment », ajouta-t-il à mi-voix.

J'observai son visage, l'expression de ses yeux, le pli amer de sa bouche.

« Quand tout s'est écroulé, j'ai été anéanti moi aussi. Et je ne me consolais pas à l'idée d'avoir été celui par qui le malheur était arrivé. À cause du livre, dit-il en prenant une inspiration profonde. Le mal était en quelque sorte inscrit dedans, sans que j'y aie pris garde, peut-être, et il rejaillissait sur nous tous. Je ne sais pourquoi, ce récit, qui était au départ une simple histoire de vampire, s'était finalement mué en tout autre chose et, une fois terminé, avait acquis une vie propre, comme si le récit n'était qu'un véhicule, un moyen de communication. Je ne pense pas que le triomphe du bien à la fin ait une importance quelconque. Enfin, si, cela compte, parce que le bien doit normalement tenir le mal en échec et que cela se passe parfois ainsi. Il n'empêche que mon livre a donné vie au mal, lui a permis de s'exercer, lui a donné l'occasion de faire des dégâts. Rien de trop tragique, certes : tantôt un accident, tantôt un incendie, des morts, des doutes, des disputes, des trahisons... »

Je frissonnai, mais non de peur. Une partie primitive de moi-même éprouvait un malin plaisir à savoir qu'Irving avait finalement eu ce qu'il méritait et qu'il avait été puni pour tout le chagrin qu'il m'avait causé. Ainsi qu'à Bram. Et à Florence. Et au petit Noël. Peu m'importait d'où venait ce châtiment et comment il avait été provoqué. Je comprenais d'instinct ce que voulait dire Bram quand il parlait du mal qui rejaillissait. Je pensai à la forte personnalité d'Irving, à son pouvoir magnétique dont j'avais moi-même constaté les effets au cottage. Il provoquait des réactions contradictoires d'attraction et de répulsion, aussi directes et troublantes que la présence du Comte dans le roman de Bram.

« Peu importe ce qui a fait tourner sa chance, dis-je avec brusquerie. Irving avait du talent et du pouvoir, et il a abusé des deux d'une manière très personnelle. Il exploitait les autres, puis les rejetait. Il a trahi ton amitié, ta fidélité, ton talent, et par une aberration due à l'orgueil il a même refusé un rôle qui était un cadeau absolu », ajoutai-je avec un rire forcé, résistant à l'envie d'amasser des charbons sur sa tête. « Qui sait, peut-être que le vieux Comte n'a pas pu supporter l'affront, peut-être qu'il a finalement assouvi sa vengeance ! »

Nous nous quittâmes peu après minuit, pour regagner nos lits respectifs. Bram m'assura qu'il ne s'était pas senti aussi bien depuis des mois et qu'il était sûr de dormir. Loin de partager sa tranquillité, je me tournai et me retournai en pensant au passé.

Lorsque nous nous étions embrassés avant de nous séparer, je m'étais rendu compte que j'aurais vraiment voulu qu'il reste avec moi. Non pour recommencer les jeux auxquels nous nous adonnions vingt ans auparavant, ni même parce que je me sentais seule – ce qui était néanmoins le cas –, mais pour être sûre de son affection, de sa tendresse durable, et encore pour lui offrir en retour un peu de moi-même.

En repensant à ce fameux été, je voyais à présent comment, dans l'ardeur de ma jeunesse, j'avais agi au mépris du bon sens, de la bonne éducation, bref, de tout ce qui était raisonnable, honnête et conforme à l'usage. La conformité n'était pas faite pour moi, et mon destin ne passait sans doute pas par elle ; cependant, en essayant de trouver un chemin plus à mon goût, j'en avais emprunté un qui aurait facilement pu être fatal. Quant à Bram, je ne pouvais m'en prendre uniquement à la malchance ou à l'ignorance. Je m'étais engagée dans cette liaison les yeux ouverts, sans toutefois voir beaucoup plus loin que mon besoin d'être un moment admirée et gâtée, de transgresser, de parvenir à un niveau social digne de moi et, du même coup, de faire un pied de nez à mes origines ainsi qu'aux valeurs morales conventionnelles dans lesquelles elles s'enracinaient. Au bout du compte, la vie – à moins que ce ne fût le destin, la chance ou Dieu sait quoi – avait décidé du prix que je devais payer en retour. Cela pouvait paraître sévère, mais pour l'adoucir, la générosité de Bram m'avait fourni un passeport pour un autre monde, un monde de navires, de commerce et de richesse personnelle. Que l'argent ait été le sien propre ou prêté par Irving, peu importait. Ce qui comptait, c'était qu'il ne m'avait pas abandonnée complètement, qu'il avait pris soin de moi de l'unique façon possible pour lui à l'époque. Et d'ailleurs, il ne m'avait pas séduite. Au départ, c'est moi qui avais pris l'initiative ; quant à la décision d'avoir recours à Nan Mills, c'était la mienne et non la sienne. Irving avait modifié la donne, mais il y avait eu des compensations, même à ma stérilité. Je ne pouvais pas me plaindre que la vie eût été injuste envers moi.

À tout prendre, j'étais extrêmement heureuse de cette nouvelle rencontre avec Bram. Nos conversations avaient dissipé les malentendus. Surtout à propos d'Irving.

Car je revenais toujours à Irving, cette silhouette ténébreuse qui hantait les coulisses de ma vie. Je repensai aux dernières années de la sienne, alors qu'il était aux prises avec la maladie, tout en continuant à travailler, à aller jouer dans toute l'Angleterre. Il avait finalement tiré sa révérence de façon très professionnelle, pendant sa tournée d'adieux en province : après avoir joué *Becket* au Royal Theatre de Bradford, le grand acteur s'était effondré et avait rendu son dernier soupir dans le foyer de son hôtel. C'était au mois d'octobre, un vendredi 13.

Je me souviens d'avoir pensé à l'époque que sa sortie avait été une mise en scène très élégante, tout comme le service funèbre qui avait eu lieu à l'abbaye de Westminster en présence de membres de la famille royale. Mais si ses amis avaient pu être fiers de l'honneur qui lui était fait, pour Bram, la mort d'Irving avait été aussi douloureuse que la mort d'un ami proche de la famille. Après toutes ces années, ce vide soudain avait été rempli par la douleur d'autres morts inattendues. Éprouvé par les deuils, le désespoir, et la difficulté qu'il avait à écrire, Bram avait à peine remarqué que sa santé chancelait. C'est alors qu'il avait eu une attaque et qu'il était resté vingt-quatre heures dans le coma.

J'avais compris que ce coup de tonnerre dans son ciel lui avait causé un choc profond, à lui qui avait toujours été solide comme un roc. Cela expliquait en large part son changement physique. Ni sa parole ni ses facultés mentales n'étaient handicapées, mais sa mobilité avait été sérieusement affectée pendant quelque temps. Il disait qu'il avait toujours été beaucoup trop occupé pour prêter attention au passage des années ; cependant, ces derniers mois, il avait eu tout loisir de repenser au passé et de méditer sur ses erreurs ainsi que sur ses succès.

Florence, m'avait-il confié, avait manifesté un courage insoupçonné. Sa maladie les avait rendus plus proches qu'ils ne l'avaient jamais été, et c'était apparemment grâce à elle qu'il remarchait. Elle l'avait soigné, parfois de force, jusqu'à ce qu'il retrouve sa vigueur et sa santé et, quand les choses étaient au plus bas, elle s'était battue pour l'empêcher de sombrer dans le désespoir. Malgré une pointe de jalousie, je fus heureuse d'entendre cela, et me rendis compte que j'éprouvais de la sympathie pour cette femme. Maintenant qu'Irving n'était plus là, elle avait Bram tout à elle, et était manifestement bien décidée à tout faire pour effacer ces premières années difficiles. Mais une chose que Florence n'avait jamais pu accepter, c'était la succession d'Irving : en possession d'une somme de plus de vingt mille livres, il n'avait absolument rien laissé à son plus ancien collègue et ami. Pas même un objet en souvenir des années qu'ils avaient partagées au Lyceum.

Moi aussi, j'en éprouvai une grande rancœur.

34

Dans les hautes landes à l'intérieur des terres, le soleil brillait sur la neige. Cela se voyait de la route. Mais le brouillard de la veille s'accrochait toujours au sommet de la colline, masquant les ruines de l'abbaye au niveau du sol, si bien que les tourelles et les pignons avaient l'air de flotter sur un nuage laiteux. Le fiacre nous laissa sur la plaine de l'abbaye en plein brouillard dense et glacial. Sous nos pieds, le sol était verglacé. Je remontai le col de mon manteau et regardai les ruines en frissonnant, me demandant si cette visite était une bonne idée, finalement. Je me souvenais de ce premier soir avec Bram, de l'audace avec laquelle nous avions pénétré dans ce périmètre interdit, de l'impudeur avec laquelle je l'avais encouragé, le forçant presque à prendre ma virginité. Je me demandai ce qui avait bien pu me posséder alors.

J'observai Bram du coin de l'œil. Lui aussi regardait l'abbaye nébuleuse entourée d'écharpes de brume ; puis il se tourna vers moi avec un sourire sinueux et complice. Je sentis un amusement involontaire tirailler mes lèvres et, pendant que la voiture s'éloignait avec force grincements, nous entrâmes ensemble au cimetière pour la première fois depuis plus de vingt ans. En dehors du froid, tout paraissait normal, familier, comme si nous étions venus la veille encore, ou seulement quelques mois auparavant, l'été dernier peut-être. Le chemin, couvert de gelée blanche, semblait traître à divers endroits, bien que le sacristain y eût répandu du sel, et nous prîmes soin de marcher à l'extrême bord. Il nous apparut alors en franchissant le porche de l'église que nous y étions venus, mais jamais ensemble.

Depuis notre dernière visite, une grande croix à l'ancienne avait été installée à la mémoire de Caedmon, le poète anglo-saxon. Nous nous arrêtâmes un instant devant elle avant de poursuivre notre chemin d'un commun accord, faisant un détour ici ou là pour lire les inscriptions familières à la mémoire d'explorateurs morts depuis longtemps, de capitaines partis du port en contrebas, ou de marins disparus dans des lieux étrangers, dont les femmes et les enfants avaient appris à supporter seuls les années qui passaient. Je pensai alors à Jonathan et fermai les yeux en sentant la morsure de la mémoire. Plus tard, pensai-je. Plus tard, quand Bram sera parti, j'irai au magasin d'accastillage et demanderai si on a des nouvelles...

Un léger souffle d'air dissipa le brouillard par endroits, ce qui ouvrit le passage à de clairs rayons de soleil. De l'autre côté du port, les toits et cheminées de l'hôtel Royal apparaissaient et disparaissaient tour à tour comme un château de conte de fées ;

mais la nappe froide et grise se renouvelait sans cesse. D'où nous étions, nous ne pouvions voir la mer, ni savoir où finissait la falaise et où commençait l'immensité. Bram avait beau m'assurer que nous étions en sécurité sur le chemin, je le soupçonnais non sans appréhension d'avoir l'intention de s'en éloigner. J'ignorai ses protestations et me pendis à son bras.

« Je veux juste voir si cette vieille tombe couverte d'une pierre plate est toujours là », insista-t-il.

Il y avait un banc tout près, là où le chemin tournait, séparant ce qui devait être jadis deux parties du cimetière.

« Tu ne t'en souviens donc pas ? Là où devait se trouver l'ancien lieu de sépulture des morts du choléra. »

Il désigna du doigt la silhouette indistincte d'un banc public sur un côté du sentier. Derrière, sur la droite, j'aperçus plusieurs pierres tombales illuminées par le soleil, et qui ressemblaient à des soldats à la parade ; mais sur la gauche, on ne distinguait qu'un mur de brouillard. En voyant Bram se diriger de ce côté d'un pas décidé, j'eus le pressentiment très fort d'un désastre imminent. « Non ! » criai-je en me précipitant pour attraper le pan de son manteau. Il s'arrêta net, et je vis qu'à un ou deux mètres plus loin le sol ferme s'arrêtait. Devant nous, l'herbe raidie par le gel avait disparu, ainsi qu'une portion de la falaise.

Cette découverte nous laissa tremblants et figés pendant plusieurs secondes. Puis, avec précaution, cramponnés l'un à l'autre, nous rebroussâmes chemin. Le banc sur lequel Bram m'avait jadis si souvent attendue nous offrit une halte bienvenue.

« À ton avis, cela fait combien de temps que ça s'est effondré ? murmura-t-il à mi-voix.

— Je ne sais pas, répondis-je avec circonspection. Il en tombe toujours de petits bouts.

— Je suppose que la tombe de Lucy a dû disparaître il y a des années... »

En me voyant hocher la tête, il me serra le bras et dit :

« Merci de m'avoir arrêté. J'étais tellement persuadé de savoir où elle se trouvait.

— Avec ce brouillard... » dis-je pour faire bonne contenance, mais instinctivement j'avais senti comme une présence inquiète, le fantôme d'Irving, peut-être, ou même l'esprit sans repos qui avait donné naissance à ce roman que l'acteur appréciait si peu.

« Je regrette de ne pas l'avoir laissé ici, au milieu des tombes de la falaise est », m'avait dit Bram la veille à propos de ce récit troublant. Ce matin, je partageais son point de vue. Nous étions tous deux transis, et frissonnions, à la fois de peur rétrospective et de froid. Cela nous parut une bonne idée d'aller nous abriter dans l'église, dont je ne connaissais pas très bien l'intérieur, finalement. Elle avait beau être très ancienne, je ne l'avais guère fréquentée, tant par hostilité opiniâtre vis-à-vis des habitudes établies que par convenance personnelle. Pourtant, sitôt le porche franchi, j'eus l'impression qu'une atmosphère accueillante nous entourait. L'intérieur ressemblait moins à un lieu de culte qu'à un vieux voilier encombré entouré de galeries vétustes, de stalles, et de toutes sortes de meubles du XVIIIe siècle. Les fenêtres étaient simplement plombées, et des châssis vitrés s'ouvraient dans un toit presque plat qui avait sûrement été conçu pour résister aux féroces tempêtes du nord-ouest. J'eus le sentiment que cette église se dresserait là jusqu'à ce que la falaise s'effondre sous elle et que, même alors, elle voguerait comme une robuste goélette sur les océans pour l'éternité. Trouvant une stalle ouverte, nous y prîmes place avec soulagement, notant les détails extraordinaires du décor. En baissant les yeux, j'aperçus dans la boiserie le tracé ferme et net d'un petit brigantin qui y avait été gravé.

Il y avait tant de force et de vie dans le dessin que je souris ; et Bram aussi, qui demanda :

« Qui a gravé ça, à ton avis ?

— Un constructeur qui s'ennuyait au milieu d'un sermon interminable », fis-je, partagée entre le rire et les larmes.

Cela nous amusa et Bram me serra la main. Il se tourna vers moi et me regarda avec une tendresse moqueuse, et je vis que lui aussi était ému. Il avait commencé à me poser une question lorsque, derrière nous, une porte se ferma. Le bruit nous figea, et il nous fallut un instant avant de nous retourner pour voir qui avait pénétré dans l'église. Il n'y avait personne. Le porche était désert. Personne dehors non plus. Le brouillard se dissipait rapidement et s'affaissait comme une meringue soufflée au niveau des toits au-dessous de nous. Je me dis que nous avions dû mal fermer la porte en entrant, encore que cette explication me parût en l'occurrence fort peu convaincante, et je trouvai étrange que nous n'ayons vu personne s'éloigner. Je me sentis mal à l'aise, mais après avoir regardé tout autour de nous Bram affirma que ce n'était sans doute rien. Et puis, il voulait aller inspecter de nouveau le bord de la falaise pour vérifier de ses propres yeux la disparition de la tombe de Lucy. Bien que sous le soleil le paysage eût un aspect fort différent, j'éprouvais une certaine réticence à retourner dehors.

Nous gagnâmes prudemment l'extrémité du cimetière, en regardant sous différents angles le paysage, jusqu'à ce qu'enfin nous ayons la certitude que l'effondrement avait eu lieu quelque temps auparavant déjà. La vieille tombe avait disparu, ce qui fut un grand soulagement, mais nous entendions le ressac de la mer contre les rochers, un bruit qui avait la régularité d'un battement de cœur.

Dans l'air froid et calme, nous restâmes debout sans parler, à quelque distance l'un de l'autre, comme si nous nous tenions au bord d'une tombe ouverte. Bram changea sa canne de main et tira sur le bord de son feutre noir. Au bout d'un instant, il articula d'une voix lente :

« La possession est-elle un mot trop fort ? Ou était-ce juste une fascination malsaine ? »

En me remémorant l'état d'esprit qui était le sien cet été-là, et tous les moments que nous avions passés ici à effleurer de nos doigts les pierres rongées par le vent, je compris ce qu'il voulait dire. Pendant une période, les morts avaient fait partie de notre vie ; les créatures nocturnes avaient marché dans notre sillage au clair de lune, de vieilles superstitions avaient resurgi, et le sang avait pris un sens nouveau : j'étais depuis paralysée par la peur lorsque je me coupais ; je n'aimais pas les cimetières et je ne sortais plus jamais au clair de lune.

J'articulai avec effort :

« Peu importe à présent. C'est fini. Ils sont tous morts, y compris Irving. Tu es libre et moi aussi. Nous avons survécu.

— Tu as raison. Et maintenant, Lucy aussi a disparu.

— Tu le regrettes ?

— Non, absolument pas, dit-il catégoriquement. Je suis soulagé, plutôt. Délivré, oui, c'est cela : j'ai l'impression que l'effondrement de la falaise m'a ôté un grand poids. J'aimerais penser que la mer a tout emporté, et ma culpabilité aussi. »

Sa légèreté soudaine me fit plaisir, et je restai là à regarder la brume se dissiper sous le soleil, à écouter la mer.

« À propos, dis-je, ce nom que tu lui as donné dans le livre... ?

— Lucy Westenra ? (Il me fit un grand sourire en me pressant la main.) Tu n'as pas deviné ? Toi qui as remarqué tant de choses, je croyais que tu aurais aussi résolu ce petit mystère. Lucy Westenra : lumière du soleil couchant...

— Ah ! Oui, je vois... »

Je souris en me rappelant les couchers de soleil sur la falaise, et comprenant enfin ce nom de famille qui m'avait toujours intriguée.

Je levai les yeux, souriant encore, et avisai au loin dans le transept nord de l'abbaye un homme en noir qui nous regardait. Il était trop loin pour que je distingue son visage, mais il avait une allure étrangement familière. Une confuse inquiétude me fit battre le cœur. Était-ce un homme réel ou un fantôme ?

« Il y a quelque chose qui ne va pas ? me demanda Bram en voyant mon sourire s'évanouir.

— Rien, dis-je d'un ton brusque. Si nous rentrions ? »

En rebroussant chemin, je vis que l'homme avait disparu, ce qui me troubla encore plus. Je n'eus qu'une envie alors : être de retour à l'hôtel, où un bon feu et du café chaud pourraient dissiper ces peurs opiniâtres.

Lorsque vint pour Bram le moment de rassembler ses bagages et de prendre congé, j'eus le sentiment que l'heure était venue trop vite. Nous avions passé deux jours ensemble, deux jours intenses où le chagrin et la colère avaient finalement donné de bons fruits ; deux jours où le mal fait vingt ans auparavant avait été expié. Je me sentais émue, épuisée, et comme vidée ; pourtant, en ces derniers instants, je ne voulais pas qu'il me quitte, je ne voulais pas me retrouver seule. Il me connaissait parfaitement, avec lui je n'avais pas besoin de jouer la comédie. Je souhaitais même... mais non, il était inutile de formuler quelque souhait que ce fût. Mieux valait laisser les choses telles qu'elles étaient. Nous savions tous deux sans qu'il fût besoin de le dire que lui et moi appartenions à une autre vie, et que nous ne devions jamais être ensemble dans celle qui était la nôtre désormais.

Conscients du lien qui nous unissait, nous nous embrassâmes tout naturellement, et avec une tendresse complice. En me souvenant de notre première étreinte, je me cramponnai à lui et ses bras se resserrèrent autour de moi. Je sentis la douceur de sa barbe quand sa joue toucha la mienne et la chaleur de son haleine quand il m'embrassa. Son contact était rassurant et familier, j'avais l'impression qu'il avait la solidité du roc proverbial et j'aurais voulu qu'il ne parte jamais.

« Je sais, je sais, souffla-t-il, mais tu ne veux pas de moi, ma chère Damaris, plus maintenant. »

Il m'embrassa de nouveau, avec beaucoup d'affection, puis, comme l'aurait fait un père quittant sa fille, il m'éloigna de lui fermement et dit : « Tu es encore jeune et belle, et une grande partie de ta vie est devant toi. Pour l'amour du ciel, ne reste pas veuve, ce serait du gâchis. Va en Australie, va voir ton frère, profite de ta vie !

— Oui, je te le promets ! »

Je me sentis alors coupable de n'avoir pas évoqué Jonathan. *La prochaine fois*, promis-je silencieusement à Bram, *quand je l'aurai retrouvé, je te parlerai de lui*. Je réussis à sourire, et même à rire un peu de ma propre sentimentalité en essuyant une larme.

« Nous nous reverrons à Londres, dis-je. Je te tiendrai au courant de mes projets.

— J'y compte bien, répondit-il d'une voix faussement sévère. Et n'oublie pas que j'ai ton adresse ! »

Là-dessus, nous nous quittâmes. De mon balcon, je le regardai partir. Il leva la tête et souleva son chapeau pour me saluer, et du fiacre me fit encore un signe de la main. Puis il disparut. Pas pour toujours, cette fois-ci ; et je savais que lorsque nous nous retrouverions, ce serait comme des amis et non plus des amants, ni comme des ennemis. Tout était rentré dans l'ordre et je m'en réjouissais.

Après le départ de Bram, Alice voulut s'occuper de moi, mais il ne nous restait plus guère de temps, même pas celui de déjeuner. L'heure de l'enterrement du grand-oncle Thaddeus à la baie de Robin-des-Bois approchait, et si je me couchais je ne pourrais pas m'y rendre. Je me reposerais donc plus tard, lui dis-je.

Je sortis pour marcher un peu le long du port, car il faisait beau, et, en sentant les vieux souvenirs m'assaillir, j'aurais voulu pouvoir disposer de toute la journée. Je passai les éventaires de poissons du quai Neuf et m'arrêtai quelques instants pour regarder les rangées de morues et de turbots, respirer la merveilleuse odeur de sel, me demandant pourquoi je l'avais tant détestée jadis. Mais, en observant les mains rouges et gercées des filles et des femmes qui tenaient ces éventaires, je sentis la douleur de leurs engelures sous mes jolis gants de cuir. Je vis l'inquiétude qui se cachait en permanence derrière leur sourire et me rendis compte de la vie privilégiée que j'avais menée comparée à la leur. Appuyée à la balustrade du port, j'écoutai les voix, les cris des oiseaux de mer qui se mêlaient au bruit de scies et de marteaux venant de l'autre rive. Le froid brouillait ma vision. Je respirai l'odeur de la vapeur, des copeaux de bois et de la toile mouillée qui montait des bateaux que l'on remettait en état et qu'on radoubait en amont et en aval de l'Esk, et je pensai non sans inquiétude à Jonathan. Ce fut à contrecœur que je me dirigeai vers la gare et le train en partance, alors que je n'avais qu'une envie : traverser le pont, entrer chez Markway et entendre les réponses à mes questions.

Il y avait beaucoup de monde à la gare. J'avisai plusieurs hommes vêtus de noir et des femmes bien charpentées dont j'examinai le visage, cherchant à identifier mes parents Sterne. Je remarquai deux ou trois voyageurs qui pouvaient être de la famille ; peut-être m'avaient-ils reconnue, mais je n'en étais pas sûre. Nous échangeâmes néanmoins des saluts de courtoisie. Une fois arrivés à la Baie, un groupe informel se constitua et se dirigea du même pas vers la maison des Hauts de la Rampe, qui était pleine à craquer.

L'assemblée réunie pour l'enterrement de Thaddeus Sterne n'avait aucun rapport avec le cortège funèbre de Bella Firth. On avait fait honneur à la mémoire de mon oncle en respectant les us et coutumes de jadis. Tous les parents par le sang avaient été invités, ainsi que les amis, les collègues et des représentants de chaque famille de la Baie. Il y avait en quantité de quoi manger et boire pour les invités, qui entraient pour bavarder, présenter leurs condoléances et se restaurer en attendant le moment de se rendre à la cérémonie. Vers deux heures, le cortège se forma et le cercueil fut hissé sur les épaules robustes de six des plus proches parents masculins du grand-oncle. La longue procession suivait derrière, gravissant la côte raide qui serpentait jusqu'à la petite église ancienne, à un kilomètre et demi de là.

Il devait y avoir au moins trois cents personnes. On aurait dit un pèlerinage médiéval. J'avais oublié cette impression de douleur et d'humilité, ce sentiment d'honorer les morts, qui, pour moi, ne revenait pas simplement à honorer Thaddeus Sterne, mais l'ensemble de ma famille : père, mère, grand-père et grand-mère. Avant, cela n'avait pas été possible : j'étais trop jeune, trop ignorante et je n'avais rien compris. Il en allait autrement à présent. Et mon grand-oncle, dans sa quatre-vingt-dixième année, était le dernier de sa génération. Tout le cortège grimpa la colline au coucher du soleil et se rassembla dans la petite église et au-dehors pour entendre célébrer et applaudir Thaddeus Sterne, une grande figure qui avait vécu sous cinq règnes, de George III à Édouard VII. Non seulement il avait fait son apprentissage comme simple matelot, mais il avait ensuite été patron de navire marchand, armateur, auteur et historien local. Sa disparition serait durement ressentie non seulement à la Baie, mais dans toute la communauté locale.

Je baissai la tête en signe de respect : dans le monde du commerce maritime, j'avais découvert la réputation de sagacité qui était la sienne et, bien que je n'eusse jamais traité directement avec lui (il s'était retiré lorsque j'avais commencé à travailler avec Henry), j'avais été contente de pouvoir dire que nous étions apparentés. Je ne l'avais pas revu après mon mariage, mais nous avions correspondu à l'occasion. Mr Richardson m'avait dit qu'il demandait toujours de mes nouvelles et semblait fier de mes réussites, qui l'amusaient par ailleurs beaucoup.

Amusé ou non, le grand-oncle Thaddeus avait été malgré tout une vieille fripouille, quels que fussent les éloges dont on pouvait le combler. Au fond, c'était un vieux Viking, pensai-je tandis que tout le monde sortait dans le crépuscule d'hiver. Nous nous apprêtions à suivre le pasteur jusqu'à la tombe prévue au cimetière quand soudain des lumières s'embrasèrent. On avait allumé des torches, au moins cinquante, qui flambaient dans la nuit tombante et donnaient à la fin de la cérémonie un air de joie païenne inattendu.

Le cortège parut ragaillardi par la chaleur et les lumières clignotantes, et une fois que Thaddeus Sterne eut été descendu dans sa tombe, il y eut dans l'assemblée moins de larmes que de sourires de triomphe. Même les pelletées de terre finales firent un son allègre en s'éparpillant sur le cercueil. En me remémorant le rôle qu'il avait joué pendant le début de ma vie, je lui adressai silencieusement un adieu mélancolique.

Lorsque je me détournai de la tombe, l'homme qui se trouvait derrière moi me glissa à mi-voix à l'oreille :

« À mon avis, on aurait dû l'emmener au Wayfoot à marée haute, le mettre dans son bateau avec la voile bordée, et jeter les torches à la mer dans son sillage... »

Ce commentaire répondait si bien à ce que je venais de penser que sa pertinence me fit sursauter. Mi-amusée, mi-inquiète, je me retournai, m'apprêtant à voir la physionomie typique d'un Sterne. Quelle ne fut pas ma stupéfaction en découvrant un visage mince, des yeux bruns et vifs, avec des joues glabres et une longue moustache qui masquait presque l'identité de mon interlocuteur. Presque, mais pas complètement.

Clouée sur place, je sentis un sourire me monter aux lèvres ; je ne parvenais pas à croire qu'il était là, en chair et en os. Il me prit alors le bras avec une fermeté qui démentait mes doutes et me conduisit à l'écart, là où les ombres violettes masquaient jusqu'aux arbres rabougris. Pendant une éternité, nos regards se mêlèrent. Enfin il prit mon visage entre ses deux mains et m'embrassa. Ce fut un baiser ardent, profond, rageur même. Puis, reprenant conscience de l'endroit où nous étions, il s'écarta. Quant à moi, j'étais passée dans un univers au-delà de la parole, où tout n'était plus que consentement sidéré et ravi, où les derniers restes de volonté ne commandaient plus que mes mouvements.

Le train était bondé, trop bondé pour permettre la moindre conversation. Il me jeta un regard de temps à autre, mais fixa la fenêtre pendant l'essentiel des quinze minutes que dura le trajet pour Whitby, ce qui était sans doute préférable. Mon sourire devait assurément être beaucoup trop révélateur. À la gare, nous prîmes un fiacre pour franchir la courte distance qui nous séparait de l'hôtel Royal. Je n'osai imaginer ce que pensèrent les employés de la réception qui m'avaient vue partir le matin avec un homme et me voyaient revenir après la tombée de la nuit avec un autre. Mais au point où j'en étais, je ne me souciais plus de ce genre de détail.

Il se souvenait d'Alice et, en arrivant dans mon appartement, il eut le réflexe de fermer à clé la porte de la chambre avant de m'ôter mon chapeau orné d'une aile de corbeau, de me dénouer les cheveux et de me déshabiller. Je ne protestai pas tant j'étais troublée par l'érotisme de la situation. Quant à lui, il ne dit rien, mais même dans l'état de sidération et de ravissement où je me trouvais, j'eus conscience de sa tension, alors qu'il m'enlevait jusqu'à ma chemise. Son calme contrastait de façon alarmante avec la lueur métallique et sombre de ses yeux. Il ne fut pas brutal ; ses gestes étaient décidés et ses intentions claires. Après les multiples restrictions des jours précédents, je trouvai sa vigueur grisante. Quelques instants plus tard, nous étions nus sur le lit et, sans nous embarrasser de préliminaires, nous faisions l'amour avec une intensité furieuse.

Pour l'un comme pour l'autre, la jouissance fut rapide et nous laissa pantelants et assouvis. Il enfouit son visage dans mes cheveux en me tenant étroitement serrée contre lui tandis que je tournoyais à l'infini dans un monde tamisé et semé d'étoiles. Peu à peu, le rythme de sa respiration m'indiqua qu'il était plus calme, et peu à peu je redescendis sur terre moi aussi. Mais mes fantasmes étaient encore trop présents pour me laisser distinguer clairement le réel de l'imaginaire. Il était vivant et en bonne santé, je le sentais contre moi, j'avais le goût de sa sueur sur les lèvres et reconnaissais l'odeur de son corps, mais j'avais peine à croire qu'il était réellement à mes côtés. J'ouvris finalement les yeux et le vis qui me regardait. En souriant, je levai la main pour lisser la ride entre ses deux yeux.

« Jonathan Markway, dis-je en prenant avec bonheur une profonde inspiration, tu es revenu... »

Il suivit du doigt le tracé de ma joue et de mon front et repoussa des mèches folles :

« Damsy Sterne, chuchota-t-il, quand j'ai reçu ta lettre, comment aurais-je pu rester là-bas... »

Mais le froncement des sourcils persistait, ainsi que la lueur sombre de ses yeux. Au bout d'un moment, il s'écarta un peu de moi et dit avec circonspection :

« Ce matin, Damsy, sur la falaise est, tu étais avec un homme. Qui était-ce ? »

Je compris alors que c'était Jonathan que j'avais vu en train de nous observer dans le transept nord, mais lorsque je voulus répondre il tendit la main et mit un doigt sur mes lèvres.

« Je ne t'espionnais pas, je te le promets, enfin, je n'en avais aucunement l'intention. En fait, j'étais allé chez toi, à Londres, et là, on m'a dit que tu venais de partir pour Whitby. J'ai pris le train mais, comme il est arrivé tard, je me suis rendu directement chez mon frère. Ce matin de bonne heure, je suis allé au Royal voir si tu y étais descendue, mais tu étais déjà partie et personne ne savait où. Je ne pouvais pas croire à une telle malchance. J'étais si furieux que je me suis mis à marcher, j'ai retraversé la ville et suis monté sur la falaise est. Mais, en passant dans le cimetière, je t'ai vue, bras dessus bras dessous avec un homme...

— Tu nous as suivis dans l'église.

— Oui, en effet, avoua-t-il d'un ton bourru. Je me suis dit que peut-être il ne se sentait pas bien, cet homme, que c'était un inconnu à qui tu venais en aide. Ce qui n'était pas le cas, n'est-ce pas ?

— Non », répondis-je posément, me demandant comment il avait interprété nos gestes tendres et nos sourires affectueux.

« Qui était-ce, Damsy ? Tu veux bien me le dire ? »

J'hésitai, fermant les yeux pour ne plus voir l'image d'Isa Firth ni les photographies qui avaient été détruites si récemment, et pour ne plus entendre la pointe de jalousie qui perçait dans la voix de Jonathan. Je m'étais obstinée à cacher cette liaison vieille de vingt ans, mais, si lui et moi devions faire du chemin ensemble – ce que j'espérais –, il nous faudrait être parfaitement honnêtes l'un avec l'autre. Je lui raconterais tout. Un jour. Mais pas maintenant. Pour l'instant, il devrait me croire sur parole.

« Je pense t'avoir déjà parlé de lui, dis-je doucement. J'ai été amoureuse de lui autrefois. C'est lui qui a écrit *Dracula*. »